JOURNAL D'UN BOURGEOIS DE PARIS

LETTRES GOTHIQUES
Collection dirigée par Michel Zink

JOURNAL D'UN BOURGEOIS DE PARIS

de 1405 à 1449

Texte original et intégral présenté et commenté
par Colette Beaune

Le Livre de Poche

Cette édition suit le texte de l'édition Tuetey. Mais on a tenu compte des manuscrits de Paris et d'Aix (ce dernier inconnu de Tuetey) et proposé quelques lectures nouvelles. L'orthographe a été systématiquement modernisée. Grammaire et syntaxe n'ont pas été touchées ; on a seulement restitué la forme féminine des pronoms personnels, inconnue de notre auteur. Les dates sont données en style actuel (année commençant au 1er janvier) et non en style de Pâques.

Colette Beaune, ancienne élève de l'École Normale Supérieure est agrégée de l'Université et docteur d'État. Elle a travaillé au C.N.R.S., enseigné à la Sorbonne avant d'être nommée professeur à l'université de Caen. Auteur de *Naissance de la nation France* (Gallimard, 1985), elle est spécialiste d'histoire politique et d'histoire des mentalités.

INTRODUCTION

Le Journal d'un bourgeois de Paris est probablement l'un des textes les plus extraordinaires que le Moyen Âge nous ait transmis. Ce n'est pas un journal, son auteur n'est pas un bourgeois mais le sujet est bien Paris. La plus grande ville d'Occident (200 000 habitants vers 1300) se débat, se révolte, massacre et souffre, prise aux pièges de la guerre civile et de la guerre étrangère. Dans les instants de répit, elle prie, elle pleure, elle crie Noël sur le chemin des processions. C'est le seul acteur du texte. Acteur multiforme saisi dans les rues, les palais des princes ou les délibérations de notre mère l'Université. Notre auteur n'est qu'un guetteur à l'affût des bruits de la ville, un œil qui apprécie la hauteur des tas de neige sur la place de Grève, un nez qui se fronce à l'odeur des pauvres charognes des victimes. Sa vision très impressionniste du monde urbain cohabite curieusement avec un jugement très partisan et souvent borné. Il a des certitudes, le Bien existe, il en est sûr. Puis se multiplient les cadavres abandonnés aux loups et les trahisons quotidiennes. Le doute s'infiltre et gangrène toute assurance. Peut-être le spectacle de la ville n'a-t-il pas de sens, peut-être n'est-il qu'un théâtre d'ombres dont Dieu s'est retiré. Désabusé, le Bourgeois n'a pourtant perdu ni ses facultés d'émerveillement ni l'acuité de son attention au monde. Celles-ci font jusqu'à la fin un étonnant mélange avec la sévérité de ses jugements, dégagés de l'optique chevaleresque comme de toute allégeance monarchique.

Le contexte historique

La France et l'Angleterre sont en guerre depuis 1337. La guerre de Cent Ans a des racines féodales. Le roi d'Angleterre ne peut accepter d'être le vassal du roi de France pour la Guyenne. Il espère toujours récupérer le duché de Normandie, perdu en 1204. Elle a aussi des racines dynastiques. Édouard III est le plus proche parent par les femmes du dernier Capétien direct, les Valois ne sont que des cousins du dernier roi mais plus proches parents par les hommes. Le roi d'Angleterre réclame donc la couronne. À la fin du XIVe siècle, le conflit s'était provisoirement apaisé avec la reconquête de Charles V et les trêves signées avec Richard II. Celui-ci épousait Isabelle de France et devenait le gendre de Charles VI.

Mais en 1392, le roi de France était atteint de folie. Les crises intermittentes encourageaient l'indiscipline des princes. Les frères de Charles V (Anjou, Berry et Bourgogne) voyaient grandir l'ambition du jeune frère de Charles VI, Louis d'Orléans. La reine Isabeau hésitait entre les clans qui déchiraient le Conseil et les petits dauphins (Louis de Guyenne puis Jean de Touraine) allaient tous mourir fort jeunes. Le pouvoir était à prendre et Louis d'Orléans avait la stature et la légitimité nécessaires. En 1405, il évinçait son cousin Bourgogne du gouvernement (et des pensions indispensables au budget de ce dernier). Aux abois, Jean sans Peur le faisait assassiner le 23 novembre 1407. La France basculait dans une guerre civile intermittente coupée de paix fourrées où chaque parti vaincu allait faire appel aux Anglais. À un gouvernement Orléans (1407-1408) succède un gouvernement bourguignon (1413), puis un gouvernement armagnac (1413-1418) et enfin un retour des Bourguignons alliés aux Anglais.

En effet en Angleterre, Henry de Lancastre, appuyé sur le baronnage, avait en 1399 détrôné son cousin Richard II. Le règne d'Henry IV fut trop agité pour qu'on pût penser à une intervention sur le continent. L'avènement d'Henry V en 1413 changeait les données du problème. Excellent administrateur et stratège compétent, le prince allait refaire l'unité du baronnage par des victoires continentales. Le désastre d'Azincourt (1415), suivi en 1416 et 1417 par la conquête de la Normandie, faisait du roi d'Angleterre l'arbitre des luttes de partis en France. En

1418, les Bourguignons étaient entrés dans Paris et y avaient massacré leurs adversaires. Le dernier fils de Charles VI, âgé de treize ans, avait échappé de justesse à l'émeute et s'était réfugié à Bourges. Devant la menace anglaise, on discutait. Lors de l'entrevue de Montereau, en 1419, les gens du dauphin assassinèrent Jean sans Peur. Leur rancœur était compréhensible, mais c'était une grosse erreur politique. Le nouveau duc de Bourgogne Philippe le Bon n'avait plus qu'à s'allier à Henry V. Le traité de Troyes de 1420 divisait la France en trois : la France bourguignonne autour de Paris, la Normandie et les pays de conquête cédés à l'Angleterre et le royaume de Bourges que les alliés espéraient rayer de la carte. Henry V épousait Catherine de France et devenait l'héritier de son beau-père, le jeune Charles en étant exclu « pour ses horribles crimes et délits ». Là-dessus mouraient à trois mois d'intervalle Henry V et Charles VI.

Une situation nouvelle était créée. Le nouveau roi d'Angleterre avait six mois. Le pouvoir était confié pour le continent à Jean, duc de Bedford, qui épousait une princesse bourguignonne et s'installait à Paris. À Londres, il était partagé entre Humphrey de Gloucester et Henry Beaufort, cardinal de Winchester, respectivement frère et oncle du prince décédé. On croyait la victoire proche. Les succès anglais de Cravant et de Verneuil (1423-1424) semblaient l'annoncer. Mais l'enfant roi de Bourges avait plus de ressources qu'il n'y paraissait. Jeanne d'Arc délivrait Orléans en mai 1429 et faisait sacrer son dauphin en juillet. En face, l'entente anglo-bourguignonne était troublée par les prétentions continentales du duc de Gloucester et Philippe commençait à négocier avec Charles VII. La disparition d'Anne de Bedford puis du duc lui-même en 1435 sonnait le glas de l'alliance anglo-bourguignonne. Le traité d'Arras en 1435 fournissait une solution acceptable au roi comme au duc de Bourgogne.

Désormais, la situation était délicate pour l'Angleterre. Privée de généraux compétents, elle se voyait forcée à de très lourds frais pour maintenir une présence continentale qui fondait progressivement. La majorité d'Henry VI se révéla catastrophique. Le roi fut le jouet des factions qui au conseil royal s'opposaient sur la politique continentale. Certains comme Suffolk pensaient qu'il aurait été plus réaliste de traiter avec Charles VII, tandis que la majorité s'y refusait. Ces hésitations furent très préjudiciables à l'Angleterre. Sur le continent, faute de paix, Paris fut perdu en avril 1436 et les trêves de Tours n'empêchèrent pas la reconquête française de la Normandie en 1450 et de la Guyenne en 1453. Sur l'île, l'incapacité du gouvernement d'Henry VI amena à penser au retour au pouvoir des York (descendants plus directs de Richard II). L'Angleterre allait connaître avec la guerre des Deux Roses, dans la deuxième moitié du xve siècle, une situation très comparable à celle de la France dans la première moitié du siècle.

Notre auteur est donc plongé dans une époque troublée où se mêlent guerre civile et guerre étrangère. En outre, la grande dépression économique qui a commencé vers 1330 n'est point encore terminée. Prix très irréguliers et chômage sont le lot des populations urbaines qui ont de la peine à survivre. Enfin, les épidémies, dont le retour spectaculaire a été annoncé par la grande peste de 1348, continuent à frapper régulièrement, empêchant toute reprise démographique. Comme tous ses contemporains, le Bourgeois a vu surgir les quatre cavaliers de l'Apocalypse, la guerre, la peste, la famine et la mort.

Les manuscrits

Nous ne possédons pas le manuscrit autographe de la rédaction originale. Mais il en fut fait, dans la deuxième moitié du xve siècle une copie aujourd'hui au Vatican dans le fonds de la reine Christine (VAT. REG. LAT. 1923). Ce manuscrit appartint vers 1500 à Jean Maciot, bourgeois de Paris et propriétaire d'un autre manuscrit aujourd'hui à l'Arsenal. Par la suite, il passa aux mains d'Étienne Pasquier à la fin du xvie siècle, du président Louvet et enfin de la reine Christine de Suède au xviie siècle. C'est une copie peu soignée, sans paragraphes. Elle est par ailleurs mutilée et la reliure a fait passer l'année 1408 avant l'année 1405. Elle comporte de très nombreuses annotations marginales de lecteurs des xvie et xviie siècles.

Le manuscrit signalé par Delisle en 1893 et aujourd'hui à Oxford (Bodléienne, FR. d. 10) est à peu près contemporain du manuscrit de Rome. C'est une collection d'extraits du Bourgeois couvrant les années 1415-1429 et tous consacrés dans une optique très anglophile aux victoires anglaises sur le continent. Tous les passages sceptiques vis-à-vis de l'Angleterre ont été coupés. À une date inconnue, ces extraits ont été regroupés avec le testament de Marguerite d'Aubigné, épouse de Jean Royrand, sieur de La Claye et Brétignolles, morte en 1512.

Les quatre autres copies que nous possédons sont beaucoup plus tardives. Datant de la fin du XVIe ou de la première moitié du XVIIe siècle, elles sont pour certaines des copies du manuscrit de Rome (B.N.FR.10145 ou Dupuy 275). D'autres en sont indépendantes et présentent des textes plus complets. C'est le cas du B.N.FR.3480 et du manuscrit d'Aix (Méjanes 316) qui permettent de reconstituer l'année 1438 très mutilée dans l'exemplaire de Rome.

Les éditions anciennes sont d'abord partielles. En 1596, Étienne Pasquier utilisait de nombreux passages dans ses *Recherches de la France*. En 1653, Denys Godefroy faisait de même dans son édition de l'*Histoire de Charles VI* de Jouvenel des Ursins. La première édition complète fut celle de La Barre en 1729 d'après le B.N.FR.10145. Elle fut reprise plusieurs fois (Buchon, Michaud et Poujoulat). En 1881, Alexandre Tuetey publiait une édition scientifique sérieuse de l'œuvre d'après les manuscrits de Paris et de Rome, excellente édition malgré l'utilisation d'une transcription de Rome pas toujours fiable et l'ignorance des manuscrits d'Aix et d'Oxford signalés après 1881. Depuis 1930 ont été publiées trois adaptations en français moderne (Mary, Mégret, et Thiellay). Elles ont l'inconvénient d'être fort incomplètes et approximatives. Il y a eu en revanche en 1968 une très bonne traduction anglaise (J. Shirley pour Clarendon Press).

Bien que nous ayons sept manuscrits et plusieurs éditions, le texte du Bourgeois est loin d'être un texte sans problème (problèmes de vocabulaire, passages mal recopiés). Mais la chose la plus gênante est qu'il s'agit d'un texte censuré et ce à deux niveaux.

Des grattages et des coupures ont fait disparaître certains passages volontairement. Ce n'est pas un hasard s'il manque 1407 où le duc de Bourgogne assassine Louis d'Orléans, la fin de 1411 où les Parisiens pillent le château de Bicêtre, l'automne de 1419 où trois pages (le foliotage le prouve) étaient consacrées à la responsabilité du dauphin dans le drame de Montereau. Les pertes sont très importantes dans le début du texte et correspondent aux passages gênants pour la monarchie. Mais le censeur semble s'être découragé par la suite, les coupures deviennent rares et ne semblent plus intentionnelles. Aurait-on cherché au XVIe siècle à rendre conforme au credo monarchique un texte qui sentait le soufre, peut-être en vue d'une édition ? Aurait-on abandonné ensuite un texte rebelle à la normalisation ?

Autocensure aussi. Notre auteur pratique le silence ou la notation allusive pour tout ce qui le gêne, en particulier les défaites de son camp. Première tactique : l'oubli total. Le passage le plus drôle, de ce point de vue, se trouve lors de l'expédition de Reims en 1429. Charles VII remonte vers Troyes et Châlons-sur-Marne. Il se retrouve ensuite à Saint-Denis sans que le sacre (un événement pourtant décisif pour le sort de la guerre) ait même été signalé. Or, on se trouve là au cœur d'un long paragraphe bien enchaîné où les manipulations ultérieures sont peu probables. De même, la paix d'Arras qui réconcilie le roi et la Bourgogne passe à la trappe, puisque notre auteur la désapprouve. Plus subtile est la mise en perspective par la longueur. Le lecteur ou l'auditeur non prévenu croit spontanément importante une bataille à laquelle sont consacrés de longs développements. Or notre clerc escamote les défaites de son camp. Gerberoy est par exemple expédié en quelques lignes, Verneuil (victoire anglaise) fait l'objet de plusieurs pages. Dernier procédé : indiquer l'événement assorti de « Nul ne le sait que Dieu », ce qui évite de prendre parti, ou encore « Je m'en tais ». On ne doit parler ni des événements non légitimes ni des événements moralement choquants (le viol des femmes de la reine par les émeutiers en 1418). Les éphémérides ne doivent fixer que des événements qui méritent d'y être inscrits. En principe, mais en pratique il ne résiste pas au plaisir de raconter quand même. Nous avons donc un texte très curieux, où les manques sont presque aussi importants que ce qui est dit. Il y a un texte en creux non dit derrière le texte.

L'auteur et ses identifications successives

Notre auteur reste anonyme, non qu'il l'ait forcément désiré mais le prologue du texte où l'on indique habituellement son nom, le titre et les intentions de l'œuvre a disparu dans les copies que nous possédons. Mais le texte lui-même n'est pas avare de notations sur sa personne, son environnement géographique ou professionnel. Le nom de Bourgeois de Paris lui a été donné par Godefroy en raison de son amour pour sa ville et pour les moyens ou menus. Par ailleurs, la rédaction de journaux est souvent la tâche de laïcs de la haute bourgeoisie en particulier dans les municipalités italiennes de la fin du Moyen Âge. Mais, Pasquier l'avait bien vu, notre auteur n'est pas un bourgeois, même s'il est bien parisien. C'est un clerc, il l'avoue lui-même. Il n'est pas rare qu'à Paris vers 1400 ce soit encore les clercs qui écrivent les journaux. Nous avons celui de Nicolas de Baye, clerc au Parlement (1400-1417), Clément de Fauquembergue, clerc des Comptes (1417-1436) et Jean Maupoint, prieur de Sainte-Catherine-de-la-Couture (1437-1469). Il appartient donc à une catégorie d'auteurs assez répandue début XVe siècle, les clercs qui font partie d'une collectivité dont ils fixent la mémoire et à laquelle ils destinent leurs œuvres.

Le problème est de savoir laquelle. C'est un clerc de l'Université « notre mère » et probablement un docteur en théologie. En 1446, il signale la visite de Fernand de Cordoue. Le jeune prodige a disputé au Collège de Navarre avec « nous qui étions plus de cinquante des plus parfaits docteurs de l'Université et autres clercs ». Appartient-il à la première catégorie ou à l'autre ? En fait, les docteurs furent réunis au Collège de Navarre et les autres aux Bernardins, il faut donc probablement conclure qu'il était docteur à cette date. Il parle longuement par ailleurs des processions de l'Université, il soutient les grèves qu'elle fait pour obtenir le respect de ses privilèges. Il suit ses prises de position hostiles à Jeanne d'Arc et favorables au duc de Bourgogne.

Notre universitaire appartient aussi à un titre ou à un autre au chapitre de Notre-Dame de Paris. En 1427, lors d'une procession du chapitre à Montmartre, le chapitre et sa compagnie rencontrèrent sous la pluie le cortège du duc de Bedford qui les éclaboussa : « Nous mîmes une heure à rentrer dans

Paris », toujours sous la pluie ! Il signale toutes les processions du chapitre, les tailles auxquelles il est soumis, ses démêlés avec l'évêque Denis du Moulin dont il fait un portrait sévère. Par contre, Jouvenel des Ursins, élu du chapitre et chanoine lui-même, est couvert de fleurs. Le cloître Notre-Dame et les maisons des chanoines face au quai des Ormeaux lui sont bien connus. C'est de là, en regardant vers la place de Grève, qu'il donne la hauteur des inondations de la Seine.

Universitaire, chanoine ou simple chapelain, notre homme occupait des fonctions dans le clergé parisien qui desservait les paroisses de la rive droite. Il s'intéresse au tarif des messes, au port du viatique dans les périodes d'épidémie, à l'interdiction du chœur des églises aux mendiants, aux femmes et aux clercs non tonsurés. Les paroisses dont il parle sont situées soit autour de la place de Grève (Saint-Jean-de-Grève, les Billettes), soit entre la rue Saint-Martin et la rue Saint-Denis qui mènent vers le nord aux portes du même nom (Saint-Jacques-de-la-Boucherie, Sainte-Catherine-du-Val-des-Écoliers, les Innocents, Saint-Leu et Saint-Gilles et Saint-Nicolas-des-Champs). De 1436 à 1449, l'église et le cimetière des Innocents sont un souci constant ; interdit, reconstruction, chapelles de confréries, nouvelles recluses ou processions solennelles. La vie quotidienne de la paroisse l'intéresse, probablement parce qu'il y est impliqué à un titre ou à un autre.

Il n'est pas exclu non plus qu'il ait eu affaire avec l'hôtel de la reine Isabeau entre 1417 et 1435. Il consacre de nombreuses lignes à l'état de sa maison, juge sa conduite avec faveur et nous donne le seul récit que nous ayons de sa mort. Mais il est difficile de dire s'il s'agit de plus qu'un simple intérêt.

Nous connaissons donc bien son milieu et son profil. Il était tentant d'aller plus loin, et de lui trouver une identité. En 1878, A. Longnon, dans la foulée de son livre *Paris sous la domination anglaise*, proposait Jean Beaurigout, curé de Saint-Nicolas-des-Champs, dont nous ne savons pas grand-chose. D'autres préféraient le théologien Jean de l'Olive qui fit le rapport officiel sur la dispute avec Fernand de Cordoue. Le *Journal* parle avec faveur de ses activités, mais sans qu'on puisse y voir une preuve réelle. Le prologue de l'édition de Tuetey proposait un auteur d'une tout autre stature : Jean Chuffart, chambrier du chapitre, chancelier de l'Université et serviteur d'Isabeau qui cumulait de nombreuses prébendes sur la rive droite. Moins de cinq ans après, l'article consacré, dans le quatrième volume du *Chartularium universitatis parisiensis* de Denifle, à Chuffart prouvait que ce dernier n'avait pu écrire le *Journal.* Grand voyageur, souvent absent de Paris, alors que notre auteur en bouge peu, présent au concile de Bâle dont il ignore tout, Chuffart est un décideur qui correspond mal à notre auteur, mal informé de ce qui se passe dans les cercles dirigeants, prisonnier de rumeurs incontrôlables, spectateur de l'histoire plus qu'acteur. À vrai dire, sauf découverte de documents nouveaux, nous ne saurons pas qui est notre Bourgeois et cela n'a guère d'importance. Nous en savons déjà beaucoup par l'examen de l'œuvre.

L'œuvre

Qu'a voulu faire notre auteur ? Les éditeurs appellent traditionnellement cela un journal, mais nous ignorons quel titre il voulait donner à son œuvre. « Mémoires » conviendrait tout aussi bien. Comme on l'a vu plus haut, c'est parce qu'on le croyait bourgeois qu'on a dénommé son œuvre journal. Il n'est d'ailleurs pas sûr que cela en soit un. A-t-il rédigé chaque soir ses réflexions du jour, ce qui supposerait que chaque remarque soit contemporaine de la date qu'il lui donne ? Ce n'est pas du tout sûr. Il y a un procédé de composition global plus que des notes journalières mises bout à bout. Il est difficile à cerner dans la mesure où il nous manque le début et la fin de l'œuvre et où nous n'avons pas le manuscrit original. Tel quel, il raconte les années 1405 à 1449. Allait-il de 1400 à 1450, d'une année jubilaire à une autre ? À l'intérieur de ces limites, la matière est ordonnée de Pâques à Pâques (le style de Pâques est le plus utilisé à Paris), mais aussi en fonction des grandes fêtes du calendrier liturgique parisien qui forment l'ossature du texte. Il inscrit d'abord ce qu'on pourrait appeler les fastes laïcs et ecclésiastiques de la cité. Pour les laïcs, il donne les entrées et sorties de charge des rois ou régents, du chancelier, du premier président du Parlement, du capitaine de la ville, du prévôt royal, du prévôt des marchands et des quatre échevins. Pour les clercs, nous avons les papes, tous les évêques de Paris et un certain nombre d'abbés des grandes abbayes parisiennes.

Les notations sont à ce point précises que les listes des échevins de Paris au XVe siècle sont faites en partie d'après ce texte. S'inscrivent à un deuxième niveau les processions, les cérémonies universitaires, les entrées royales. À un tout autre domaine appartiennent les notations sur le climat, le prix des denrées, le nombre de morts des épidémies (en général exacts malgré une tendance à retenir le chiffre le plus élevé). Enfin, il insère, lorsqu'il trouve que l'occasion en vaut la peine, de grands récits d'une rhétorique complexe et calculée qui nécessitent une écriture soignée et déborde le système habituel rythmé de paragraphes courts (« en cestuy an, item..., item... »). Les sujets en sont variés : entrées royales, scènes de batailles mais aussi sermons (sur Jeanne d'Arc) ou grandes allégories (1418) et même farces ou exempla. Ces morceaux de littérature savante demandent du temps et du travail. À deux reprises, le délai entre les faits et l'écriture apparaît. À propos du sire de Guitry, il écrit à 1420 que celui-ci fit depuis bien des tyrannies. Or Guitry est mort en 1424, ce qu'il ignore. Le passage sur 1420 a donc été écrit entre 1420 et 1424. Délai plus court pour 1431 : il ignore en mai 1431 que le jeune Henry VI va bien venir en France en décembre. Le passage sur mai a donc été écrit entre mai et fin novembre. Il faut donc plutôt distinguer plusieurs niveaux d'écriture : sa base calendaire et liturgique, des notes courtes, des récits rhétoriques et une révision finale. Celle-ci était prévue. Notre auteur a laissé des blancs là où il pensait pouvoir trouver noms ou dates manquantes. Elle n'a pas été faite. Il s'en suit des incohérences de détail. L'exécution de Sauvage de Frémainville est racontée deux fois à deux années différentes. Certains appels (« comme je l'ai dit plus haut » ou « comme je l'expliquerai plus tard ») ne correspondent à aucun passage que nous ayons conservé.

Sa documentation ne va pas de soi. Certes, il a beaucoup vu et entendu. Il a assisté à nombre des cérémonies qu'il décrit, il a été voir les Bohémiens, il a écouté les sermons de frère Richard. Nous n'avons aucune raison d'en douter. Ses connaissances sur les prix et les ordonnances monétaires sont normales pour un clerc gestionnaire, son intérêt pour les épidémies est lié à son rôle d'assistance aux morts, de gérant de la charité. C'est un témoin bien informé et un bon témoin, partialité mise à part. Mais notre auteur est plus qu'un témoin. Il est le seul de sa génération à s'être intéressé au témoignage oral. Il est sans cesse en quête des rumeurs et murmures. La rumeur est omniprésente dans son œuvre (vraie, fausse ou sans fondement). Il l'introduit toujours à l'anonyme : on disait, le peuple disait, ils disaient (sans antécédent). Il y a des rumeurs moqueuses. Les soldats chassés de Lagny seraient revenus faire leurs pâques à Paris ! Il y a des rumeurs explicatives : Sauvage de Frémainville aurait été exécuté « parce qu'il avait tué un évêque au pays de Flandre ou de Hainaut ». Il y a des rumeurs accusatrices, sur l'argent qu'aurait reçu ou versé tel ou tel pour trahir. La rumeur est la mère de l'émeute urbaine quand elle se transforme en « murmure ». Aussi est-elle très surveillée : espionnage, bannissement des bavards impénitents. Elle joue contre le gouvernement ou contre les gros et puissants. La rumeur est l'arme des faibles. Variée (« aucuns disaient... mais les autres affirmaient... »), elle ne repose parfois sur rien. On s'effraie soi-même et on se monte la tête. Une fois, notre clerc est pris lui-même au jeu des rumeurs. Son récit des émeutes de Paris et de Soissons en 1418 le prouve. Les partisans armagnacs de ces deux villes avaient été massacrés en grand nombre et plus que sommairement. Après leur mort, il devint nécessaire de prouver qu'ils avaient eu l'intention de tuer ceux qui les avaient tués, d'où des rumeurs autour d'objets maléfiques : étendard au dragon, monnaies à l'étoile à Paris, sacs à noyer les gens à Soissons. Or notre auteur y croit. Il introduit par : « Vrai est que... » et assure que sous la torture certains accusés l'ont avoué. Il fut là le jouet de sa source et le partisan l'emporta sur le témoin.

À côté des sources orales, il utilise des documents écrits sans les mentionner ouvertement. Les ordonnances royales sont criées dans les rues et, pour certaines, affichées, chaque exécution est précédée de la lecture des motifs de la condamnation. Les paix, les traités et de nombreuses mesures administratives font aussi l'objet de proclamation. Notre clerc pouvait aussi fouiller les archives du chapitre. On le voit ainsi résumer l'accord de paix de 1418, la lettre de Jeanne d'Arc aux Anglais, celle du duc d'Alençon aux Parisiens en 1429, deux sermons sur Jeanne d'Arc prononcés en 1431 (l'un à Rouen, l'autre à Paris), un sermon sur la Fête-Dieu. Par ailleurs, bien qu'il ne le dise pas, il utilise probablement une liste des morts et des prisonniers d'Azincourt (nous en possédons plusieurs), des récits du siège de Meaux ou de la bataille de Verneuil d'origine anglo-bourguignonne. Pas mal de ces récits sont proches des sources d'Enguerran de Monstrelet. Il raconte la prise de Meaux ou la réception de Fernand de Cordoue de manière presque identique. Tant le chapitre que l'Université recevaient régulièrement des autorités des sortes de circulaires toujours plus explicites sur les victoires que sur les défaites. Il n'y a en revanche aucun récit proche de l'historiographie armagnacque ou royale. Dans ses sources comme dans ses opinions, notre historien est bourguignon.

La culture du Bourgeois est discrète. C'est évidemment surtout une culture cléricale. Il n'y a rien d'étonnant à ce qu'il cite sans les signaler la plupart du temps de nombreux passages des Évangiles, des textes prophétiques (avec une préférence pour Jérémie), des Psaumes et de l'Apocalypse. Beaucoup de passages sont relatifs à deux images fondamentales. Les malheurs de Paris sont comparés à travers tout le texte aux malheurs de la ville de Béthulie assiégée par les Assyriens d'Holopherne ou à ceux de Jérusalem dont les habitants furent emmenés en captivité à Babylone. La ville de la nouvelle alliance est en proie à la fureur de ses ennemis permise par la colère de Dieu mais, comme ses archétypes, elle sera sauvée et évitera ainsi la destruction. Pour évoquer les malheurs de sa ville, notre clerc aurait pu recourir à la chute de Rome ou à celle de Troie qu'il connaît, mais Paris est cité sainte autant que menacée. Il émaille son récit de nombreuses références liturgiques à des prières, certaines très courantes (Ave Maria, Notre Père, Te Deum), ou à des hymnes plus rares, le Subvenite des messes des morts, l'introït de tel ou tel dimanche qui supposent une connaissance pratique des liturgies parisiennes du XVe siècle. Ses connaissances en comput sont correctes. Il manipule avec maestria (mais peut-être d'après des tables) le système complexe des lettres dominicales et la fixation des fêtes mobiles à partir de Pâques.

Sa culture antique n'est pas d'une précision éblouissante mais elle existe. La Faculté des Arts donne d'utiles points de repère. Pour la Grèce, il connaît la guerre de Troie, la légende de Calchas et le retour d'Ulysse à Ithaque, probablement d'après Guido da Columna. De Rome, il ne connaît que les triomphes des généraux romains, les persécutions de Néron, Dèce, Dioclétien et Maximien, ce qui veut dire qu'il suit Orose ou un résumé de celui-ci. Rome ne l'intéresse pas en soi mais comme cadre de la naissance de l'Église. L'Orient lui est inconnu, sauf la pratique perse d'incinérer les guerriers morts avec leurs chevaux (brûler ce qui a une âme avec ce qui en est dépourvu le choque).

À vrai dire, il partage aussi la culture laïque ambiante, répandue par les grandes encyclopédies ou par les spectacles. Ce qu'il sait des saints patrons de Paris, saint Denis ou sainte Geneviève, vient intégralement de la *Légende dorée* de Jacques de Voragine, qu'il cite. L'histoire des stigmates de saint François peut en venir aussi. Par contre, la légende du miracle des Billettes est proprement parisienne et ne date que de la fin du XIIIe siècle. Il la connaît par les sermons ou par les reliques de Saint-Jean-de-Grève ou des Billettes. Il ignore quasiment tout des saints postérieurs à 1300 : Vincent Ferrier et Bernardin de Sienne ne sont cités qu'à travers frère Richard. Sa piété est très traditionaliste et fortement ancrée à Paris. Sa culture laïque est pauvre, probablement parce qu'il s'agit majoritairement d'une culture nobiliaire, et notre auteur n'aime pas les nobles. Ganelon qui trahit Roland est le type même du traître. La matière de Bretagne est évoquée par la comparaison entre le royaume et la Terre Gaste. Le seul texte littéraire récent qu'il connaisse est l'*Histoire des Neuf Preuses*. L'*Histoire des Neuf Preux* composée par Jean de Vauguyon au XIVe siècle fixait une liste de neuf héros, trois chrétiens, trois juifs et trois païens. Sur ce modèle fut construite plus tard une liste féminine autour de Sémiramis. Mais Sémiramis (Agnès Sorel) est pour lui un antimodèle, objet d'une désapprobation sans nuance. Son histoire de France est des plus floues. Clovis fut le premier roi chrétien en France, les Mérovingiens se divisèrent entre eux puis vint l'empereur Charlemagne. Cela ne nécessite guère qu'un manuel de chronologie. Il est par contre plus compétent en histoire récente. Il est capable de lire une généalogie des rois de France remontant à Saint Louis, d'identifier à leurs armoiries tous les frères de Charles V, de parler du sacre et des obsèques de ce dernier d'après « aucuns anciens ». Culture d'un Parisien de l'élite cultivée, en fait fort moyenne pour ce qui est de l'histoire et de la littérature, précise en matière biblique et liturgique car c'est là une culture professionnelle et quotidienne, tellement assimilée qu'il en utilise les mots comme siens.

Spontanément, on pourrait penser qu'il écrivait pour lui et

expliquer ainsi la hardiesse de certaines prises de position. Alors pourquoi rédige-t-il son récit comme s'adressant à d'autres? (Vous auriez vu, vous auriez ouï, voyez comme tout allait...) Tout cela fait penser à une lecture à haute voix devant un auditoire. Cette formulation disparaît après 1436 où il n'y a plus aucune allusion à un public. Ce public ne pouvait guère être nombreux: ses collègues du chapitre ou de l'Université, aptes à apprécier de beaux morceaux d'éloquence. Après 1436, ils se rallient au roi; notre clerc, lui, reste violemment hostile à Richemont et à Charles VII. Privé de son public, il écrirait alors pour lui, sans modifier pourtant son écriture.

Le monde du Bourgeois

Le monde politique du Bourgeois est fort manichéen. Il est persuadé que le temps de la paix, de la joie et de la prospérité est derrière lui. Les règnes de Saint Louis et de Charles V sont des paradis perdus. A l'inverse, son époque est troublée, elle précède la fin des temps et l'Antéchrist est peut-être déjà né à Babylone. Alors, le Bien et le Mal se livrent un combat inégal, en deux camps nettement distincts. Dieu répand sa colère sur le monde pécheur. Quel est le péché originel qui a provoqué la colère de Dieu et la fureur de la Fortune? S'il était armagnac, il dirait: le meurtre du duc d'Orléans. Il ne l'est pas et s'en tient à l'imprécision: lascivité et négligence des princes qui prennent le jour pour la nuit et préfèrent les jeunes conseillers à ceux d'âge mûr. Dieu les punit en les laissant mourir sur le champ de bataille d'Azincourt ou dans les émeutes parisiennes de 1418. Le meurtre de Montereau lui fournit après 1419 un péché originel plus crédible. Les Armagnacs n'arrivaient à rien et perdaient toutes les batailles à cause du meurtre de Montereau. Lorsque le sort de la guerre change, il n'en conclut pas que Dieu pardonne aux Armagnacs, mais que les Anglais ont commis une autre faute originelle, en pillant le sanctuaire de Cléry. Le sort des guerres est donc soumis globalement au jugement de Dieu, même si les caprices de la Fortune peuvent temporairement en brouiller le dessin.

Les camps du Bien et du Mal se reconnaissent au premier chef par des noms. Ceux qu'ils se donnent eux-mêmes et ceux qu'on leur donne ne coïncident pas obligatoirement. Les « autres » sont d'abord les princes, les seigneurs de France (1405-1408), les gens du duc de Berry (1410), ceux qui portent la bande (1410), ceux de la bande (1410). L'expression « les Armagnacs » apparaît dès 1411, agrémentée de qualificatifs variés dont le plus sympathique est « faux traîtres ». Après les émeutes de 1418, il adopte « les Armagnacs » sans autre précision jusqu'en 1434 où, brusquement, apparaît le nom que les autres se donnent (« ceux qui se disaient Français »). En 1434-1435, il hésite entre « Armagnacs » et « Français ». En janvier 1436, il parle des « Français ou Armagnacs ». Le terme « Français » ne s'impose pour lui qu'avec l'entrée dans Paris.

Leur chef passe par les mêmes phases de discrédit puis de reconnaissance progressive. En 1416, le jeune comte de Ponthieu assiste aux obsèques de son aîné Louis de Guyenne. Le Bourgeois le qualifie gentiment de « un autre » (!). Lors des émeutes de 1418, il est « le dauphin », mais pas pour longtemps. Si le meurtre de Montereau ne fait pas disparaître sa qualité de dauphin, il n'est plus après le traité de Troyes en 1420 que le « soi-disant dauphin ». Il est d'ailleurs presque absent de notre texte. Les négociations s'ouvrent en 1431. Il est alors « Charles qui se dit roi de France » et l'expression « le roi Charles » ou « le roi de France » ne réapparaît qu'avec l'entrée dans Paris.

Côté bourguignon, c'est plus simple. Le duc de Bourgogne est toujours « le duc de Bourgogne » ou le « bon duc ». Le terme « bourguignon » n'apparaît que très tardivement, en 1417, et le Bourgeois renonce très vite dès que ceux-ci arrivent au pouvoir.

Ces questions de dénomination ne sont pas sans importance. Notre auteur sait que les noms d'Armagnacs et de Bourguignons sont à l'origine de la guerre civile, qu'ils symbolisent l'éclatement en deux partis de la communauté du royaume qui a perdu son union et sa concorde. Être dans un parti (une bande, une faction), c'est en soi mal, c'est pour cela que les Armagnacs commencent tandis que les Bourguignons sont un parti sans le vouloir (!). Le nom des premiers, qui rappelle les mercenaires brutaux et parlant le languedocien qui entourent le connétable, signifie brute, meurtrier, etc. Il est considéré à Paris comme une injure grave, même sans qualificatif péjoratif à la clef.

Éclatement visuel de la collectivité nationale. Les Armagnacs portent l'écharpe ou la bande blanche de l'épaule à la hanche. Leur couleur est le violet, leurs insignes multiplient les croix droites, les lys et les étoiles. Ils se réunissent dans la confrérie de Saint-Laurent-des-Blancs-Manteaux. Les Bourguignons portent soit les chaperons blancs des villes de Flandre, soit le chaperon pers (proprement bourguignon). Leur insigne est la croix rouge en X de saint André et leur confrérie à saint André dans l'église Saint-Eustache distribue lors de sa fête des chapeaux de roses au lendemain des massacres de 1418.

Éclatement réel aussi : d'un côté les bons et de l'autre les méchants sans nuance. Les Armagnacs sont « cruels tyrans », « larrons de bois », « meurtriers », « pires que païens ou que Sarrasins ». On trouve aussi « loups enragés », « créatures du diable » ou « membres d'Antéchrist ». Ils ne font qu'incendier (les églises de préférence), violer (les pucelles et les religieuses de préférence), tuer (surtout les faibles, les clercs, les femmes et les enfants). L'adversaire est diabolisé sans exception aucune. Les Bourguignons en revanche sont des modèles de toutes les vertus, du bon duc Jean à Philippe, que la Vierge sauve à Boulogne, au soldat de base qui aime le pauvre commun et ne prend rien sans payer ! Le Bien contre le Mal mais aussi les puissants contre les faibles, les nobles contre les non-nobles, les riches contre les pauvres. Il le dit, il le croit peut-être. C'est pourquoi il s'efforce de présenter les Armagnacs comme des princes ou des nobles entourés de poignées de soudards. Au contraire, Bourgogne est suivi par les gens de Paris « qui tant l'aimaient », l'Université et le pauvre commun. Notre auteur n'a pas conscience de l'existence de Bourguignons et d'Armagnacs dans tous les milieux et il est donc très surpris quand il voit une partie de l'Université changer brutalement d'avis en 1413 ou les milieux d'affaires de Paris soutenir les Armagnacs (il est vrai qu'ils sont riches !). Mais si la présentation « lutte des classes » du conflit est fausse, elle est tout à fait conforme aux textes de propagande bourguignons de la même époque, prompts à exalter les milices urbaines et les mérites du commun.

Sur le fond du conflit, il dit peu de choses. Les deux partis veulent le pouvoir, le contrôle de la personne royale (malade, sorte de pion qu'on se vole ou se repasse) qui donne celui de l'armée et des finances. Le pouvoir, soit, mais qu'en faire ?

D'une manière très symptomatique, il sait à peu près ce que les Bourguignons réclament : réduction du nombre des officiers ou de leur salaire, paix avec l'Angleterre, quel qu'en soit le prix, diminution des impôts. Si le problème des officiers ne le touche pas vraiment, il est prolixe sur la nécessité de la paix et surtout sur la fiscalité (qui ruine les pauvres et provoque leur fuite ou leur suicide, qui attente aux privilèges des clercs et des universitaires). Quant à ce que les Armagnacs voudraient faire du pouvoir, il n'en sait rien. Ils lèvent de lourds impôts pour faire une guerre où ils se font battre. Rien sur la Pragmatique Sanction, les ordonnances sur l'armée et les finances. Tous les efforts des Armagnacs pour renforcer le pouvoir central et régulariser son exercice, il ne les voit pas. Et quand Charles VII a l'audace de prélever des impôts réguliers proportionnels aux fortunes sur l'ensemble de la population, notre clerc n'a jamais été aussi furieux. Solution d'avenir, pourtant : il faut des impôts pour payer les soldats qui ainsi ne vivront plus sur le pays. Il se refuse absolument à faire ce raisonnement.

Le développement conscient du sentiment national que véhicule le parti armagnac lui est aussi peu familier. Certes, la France est un grand et ancien royaume dont le roi devrait être le premier des souverains chrétiens. Sa dynastie est sacrée et immémoriale. Mais la notion d'étranger est pour lui très floue. Il parle de la nation de Paris ou de celle de Troyes, les Bretons ou les Armagnacs sont pour lui longtemps plus étrangers que Bedford, « notre régent », ou son épouse, Anne de Bourgogne, dont il fait un éloge vibrant. Après 1436, brusquement les Anglais deviennent des étrangers venus sur le continent « pour conquérir terre » et donc traités comme des prisonniers de guerre, et les Français nés en France ou ralliés au roi s'opposent aux Français reniés, considérés comme des traîtres. C'est là la voix du gouvernement de Charles VII plus que celle du Bourgeois qui parle. Il n'y a qu'à voir comment il traite le malheureux Richemont, libérateur de Paris, mais né breton. Mourir pour son pays est une catégorie qui lui est absolument inconnue et l'histoire de Jeanne d'Arc est pour lui incompréhensible, sauf à en faire une prophétesse et une sorcière. On meurt dans les guerres, on y perd son corps et son âme (car qui meurt dans la colère n'a pas accès au paradis). On meurt pour l'argent des soldes et on est ainsi amené à tuer des hommes qu'on ne connaît pas et qui viennent d'ailleurs. Tuer quelque voisin de sa connaissance lui paraîtrait plus admissible !

Notre auteur est dans l'ensemble un extrémiste, partisan de solutions radicales. Il est hostile en général aux paix fourrées qui amènent des rabibochages et des trêves temporaires qui selon lui empêchent la victoire totale de son temps. Il serait assez favorable au massacre des prisonniers et hostile aux « compositions » qui permettent aux garnisons vaincues de rentrer chez elles moyennant rançon. Tout cela ne fait que prolonger les guerres. Les exécutions sommaires, quand elles sont faites par son camp, ne le choquent pas vraiment. Quand Frémainville est exécuté sans procès (pour avoir, en fait, tenté d'enlever Bedford), battu sur les marches de l'échafaud, pendu sans succès, puis rependu, la colonne vertébrale brisée, il le raconte comme une histoire fort pittoresque. Les Armagnacs tués dans les émeutes urbaines ne font pas non plus l'objet de longues épitaphes. Seules les grandes émeutes de mai-juin 1418 donnent lieu à un traitement plus impartial, plus de 1 500 morts, massacrés au hasard dans les rues ou dans les prisons comme bêtes à l'abattoir et les cadavres abandonnés dans les rues où la pluie, plus compatissante que le cœur des hommes, lave leurs blessures.

C'est à partir de 1418 qu'il commence à avoir des doutes, mais ceux-ci passent à l'arrière-plan avec le meurtre de Montereau et ne réapparaissent que fort lentement. En 1419, il critique Jean sans Peur « long en ses besognes » (peu efficace). Le meurtre en fait à nouveau le « bon duc ». Mais Philippe le Bon n'a pas la popularité de son père et le Bourgeois ne fait aucune difficulté pour reconnaître dès 1422 que les soldats bourguignons non payés ne se conduisent guère mieux que les Armagnacs dans la même situation. En 1423, il admet même que les pauvres laboureurs soumis au pillage haïssent autant les Anglo-Bourguignons que les Armagnacs. Néanmoins, il continue à croire jusqu'en 1436 qu'il ne s'agit que d'excès occasionnels de son propre camp tandis que les Armagnacs voudraient tous piller Paris et tuer tous ses habitants. La veille de leur entrée, ils auraient encore eu cette intention mais la Vierge, sainte Geneviève et saint Denis les en auraient dissuadés ! Autrement dit, notre auteur semble ignorer les amnisties systématiques accordées par le roi aux villes reconquises. La peur serait-elle pour lui la racine de la fidélité ?

On considère généralement qu'après 1436 il se rallie au roi. Le texte ne l'implique pas. Certes, il ne conteste pas le pouvoir de Charles VII en soi. Dieu a voulu sa victoire et a démontré ainsi qu'il était le vrai roi. Cela ne l'empêche pas de l'accuser de passer son temps ailleurs qu'à Paris (ce qui est vrai) et d'en conclure qu'il ne fait rien (ce qui est faux). Il le prend à partie. La lourdeur des impôts contraste avec les lenteurs de la guerre et de la remise en ordre. Le roi est manœuvré « comme un enfant en tutelle ». Il a des maîtresses. L'entrée d'Agnès Sorel (Sémiramis !) à Paris est d'un humour involontaire si on la compare à celle de Philippe le Bon entouré de ses enfants naturels, quelques années plus tôt. Quant au gouverneur de Paris, Arthur de Richemont, c'est un voleur, un pillard, un traître allié aux Anglais (tous les Bretons ou presque sont des traîtres, c'est bien connu !). Il l'accuse au choix de concussion, d'incompétence ou de couardise. Notre auteur est frondeur par nature et sauf Charles VI, et Bedford dans une moindre mesure, nul n'échappe à une critique sévère jusqu'à l'injustice.

Pourtant, cette mauvaise langue, cet homme de parti borné a des trésors de compassion à dépenser : compassion envers les fleurs brûlées par le gel, les petits oiseaux saisis par le froid, les chevaux noyés par la montée des eaux. Pitié aussi pour le pauvre commun, victime désarmée de ces guerres interminables. Il ne condamne ni la femme qui se prostitue en période de cherté des grains pour nourrir sa famille, ni le jeune homme sans avenir qui se fait brigand. L'enfance meurtrie le désole, les Saints Innocents sont à nouveau martyrisés sous ses yeux. Il assiste bouleversé à la montée de la misère et de la marginalité à l'intérieur d'une collectivité jadis prospère et fière de son rôle politique et économique.

Cette sympathie pour les autres, les obscurs, les petits, en fait involontairement un remarquable témoin des peurs et des joies des milieux populaires urbains de la fin du Moyen Âge. La peur est omniprésente à Paris. La ville est assiégée, ses voies d'accès routières ou fluviales sont coupées, la guerre rôde autour de ses murs. L'insécurité quotidienne, l'impression d'être enfermé à jamais provoquent par épisodes de violents défoulements où le meurtre de l'autre cache pour un temps la peur d'être tué soi-même. Ce malaise et ce trouble que la conjonction de la guerre, de la famine et de l'épidémie suscite dans l'âme des hommes se fixent arbitrairement sur des groupes minoritaires qui servent de boucs émissaires. S'il n'y a plus en fait de juifs à Paris à cette date, l'imagination des Parisiens est toujours aussi sensible à l'antisémitisme le plus vulgaire. Le miracle des Billettes en fait foi. Les Tsiganes ne sont guère mieux vus à leur arrivée à Paris en 1427. Ils vident les poches et leurs femmes lisent les lignes de la main, ce que l'Église interdit. Boucs émissaires encore, les loups qui apparaissent en 1421 déterrant les morts des cimetières. En 1420, à Meaux, ils mangent la mère et l'enfant pas encore né. À cette date, ils viennent à Paris toutes les nuits par la Seine et tuent femmes et enfants aux carrefours. On donne des primes à la bête tuée pour s'en débarrasser. On expose les cadavres pendus par les pattes dans les rues. En 1439, le loup Courtaut atteint même la célébrité. Capturé, il est promené par les carrefours et la quête fait une grosse recette.

Ce monde peu sûr est plein de signes que l'homme ne sait pas déchiffrer. En 1421, une source de sang coule à la porte Saint-Honoré durant plusieurs jours. Il fallut en interdire les accès. En 1429 naissent à Aubervilliers deux siamoises, et un veau à deux têtes à Paris. Le 15 août 1431, le pain des boulangers parisiens est couleur de cendres. Tout cela est mauvais présage pour la société civile. La foudre qui s'abat en 1409 sur l'image de Notre-Dame du couvent Saint-Lazare, en 1428 et 1449 sur le clocher des Augustins, en 1444 sur celui de Saint-Martin-des-Champs, est plutôt de mauvais augure pour l'état de l'Église. Il y a aussi des présages heureux, mais il faut bien les chercher. En 1436, les cierges de la procession qui suit l'entrée à Paris des Français ne s'éteignent pas malgré le vent et la pluie battante. C'est la réitération d'un motif de la légende de sainte Geneviève, patronne de la ville : un diable voulut éteindre son cierge que Dieu protégea. Il signifie ainsi l'approbation divine aux événements de 1436.

Mais la joie et la fête ont aussi leur place dans les rues de la ville médiévale. Notre clerc signale peu de pratiques superstitieuses ou folkloriques (l'Église y est hostile): pour savoir l'avenir, on se fait lire les lignes de la main. Pour être riche, on garde chez soi bien emmaillotée (autrement nulle efficace) une racine de mandragore. On célèbre le mai en allant le cueillir au bois de Vincennes. Le 24 juin, les feux de la Saint-Jean illuminent Paris. Qui le saute se mariera dans l'année. Les cendres en portent bonheur. Le principal feu de Paris se trouve au pied de la croix de la place de Grève. En 1438, il fut allumé conjointement par Richemont et Marie de France. Devant la montée des eaux, il fallut le déménager précipitamment au fond de la place !

Le *Journal* donne beaucoup plus de détails sur les spectacles de rues qui ne sont pas suspects aux yeux de l'Église. En 1426, quatre aveugles munis de bâtons furent enfermés dans une sorte de ring avec un cochon. Celui qui le tuerait aurait la viande. Évidemment, les coups plurent partout sous les quolibets des spectateurs. La même année, on dressa rue Quincampoix un mât de cocagne bien lisse et graissé. Au sommet, un panier contenait une oie bien grasse et une bourse pour qui saurait grimper jusqu'en haut ! Ou encore, un chevalier du guet original se fait accompagner dans ses tournées nocturnes de ménétriers (pour prévenir les voleurs).

Les grands spectacles politiques que constituent les entrées, les obsèques royales, les Te Deum après une victoire, les processions d'actions de grâces sont décrits avec une telle précision qu'on peut établir les itinéraires suivis et la place des différents décors et festivités. En général, ces fêtes solennelles, régies par un cérémonial rigoureux, nous sont connues par d'autres textes. L'intérêt de notre auteur est qu'il indique ce qu'il en a pensé. Parfois, il pleuvait à verse et il avait hâte de rentrer. Parfois, il n'a rien compris (l'emblématique et l'héraldique anglaises lui sont inconnues). Quand il décrit l'entrée et le sacre du jeune Henry VI en décembre 1431, il est précis et exact. Mais lui seul nous parle du banquet du sacre qui fut donné au palais. La foule envahit la salle et s'assit d'autorité. Les honorables maîtres de l'Université furent bousculés et durent finalement s'asseoir au milieu des moutardiers et des sauciers. La nourriture avait été cuisinée par les Anglais, elle était immangeable, même de l'avis des malades de l'Hôtel-Dieu qui mangèrent les restes. Les feux de joie coûtèrent les yeux de la tête, car on manquait de bois, et on ne donna que de petites joutes minables ! Pour tout dire, ce sacre fut un fiasco. D'ailleurs, qu'attendre d'autre de gens « dont nous ne comprenons pas ce qu'ils disent » !

Le monde du Bourgeois vit. La neige y tombe, les enfants jouent à la soule dans les rues tandis que les grands s'entretuent. Nulle autre œuvre médiévale ne réussit aussi bien à faire sentir au travers des siècles « l'odeur mêlée du sang et des roses ».

Colette BEAUNE.

Journal d'un Bourgeois de Paris

de 1405 à 1449

Le sens des mots qui sont suivis d'un astérisque dans le Journal *du Bourgeois est précisé dans le Glossaire, p. 507.*

[1405]

1. ... Et environ dix ou douze jours après, furent changées les serrures et clefs des portes de Paris, et furent faits monseigneur de Berry[1] et monseigneur de Bourbon[2] capitaines de la ville de Paris[3], et vint si grande foison de gens d'armes à Paris que aux villages d'entour ne demeurèrent aussi nulles gens; toutefois les gens du dessusdit duc de Bourgogne[4] ne prenaient rien sans payer[5], et comptaient tous les soirs à leurs hôtes et payaient tout sec[6] en la ville de Paris. Et étaient, ce temps durant, les portes de Paris fermées, sinon quatre[7], c'est à savoir la porte Saint-Denis, Saint-Antoine, Saint-Jacques et Saint-Honoré. Et le dixième jour de septembre ensuivant furent murées de plâtre la porte du Temple, la porte Saint-Martin et celle de Montmartre[8].

---

1. Jean de Berry, frère de Charles V et oncle de Charles VI, avait été écarté du pouvoir à la majorité du roi. La folie de celui-ci, en 1392, lui permit de jouer à nouveau un rôle. Entre Orléans et Bourgogne, il représente un tiers parti favorable à la conciliation.
2. Louis II, duc de Bourbon. Il est le beau-frère de Charles V et l'oncle par alliance de Charles VI. Il est, lui aussi, un modéré.
3. Ils furent faits capitaines à l'automne 1405.
4. Jean sans Peur a succédé à son père au printemps de 1404. Il n'a ni le prestige ni l'habileté de Philippe le Hardi. Aussi la guerre civile menace. Cousin du roi seulement mais beau-père du dauphin Louis de Guyenne, il cherche par tous les moyens à contrer Louis d'Orléans frère du roi et régent pendant les absences (crises de folie de Charles VI). Leur opposition est à la fois personnelle et politique.
5. Cela fait traditionnellement partie de la propagande bourguignonne. Le parti qui a une clientèle populaire insiste toujours sur son souci du bien-être des populations. Par ailleurs, les troupes bourguignonnes sont mieux payées, ce qui devrait en principe les amener à éviter le pillage.
6. Payaient comptant.
7. A l'exception de quatre d'entre elles.
8. Chaque arrivée d'armées sous les murs de Paris ramène ce type de mesures, de même que la destruction des maisons accolées au rempart.

2. Et le vendredi ensuivant, 12e jour dudit mois, arriva à Paris l'évêque de Liège[9], et lui fit faire serment le prévôt de Paris[10] et autres, à l'entrée de la porte Saint-Denis, qu'il ne serait contre le roi, ni encontre la ville, ni lui, ni les siens, mais leur serait garant de trétout son pouvoir[11], et ainsi le promit-il par la foi de son corps et par son seigneur[12], et après entra à Paris et fut logé en l'hôtel de la Trémoille[13]. Et icelui jour après sa venue, fut crié ceci, qu'on mît des lanternes à bas les rues et de l'eau aux huis, et aussi le fit-on. Et le 19e jour dudit mois de septembre, fut crié et commandé qu'on étoupât* les pertuis[14] qui donnaient clarté dedans les celliers. Et le 23e jour ensuivant, fut commandé à trétous les [fèvres*] et maréchaux de Paris[15] et chaudronniers qu'on fît des chaînes[16] comme autrefois avaient été et lesdits ouvriers de fer commencèrent le lendemain et ouvrèrent* fêtes et dimanches et par nuit et jour[17]. Et le 26e jour dudit mois de septembre, fut crié parmi Paris que, qui aurait puissance d'avoir armure*, si en achetât pour garder la bonne ville de Paris.

---

9. Jean de Bavière fut évêque de Liège de 1390 à 1418. Fils cadet d'Albert de Bavière, comte de Hainaut, il est le beau-frère de Jean sans Peur. Il est fort impopulaire à cause de sa cruauté et parce qu'il est le symbole de l'influence française. Ses sujets révoltés furent écrasés par l'armée du duc de Bourgogne à Othée, le 23 septembre 1408.

10. Guillaume de Tignonville, prévôt du roi de 1401 à 1408. Officier royal, il était chargé du maintien de l'ordre dans la capitale, où la prévôté des marchands n'est toujours pas rétablie.

11. De tout son pouvoir.

12. Il le jura sur sa vie et sur la foi de son seigneur. La ville de Liège est terre d'Empire. Il s'agit donc de l'empereur Sigismond.

13. L'Hôtel de La Trémoille ou Maison des créneaux est situé rue de la Bourdonnais. Cette famille d'origine poitevine est passée avec Guy VI dans la clientèle des ducs de Bourgogne. Des deux fils de celui-ci, l'un, Jean sire de Jonvelle, se fit bourguignon et l'autre, Georges, devint l'un des favoris de Charles VII.

14. Fermer les soupiraux. C'est une mesure contre les incendies que pourraient provoquer l'éclairage inhabituel des rues, la nuit.

15. Marchands ou fabricants d'objets en fer. Les maréchaux sont des maréchaux-ferrants.

16. Ces chaînes barrent traditionnellement les rues la nuit. Elles avaient été confisquées après l'émeute des Maillotins en 1382. Le peuple y voyait l'un des symboles de sa liberté.

17. Travaillèrent. Normalement, les statuts de métier interdisent le travail dominical et le travail de nuit.

3. Et le 10e jour d'octobre ensuivant, jour de samedi, vint telle émeute en la ville de Paris, comme on pourrait guère voir sans savoir pourquoi[18] ; mais on disait que le duc d'Orléans[19] était à la porte de Saint-Antoine à toute sa puissance, dont il n'était rien ; et les gens du duc de Bourgogne s'armèrent, car les gens de Paris furent si émus, comme si tout le monde fût contre eux et les voulût détruire, et si ne sut-on oncques pourquoi ce fut.

[1408]

4. ...dont il leur prit mal, car il en mourut là plus de 26 000, et fut le 23e jour de septembre 1400 et 8, et en tant que la guerre dura, par feu, par faim, par froid, à l'épée plus de 14 000 ; or sont bien quarante mille[1].

5. Le 16e jour de novembre ensuivant, un samedi, les devantdits seigneurs, c'est à savoir Navarre, Louis[2], etc., emmenèrent le roi à Tours, dont le peuple fut moult* troublé ; et disaient bien que, si le duc de Bourgogne eût (été) ici, qu'ils ne l'eussent pas fait, ainsi le firent ; et il fut, tant là qu'à Chartres, 17 semaines, et par plusieurs fois y fut le prévôt des

---

18. Bel exemple de rumeurs de panique, peut-être provoquée par les Bourguignons soucieux de faire passer les mesures coûteuses de mise en défense.

19. Louis d'Orléans, frère du roi et régent. Il est peu populaire à Paris où son efficacité technicienne et son souci de l'effort fiscal et militaire indisposent l'opinion.

1. Il s'agit de la prise de Liège révoltée, contre son évêque par l'armée bourguignonne. Monstrelet donne les mêmes chiffres, 26 000 morts sur une armée de 40 000 hommes. Le Bourgeois considère plutôt que 40 000 habitants de Liège furent tués d'une façon ou d'une autre durant cette guerre. Le duc de Bourgogne avait voulu faire un exemple.

2. Les seigneurs ici nommés sont des sympathisants d'Orléans qui à la nouvelle de la victoire bourguignonne ont pris peur et jugent Paris peu sûr. Navarre est probablement le futur roi de Navarre Charles III, Louis le dauphin ou le duc d'Anjou, la reine Isabeau était aussi partie prenante de cette initiative.

marchands[3] et des bourgeois de Paris, qui y furent mandés, et si n'y arrêtèrent oncques preu* pour eux ni pour le peuple[4].

[1409]

6. Le neuvième jour de mars ensuivant revint le duc de Bourgogne à tout noble gent[1], et le 17e jour dudit mois de mars, un dimanche, amenèrent le roi à Paris, qui fut reçu le très plus honorablement qu'on vit passé à deux cents ans[2], car tous les sergents, comme du guet, ceux de la marchandise, ceux à cheval, ceux à verge, ceux de la Douzaine[3] avaient diverses livrées toutes espécialment de chaperons, et tous les bourgeois allèrent à l'encontre de lui. Devant lui [il y] avait 12 trompettes et grande foison de ménestrels[4], et, partout où il passait, on criait [très joyeusement]: « Noël[5] ! » et jetait-on violettes et fleurs sur lui, et au soir soupaient les gens emmi les rues par très joyeuse chère, et firent feux tout partout Paris, et bassinaient* de bassins[6] tout parmi Paris. Et le lendemain vinrent la

---

3. Charles Culdoe garde pour le roi de la prévôté des marchands. Il appartenait à une riche famille parisienne qui avait fourni à la ville de nombreux échevins.
4. Rien n'en sortit ni pour eux ni pour le peuple.

1. Avec une splendide escorte. Le retour du duc à Paris est lié à la réconciliation, due à la signature de la paix fourrée de Chartres en mars 1409.
2. Plus honorablement qu'on ne le vit depuis deux cents ans.
3. Il distingue ici les sergents à verge (maintien de l'ordre dans Paris ou exécution des décisions de justice), et les sergents à cheval (banlieues). Les sergents de la douzaine forment la garde du corps du prévôt de Paris. Le guet est assuré à la fois par des sergents royaux et par un tour de rôle fourni par les métiers (sergents de la marchandise). Le port de livrées aux couleurs du roi ou de la ville est fréquent dans une entrée royale. Le chaperon de couleur est la pièce maîtresse des livrées. A Paris, il est, en général, rouge et bleu.
4. Grande quantité de ménestrels.
5. « Noël ! » est un cri de joie utilisé à toute occasion.
6. Faire des feux de joie et du tam-tam avec des casseroles (ou bassins) est un signe d'enthousiasme populaire d'autre part réglementé.

reine[7] et le dauphin, si refut la joie si très grande comme le jour de devant ou plus, car la reine vint le plus honorablement qu'on l'avait oncques vue entrer à Paris depuis qu'elle vint la première fois.

7. Le 26e jour de juin ensuivant, fut fait le Saint Père, c'est à savoir Pierre de Candie[8], et le lundi 8e jour de juillet ensuivant fut su à Paris. On en fit moult noble fête, comme quand le roi vint de Tours, comme devant est dit, et par tous les moutiers de Paris on sonnait moult* fort et toute la nuit aussi.

8. L'an 1400 et 9, le jour de la mi-août, fit tel tonnerre, environ entre cinq ou six heures du matin, qu'une image de Notre-Dame, qui était sur le moutier de Saint-Ladre[9], de forte pierre et toute neuve, fut du tonnerre tempêtée[10] et rompue par le milieu, et portée bien loin de là ; et à l'entrée de la Villette Saint-Ladre, au bout de devers Paris, furent deux hommes tempêtés, dont l'un fut tué tout mort, et ses souliers et ses chausses, son gipon*[11] furent tout dessirés*[12], et si il n'avait point le corps entamé ; et l'autre homme fut tout affolé.

9. Item, le lundi 7e jour d'octobre ensuivant, à savoir 1400 et 9, fut pris un nommé Jean de Montaigu[13], grand maître

---

7. La reine Isabeau et le dauphin Louis de Guyenne. Isabeau, mariée en 1385, n'avait fait sa première entrée à Paris qu'en 1389 lors de son couronnement.

8. Pierre de Candie est un franciscain, maître en théologie de l'Université de Paris. Il fut élu pape par le concile de Pise, le 26 juin 1409, sous le nom d'Alexandre V. Le concile espérait ainsi forcer à l'abdication les deux papes rivaux Grégoire XII et Benoît XIII. Mais ceux-ci refusèrent de démissionner et la Chrétienté se retrouva avec trois papes. Alexandre V mourut en mai 1410.

9. Le couvent Saint-Lazare est à l'origine destiné aux soins des lépreux. Il est à l'extérieur de la muraille et a des dépendances à La Villette, dans la banlieue nord.

10. Frappée par la foudre.

11. Le gipon (jupon) est un vêtement d'homme, une sorte de tunique sans manches.

12. Déchirés. Il souligne que la foudre n'a atteint que les habits dans un cas et le cerveau dans l'autre, en laissant les corps des deux victimes intacts.

13. On n'avait rien à reprocher au grand maître de France Jean de Montaigu, sauf sa réussite et le fait qu'il n'était pas bourguignon. Maître des finances royales, il avait une grosse fortune et prêtait à beaucoup de seigneurs dont le frère de la reine. Il avait tissé un réseau d'alliances efficace parmi ses parents et alliés (Craon, Albret, Braisne et Melun). Son exécution fut une grosse erreur politique qui fit basculer côté Orléans toutes les

d'hôtel du roi de France, emprès Saint-Victor, et fut mis en Petit Châtelet ; dont il advint telle émeute à Paris à l'heure qu'on le prit, comme si tout Paris fut plein de Sarrasins, et si ne savait nul pourquoi ils s'émouvaient. Et le prit un nommé Pierre des Essarts[14], qui pour lors était prévôt de Paris ; et furent les lanternes commandées à allumer, comme autrefois, et de l'eau à l'huis, et toutes les nuits le plus bel guet à pied et à cheval qu'on vit guère oncques à Paris, et le faisaient les métiers l'un après l'autre.

10. Et le 17e jour dudit mois d'octobre, jeudi, fut le dessusdit grand maître d'hôtel mis en une charrette, vêtu de sa livrée, d'une houppelande de blanc et de rouge, et chaperon de même, une chausse rouge et l'autre blanche, des éperons dorés, les mains liées devant, une croix de bois entre ses mains, haut assis en la charrette, deux trompettes devant lui, et en cet état mené aux Halles[15]. Là on lui coupa la tête, et après fut porté le corps au gibet de Paris, et pendu au plus haut, en chemise, à toutes ses chausses et éperons dorés, dont la rumeur dura[16] à aucuns des seigneurs de France, comme Berry, Bourbon, Alençon et plusieurs autres.

[1410]

11. Dont il advint l'année ensuivant 1400 et 10, environ la fin d'août, que chacun en droit soi amena tant de gens d'armes

---

familles alliées au condamné, dont son frère l'archevêque de Sens et son gendre Charles d'Albret, connétable de France.

14. Pierre des Essarts, membre de l'hôtel du duc de Bourgogne, fut prévôt de Paris du 30 avril 1408 au 8 novembre 1410. Détesté de certains, il fut exécuté en juillet 1413.

15. Ce type d'exécution vise à déshonorer et tourner en ridicule le condamné. Tout se joue sur le contraste entre les attributs de noblesse (la livrée rouge et blanche, les éperons dorés du chevalier) et l'infamie (les mains liées, la charrette, la pendaison). Depuis le XIIIe siècle, tous les nobles ont droit à la décapitation, la pendaison du cadavre est volontairement infamante.

16. Parvint aux seigneurs de France (et les mécontenta). Berry, Bourbon et le jeune Jean Ier d'Alençon sont, à cette date, partisans d'Orléans. Mais l'exécution de Jean de Montaigu fut impopulaire bien au-delà des limites partisanes.

autour de Paris, qu'à 20 lieues environ était tout dégâté[1] ; car le duc de Bourgogne et ses frères amenèrent leur puissance de devers Flandre et Bourgogne, mais ils ne prenaient que vivres ceux au duc de Bourgogne ni à ses aidants, mais trop largement en prenaient. Et les gens de Berry et de ses aidants pillaient, robaient*, tuaient en église et dehors église, spécialement ceux du comte d'Armagnac et les Bretons, dont si grande charté* s'ensuivit [de pain], que plus d'un mois, le setier de bonne farine valait 54 francs [ou 60][2], dont les pauvres gens de la ville comme au désespoir fuyaient[3]; et leur firent plusieurs escarmouches et en tuèrent moult[4].

12. Et tout ce n'était que pour l'envie qu'ils avaient, pour ce que les gens de Paris aimaient tant le duc de Bourgogne et le prévôt de Paris nommé Pierre des Essarts, pour ce qu'il gardait si bien la ville de Paris. Car toute nuit et tout jour il allait tout parmi la ville de Paris, tout armé, lui et grande foison de gens d'armes, et faisait faire aux gens de Paris toutes les nuits le plus bel guet qu'ils pouvaient[5], et ceux qui n'y pouvaient aller faisaient veiller devant leur maison, et faire grands feux par toutes les rues jusqu'au jour, et y avaient quarteniers, cinquanteniers, dizeniers qui ce ordonnaient. Dont ceux de devers Berry tinrent si court[6] ceux de Paris par devers la porte Saint-Jacques, Saint-Marcel, Saint-Michel, que les vignes demeurè-

---

1. Les ravages des gens de guerre sont ici partagés inégalement. L'armée bourguignonne commandée par le duc Jean et ses deux frères Antoine, duc de Brabant, et Philippe, comte de Nevers, est formée de mercenaires flamands, brabançons ou lorrains. Ils ne s'approvisionnent qu'auprès de leurs partisans qui leur donnent (ou vendent ?) des vivres. L'armée Orléans-Berry comprend des mercenaires bretons ou pyrénéens. Le duc de Bretagne, Jean V, est temporairement leur allié, de même que le comte d'Armagnac, Bernard VII, gendre du duc de Berry et beau-père de Charles d'Orléans. Or, les Armagnacs et les Bretons, dont les Parisiens ne comprennent pas la langue, sont particulièrement haïs.

2. Le setier de farine de 0,46 l vaut normalement 20 francs.

3. S'enfuyaient.

4. 1410 fut une année de mauvaises récoltes et de disette générale. A Paris, la situation fut encore aggravée par la guerre.

5. Le guet dû par les bourgeois dans le cadre des métiers est encadré par des notables. Le dizenier commande à 10 hommes, le cinquantenier à 50, le quartenier à tout un quartier. Le prévôt de Paris supervise l'ensemble de la milice.

6. Les troupes du duc de Berry étaient si près des portes que...

rent à vendanger et les semailles, et de plus, à quatre lieues entour de Paris devers lesdites portes, jusqu'à la Saint-Clément[7] encore vendangeait-on, et par la grâce de Dieu il y [en] avait très peu de pourris, car il fit très bel temps, mais ils ne se pouvaient échauffer ès cuves[8]. Et si ne venait pain à Paris qu'il ne convînt aller quérir*[9] à force de gens d'armes par eau et par terre. Et il y avait un chevalier logé à la Chapelle-Saint-Denis[10], nommé messire Morelet de Bethencourt[11], qui allait quérir* le pain à Saint-Brice[12] et ailleurs, lui et ses gens, tant que ce contens*[13] dura, qui dura jusqu'à la Toussaint.

13. Et un peu devant, avait prêché devant le roi le ministre des Mathurins[14], très bonne personne, et montra la cruauté qu'ils faisaient par faute de bon conseil, disant qu'il fallait qu'il y eût des traîtres en ce royaume ; dont un prélat, nommé le cardinal de Bar[15], qui était audit sermon, le démentit et nomma « vilain chien », dont il fut moult haï de l'Université et du commun, mais à peu lui en fut, car il pratiquait grandement avec les autres qui portaient chacun une bande[16], dont il était ambassadeur par le duc de Berry, et portait cette bande, et tous ceux de par lui. Et ce tinrent tellement en cette bande qu'il convint que ledit prévôt fût déposé[17] pour l'envie qu'ils avaient

---

7. Le 23 novembre.

8. Le raisin n'était pas pourri, mais il fermentait difficilement.

9. Aller chercher.

10. Porte de la Chapelle, sur la route de Saint-Denis.

11. Renaud Morelet de Béthencourt, chevalier du duc de Bourgogne, avait été chargé, en août 1410, du ravitaillement de Paris.

12. Saint-Brice-sous-Forêt, près de Pontoise.

13. Ces démêlés. Ils durèrent donc de fin août au début de novembre.

14. Renaud de La Marche, docteur en théologie et prieur des Mathurins dans le quartier de l'Université, était un prédicateur célèbre. Très virulent aussi contre Benoît XIII, il dut abandonner sa charge en 1411.

15. Louis de Bar, évêque de Langres et cardinal de 1397 à sa mort en 1430. Frère du duc Édouard III qui mourut à Azincourt, il lui succéda. Il légua le Barrois à son neveu René d'Anjou. La région disputée par les Bourguignons est frontalière avec l'Empire. Menacé par Jean sans Peur, le cardinal a des sympathies Orléans.

16. Il était le complice des Armagnacs qui se distinguaient par le port de la bande blanche. A cette date, le parti formé en avril 1410 par la ligue de Gien est dirigé par le duc de Berry.

17. Le prévôt fut déposé à la suite de la réconciliation entre les princes qui eut lieu au traité de Bicêtre, le 2 novembre 1410.

sur le commun de Paris qu'il gardait si bien, car aucuns et le plus de la bande cuidèrent*[18] de certain qu'on dût piller Paris. Et tout le mal qui se faisait de delà, chacun disait que ce faisait le comte d'Armagnac, tant était de malle* volonté plein, et pour certain on avait autant de pitié de tuer ces gens comme de chiens; et quiconque était tué delà, on disait: « C'est un Armagnac[19] », car ledit comte était tenu pour très cruel homme et tyran et sans pitié. Et certain, ceux de ladite bande eussent fait du mal plus largement, (si) ce ne fût le froid et la famine qui les fit traiter[20] comme une chose non achevée, comme pour en charger arbitres. Et fut fait environ le 6e jour de novembre 1400 et 10, et s'en alla chacun à sa terre jusqu'à ce qu'on les mandât, et qui a perdu si a perdu; mais le royaume de France ne recouvra la perte et le dommage qu'ils firent en vingt ans ensuivant[21], tant vienne bien[22].

14. Et en ce temps fut la rivière de Seine si petite, car oncques on ne la vit à la Saint-Jean d'été[23] plus petite qu'elle était à la Saint-Thomas devant Noël[24]; et néanmoins, par la grâce de Dieu, on avait à Paris en ce temps, environ cinq semaines après l'allée[25] des gens d'armes, très bon blé pour 18 ou pour 20 sols parisis le setier[26].

---

18. Croyaient de façon sûre.
19. Le terme d'Armagnac est à lui seul une injure. Il sous-entend « qui l'a tué ». Tous les meurtres leur sont attribués.
20. La paix renvoya les princes et leurs troupes dans leurs foyers. Elle ne fit ni vainqueurs ni vaincus. Seuls les arbitres sont jugés responsables de cet échec.
21. 1407-1427 ou 1410-1430? C'est difficile à dire.
22. Ne recouvra jamais ce dommage, même si désormais il ne venait que du bien.
23. Le 24 juin.
24. Le 21 décembre.
25. Le départ.
26. La norme est 20 sous tournois. Le parisis étant inférieur au tournois, le prix du setier de blé est donc fort bas.

[1411]

15. *Nota* que le mardi darrain*[1] jour de juin 1400 et 11, jour de Saint-Paul[2], environ huit heures après dîner, grêla, venta, tonna, espartit*[3] le plus fort que homme qui adonq*[4] fut eût oncques vu.

L'an 1400 et 11 ensuivant, recommencèrent ceux de la bande[5] à faire leur mauvaise vie, car en août, vers la fin, vinrent devant Paris, du côté de devers Saint-Denis, et défièrent[6] le duc de Bourgogne, et fit chacun son assemblée vers Montdidier. Mais (dès) que les bandés surent la belle compagnie[7] que Bourgogne avait, ils ne l'osèrent oncques assaillir, et*[8] si les attendit-il par cinq semaines. Quand le duc vit la chose, il dit qu'ils n'avaient guerre qu'au roi et à la bonne ville de Paris[9], lors renvoya ses communes et les convoya[10] grand pays.

16. Et les faux bandés Armagnacs commencèrent à faire tout le pis* qu'ils pouvaient, et vinrent au plus près de Paris, en pleines vendanges, c'est à savoir, environ minuit entre samedi et dimanche, 3e jour d'octobre 1400 et 11, furent à Pantin, à Saint-Ouen, à la Chapelle-Saint-Denis, à Montmartre, à Clignancourt et par tous les villages d'entour Paris dudit côté, et

---

1. Dernier.
2. Fête de saint Pierre et de saint Paul, le 29 juin.
3. Faire des éclairs.
4. En ce temps-là. Dans les manuscrits, ces trois lignes se trouvent entre 1408 et 1409, mais il s'agit bien de l'année 1411.
5. Les Armagnacs forment une bande au sens de faction et portent une bande blanche. Les Bourguignons ne sont jamais qualifiés ainsi par notre auteur.
6. Le défi est une procédure rituelle de déclaration de guerre ou de fixation du lieu d'une bataille, ici à Montdidier.
7. Le duc de Bourgogne a une forte armée dans Paris. Le terme de compagnie désigne un corps d'armée.
8. Si : en conséquence, ainsi. Il attendit cinq semaines l'assaut que les autres avaient annoncé comme un preux chevalier qui n'abandonne pas le champ de bataille.
9. S'ils ne sont que les adversaires du roi et de la ville, le duc n'est pas concerné. Cette neutralité est un prétexte pour masquer la défection des milices urbaines flamandes qui ne lui devaient que 40 jours de service et sont ensuite reparties.
10. Les accompagna une grande partie (du chemin).

assiégèrent Saint-Denis[11]. Et firent tant de maux, comme les eussent faits Sarrasins[12], car ils pendaient les gens, [les uns] par les pouces, (les) autres par les pieds[13], les autres tuaient et rançonnaient, et efforçaient* femmes[14], et boutaient feux*[15], et quiconque ce fît, on disait : « Ce font les Armagnacs[16] », et ne demeurait personne ès dits villages que eux-mêmes[17]. Cependant vint Pierre des Essarts à Paris, et fut prévôt comme devant[18], et fit tant qu'on cria parmi Paris qu'on abandonnait les Armagnacs, et qui pourrait les tuer qu'il les tuât et prît leurs biens[19]. Si [y alla moult de gens qui plusieurs fois leur] firent dommage et, par espécial, compagnons de village, qu'on nommait brigands[20], qui s'assemblèrent et firent du mal assez sous l'ombre de*[21] tuer les Armagnacs.

17. En ce temps prirent ceux de Paris chaperons de drap pers et la croix Saint-André, au milieu un écu à la fleur de lys[22],

---

11. Les troupes armagnacques s'installent dans la banlieue nord de Paris et assiègent Saint-Denis dont la valeur symbolique est considérable. L'abbaye abritait les tombeaux royaux et gardait couronnes, sceptres et vêtements du sacre.

12. Les Sarrasins qu'on identifiait, au xve, aux Turcs musulmans sont supposés ne respecter aucune morale. Celle-ci est réservée aux chrétiens.

13. Types de tortures utilisés pour découvrir les magots des paysans.

14. Violaient.

15. Incendiaient.

16. Ce sont les Armagnacs (Ms. de Rome) ou ce font les Armagnacs (Ms. de Paris). Tous les méfaits commis leur sont attribués.

17. Les villageois se réfugient à l'intérieur des murailles urbaines. Seuls les gens de guerre restent dans les villages non fortifiés.

18. Pierre des Essarts redevint prévôt de Paris le 11 novembre 1411.

19. On utilise contre eux la bulle pontificale qui excommunie les routiers. Le 4 octobre 1411, ils furent déclarés rebelles, abandonnés corps et biens, ce qui implique leur mise à mort et la confiscation de leurs terres. La mesure toucha Berry, Orléans, Bourbon, Armagnac et l'archevêque de Sens, un Montaigu. Évidemment, cela s'appliquait principalement à leurs biens parisiens.

20. Un brigandage paysan se développe avec la caution des autorités. En principe dirigé contre les Armagnacs, il est en fait très mal contrôlé et s'en prend aux nobles et aux riches en général.

21. Sous prétexte de.

22. La population de Paris arbore les insignes bourguignons ; le chaperon pers (bleu-vert), la croix de Saint-André (croix de gueules en sautoir). La surcharge par un écu royal est destinée à montrer que le camp du roi est celui du duc et inversement.

et en maint*[23] de quinze jours (il y en) avait à Paris cent milliers, (tant) qu'hommes qu'enfants, signés devant et derrière de ladite croix, car nul n'issait*[24] de Paris qui ne l'avait[25].

18. Item, le 13e jour d'octobre, prirent les Armagnacs le pont de Saint-Cloud par un faux traître qui en était capitaine, qu'on nommait Colinet de Puiseux[26], qui (le) leur vendit et livra, et furent tués moult de bonnes gens qui étaient dedans, et tous les biens perdus, dont il y avait foison, car tous les villages d'entour y avaient leurs biens, qui furent tous perdus par le faux traître.

19. Item, le 23e jour d'octobre[27], prirent Saint-Denis, comme Saint-Cloud par trahison d'aucuns qui étaient dedans, si comme on disait que le seigneur de Châlons en était consentant, lequel était au duc de Bourgogne.

20. Quand les bandés furent maîtres des deux, de Saint-Cloud et Saint-Denis, ils s'enorgueillirent tellement qu'ils venaient jusqu'aux portes de Paris, car leurs seigneurs étaient logés à Montmartre[28] et voyaient[29] jusque dedans Paris, et qui y entrait et issait, dont ceux de Paris avaient grand doute*[30]. En ce temps, (il y) avait à Paris un écuyer nommé Enguerran de

---

23. Moins de.

24. Nul ne sortait... La chose était contrôlée.

25. Le 9 octobre 1411, il fut interdit de sortir de Paris sans les insignes bourguignons. Ces insignes sont des sortes de broches en plomb que l'on détache facilement (ce qui peut être utile). Y en eut-il 100 000 ? C'est peu probable, car la population de Paris qui avait compté 200 000 habitants avant la Grande Peste de 1348 avait depuis diminué. Le texte n'implique pas le port des insignes par les femmes. Dans ce cas, 100 000 est exagéré. Le musée de Cluny conserve beaucoup de ces insignes, retrouvés au fond de la Seine.

26. Colin de Puiseux livra le pont fortifié de Saint-Cloud aux Armagnacs. Il n'est pas sûr qu'il ait agi pour de l'argent. Il fut écartelé et ses complices décapités.

27. Le 11 octobre, en réalité. Jean de Châlons, sire d'Arlay et prince d'Orange, vassal de Jean sans Peur, était capitaine de Saint-Denis. Il résista, semble-t-il, et ne capitula que faute de secours et de munitions. Les Parisiens crurent à la trahison.

28. Montmartre était occupée par des troupes du sire de Gaulle. Ce capitaine surveillait de là les portes Saint-Denis et Montmartre.

29. « Voyaient » (Ms. de Rome) est plus probable que « venaient » (Ms. de Paris).

30. Peur.

Bournonville[31] et un nommé Amé de Viry[32] qui moult leur firent d'escarmouches et de jour et de nuit, car les Armagnacs doutaient* plus ces deux hommes que le comte de Saint-Pol et toute sa puissance, qui lors était comme capitaine de Paris, et portait en sa bannière fleur de bourrache[33].

21. Item, le 16e jour d'octobre, étaient les Armagnacs emprès le moulin à vent au-dessus de Saint-Ladre[34]. Adonq issirent* ceux de Paris sans gouverneur[35] et allèrent sur eux tous nus d'armes, fors*[36] que de trait et de piques de Flandre, et les autres étaient bien armés et vinrent sur la chaussée à eux, et tantôt en tuèrent bien de 60 à 80, et leur ôtèrent quant ils avaient jusqu'aux brayes*[37], et plus en eussent tué largement, ce ne fût le chemin qui était étroit et la nuit qui venait, car non pourtant moult de ceux de Paris furent navrés*[38], ainsi advint.

....[39]

22. Adonq étaient ceux de Paris moult ébahis, car on ne savait nulle nouvelle du duc de Bourgogne, et cuidait*-on qu'il fût mort, et il était allé traiter aux Anglais en Angleterre, et

---

31. Enguerran de Bournonville est un écuyer picard de la suite du duc de Guyenne. Il participa à la reprise de Saint-Cloud par les Bourguignons et à l'expédition contre Bourges. Il mourut lors de la prise de Soissons en 1414.

32. Aymé de Viry est un chevalier savoyard hostile au duc de Bourbon. Il fut bailli de Mâcon en 1411 et mourut au siège de Bourges.

33. Waleran de Luxembourg, comte de Saint-Pol, appartient à une lignée cadette de la famille impériale. Il est cousin de Charles VI et a épousé une sœur de Richard II. La fleur de bourrache est l'un de ses emblèmes et n'appartient pas aux armoiries de la famille.

34. Saint-Lazare.

35. Cette sortie improvisée et sans chef se termine logiquement mal. La rencontre eut lieu sur la route entre la porte Saint-Honoré et Montmartre.

36. Sauf. Ils n'avaient qu'un armement léger.

37. Leur ôtèrent tout ce qu'ils avaient, y compris leurs culottes de dessous. Voler les morts est fréquent, mais il faut leur laisser un minimum de vêtements.

38. Blessés.

39. Le manque correspond au pillage et à l'incendie du château de Bicêtre, propriété du duc de Berry, par les Parisiens. Cette demeure représentée dans les *Très Riches Heures* contenaient d'inestimables trésors artistiques.

revint à Paris le plus tôt qu'il put, et y entra le 23e jour d'octobre audit an[40], et amena en sa compagnie bien de 7 à 8 000 Anglais avec ses gens. Et le 25e jour dudit mois allèrent les Anglais escarmoucher au moulin à vent[41], et tuèrent moult des Armagnacs et de leurs chevaux par force de trait.

23. Item, le 8e jour de novembre ensuivant audit an, fit chaque dizaine[42] selon sa puissance de compagnons vêtus de jacques*[43] et armés, et firent leur montre[44] cedit jour, et furent bien 16 ou 17 cents, trétous* forts hommes. Et ce jour, environ dix heures de nuit, partit de Paris le duc de Bourgogne, avec lui les compagnons dessusdits et les Anglais[45], et alla toute nuit à Saint-Cloud, et partit par la porte Saint-Jacques et, quand il fut devant le pont de Saint-Cloud, il fut le point du jour[46]. Adonq il fit assaillir ledit pont et la ville qui était toute pleine de très puissants gens d'armes armagnacs qui moult se défendirent, mais peu leur valut[47], car tantôt furent déconfits*[48] et tous mis à l'épée, et furent bien 600 tués. Et le faux traître qui avait vendu ledit pont fut pris en l'église de Saint-Cloud, au plus haut du clocher, vêtu en habit d'un prêtre[49]. Il fut amené à

---

40. Les Parisiens crurent le duc mort. Il était parti en Angleterre chercher des renforts. Le contingent anglais du comte d'Arundel qu'il ramena ne fut pas très populaire auprès des Parisiens qui durent payer soldes et nourriture.

41. Situé près de Saint-Lazare. Les Anglais armés du grand arc ignoré des Français sont de redoutables archers. Tuer les chevaux n'est pas chevaleresque, mais les Anglais ont le sens de l'efficacité. Il y a ici une critique implicite.

42. Les milices urbaines sont organisées en dizaines, cinquantaines et centaines.

43. Elles portent des jaques, vêtements rembourrés qui protègent le corps moins bien qu'une armure, mais qui sont moins coûteux.

44. Furent passées en revue. La montre permet de vérifier effectifs et matériel avant le versement de la solde.

45. La troupe comprend des corps bourguignons, les Anglais et la milice parisienne.

46. Ms. de Paris : « Il y fut au point du jour. »

47. Cela ne leur réussit guère.

48. Furent battus.

49. Les églises sont des lieux d'asile que la guerre doit respecter. Les clercs vêtus de robe cléricale sont soumis au for ecclésiastique qui les protège. Ici, les Bourguignons ne tiennent compte ni de l'un ni de l'autre. L'auteur sous-entend que l'habit clérical n'est ici qu'une supercherie.

Paris en prison, et le duc de Bourgogne fit mettre le feu dedans le pont levis[50], dont il s'en noya bien 300 [de paour*[51] et] de hâte d'entrer en la tour. Et dit-on que ce fut un des beaux assauts qu'on eût point vus passé à long temps, car une partie de la plus grande force des Armagnacs étaient en la tour, si que[52] on ne la pût avoir si légèrement, et aussi tous les Armagnacs de Saint-Denis y vinrent de l'autre côté de l'eau, si ne purent rien faire l'un à l'autre que gâter leur trait. Lors fit le duc de Bourgogne retraire*[53] ses gens, et s'en revint à Paris pour aller assaillir ceux de Saint-Denis. [Et le lendemain allèrent à Saint-Denis] le prévôt, et Enguerran et ceux de Paris[54], mais ils n'y en trouvèrent nuls : tous s'en étaient fuis*[55] la nuit de devant, et (avaient) passé la rivière par un pont de bois qu'ils avaient fait en ladite ville de Saint-Denis.

24. Et ce jour que nos gens furent à Saint-Denis était la vigile Saint-Martin d'hiver[56], et fut ce jour faite procession générale à Notre-Dame de Paris, et là, devant tout le peuple, fut maudite et excommuniée toute la compagnie des Armagnacs, et tous leurs aidants et confortants[57], et furent nommés par (leur) nom tous les grands seigneurs de la maudite bande, c'est à savoir : le duc de Berry, le duc de Bourbon, le comte d'Alençon, le faux comte d'Armagnac, le connétable[58], l'archevêque de Sens[59] frère du devantdit Montaigu, Robert de Tuillières[60], lieutenant du prévôt de Paris, frère Jacques le

---

50. Le pont-levis de l'enceinte urbaine, distincte de l'ouvrage fortifié qui commande le pont.

51. Peur. Ce fut un des plus beaux assauts qu'on ait jamais vus.

52. De telle sorte qu'on ne pouvait s'en emparer facilement.

53. Retirer.

54. Le prévôt Pierre des Essarts à la tête de la micile parisienne.

55. S'étaient enfuis.

56. Soit le 10 novembre.

57. Tous leurs alliés et sympathisants.

58. Charles d'Albret, connétable de France depuis la mort de Louis de Sancerre en 1403, est un gendre des Montaigu.

59. Jean de Montaigu, frère du grand maître exécuté en 1409, est archevêque de Sens. Prélat guerrier, il mourut à Azincourt.

60. Robert de Tuillières est originaire d'une famille chevaleresque du Dunois. Il fut lieutenant criminel du prévôt de Paris de 1404 à 1418 et trésorier de France.

Grand[61] augustin, qui le pis* conseillait de tous ; et furent excommuniés de la bouche du Saint Père, tellement qu'ils ne pouvaient être absous par prêtre nul, ni prélat, que du Saint Père et en article de mort. Et 2 ou 3 fois devant avait [été] faite à Paris telle procession et tel excommuniement sur la fausse bande[62].

25. Item, le jeudi 12e jour de novembre, audit an, fut mené le faux traître Colinet de Puiseux, lui 7e[63], ès Halles de Paris, lui était en la charrette sur un aiz*[64] plus haut que les autres, une croix de fût*[65] en ses mains, vêtu comme il fut pris, comme un prêtre. En telle manière fut mis en l'échafaud et dépouillé tout nu, et lui coupa-t-on la tête à lui 6e, et le 7e fut pendu car il n'était pas de leur fausse bande. Et ledit Colinet, faux traître, fut dépecé des quatre membres, et à chacune des maîtresses portes de Paris (fut) l'un de ses membres pendu, et son corps en un sac au gibet[66], et leurs têtes ès Halles sur six lances, comme faux traîtres qu'ils étaient[67], car on disait tout certainement que ledit Colinet, par sa fausse et déloyale trahison, fit dommage de plus de 2 000 lyons[68] en France, sans*[69] plusieurs bonnes gens

61. Jacques Legrand, moine augustin et hardi prédicateur, s'en était pris au luxe de la cour. Envoyé en 1412 par les princes armagnacs en Angleterre, il avait été capturé par le bailli de Caen. Les papiers qu'il transportait prouvaient l'alliance des princes avec l'Angleterre et avaient fait scandale.

62. L'excommunication s'est vulgarisée à la fin du Moyen Age. On utilise contre ses ennemis politiques les bulles très sévères du pape Urbain V contre les Grandes Compagnies. La réconciliation des excommuniés est réservée à la papauté. En fait, on prend ces mesures de moins en moins au sérieux.

63. Ils étaient sept en tout, cinq complices, lui et celui qui n'en était pas et qui fut quand même pendu.

64. Planche, marche.

65. Une croix de bois.

66. A Montfaucon.

67. Très intéressant cérémonial : Colin est noble (il sera décapité), il a joué la cléricature (il en sera dévêtu et son cadavre pendu). La dégradation est marquée par la charrette, la nudité, l'exposition des membres et de la tête du condamné aux portes de Paris et au gibet de Montfaucon. Les complices sont décapités comme nobles très probablement, le pendu a plus de chances d'être un roturier qu'un non coupable.

68. Plus de 2 000 lions. Cette pièce d'or ancienne ne circulait plus guère. Cela veut dire beaucoup sans trop de précisions.

69. Sans compter. La vie humaine est difficile à évaluer.

qui étaient avec lui, qu'il fit tuer les uns, les autres rançonner, les autres emmener en tel lieu qu'on (en) ouït* puis nouvelles[70], puis fit-on maintes* justices[71].

26. Cependant, allèrent monseigneur de Guyenne et de Bourgogne devant Étampes qui était de la bande[72], et y furent par plusieurs jours, tant que par miner[73], que par assaut, ils se rendirent au roi à sa volonté. Et fut pris le capitaine nommé Bourdon[74], lequel fut mené en prison en Flandre, et depuis eut sa paix. Puis refut pris un autre chevalier de la bande, nommé messire Mansart du Bois[75], un des (plus) beaux chevaliers qu'on pût voir, lequel eut la tête coupée ès Halles de Paris, et de la force de ses épaules, depuis qu'il eut la tête coupée, bouta le tranchet* si fort qu'à peu tint qu'il ne l'abattit, dont le bourreau eut telle frayeur*[76], car il en mourut tantôt après six jours, et était nommé maître Geffroy. Après fut bourrel* Capeluche, son valet.

[1412]

27. Et en ccdit an fut fait connétable de France le comte de Saint-Pol, nommé messire Galleren[1], et alla en la comté

---

70. Que l'on en ouït plus de nouvelles.

71. Il y eut ce jour-là d'autres condamnations nombreuses mais moins graves.

72. Étampes, ville armagnacque, était défendue par le sénéchal de Berry, Louis de Bosredon.

73. En creusant des sapes à la base du rempart.

74. Louis de Bosredon fut fait prisonnier, emmené à Lille puis relâché contre rançon. Le Bourgeois se garde de parler de ses fonctions de sénéchal.

75. Mansart du Bois avait déjà été fait prisonnier à Saint-Cloud. Il avait juré de ne plus se battre contre les Bourguignons au moment de sa libération. Il fut considéré comme parjure, d'autant qu'il refusa d'implorer sa grâce. Il fut donc décapité et son corps pendu à Montfaucon. Par ailleurs, il était à l'origine vassal de Jean sans Peur.

76. Frayeur. Le corps en tombant repoussa le billot et manqua le faire tomber.

1. Waleran de Saint-Pol remplaça Charles d'Albret, privé de son office de connétable pour ses sympathies armagnacques.

d'Alençon ; et là était messire Antoine de Craon[2], lequel devait avoir journée au comte d'Alençon, lequel n'osa oncques venir, si s'en revint ledit connétable. Et en revenant le cuida* ruiner et détruire le seigneur de Gaucourt[3] qui avait bien en sa compagnie mille hommes d'armes, mais par la grâce de Dieu ledit Gaucourt et ses gens furent déconfits* honteusement ; et en furent tués bien 600, et bien cent noyés, et bien cinquante des plus gros pris[4], mais Gaucourt échappa par bon cheval. En icelui temps se firent plusieurs escarmouches, dont on ne fait nulle mention, car on ne faisait rien à droit, pour les traîtres dont le roi était tout advironné[5].

28. En l'an 1400 et 12, 6e jour de mai, se mit le roi sur les champs, avec lui son aîné fils le duc de Guyenne, le duc de Bourgogne et plusieurs autres, et allèrent droit en Auxerre, là furent aucuns jours. De là se départirent et allèrent assiéger la cité de Bourges en Berry, où était le duc de Berry, ancien de bien près de 80 ans[6], oncle dudit roi de France, maître et ministre de toute (la) trahison de ladite bande[7], cruel contre le menu peuple autant qu'oncques tyran sarrasin, et aux siens comme aux autres[8] ; (ce) pourquoi il était assiégé.

29. Et sitôt que ceux de Paris surent que le roi était en la

---

2. Antoine de Craon, chambellan du roi et pannetier de France depuis 1411, est bourguignon. Il avait défié en combat singulier le comte Jean d'Alençon. Sous couleur de cette inimitié privée, les Bourguignons espéraient bien s'emparer de Domfront et Alençon.

3. Raoul VI de Gaucourt commandait la garnison d'Orléans. Il essaya d'intercepter les troupes bourguignonnes à Saint-Rémy-du-Plain le 10 mai 1412 et fut battu. C'est un homme de guerre capable et un fidèle du parti armagnac puis du dauphin.

4. On ménage toujours ceux qui peuvent payer de grosses rançons, la piétaille est moins bien lotie.

5. L'opinion publique est troublée par la guerre civile et la psychose du traître règne dans chaque camp.

6. Jean de Berry est né en 1340, il a donc 78 ans. En fait, la guerre n'oppose pas le roi au duc de Berry, comme il dit, mais le parti bourguignon (qui détient la personne royale) au parti armagnac.

7. Jusqu'à sa mort, en 1416, le duc fut le chef du parti qu'il légua ensuite à son gendre d'Armagnac.

8. Le Bourgeois présente Berry comme un noble hostile au peuple et aux villes, puisque les Bourguignons se disent le parti du peuple. C'est excessif, bien que Berry n'ait pas laissé de bons souvenirs comme gouverneur en Languedoc.

terre de ses ennemis[9], par commun conseil ils ordonnèrent les plus piteuses processions qui oncques eussent été vues d'âge d'homme : c'est à savoir, le pénultime* jour[10] de mai audit an, jour de lundi, firent procession ceux du Palais de Paris, les ordres mendiants et autres[11], tous nu-pieds, portant plusieurs saintu[ai]res*[12] moult dignes ; portant la sainte vraie Croix du Palais, ceux du Parlement ; de quelque état qu'ils fussent tous deux par deux, quelques 30 000 personnes après avec (eux), tous nu-pieds.

30. Le mardi dernier jour de mai, audit an, partie des paroisses de Paris firent procession, et leurs paroissiens autour de leurs paroisses[13] : tous les prêtres revêtus de chape ou de sourpelis*[14], chacun portant un cierge en sa main et reliques, tous pieds nus ; la châsse (de) saint Blanchart, de Saint-Magloire, avec [bien] 200 petits enfants devant, tous pieds nus, chacun cierge ou chandelle en sa main ; tous les paroissiens qui avaient puissance[15], une torche en leur main, tous pieds nus, femmes et hommes.

31. Le mercredi ensuivant, premier jour de juin, audit an, en la forme et manière du mardi, fut faite la procession.

32. Le jeudi ensuivant fut le jour du Saint-Sacrement[16] ; la procession fut faite comme on a accoutumé.

33. Le vendredi ensuivant, 3e jour de juin, audit an, fut faite la plus belle procession qui oncques fut guère vue ; car toutes les paroisses et ordres[17], de quelque état qu'ils fussent, allèrent

---

9. Le roi était entré en Berry, l'apanage de Jean.

10. L'avant-dernier jour, soit le 30 mai.

11. La procession part de la Sainte-Chapelle dans l'île de la Cité. Elle passe les ponts et suit la rue Saint-Denis vers Saint-Martin-des-Champs et retour. Elle regroupe les parlementaires, les ordres mendiants et les paroissiens des églises de la Cité.

12. Châsses dont celle de la Vraie Croix de la Sainte-Chapelle confiée au Parlement.

13. Le trajet n'est pas clair. Il semble s'agir des quartiers de la rive droite, d'après les reliques indiquées.

14. Surplis.

15. Tous ceux qui le pouvaient, femmes et enfants compris sous la direction du curé.

16. La Fête-Dieu, le 2 juin.

17. Les paroisses et les ordres religieux. La procession eut lieu entre Notre-Dame et Sainte-Geneviève et retour. On la fit autour de l'hostie miraculeuse conservée à Saint-Jean-en-Grève.

tous nu-pieds, portant, comme devant est dit, saintu[ai]re* ou cierge en habit de dévotion, du commun plus de 40000 personnes, tous nu-pieds et à jeun, sans autres secrètes abstinences, avec bien plus de 4000 torches allumées. En ce point allèrent portant les saintes reliques à Saint-Jean-en-Grève ; là prirent le précieux corps Notre Seigneur, que les faux juifs bouillirent[18], en grands pleurs, en grandes larmes, en grande dévotion, et fut livré à quatre évêques, lesquels le portèrent dudit moutier à Sainte-Geneviève, à telle compagnie du peuple commun, car on affirmait qu'ils étaient plus de 52000 ; là chantèrent la grand-messe moult dévotement, puis rapportèrent les saintes reliques où ils les avaient prises, à jeun.

34. Le samedi ensuivant, 3e jour dudit mois, audit an, toute l'Université, de quelque état qu'il fût, sur peine de privation[19], fut à la procession, et les petits enfants des écoles, tous nu-pieds, chacun un cierge allumé en sa main, aussi bien le plus grand que le plus petit, et s'assemblèrent en cette humilité aux Mathurins[20], de là s'en vinrent à Sainte-Catherine-du-Val-des-Écoliers, portant tant de saintes reliques que sans nombre ; là chantèrent la grand-messe, puis revinrent à cœur jeun.

35. Le dimanche ensuivant, 5e jour dudit mois, audit an, vinrent ceux de Saint-Denis en France à Paris, tous pieds nus, et apportèrent sept corps saints[21], la Sainte Oriflamme, celle qui fut portée en Flandre[22], le Saint Clou, la Sainte Couronne que deux abbés portaient, accompagnés de 13 bannières de

18. Le miracle des Billettes est un classique miracle antisémite de la fin du XIIIe siècle. Un Juif vole une hostie consacrée, qu'il jette dans l'eau bouillante, perce d'un couteau et lance dans le feu. L'hostie est miraculeusement conservée, et l'hérétique est arrêté et puni. Elle était conservée à Saint-Jean et le couteau dans l'église des Billettes.

19. La présence aux processions de l'Université est obligatoire si celle-ci en a décidé ainsi. Les absents perdent une part du fruit de leurs bénéfices.

20. C'est un trajet qui part des Mathurins, l'un des lieux d'enseignement de la rive gauche, traverse la Cité pour se rendre à Sainte-Catherine-des-Écoliers au nord de l'hôtel Saint-Pol.

21. Les moines de Saint-Denis amènent toutes leurs reliques : saint Denis, Rustique, Eleuthère, Eustache, Pérégrin, Denis d'Athènes, et peut-être Saint-Louis. Le chiffre 7 est sacré.

22. L'oriflamme qui avait servi à Roosebeke en 1382. Le Saint Clou et l'Épine furent, selon la légende, ramenés par Charlemagne d'Orient et donnés par Charles le Chauve à l'abbaye.

procession ; et à l'encontre d'eux alla la paroisse Saint-Eustache pour le corps saint Eustache[23], qui était en l'une desdites châsses, et s'en allèrent droit au Palais de Paris [tous] ; là dirent la grand-messe en grande dévotion, puis s'en allèrent.

36. La semaine ensuivant, tous les jours [firent] moult piteuses processions chacun à son tour, et les villages d'entour Paris semblablement venaient moult dévotement, tous nu-pieds, priant Dieu que par sa sainte grâce (la) paix fût reformée[24] entre le roi et les seigneurs de France, car par la guerre toute France était moult empirée d'amis et de chevance*[25], car on ne trouvait rien au plain pays* qui ne lui portait.

37. Item, le lundi ensuivant, 6e jour dudit mois de juin, audit an, allèrent ceux de Saint-Martin-des-Champs[26], avec eux plusieurs paroisses de Paris et des villages, tous nu-pieds, accompagnés comme devant de luminaire et de reliques, à Saint-Germain-des-Prés. Là dirent la grand-messe en grande dévotion, et les autres paroisses allèrent aux Martyrs et là chantèrent la grand-messe, et ceux de Sainte-Catherine-du-Val-des-Écoliers vinrent chanter la grand-messe à Saint-Martin-des-Champs.

38. Item, les mardi et mercredi, 7e et 8e jours dudit mois, audit an, fit-on procession, les paroissiens autour de leurs paroisses.

39. Item, le jeudi 9e jour dudit mois, audit an, furent plusieurs paroisses, accompagnées de très grand peuple d'église et de commun, tous nu-pieds, à grand reliquaire et luminaire, et en ce point allèrent à Boulogne-la-Petite[27], là firent leur dévotion et dirent la grand-messe, puis s'en revinrent.

---

23. Le corps de saint Eustache est conservé à Saint-Denis, mais la paroisse du même nom à Paris prétend en avoir quelques reliques.

24. Rétablie.

25. Pénurie de denrées et d'alliés. On ne trouvait rien au plat pays, si on ne l'apportait.

26. Ces processions touchent Paris *intra muros* et les villages (soit les paroisses de rive droite entre les deux enceintes, soit celles de banlieue au-delà de l'enceinte de Charles-V). Trois trajets ici : les paroisses de l'est parisien vont à Saint-Martin-des-Champs, celles du nord à Saint-Germain-des-Prés et celles du sud à Montmartre au-delà des murs côté nord.

27. L'actuelle Boulogne-Billancourt, par opposition à Boulogne-sur-Mer qui est Boulogne-la-Grande. Ce sont deux santuaires mariaux.

40. Item, le vendredi ensuivant, 10e jour dudit mois, audit an, fut faite une procession générale, une des plus honorables qu'on eût oncques vues : car toutes les églises, collèges et paroisses y furent tous, et tant de peuple que sans nombre, car le jour de devant avait été commandé que de chacun hôtel y fut une personne[28]. Et pour cette dévote procession plusieurs paroisses des villages d'entour Paris y vinrent en grande dévotion et de moult* loin, comme de plus de quatre grosses lieues, comme de par-delà Villeneuve-Saint-Georges, de Mongisson[29] et d'autres villes voisines, et vinrent à toutes les reliques qu'ils purent finer*, tous nu-pieds, très anciens hommes, femmes grosses[30] et petits enfants, chacun (un) cierge ou chandelle en sa main.

41. Les samedi et dimanche, 11e et 12e jours dudit mois, audit an, on fit procession commune autour des paroisses.

42. Le lundi, 13e jour dudit mois, audit an, vinrent ceux de Saint-Maur-des-Fossés[31] accompagnés de 18 bannières, des reliques très grande foison, vingt croix, tous pieds nus, à Notre-Dame de Paris chantèrent la grand-messe.

43. Le mardi ensuivant, le 14e jour dudit mois, audit an, allèrent ceux de Paris en procession à Saint-Antoine-des-Champs[32], là dirent la grand-messe.

44. Le mercredi ensuivant, 15e jour dudit mois, audit an, fut faite [une] procession autour des paroisses.

45. Le jeudi ensuivant, 16e jour dudit mois, audit an, firent les paroisses de Paris les processions aux Martyrs et à Montmartre ; là, chantèrent la grand-messe.

46. Le vendredi ensuivant, allèrent à Saint-Denis en France c'est à savoir Saint-Paul et Saint-Eustache[33], les gens tous nu-pieds ; là dirent la grand-messe.

---

28. La présence est obligatoire pour une personne par famille.

29. Montgeron (canton Villeneuve-Saint-Georges).

30. Femmes enceintes. Normalement vieillards et femmes enceintes sont dispensés de procession.

31. Abbaye bénédictine au nord de Paris. Les dix-huit bannières sont probablement des bannières de confréries, les vingt croix appartiennent à divers établissements ecclésiastiques.

32. Saint-Antoine-des-Champs se trouve en dehors des murs à l'est de Paris.

33. Ces processions sont liées. Saint Denis aurait été converti par saint Paul et martyrisé à Montmartre. Saint Eustache est enterré à Saint-Denis.

47. Et tant comme on fit ces processions, ne fit jour qu'il ne plut très fort, que[34] les trois premiers jours. Pour vrai ceux de Meaux vinrent à Saint-Denis, et de Pontoise et de Gonesse, et de par-delà vinrent à Paris en procession.

48. Le samedi ensuivant firent ceux du Châtelet, tous grands et petits, procession.

49. Le dimanche ensuivant, procession aux paroisses.

50. Le lundi ensuivant, Saint-Nicolas, Saint-Sauveur, Saint-Laurent[35] allèrent à Notre-Dame de Boulogne-la-Petite, en la manière que dit est devant, le jeudi 9e jour du mois.

51. Trétout* le temps que le roi fut hors de Paris, firent ceux de Paris et ceux des villages d'entour procession, comme devant est dit, et allaient chacun jour par ordre en procession aux pèlerinages de Notre-Dame entour Paris, comme au Blanc-Mesnil, comme au Mesche et aux lieux plus renommés de dévotion[36].

52. Et fut vrai que le samedi, 11e jour dudit mois de juin, arriva le roi de France, avec son ost*[37] devant la cité de Bourges en Berry, et quand ils furent devant, ils assaillirent la ville moult âprement, et les Armagnacs se défendirent moult fort, mais moult* furent grevés* ; si demandèrent trêves[38], si furent données deux heures, non plus. Un peu avant que les trêves furent faillies*[39], issirent* hors les faux traîtres à grande compagnie, cuidant* trahir et surprendre nos gens qui point ne s'en gardaient ; mais l'avant-garde les recula[40] moult âprement, et si férirent*[41] en eux si cruellement que tous les firent flatir*[42] jusqu'aux portes, et là furent de si près hâtés les traîtres que le sire de Gaucourt conduisait, qu'en la place en demeura plus de

34. Sauf les trois premiers jours (31 mai, 1er et 2 juin).

35. Les paroissiens de Saint-Nicolas, Saint-Sauveur, Saint-Laurent sur la rive droite.

36. On organisa des campagnes systématiques de procession aux grands sanctuaires mariaux suburbains : Notre-Dame-de-Boulogne ; Blanc-Mesnil (près de Gonesse) et Le Mesche (près de Créteil).

37. Armée.

38. Trêves de deux heures.

39. Avant que le délai fût terminé.

40. Fit reculer.

41. Frappèrent.

42. Reculer à l'intérieur.

120 hommes de nom[43], tous morts, et foison pris, lesquels reconnurent qu'ils cuidaient* emmener le roi par force et tuer le duc de Bourgogne[44], mais Dieu les en garda cette fois, puis passèrent plusieurs jours sans aucun assaut.

53. Cependant se rendirent ceux du château de Sancerre[45], lesquels avaient fait moult de griefs*[46] en l'ost*, car au commencement du siège, par ceux-là et par autres, (le) pain y était si cher qu'un homme n'eût pas été saoul de pain à un repas pour 3 sols parisis, mais tantôt après, [par] la grâce de Dieu, il vint assez de vivres ; et si étaient bien en l'ost* plus de 50 000 hommes à cheval, sans* ceux de pied qui étaient grande foison.

54. Item, vers la fin de juillet, quand tout le pauvre commun, et de bonnes villes et de plat pays furent tous mangés les uns par tailles, les autres par pillage[47], ils[48] firent tant qu'ils firent traiter au jeune duc de Guyenne, qui aîné fils du roi était et qui avait épousé la fille du duc de Bourgogne, tant qu'il leur accorda par faux traîtres privés qui étaient entour le roi, qu'il les ferait [tous] être en la bonne paix du roi, et ainsi le fit-il, qui [que] le voulût voir[49] ; car chacun était moult agrevé de la

---

43. Il y eut 120 morts parmi les nobles et quantité de prisonniers. Il est possible que les Armagnacs aient voulu s'assurer de la personne royale, qui apportait la légitimité au camp qui la détenait. Jean sans Peur ne fait pas autrement.

44. L'assassinat du duc de Bourgogne aurait été prévu dès 1412. La formulation de la phrase suggère que la date fut écrite ou modifiée après le meurtre de Montereau. Cette tentative échoua, mais une autre fois...

45. La garnison armagnacque de Sancerre empêchait le ravitaillement de l'armée qui assiégeait Bourges.

46. Dommages. On ne pouvait faire un repas suffisant à moins de 3 sous parisis de pain.

47. Le commun des villes est ruiné par l'impôt, celui des campagnes par les dévastations.

48. Ce « ils » qui ne renvoie à rien tend à dire que le jeune duc de Guyenne est manœuvré par des traîtres ou des privés (favoris). Il désirait la paix pour de mauvaises raisons. On peut penser que le jeune duc n'avait aucun intérêt à faire disparaître les Armagnacs (dont il était parent). Il aurait alors été trop soumis à l'influence de son encombrant beau-père bourguignon. Du strict point de vue de l'État, une réconciliation était fort souhaitable.

49. Quelles que soient les circonstances.

guerre pour la grande chaleur qu'il faisait[50] ; [car on disait que d'âge d'homme qui fut, n'avait-on vu faire si grand chaud comme il faisait], et si ne plut point [depuis la Saint-Jean-Baptiste], qu'il ne fut deux jours en septembre[51]. Si furent les Armagnacs si grevés* qu'ils étaient comme tous déconfits* par tout le royaume de France, quand ce faux conseil traité[52] fut ainsi machiné, et fut ordonné qu'ils viendraient tous[53] en la cité d'Auxerre.

55. En ce temps furent plusieurs communes, comme de Paris, de Rouen et de plusieurs autres bonnes villes

....[54]

devant eux et gagnèrent tantôt la ville, et moult tuèrent de gens du plain pays, qui tous se rebellèrent en tout le pays de Beauce[55], car ils avaient tant de peine et de charge de gens d'armes, qu'ils ne savaient auxquels obéir. Si se tinrent [aux] Armagnacs qui là étaient les plus forts, pour le temps que la malle* guerre commença. Et quand lesdites communes vinrent à Dreux, elles les trouvèrent si rebelles qu'elles les[56] tuèrent tous, et les faux traîtres Armagnacs gens d'armes, qui les devaient secourir, s'enfuirent au château de ladite ville et laissèrent tuer les pauvres gens. Et puis furent assiégés de nos gens du commun si âprement qu'ils ne se pouvaient plus tenir[57], quand un chevalier, qui était [maître] gouverneur desdites communes[58], comme faux traître, fit laisser l'assaut, et

---

50. Il fit très chaud en août 1412, l'armée souffrait et les maladies s'y installèrent.

51. Il ne plut pas du 24 juin au 2 septembre.

52. Ce traité, fruit d'une mauvaise décision.

53. Qu'ils viendraient tous à Auxerre où on organisait les négociations.

54. La partie manquante est courte et concerne le départ pour Dreux des milices parisiennes. Le sujet de « gagnèrent » est : les Armagnacs.

55. La Beauce est disputée entre les Armagnacs et les Bourguignons au grand dam des populations rurales qui suivent le plus fort.

56. Les habitants de Dreux étaient armagnacs. Quand la ville fut prise, ils se réfugièrent dans le château.

57. Le Bourgeois insiste sur la valeur militaire des milices urbaines, supérieure à celle des chevaliers et gens d'armes de l'autre bord.

58. Les milices sont commandées par un chevalier. A notre connaissance, la milice était commandée par André Roussel et Jean de l'Olive. Il se garde bien de donner leurs noms. Seul le chevalier trahit. En fait, la paix d'Auxerre prévoyait l'arrêt des opérations militaires.

prit grand argent des Armagnacs, et (il) fut du tout de la bande. Et si disait-on que c'était un des bons de France, et ne se savait-on en qui se fier, car il mit nos gens en tel état qu'il leur convint partir à minuit pour s'en venir à Paris, ou autrement eussent été tous tués par les faux traîtres et autres gentilshommes, qui tant les haïssaient et qui ne les pouvaient souffrir, pour ce qu'ils besognaient si bien[59] ; car qui les eût crus[60], ils eussent nettoyé le royaume de France des faux traîtres en moins d'un an, mais autrement ne put être, car nul prudhomme ne fut écouté en ce temps[61]. Et pour ce fut faite paix du tout à leur gré, qui que le voulût voir[62], car le roi était toujours malade, et son aîné fils ouvrait* à sa volonté plus que de raison, et croyait les jeunes et les fols*[63], si en faisaient lesdits bandés tout à leur guise. Et fit-on pour la joie d'icelle paix les feux à Paris. Le premier samedi d'août 1 400 et 12 et le premier mardi de septembre[64], (elle) fut criée parmi Paris à trompettes.

....[65]

56. Mais il fut autrement, car il fut mis ès carrières de Notre-Dame-des-Champs...[66] Et le pénultième jour dudit mois, audit

---

59. Les Armagnacs sont présentés comme un parti nobiliaire. Ce n'est pas très cohérent, après ce qu'il vient de dire du commun de Dreux. La haine existe-t-elle entre commun et nobles ou entre Armagnacs et Bourguignons ?

60. Verbe croire.

61. Le Bourgeois est jusqu'au-boutiste et hostile à la réconciliation d'Auxerre. Par « prudhomme », il entend les bourgeois de Paris et les Universitaires dont l'avis ne fut pas suivi. Ici prudhomme s'oppose implicitement à gentilhomme.

62. Quels que fussent ceux qui demanderaient la paix.

63. Les bons conseillers sont anciens et sages. Le Bourgeois ne peut s'en prendre directement à l'héritier de France, il en dénonce l'entourage. Un mauvais prince est encore au XVe siècle un prince mal conseillé.

64. Une paix est normalement jurée puis criée aux carrefours (ici le 12 septembre) et fêtée par des feux de joie. Ici, elle fut fêtée d'abord le 27 août dès le retour d'Auxerre du premier président Henry de Marle. On clôt les festivités par un *Te Deum*.

65. Passage coupé.

66. Lire peut-être : « Mais il [en] fut autrement, car il [le traité d'Auxerre] fut mis aux carrières de Notre-Dame-des-Champs [mis aux oubliettes ?]. »

an[67], vint le roi au Bois de Vincennes, et le duc de Bourgogne à Paris, et allèrent les bourgeois au-devant par commandement[68].

57. Item, le mardi 27e jour de septembre, jour Saint-Côme et Saint-Damien, fut dépendu[69] par nuit du gibet [de Paris Jean] de Montaigu, jadis grand maître d'hôtel du roi, lequel avait eu la tête coupée pour ses démérites, et fut porté à Marcoussis, aux Célestins, lesquels il avait fondés en sa vie.

58. Item, le dimanche 23e jour d'octobre ensuivant, entra le roi à Paris, et fut faite à sa venue la plus grande fête et joie du commun, qu'on avait vue passé avait 12 ans[70], [car petits et grands] bassinaient*, et vint avec le roi le duc de Bourbon, et le comte de Vertus, neveu, et plusieurs autres, et furent avec le roi à Paris, moult* aimés du roi et du commun qui avait grande joie de la paix qu'on cuidait* qu'ils tinssent bonnement, et ils ne tendaient qu'à la destruction du roi et espécialment de la bonne ville de Paris et des bons habitants[71].

---

67. Le 29 septembre.

68. Le roi séjourna trois semaines au château de Vincennes aménagé sous Charles V, probablement malade. Le duc de Bourgogne fit, lui, une entrée immédiate et solennelle. En principe, il n'y a que pour le roi que les bourgeois vont au-devant de l'arrivant. Le Bourgeois n'apprécie pas cette entorse au protocole (par commandement).

69. Il importe d'effacer les mauvais souvenirs avant l'entrée royale qui est une fête de réconciliation. Jean de Montaigu avait obtenu en 1410 la confirmation royale de sa fondation à Marcoussis. Depuis le début du XIVe siècle, les Célestins sont très étroitement associés à la dynastie. Fonder un couvent de Célestins, c'est contribuer au rayonnement capétien. Le couvent était passé entre les mains du frère de la reine Isabeau.

70. La plus belle fête depuis le début du siècle. Le roi est accompagné du duc de Bourbon, son cousin et du fils cadet de Louis d'Orléans, neveu du roi, Philippe de Vertus. Charles, l'aîné du lignage Orléans, n'est pas venu, par réticence ou par prudence.

71. Les Armagnacs tendent peut-être à la destruction de Paris (encore qu'ils y aient de nombreux partisans), mais sûrement pas à celle du roi. Ils veulent contrôler la personne royale, ce qui est différent.

[1413]

59. Et firent tant par leur mauvaise malice, pour mieux venir à leur malheureuse intention, que plusieurs[1] qui bonnement aimaient et avaient aimé le roi et le profit commun, furent en tout de leur mauvaise et fausse intention, comme le frère de la reine de France[2], Pierre des Essarts prévôt de Paris, et plusieurs autres, et par espécial ledit prévôt qui se pouvait vanter que (aucun) prévôt de Paris, puis cent ans devant[3], n'avait eu aussi grande grâce que ledit prévôt avait et du roi et du commun. Mais si mal se porta qu'il convint qu'il s'enfuît, lui et plusieurs des autres des plus grands, comme le frère de la reine, duc de Bavière, le duc de Bar Édouard[4], Jacques de la Rivière[5], et plusieurs autres chevaliers et écuyers, et (ce) fut en la fin de février 1413, et demeura la chose plusieurs jours, aussi comme si on l'eût oubliée.

60. Et cependant l'Université[6], qui moult aimait le roi et le commun, fit tant par grande diligence et grand sens qu'ils eurent tous ceux, par écrit[7], de la maudite et fausse trahison, et la greigneure*[8] partie de tous les grands en était, tant gentils comme vilains[9]. Et quand l'Université, par grande cure, eut mis

---

1. La monopolisation du pouvoir par les Bourguignons suscite des réticences autour de la reine Isabeau et du dauphin Louis. Un rééquilibrage du gouvernement serait plus sage et plus conforme à la paix.

2. Le duc Louis de Bavière.

3. Il se pouvait vanter d'être le prévôt le plus populaire auprès du roi comme du commun depuis cent ans.

4. Les ducs de Bavière et de Bar ainsi que leurs partisans se réfugièrent hors de Paris en mars, à la suite de la découverte d'un complot de leurs serviteurs visant à livrer le pont de Charenton aux Armagnacs. Pierre des Essarts et Louis de Bavière, sûrs de leurs positions, revinrent dans la capitale en avril.

5. Jacques de La Rivière est le fils de Bureau de La Rivière, un des principaux conseillers de Charles V. Chevalier armagnac, il périt en prison en 1413 de façon plutôt suspecte.

6. Notre auteur est un Universitaire, et pour lui l'Université est source de toute sagesse, même quand elle se mêle de délation !

7. Ils mirent par écrit les noms de tous les traîtres.

8. Majeure.

9. De temps en temps, le Bourgeois admet qu'il n'y a pas que des nobles chez les Armagnacs.

en écrit espécialment tous ceux qui pouvaient nuire, cependant revinrent les dessusdits qui fuis s'en étaient, et firent les bons valets[10] et brassèrent[11] un mariage de la femme du comte de Mortain, qui mort était[12], au frère de la reine, duc de Bavière, et était leur malheureuse intention de faire leurs noces loin et d'emmener le roi, pour être maîtres de Paris et en faire toute leur volonté qui moult était mauvaise. Et l'Université qui tout savait ce, le fit savoir au duc de Bourgogne et au prévôt des marchands qui avait nom André d'Épernon[13], né de Quincampoix, et aux échevins[14]. Si firent tantôt armer la bonne ville et couards devantdits, comme parurent[15], et ceux s'enfuirent au chastel de Saint-Antoine et là se boutèrent* par force[16]. Et le frère de la reine fit le bon valet et servait le roi aussi comme s'il n'en sût rien, et ne se mut[17] oncques d'avec le roi.

61. Tantôt après fut la ville armée, et (les Parisiens) assiégèrent [ledit chastel] et jurèrent que jamais ne s'en partiraient tant que les eussent pris par force; et quand ceux qui dedans le chastel étaient virent tant de gens et si émus, si se rendirent vers le soir au duc de Guyenne et de Bourgogne, qui en répondi-

---

10. Ils jouèrent les innocents.

11. Conclurent.

12. Veuf d'Anne de Bourbon, Louis de Bavière désirait épouser Catherine d'Alençon, veuve de Pierre de Navarre, comte de Mortain, mort au siège de Bourges. Ce mariage le rapprochait des Armagnacs, mais était surtout une bonne affaire financière (le comté de Mortain, 2000 livres de vaisselle d'or offertes par la reine, et 50000 francs promis par le roi de Navarre).

13. La prévôté des marchands vient d'être rétablie en 1412. Son premier titulaire, Pierre Gencien, réservé à l'égard des Bourguignons, s'absenta en 1413 et fut remplacé par le changeur André d'Épernon, Bourguignon fervent qui joua un grand rôle dans l'émeute cabochienne mais perdit son poste le 9 septembre lors de l'échec de celle-ci qui permit le retour de Gencien. Il continua sa carrière de changeur et de trésorier et mourut en 1431. Sa maison se trouvait dans le quartier Saint-Germain, et non rue Quincampoix.

14. Les quatre échevins étaient, à cette date, Jean de Troyes, Pierre de l'Olive, Robert de Belloy et Garnier de Saint-Yon. Trois d'entre eux au moins étaient bourguignons.

15. Comme couards, ils s'enfuirent...

16. Sauf Louis de Bavière, les conjurés se réfugièrent dans la Bastille Saint-Antoine qui défendait l'entrée est de Paris, sur la rive droite.

17. Il resta avec le roi.

rent[18], ou les gens de Paris les eussent tous dépecés, car ils étaient bien 23 000. Lors furent pris bien et étroitement et menés au Louvre, et fut le 5e jour de mai 1400 et 13, jour de vendredi. Et ledit prévôt demeura dedans Saint-Antoine encore 4 ou 6 jours après, et fut allé quérir* et amené au Louvre environ l'heure de minuit, et là fut emprisonné[19].

62. Et la semaine de devant l'Ascension[20] fut la ville de rechef armée, et allèrent en l'hôtel Saint-Pol, où le frère de la reine était, et là le prirent, voulût ou non, et rompirent l'huis de la chambre où il était, et (en) prirent avec lui 13 ou 14, (tant) que dames que damoiselles, qui bien savaient la mauvaiseté, et furent tous menés au Louvre pêle-mêle[21]. Et si cuidait* ledit frère de la reine le lendemain épouser sa femme, mais sa chance tourna contre sa volonté.

63. Le mercredi, vigile de l'Ascension, derrain* jour de mai, audit an 1400 et 13, fut amené ledit prévôt, du Louvre au Palais, en prison.

64. Et cedit jour, fut nommé le pont de la Planche de Mibray le pont de Notre-Dame[22], et le nomma le roi de France Charles, et frappa de la hie* sur le premier pieu, et le duc de Guyenne,

---

18. Même Bourgogne est dépassé par les événements qu'il a provoqués. Il souhaite la mise à l'écart de ses concurrents, pas leur assassinat. Il s'en porte garant afin de leur sauver la vie et il leur garantit sa protection.

19. Furent emprisonnés au Louvre Pierre des Essarts et le duc de Bar.

20. Le 22 mai, les Cabochiens forcèrent les portes de l'hôtel Saint-Pol, résidence du roi qui jouissait alors d'une absolue sauvegarde. L'émeute échappait à ses chefs.

21. Louis de Bavière fut aussi enfermé dans la grosse tour du Louvre, dont les échevins avaient la clef. D'autres officiers du roi, d'Isabeau ou du duc de Guyenne se retrouvèrent à la Conciergerie : Charles de Villiers ; Raoul Cassinel ; Conrad Bayer et Jean Picard, serviteurs d'Isabeau ; Renaud d'Angennes et Jean de Nielles au duc de Guyenne ; et d'autres au roi, soit environ une dizaine de seigneurs sur lesquels le Bourgeois est muet. Cinq dames de la reine, Bonne Visconti, Isabelle des Barres, Catherine de Villiers, Isabeau Maréchal et Marguerite Aubin connurent le même sort. Elles furent fort maltraitées et violées. Le Bourgeois, qui ne l'ignore pas, se justifie par « leur mauvaiseté ».

22. Il s'agit de la reconstruction du pont Notre-Dame en amont du Grand Pont, entre la Cité et la rive droite. Il aboutit dans le prolongement de la rue Saint-Martin. La décision avait été prise en 1412, le pont ne fut terminé qu'en 1415 et donna des signes de faiblesse dès 1440. Il semble avoir été en bois.

son aîné fils après, et le duc de Berry et de Bourgogne, et le sire de la Trémoille[23], et (il) était heure de dix heures de jour au matin.

65. Et en cedit mois de mai prit la ville chaperons blancs[24], et en firent bien faire de 3 à 4000, et en prit le roi un, et Guyenne et Berry et Bourgogne, et avant que la fin du mois fût, tant en avait à Paris, que tout partout vous ne vissiez guère autres chaperons, et en prirent hommes d'église et femmes d'honneur marchandes qui atout vendaient les denrées.

66. Item, le 10e jour du mois de juin 1400 et 13, jour Saint-Landry, vigile de la Pentecôte, fut mené messire Jacques de la Rivière[25], chevalier, et Simonnet Petit-Menil[26], écuyer; eux deux furent pris au Palais du roi, et de là traînés [jusque] ès Halles de Paris, c'est à savoir Jacques de la Rivière, car il était mort et s'était tué d'une pinte pleine de vin, dont il s'était féru* sur la tête si grand coup qu'il se cassa la tête et la cervelle. Et ledit Simonnet fut traîné jusqu'à la Heaumerie[27] et là mis en la charrette sur un aiz* assis, une croix en sa main, le mort traîné jusque ès Halles, et là eurent les têtes coupées. Et dirent à la mort[28] que d'eux deux ce avait été la plus belle prise qui eût été faite pour le royaume, passé avait 20 ans, et ceux-ci avaient été pris au chastel de Saint-Antoine, comme devant est dit.

67. Item, le jeudi ensuivant, un autre nommé Colin de Brie[29], écuyer, fut pris audit lieu comme devant est dit, et pris au Palais, traîné comme Simonnet devant dit, et coupée sa tête

---

23. Georges de La Trémoille, grand chambellan de France. C'est une cérémonie destinée à calmer les esprits, où les deux camps sont représentés.

24. Les chaperons blancs sont ceux des villes de Flandres révoltées, qu'imitent ici les Cabochiens. L'insigne proprement bourguignon est le chaperon pers (bleu-vert).

25. Jacques de La Rivière trouva en prison une mort suspecte. On lui cassa plutôt la tête avec une pinte de vin (ou autre chose) qu'il ne se la cassa ! D'après Jouvenel des Ursins, il avait été tué par le capitaine de Pais, Élyon de Jacqueville.

26. Simmonet du Mesnil était écuyer du duc de Guyenne.

27. Le mort et le vivant furent traînés derrière une charrette du Palais à la rue de la Heaumerie. Puis le vivant eut droit à la charrette jusqu'aux Halles où tous deux furent décapités.

28. Il n'y a pas de sujet: « On disait à leur mort que... »

29. Thomelin de Brie, page du roi, aurait eu le projet de suborner de la part de Pierre des Essarts la garde du pont de Charenton. La phrase est incomplète: c'était un des membres de ladite bande.

ès Halles, de ladite bande, très plein de tyrannie, très laide et cruelle personne, et reconnut plusieurs trahisons, qu'il avait eu pensée de faire [de par] le prévôt de Paris ; car il cuida* trahir ceux du pont de Charenton, et là fut pris, à tout finance qu'il cuidait* faire passer pour ledit prévôt, qui cuidait* passer par ledit pont cette nuit.

68. Item, le premier jour de juillet 1400 et 13, fut ledit prévôt pris dedans le Palais, traîné sur une claie jusqu'à la Heaumerie ou environ[30], et puis assis sur un aiz* en la charrette, tenant une croix de bois en sa main, vêtu d'une houppelande noire déchiquetée[31] fourrée de martres, des chausses blanches, des escafinons noirs en ses pieds[32], en ce point mené ès Halles de Paris, et là on lui coupa la tête, et fut mise plus haut que les autres [plus] de trois pieds. Et si est vrai que, depuis qu'il fut mis sur la claie jusqu'à sa mort, il ne faisait toujours que rire, comme il faisait en sa grande majesté, dont le plus des gens le tenaient pour vrai fou[33], car tous ceux qui le voyaient pleuraient si piteusement que vous ne ouissiez* oncques parler de plus grands pleurs pour mort d'homme[34], et lui tout seul riait, et était sa pensée que le commun le gardât de mourir. Mais il avait en sa volonté, s'il eût vécu, de trahir la ville et de la livrer ès mains de ses ennemis, et de faire lui-même très grandes et cruelles occisions, et piller et rober les bons habitants de la bonne ville de Paris, qui tant l'aimaient loyalement ; car il ne commandait rien qu'ils ne fissent à leur pouvoir, comme il apparaît qu'il avait pris si grand orgueil en soi[35], car il avait

---

30. En fait, depuis le Palais jusqu'à la rue Saint-Denis.
31. Échiquetée (à carreaux noirs).
32. Des chausses blanches et des chaussons de toile noire.
33. Pierre des Essarts espérait que le commun le délivrerait.
34. Il était fort populaire et le Bourgeois a de la peine à justifier une exécution qui ne fait pas l'unanimité. Il est contraint de lui attribuer de mauvaises intentions futures car rien dans sa conduite passée n'explique sa condamnation.
35. Pierre des Essarts est un parvenu à l'ascension trop spectaculaire. Il est prévôt de Paris, grand bouteiller (depuis 1410), maître des eaux et forêts (vers 1411), capitaine de Cherbourg et Montargis. Il ne semble pas, en revanche, avoir été grand fauconnier. L'orgueil qu'il en conçoit amène un retournement que notre Bourgeois trouve normal. La roue de Fortune qui l'a élevé l'abaisse. L'auteur couvre d'ailleurs son opinion du témoignage d'un prince bourguignon.

assez offices pour six ou pour huit fils de comtes ou de bannerets. Premièrement, il était prévôt de Paris, il était grand bouteiller, maître des eaux et des forêts ; grand général capitaine de Paris, de Cherbourg, de Montargis ; grand fauconnier, et plusieurs autres offices, dont il cueillit si grand orgueil et laissa raison, et tantôt Fortune le fit mener à cette honteuse fin. Et sachez que, quand il vit qu'il convenait qu'il mourût, il s'agenouilla devant le bourrel*, et baisa une petite image d'argent que le bourrel* avait en sa poitrine, et lui pardonna sa mort moult doucement, et pria à tous les seigneurs que son fait ne fût point crié tant qu'il fût décollé[36], [et on (le) lui octroya.

69. Ainsi fut décollé*] Pierre des Essarts, et son corps mené au gibet et pendu au plus haut. Et devant environ deux ans, le duc de Brabant, frère du duc de Bourgogne[37], qui voyait bien son outrageux gouvernement, lui dit en l'hôtel du roi : « Prévôt de Paris, Jean de Montaigu a mis 22 ans à soi faire couper la tête, mais vraiment vous n'y en mettrez pas trois » ; et non fit-il, car il n'y mit que deux et demi depuis le mot, et disait-on par ébatement parmi Paris que ledit duc était prophète vrai disant[38].

70. Item, vers la fin dudit mois, recommencèrent ceux de la maudite bande à venir près de Paris, comme autrefois avait été, et vidèrent ceux des villages[39] d'entour Paris tout ce qu'ils avaient et l'amenèrent à Paris. Et lors fut fait un traité pour faire la paix et devait être fait à Pontoise[40], et y alla le duc de Berry le 20e jour dudit mois, jour Sainte-Marguerite, et le duc de Bourgogne le lendemain vigile de la Madeleine. Et là furent environ dix jours pour cuider* faire la paix, et firent tant qu'elle fut oncques faite, n'eût été aucunes demandes que lesdits bandés demandèrent, qui étaient inraisonnables, car ils demandaient aucuns de ceux de Paris pour en faire leur pleine volonté, et autres choses touchant vengeance très cruelle, laquelle chose ne leur fut point accordée[41]. Mais à cette fin que

---

36. Qu'on ne lût pas l'acte d'accusation avant sa mort mais après.
37. Antoine de Brabant, deuxième fils de Philippe le Hardi.
38. On disait pour rire que le duc était prophète disant le vrai.
39. Les paysans se replient sur Paris avec leurs possessions.
40. La paix de Pontoise fut négociée durant la deuxième quinzaine de juillet 1413. L'accord fut laborieux.
41. Les Armagnacs demandaient justice des exécutions sommaires multipliées par les Cabochiens.

la paix ne tint, ceux qui de par le roi y étaient allés firent tant que lesdits bandés envoyèrent à sauf-conduit leurs ambassadeurs avec la compagnie de Berry et Bourgogne, et ceux de Paris, pour parler au roi à bouche, et entrèrent le jour Saint-Pierre, premier jour [du mois] d'août ensuivant, qui [fut] au mardi, et parlèrent au roi à bouche tout à leur volonté, qui leur fit faire très bonne chère[42]. Quant (à ce qu'il) est des demandes et des réponses, je me tais, car trop longue chose serait, mais bien sais qu'ils demandaient toujours à leur pouvoir la destrution de la bonne ville de Paris et des habitants.

71. Item, le jeudi 3e jour dudit mois d'août, fut l'Université de Paris à Saint-Pol demander congé au roi de proposer le lendemain certaines choses qui moult étaient profitables pour la paix du royaume; laquelle chose leur fut octroyée. Et le lendemain, jour de vendredi, quatrième jour d'août, comme si le diable les eût conseillés, proposèrent tout au contraire de ce qu'ils avaient devant conseillé par plusieurs fois[43], car leur première demande fut qu'on mît hors[44] tous les prisonniers qui de la trahison, dont Pierre des Essarts et messire Jacques de la Rivière[45] et Petit-Menil[46] avaient eu les têtes coupées, étaient droits maîtres et ministres — et étaient le duc de Bavière, frère de la reine de France, messire Édouard, duc de Bar, le sire de Boissay[47] et deux de ses fils, Antoine des Essarts[48] frère dudit Pierre des Essarts, et plusieurs autres, lesquels étaient emprisonnés au Louvre, au Palais et au Petit-Châtelet — en après,

42. D'après le Religieux de Saint-Denis, les ambassadeurs des Armagnacs n'entrèrent pas à Paris mais attendirent à Beaumont-sur-Oise les réponses à leurs propositions.

43. L'Université, comme le duc de Bourgogne, a été débordée par la rue. Elle s'inquiète, négocie avec Berry et tourne casaque. Le Bourgeois, lui, reste partisan d'une répression accrue. Il est donc très surpris et voit la main du Diable dans ce retournement.

44. Qu'on libérât tous ceux qui avaient été faits prisonniers à l'hôtel Saint-Pol ou à la Bastille.

45. Cf. note 25 ci-dessus.

46. Cf. note 26 ci-dessus.

47. Robert de Boissay était chambellan du roi. Son fils Jean était maître des requêtes de l'Hôtel et un autre de ses fils chambellan du duc de Guyenne.

48. Antoine des Essarts était écuyer, garde de l'Épargne et de la Librairie du roi. Depuis 1411, il était, en outre, concierge du Palais.

que [tous ceux] qui contrediraient leurs demandes touchant la paix, fussent tous abandonnés, leurs corps et leurs biens[49]. Après, assez autres demandes firent-ils, et ne proposèrent point [pour] la paix ceux qui avaient gardé à leur pouvoir la ville de Paris et qui avaient été consentants d'emprisonner les devant-dits prisonniers pour leurs démérites. Et si savaient-ils bien que tous les bandés les haïssaient jusqu'à la mort. Iceux haïs[50] étaient maître Jean de Troyes, mire juré de la ville de Paris[51], concierge du Palais, deux de ses fils, un nommé Jean Le Gois et ses deux fils, bouchers[52], Denisot Caboche, Denisot de Saint-Yon[53], tous deux bouchers, ledit Caboche capitaine du pont de Charenton, ledit de Saint-Yon capitaine de Saint-Cloud. Iceux étaient en la présence[54], quand le propos fut octroyé, qui leur sembla moult dure chose, et s'en vinrent tantôt en l'hôtel de ville[55], et là assemblèrent gens, et leur montrèrent comment la paix qui était traitée n'était point à l'honneur du roi, ni du duc de Bourgogne, ni au profit de la bonne ville ni des habitants,

---

49. L'Université abandonne à leur triste sort prévisible ceux qui étaient responsables de ces emprisonnements illégaux, à savoir les chefs de la révolte cabochienne. Ils seront exclus de la paix.

50. Ceux que les princes haïssaient étaient...

51. Jean de Troyes était un chirurgien juré du roi. Bon orateur et ayant l'expérience de l'échevinat, il fut l'un des chefs cabochiens les plus compromis. Il se réfugia ensuite en Flandre jusqu'en 1418. Il mourut en 1424, laissant de nombreux enfants.

52. La famille Legois est l'une des plus riches familles de bouchers parisiens. Elle comprend Thomas Legois et ses trois fils, Guiot tué en 1411 dans la milice, Guillaume, et surtout Jean qui occupa d'importantes fonctions au service de Bedford (gouverneur général des Finances).

53. Il faut lire Simon Caboche et Denisot de Chaumont. Le premier donna son nom à la révolte. Tous deux étaient écorcheurs de la Grande Boucherie. La famille Saint-Yon est une famille de bouchers qui fut aussi impliquée dans la révolte. Cette énumération souligne implicitement le rôle des bouchers qui fournirent les troupes de la révolte et une partie des chefs. L'extrémisme des bouchers parisiens aux XIVe et XVe siècles s'explique par le contraste entre les fortunes qu'ils édifient dans un marché porteur et l'exclusion sociale qui les frappe, parce qu'ils tuent et touchent le sang. Il est presque impossible à un boucher de devenir échevin. La Boucherie espère donc, en soutenant le duc de Bourgogne, une reconnaissance sociale.

54. Ils étaient là quand l'Université fit cette proposition.

55. L'Hôtel de Ville se trouve sur la place de Grève, dans la maison aux piliers.

mais à l'honneur desdits bandés, qui tant de fois avaient menti leur foi. Mais, ja pour ce, le menu commun qui ja était assemblé en la place de Grève, armés tous à leur pouvoir, qui moult désiraient la paix, ne voulurent oncques recevoir leurs paroles, mais ils commencèrent tous à une voix à crier : « La paix ! la paix ! et qui ne la veut, si se traie au lieu sénestre[56], et qui la veut se traie au côté dextre. » Lors se trairent tous au côté dextre, car nul n'osa contredire à tel peuple.

72. Cependant le duc de Guyenne et le duc de Berry se mirent en chemin pour venir en Grève ; mais, quand ils furent devant l'hôtel d'Anjou[57], on ne les osa oncques laisser entrer en Grève pour paour* qu'aucune motion de peuple[58] ne se fît, et s'en allèrent au Louvre, et en ôtèrent le duc de Bar et le duc de Bavière à trompettes, et à aussi grand honneur furent amenés, comme s'ils vinssent de faire le plus bel fait qu'homme pût faire en ce monde de sarrasinemie[59] ou d'autre part. Et en venant quérir* les prisonniers dessusdits, c'est à savoir, le duc de Bavière, le duc de Bar et autres qui étaient au Louvre, ils encontrèrent* le duc de Bourgogne qui s'en allait à Saint-Pol[60] et de ce ne savait rien. Si fut moult ébahi quand on lui dit la chose ; toutesvoies* il dissimula cette fois, et alla avec eux au Louvre, regardant faire l'exploit devantdit. Après ce fait, ils revinrent au Palais et criait-on : « Noël ! » partout où ils passaient. Audit Palais était le sire de Boissay, deux de ses enfants (et) Antoine des Essarts, qui furent tous délivrés pleinement, qui que le voulût voir[61], fût tort ou droit. Et tantôt

56. On fait mettre les « non » à gauche et les « oui » à droite. La pression populaire est telle que tous vont à droite. Contrairement au Bourgeois, l'opinion publique est lasse des exécutions et souhaite la paix.

57. Berry et Guyenne ont été quasiment prisonniers pendant les émeutes. Ils font leur réapparition pour libérer les autres princes emprisonnés au Louvre. L'hôtel d'Anjou est rue de la Tixanderie.

58. Émeute, mouvement populaire.

59. On les honora comme s'ils revenaient de la croisade. La phrase est fort moqueuse.

60. A l'hôtel Saint-Pol, résidence du roi sur la rive droite. Le duc de Bourgogne ne souhaitait pas l'exécution des princes prisonniers et les excès des bouchers l'avaient exaspéré. Sa surprise est donc peut-être fictive.

61. Quel qu'en soit le responsable, qu'on ait eu raison ou tort de les libérer.

le duc de Guyenne[62], qui ouvrait* à volonté, abandonna les corps et les biens de tous ceux dont il savait bien qu'ils avaient causé de les emprisonner. Pour lors était concierge du Palais maître Jean de Troyes devant nommé, et là demeurait[63] ; mais après l'abandonnement, en moins d'heure qu'on ne serait allé de Saint-Nicolas à Saint-Laurent[64], l'hôtel dudit de Troyes fut tout pillé et dénué de tous biens, ses serviteurs pris, menés en diverses prisons. Le bonhomme soi sauva le mieux qu'il put, et tous les autres par tel parti, c'est à savoir, les Le Gois, les enfants dudit de Troyes, les enfants Saint-Yon et Caboche, et plusieurs autres[65], qui la bonne ville s'étaient avancés de garder à leur pouvoir ; mais Fortune leur fut si perverse à cette heure que, s'ils eussent été trouvés, fût des gentils ou du commun, ils eussent été tous dépecés*, et si ne savait-on pourquoi, fors qu'on disait qu'ils étaient trop convoiteux[66]. Or voit-on comme peu de fiance partout[67], car le jour de devant ils eussent pu, s'ils eussent voulu, faire assembler la ville de Paris en une place. Ainsi leur advint par fureur de prince[68], par murmure de peuple, et furent tous leurs biens mis en la main du roi ; ainsi fut.

73. Advint après, que le duc de Guyenne et les autres vinrent à Saint-Pol, et changèrent, ce propre jour de vendredi, le prévôt

---

62. Le duc de Guyenne laisse punir les chefs cabochiens ; lui aussi a eu très peur. La phrase est difficile : « Tous ceux qu'il reconnaissait comme responsables des emprisonnements. » L'auteur ne distingue pas pluriel et singulier et fait varier sans prévenir les antécédents.

63. Jean de Troyes habite comme concierge du Palais (un poste stratégique et fort bien payé) le Palais lui-même.

64. En moins de temps qu'il n'en faut pour aller de Saint-Nicolas à Saint-Laurent. Les deux églises sont très proches.

65. Tous se réfugièrent en Flandre jusqu'en 1418. Le duc de Bourgogne ne tenait guère à ce qu'ils parlent. Il avait trempé dans l'émeute avant qu'elle lui échappe.

66. La fortune est instable et il ne faut pas être trop convoiteux si on ne veut pas connaître le désastre. Par la convoitise, le Bourgeois désigne le désir exacerbé d'ascension sociale qu'il réprouve. Chacun doit rester à la place où Dieu l'a mis. La morale et la fortune sont pour lui les ressorts fondamentaux du jeu politique.

67. Comme il ne faut se fier à rien.

68. Il est probable que le Bourgeois attaque ici implicitement Louis de Guyenne, mais il garde un silence complet sur les responsabilités de Jean sans Peur qui a abandonné ses partisans, dès que le vent a tourné.

de Paris, qui était allé en Picardie pour le roi, [et] était nommé le Borgne de la Heuse[69], et la baillèrent* à un des serviteurs du duc d'Orléans mort, qui était breton, et était nommé Tanguy du Châtel. Ils changèrent deux des échevins[70] et mirent deux autres, c'est à savoir, Perrin Auger, changeur, Guillaume Cirasse, charpentier, qui avaient renommée d'être de la bande ; ils laissèrent André d'Épernon prévôt des marchands[71], pour sa très bonne renommée.

74. Item[72], ils firent les deux ducs devantdits, de Bavière et de Bar, capitaines, l'un de Saint-Antoine[73] et l'autre du Louvre ; et autres firent capitaines, de Saint-Cloud, du pont de Charenton, tous haineux du commun[74].

75. Item, le samedi ensuivant, (on) fit chercher autour de Paris pour trouver aucuns [des gouverneurs] devantdits, mais nul n'en trouva[75] ; et ce jour fut [crié] qu'on mît des lanternes par nuit[76].

---

69. Le prévôt de Paris, Bourguignon, Le Borgne de la Heuse, fut remplacé par un Armagnac convaincu, Tanguy du Châtel, qui joua plus tard un rôle décisif dans les émeutes de 1418, en faisant fuir le dauphin Charles. Il était à la fois armagnac et breton, deux tares aux yeux du Bourgeois.

70. Les trois échevins cabochiens, Jean de Troyes, Garnier de Saint-Yon et Robert de Belloy, furent remplacés par des notables armagnacs. Contrairement à ce qu'il sous-entend on attendit la mi-août, date normale de fin de charge. Le changeur Perrin Auger et le charpentier Guillaume Cirasse, fournisseur du duc de Berry, s'étaient signalés contre les Cabochiens. On voit ici qu'un changement de gouvernement amène toute une série de destitutions et de nominations parmi les fidèles du nouveau pouvoir.

71. Cf. note 13 ci-dessus.

72. De même en latin. Les juristes ou les théologiens utilisent cette expression pour marquer les changements de paragraphe, sans qu'elle ait un sens précis. Notre auteur l'utilise systématiquement à partir de 1413.

73. La Bastille Saint-Antoine qui garde la route de l'est et le château du Louvre sont les principaux points fortifiés de Paris. Ils sont stratégiques, de même que les ponts fortifiés de Saint-Cloud et de Charenton.

74. Pour le Bourgeois, tous les chefs armagnacs haïssent le commun en général et la population parisienne en particulier.

75. On les fit rechercher... sans désir excessif de les trouver. Ils avaient eu largement le temps de gagner la Flandre.

76. En période de troubles, on fait mettre des lanternes dans les rues pour surveiller les allées et venues et des baquets d'eau à chaque porte afin d'éviter les incendies dus aux lanternes.

76. Item, le dimanche ensuivant, 6e jour d'août 1413, fut criée la paix par tous les carrefours de Paris, et que nul ne se mêlât de chose que les seigneurs fissent, et que nul ne fît armée, sinon par le commandement des quarteniers, et cinquanteniers ou dizeniers[77].

77. Item, le mercredi ensuivant, fut fait sire Henry de Marle[78] chancelier de France, et fut [déposé] maître Eustache de l'Aître[79] qui l'avait été environ deux mois, et l'avait été fait par les bouchers devantdits, et avaient déposé messire Arnaud de Corbie[80], qui bien avait maintenu l'office plus de trente ans.

78. Et fut capitaine de Paris le duc de Berry le vendredi ensuivant[81]. Et ce jour revint le prévôt, c'est à savoir le Borgne de la Heuse[82], et fut remis en sa prévôté, et l'autre, voulût ou non, déposé. Et ainsi ouvrait Fortune à la volée[83] en ce royaume, [et] qu'il n'y avait ni gentil, ni autre qui sut quel [état] était le meilleur : les grands s'entre-haïssaient, les moyens

---

77. La paix entre les princes fut signée le 8 août 1413 selon le Religieux. Elle interdisait le maintien des troupes privées, mais non de la milice parisienne.

78. Henri de Marle, quatrième président depuis 1384, devint premier président en 1403 et chancelier, à la tête de toute la hiérarchie judiciaire le 8 août 1413. Il le resta jusqu'en 1418. Le Parlement réagit différemment des autres corps face aux aléas politiques. Il s'efforce à la neutralité et au légalisme. Il comprend des hommes de tous les partis, mais la modération et l'esprit de corps y sont tels que les vaincus ne perdent pas leur charge. Les vainqueurs voient seulement s'accélérer leur carrière.

79. Eustache de l'Aître, maître des requêtes de l'hôtel en 1390, fut premier président des Comptes en 1410 et chancelier en 1413. L'un des rares parlementaires à être très marqué politiquement, il se réfugia en Bourgogne. Il redevint chancelier en 1418. Élu évêque de Beauvais en 1420, il mourut peu après.

80. Arnaud de Corbie, premier président depuis 1373, resta chancelier de 1388 à 1413, soit vingt-cinq ans. C'est un bon exemple de la stabilité des milieux parlementaires.

81. Le duc de Berry fut fait capitaine de Paris, à la place d'Élyon de Jacqueville, un Cabochien qui se réfugia en Bourgogne.

82. Le prévôt de Paris, Robert de la Heuse, s'était absenté durant les troubles. Il fut remis en fonction et non déposé comme notre auteur l'a affirmé plus haut.

83. Métaphore empruntée au jeu de paume.

étaient grevés* par subsides[84], les très pauvres ne trouvaient où gagner[85].

79. Item, le 16e jour d'août audit an, furent murées la porte Saint-Martin [et celle du Temple], et (il) fit si chaud que les raisins d'entour Paris étaient presque bons à vendanger en icelui temps.

80. Item, le 23e jour dudit mois d'août, fut dépendu le devantdit prévôt[86] et Jacques de la Rivière[87], et furent mis en terre bénite par nuit et n'y avait que deux torches, car on le fit très celément*[88] pour le commun, et furent mis aux Mathurins.

81. Item, la 3e semaine d'août ou environ, furent commencées huques[89] par ceux qui gouvernaient, où il avait foison de feuilles d'argent, et en écrit d'argent : « le droit chemin », et étaient de drap violet, et avant que la fin d'août fût, tant en avait à Paris que sans nombre, et espécialment ceux de la bande, qui étaient revenus, à cents et à milliers la portaient. Et lors commencèrent à gouverner, et mirent en tel état tous ceux qui s'étaient mêlés du gouvernement du roi et de la bonne ville de Paris, et qui y avaient mis tout le leur, que les uns

---

84. Accablés par les impôts.

85. Tableau très pessimiste des trois états classés ici, non d'après leur fonction mais d'après leur fortune. Il est possible d'ailleurs que cette stratification soit pour lui intérieure au tiers état ; les grands y sont divisés comme les princes dont ils sont les adhérents, les moyens ruinés par l'impôt qu'ils sont seuls à payer (les grands en sont dispensés et les menus insolvables), les menus ou pauvres n'ont plus ni emploi ni moyens. Il est rare que notre auteur s'essaie à une typologie aussi fine, habituellement il confond toutes les classes urbaines dans une unité artificielle, sous le vocable « le commun ».

86. Pierre des Essarts, prévôt de Paris, dont il a raconté l'exécution en juillet.

87. Cf. note 25 ci-dessus.

88. En cachette. Le peuple n'aurait pas accepté une cérémonie grandiose qui aurait paru dénoncer les exécutions sommaires des Cabochiens.

89. La huque est une casaque. Elle était violette avec une bande blanche et les mots « Le droit chemin ». Les huques furent inaugurées le 31 août lors de l'entrée des princes dans Paris. Le commun versatile ou prudent se pare ici aux couleurs armagnacques comme il l'avait fait antérieurement aux couleurs bourguignonnes. Le mot fait allusion à la justice de la cause des princes.

s'enfuyaient en Flandre, autres en l'Empire ou outre-mer, ne leur challait* où[90], mais se tenaient moult heureux quand ils pouvaient échapper comme truands, [ou comme] pages, ou comme porteurs d'afeutrure[91], ou en autre manière, quelle que ce fût, et nul si hardi d'oser parler contre eux[92].

82. Item, cette dite semaine, s'en alla le duc de Bourgogne hors de Paris et fit le mariage d'une de ses filles, comme on disait, mais de ce n'en était[93].

83. Item, le vendredi 15e jour de septembre 1400 et 13, fut ôté le corps du faux traître Colinet de Puiseux du gibet, et ses quatre membres des portes, qui devant avait vendu le pont de Saint-Cloud; et néanmoins [il] était mieux digne d'être [ars* ou] baillé aux chiens[94] que d'être mis en terre bénite, sauf la chrétienté[95], mais ainsi faisaient à leur volonté les faux bandés.

84. Item, le jour Saint-Mathieu ensuivant, [fut] défermée[96] la porte Saint-Martin qui avait été murée par commandement des bandés, et fut faite démurer par eux, qui ainsi gouvernaient tout, ni nul n'en osait parler. Et environ 10 ou 12 jours [devant] fut déposé le prévôt des marchands, c'est à savoir André d'Épernon, et y fut remis Pierre Gencien, qui moult avait été contraire au menu commun[97], et s'en était fui par ses faits avec les bandés, qui le remirent en son office, fût tort ou droit.

85. Item, le 25e jour de septembre 1400 et 13, démirent[98] le

---

90. Peu leur importe où ils s'enfuyaient.

91. Déguisés en truands, en pages, en vendeurs de harnachements.

92. Ms. de Rome: « Nul n'était assez hardi pour parler contre eux [les princes] », Ms. de Paris: « Nul n'était assez hardi pour parler comme eux [les partisans bourguignons]. »

93. Jean sans Peur avait perdu la partie. Il quitta Paris le 22 août et arriva à Lille le 29.

94. Brûlé ou jeté aux chiens. Le Bourgeois est hostile à son ensevelissement qui justifie sa cause.

95. Ms. de Rome: « Sauf la Chrétienté » (il était baptisé et avait donc droit au cimetière); Ms. de Paris: « Sauf la parenté » (ses parents obtinrent qu'il soit enseveli en terre bénie).

96. Rouverte. Ce fut fait le 16 septembre, et non le 21.

97. Pierre Gencien fut prévôt des marchands de 1412 au printemps 1413, puis de l'automne 1413 à 1415. Il était en même temps général des monnaies et les Cabochiens l'avaient accusé de concussion, c'est à cela que le Bourgeois fait allusion.

98. Démirent. Le sujet est: « les Armagnacs ».

Borgne de la Heuse de la prévôté de Paris, et firent prévôt de Paris un de leur bande nommé André Marchand[99]. En conclusion, il ne demeura [oncques] nul officier du roi que le duc de Bourgogne eut ordonné, qui ne fût ôté ni déposé, sans leur faire aucun bien[100], et faisaient crier la paix le samedi ès Halles, et tout le plat pays était plein de gens d'armes de par eux. Et firent tant par *placebo*[101] qu'ils eurent tous les greigneurs* bourgeois de la ville de Paris de leur bande, qui par semblant avant avaient moult aimé le duc de Bourgogne pour le temps qu'il était à Paris, mais ils se tournèrent tellement contre lui qu'ils eussent mis corps et chevance* pour le détruire lui et les siens[102], ni personne, tant fut grand, n'osait de lui parler qu'on le sût, qu'il ne fût tantôt pris et mis en diverses prisons, ou mis à grande finance ou banni. Et même les petits enfants qui chantaient aucunes fois une chanson[103] qu'on avait faite de lui, où on disait :

Duc de Bourgogne,
Dieu te remaint à joie[104].

étaient foulés* en la boue et navrés* vilainement desdits bandés ; ne nul n'osait les regarder ni parler ensemble en mi[105]

---

99. André Marchand fut prévôt de Paris de septembre 1413 à novembre 1415. Tanguy du Châtel lui disputa le poste. Il fut ensuite bailli de Chartres, Sens, puis Évreux jusqu'en 1418. Ses biens furent alors confisqués par les Bourguignons. Charles VII le fit gouverneur et capitaine d'Orléans.

100. Le Bourgeois décrit ici un *spoil system*. A chaque changement de gouvernement, les officiers de l'autre parti perdent leur poste, mais aussi leurs biens, et sont bannis. Ils se réfugient en Flandre (s'ils sont bourguignons) ou au sud de la Loire (s'ils sont armagnacs). Ceci est vrai surtout pour les postes politiques et militaires, beaucoup moins pour les offices à haute technicité. A vrai dire, cela le choque surtout dans un sens !

101. Faux-semblants, flatteries.

102. L'opinion publique est très versatile. En fait, une partie de la bourgeoisie parisienne, proche des milieux d'argent et de la haute fonction publique, n'avait jamais eu de sympathies pour Bourgogne. Mais notre Bourgeois ne fréquente pas ces milieux-là.

103. La propagande par chansons dans les rues est fréquente aux XIVe et XVe siècles. Les petits enfants risquent moins que les adultes et ils courent vite !

104. Dieu te garde en joie ! Les enfants maltraités sont présentés ici comme de saints innocents piétinés par les Barbares.

105. Dans les rues. Les attroupements sont interdits.

les rues, tant les doutait*-on pour leur cruauté, et à chacun mot : « Faux traître, chien bourguignon, je renie Dieu, si vous ne serez pillés[106]. »

86. Et en ce temps était toujours le roi malade et enfermé, et ils tenaient son aîné fils, qui était duc de Guyenne et avait épousé la fille du duc de Bourgogne, dedans le Louvre de si près, qu'homme ne pouvait parler à lui, ni nuit ni jour, qu'eux[107] ; dont le pauvre commun de Paris avait moult de détresse au cœur, qu'ils n'avaient aucun chef qui pour eux parlât[108], mais autre chose n'en pouvaient faire[109]. Ainsi gouvernèrent lesdits bandés tout octobre, novembre, [décembre], janvier 1400 et 13.

[1414]

87. Item, à l'entrée de février audit an, vint le duc de Bourgogne à Saint-Denis[1], fut le 9e jour dudit mois, et le samedi ensuivant il cuidait* entrer à Paris pour parler au roi, mais on lui ferma les portes, et furent murées comme autrefois avaient été ; avec ce très grande foison de gens d'armes les gardait jour et nuit, et nulle de deçà les ponts[2] n'était ouverte

---

106. Je renie Dieu, si vous n'êtes pillé !

107. Le duc de Guyenne avait échangé des maîtres contre d'autres et était étroitement surveillé.

108. Le duc de Bourgogne est le chef né du commun pour le Bourgeois. Lui parti, celui-ci est désemparé, il n'y a plus personne pour intercéder en sa faveur.

109. Le commun ne pouvait rien faire tout seul. Sa vision du jeu politique est encore très hiérarchique. Le parti n'existe pas indépendamment du chef qui le rassemble.

1. Du 7 au 16 février, Jean sans Peur tenta de rentrer dans la capitale avec une armée. Les portes en avaient été murées.

2. Les portes de deçà sont celles de la rive gauche. Le Bourgeois habite donc delà les ponts, la Cité ou la rive droite. La porte Saint-Jacques resta ouverte, les autres furent fermées jusqu'en 1418. C'est une mesure efficace mais impopulaire.

que celle de Saint-Antoine, et (de) delà celle de Saint-Jacques. Et était garde [de la porte] de Saint-Denis le sire de Gaule[3], et [de] celle de Saint-Martin Louis Bourdon qui donna tant de peine à Étampes, et le duc de Berry gardait le Temple, Orléans Saint-Martin-des-Champs, Armagnac, qui était le droit chef d'eux[4], [l'hôtel] d'Artois, Alençon Bohême[5] ; bref tous étaient deçà les ponts, et si n'avaient hardement* d'ouvrir nulles des portes[6], tant fût peu[7].

88. Et advint ce samedi devant, que ceux qui amenaient les biens à Paris[8], comme le pain de Saint-Brice[9], comme autres biens et vivres, plusieurs furent jusqu'à une heure sonnée pour attendre qu'on ouvrît la porte, mais oncques ne fut en leur hardement* de l'ouvrir[10], tant ils avaient grande paour* du duc de Bourgogne, [et convint que lesdites bonnes gens si ramenassent leurs denrées[11], et les menèrent en l'ost* du duc de Bourgogne] qui fit crier sur la hart*[12], qu'on ne prît rien sans payer, et là vendirent leurs denrées bien.

89. Et fut ainsi Paris fermé bien 14 jours, qu'homme n'osait ni ne pouvait besogner aux champs, et si n'y avait nuls gens d'armes sur les champs plus près que Saint-Denis[13] où était le

---

3. La ville est zone militaire ; le sire de Gaulle garde la porte Saint-Denis, Louis de Bosredon la porte Saint-Martin, le duc de Berry le Temple, Charles d'Orléans Saint-Martin-des-Champs, Armagnac l'hôtel d'Artois (résidence normale du duc de Bourgogne), le comte d'Alençon l'hôtel de Bohême, rue de Nesles. Les résidences de la haute aristocratie étaient fortifiées et avaient une valeur stratégique comme les portes et les ponts.

4. Leur vrai chef. Le duc de Berry vieillissant et le trop jeune duc d'Orléans sont peu à peu éclipsés par Bernard d'Armagnac qui a la compétence militaire nécessaire.

5. L'hôtel de Bohême appartint au xve siècle au duc d'Orléans, puis, après 1425, à Robert Willoughby.

6. Nul n'osait ouvrir...

7. Tant soit peu : pas du tout. Toutes les portes de la rive gauche étaient fermées, sauf une, qui n'est ouverte que de jour.

8. Les marchands qui ravitaillaient Paris trouvèrent porte close.

9. Le pain de Saint-Brice est très apprécié des Parisiens. Il arrive par les portes nord de la ville.

10. Nul n'osa ouvrir les portes.

11. Ils rechargèrent leurs denrées et allèrent les vendre à l'armée bourguignonne.

12. Défendit sous peine de pendaison qu'on prît quelque chose sans payer.

13. Selon d'autres sources, les armées bourguignonnes avancèrent jus-

duc de Bourgogne et ses gens, qui nul mal ne faisaient à créature nulle[14]. Et disait-on qu'il ne voulait rien à homme nul qu'au roi Louis, duc d'Anjou, pour ce que ledit Louis avait un fils, lequel avait épousé une des filles dudit duc de Bourgogne[15], et sans savoir [cause] pour quoi, ledit Louis fit départir son fils de ladite fille dudit duc de Bourgogne, et la renvoya comme une bien pauvre ou simple dame[16] à son père ledit duc. Et plus fort, avait tant fait au duc de Bretagne, qu'il donna en mariage une sienne fille qui n'avait mie* encore trois ans à cedit fils du roi Louis[17], qui était mari[18] à la fille devant dite, fille du duc de Bourgogne.

90. Et en cette dite semaine, firent crier sur la hart* que nul du commun ne s'armât[19], et qu'on obéît au duc de Bavière et au comte d'Armagnac, qui étaient deux des hommes du monde qui plus haïssaient les bonnes gens de Paris. Ainsi était tout gouverné, comme vous avez ouï*.

91. Item, le samedi ensuivant, 17e jour de février audit an, fut crié ledit de Bourgogne [à trompettes] parmi les carrefours de Paris, banni comme faux traître, murdrier*[20], lui et tous les siens, [et abandonnés corps et biens], sans pitié ni sans merci.

92. Item, en icelui temps, chantaient les petits enfants au soir, en allant au vin ou à la moutarde[21], tous communément :

---

qu'à Montmartre et à la porte Saint-Honoré. Le Bourgeois minimise volontairement les risques de cette attaque.

14. Les armées bourguignonnes sont inoffensives, c'est bien connu !

15. Louis II d'Anjou, roi de Sicile, avait fiancé son aîné Louis, en 1410, à Catherine de Bourgogne, fille de Jean sans Peur. Le mariage fut rompu pour des raisons politiques à l'automne 1413.

16. Elle fut renvoyée avec un brillant cortège jusqu'à Beauvais où l'attendaient les envoyés bourguignons.

17. Le futur Louis III né en 1403 fut fiancé en 1414 à Isabelle de Bretagne qui avait quatre ans (et lui onze), fille de Jean V et de Jeanne de France.

18. Il n'y avait point mariage mais fiançailles.

19. Les milices parisiennes ne sont pas sûres, on leur interdit donc de se réunir.

20. Le duc Jean est, comme traître et rebelle, banni et excommunié. Le terme « meurtrier » fait allusion au meurtre du duc Louis d'Orléans en 1407.

21. En allant chercher du vin ou de la moutarde. Les courses quotidiennes sont confiées aux enfants.

Votre c.n a la toux, commère,
Votre c.n a la toux, la toux.

93. Si advint par le plaisir de Dieu qu'un mauvais air corrompu[22] chut* sur le monde, qui plus de cent mille personnes à Paris mit en tel (état) qu'ils perdirent le boire et le manger, le repouser*[23], et avaient très forte fièvre deux ou trois fois [le jour], et espécialment toutes fois qu'ils mangeaient, et leur semblaient toutes choses quelconques amères et très mauvaises et puantes ; toujours tremblaient où qu'ils fussent. Et avec ce, qui pis était, on perdait tout le pouvoir de son corps, qu'on n'osait toucher à quoi de nulle part que ce fût, tant étaient grevés* ceux qui de ce mal étaient atteints ; et dura bien sans cesser trois semaines ou plus, et commença à bon escient à l'entrée du mois de mars audit an, et le nommait-on le tac ou le horion[24]. Et ceux qui [point n']en avaient ou qui [en] étaient guéris, disaient par ébatement : « En as-tu ? Par ma foi ! tu as chanté :

Votre c.n a la toux, commère. »

Car avec tout le mal devant dit, on avait la toux si fort et le rhume et l'enrouure, qu'on ne chantait qui rien fût de hautes messes à Paris[25]. Mais sur tous les maux la toux était si cruelle à tous, jour et nuit, qu'aucuns hommes par force de tousser furent rompus par les génitoires toute leur vie[26], et aucunes femmes qui étaient grosses, qui n'étaient pas à terme, eurent leurs enfants sans compagnie de personne[27], par force de tousser, qu'il convenait mourir à grand martyre et mère et

---

22. Le Bourgeois fait un lien entre les divisions politiques, la corruption de l'air et l'épidémie de coqueluche. Les premières sont déterminantes. Quant au lien air-épidémie, c'est une idée courante dans les traités de médecine du temps.

23. Perdirent le repos. La description est bonne ; dégoût de la nourriture, faiblesse, toux.

24. Nous dirions la coqueluche. L'épidémie dura trois semaines.

25. Elle s'accompagne de rhume et d'une voix si enrouée qu'on ne pouvait plus chanter la grand-messe.

26. Les hommes perdent leurs capacités viriles.

27. Les femmes accouchent prématurément et risquent la mort pour elles et le bébé.

enfant. Et quand se venait sur la guérison[28], [ils] jetaient grande foison (de) sang [bête] par la bouche et par le nez et par dessous[29], qui moult les ébahissait, et néanmoins personne n'en mourait ; mais à peine en pouvait personne être guéri, car depuis que l'appétit de manger fut aux personnes revenu, si fut-il plus de six semaines après, avant qu'on fût nettement guéri ; ni physicien nul ne savait dire quel mal c'était[30].

94. Item, le dernier jour de mars audit an, vigile de Pâques fleuries, menèrent les devantdits bandés le roi et son aîné fils ostoier*[31] contre le duc de Bourgogne et leur firent assiéger Compiègne. Ainsi leur firent passer la semaine péneuse[32] et les Pâques en cette bonne besogne[33].

95. Et cependant ceux qui devaient garder la ville, comme le roi Louis[34], le prévôt de Paris[35] et leurs bandés, firent et ordonnèrent une très grosse taille[36], et firent crier parmi Paris que chacun portât la bande, et tantôt plusieurs la prirent tout à plain, et fut au mois d'avril après Pâques.

96. Et en cedit mois fut ars* le pont de Choisy[37] trétout* ; et si ne put homme savoir qui ce avait fait, mais moult de bonnes gens y perdirent tout le leur entièrement.

97. Item, au mois d'avril 1413, la darraine* semaine, fut prise Compiègne[38], par ainsi que ceux qui dedans étaient ne s'armeront jamais contre le roi pour quelque homme du

---

28. Quand venait la guérison.
29. Ils saignaient beaucoup de la bouche et du nez.
30. Les physiciens ou médecins ne connaissent pas cette maladie.
31. Guerroyer contre le duc de Bourgogne à Compiègne.
32. La Semaine sainte ou de la Passion.
33. Le Bourgeois est très hostile à une guerre dans un temps sacré entre tous.
34. Louis de Sicile est très fréquemment absent en Italie, ce qui explique son rôle discret durant les guerres civiles.
35. André Marchand (cf. note 99, année 1413).
36. L'impôt est nécessaire pour faire la guerre aux Bourguignons. Le Bourgeois sous-entend qu'il n'est pas consenti, et donc irrégulier.
37. Le pont de Choisy-au-Bac sur l'Aisne était une forteresse disputée et un lieu de refuge pour la population locale et ses biens. Il changea plusieurs fois de mains avant d'être démoli en 1430.
38. Compiègne fut prise par composition. La garnison promit de revenir dans la fidélité au roi et de ne jamais l'abandonner. Ils gardèrent ainsi vies et biens.

monde, sur peine de perdre corps et biens sans merci, et d'être réputés pour traîtres à toujours.

98. Item, de là s'en allèrent à Soissons, et assiégèrent la ville et y firent plusieurs assauts où ils gagnèrent peu, car dedans, était Enguerran de Bournonville[39], un homme moult prisé en armes[40], qui en était capitaine. Si la gardait si soigneusement jour et nuit qu'oncques n'y purent rien gagner [en] icelui temps, car ledit Enguerran ne laissait reposer ceux de l'ost*, ni par nuit, ni par jour, et en prenait souvent et même[41] de bons prisonniers. Et advint à un assaut où il était, que le bâtard de Bourbon[42] y survint et se mit en la mêlée très âprement, et Enguerran le navra* à mort. Si laissèrent ceux de l'ost* l'assaut, et Enguerran s'en alla en la cité, lui et ses gens.

99. Item, le 20e jour de mai, audit an, [advint] que Fortune[43], qui avait tant aimé Enguerran, fit troubler les gens de ladite ville, par quoi un très grand murmure s'émut contre lui, et machinèrent que, quand il irait à la montre* pour voir ses gens, ils livreraient la ville à ceux de l'ost* et sauveraient leurs vies, s'ils pouvaient. Si advint qu'Enguerran sut leur volonté et se mêlèrent l'un à l'autre de parole, et les autres de fait[44]. Adonq issit* un homme en larcin[45] hors de la ville, qui dit en l'ost* : « Si vous voulez assaillir la cité, vous l'aurez à présent, car ceux de la ville se sont mêlés aux gens (d')Enguerran, et ne trouverez personne qui la défende, car tous sont courus à la mêlée. » Tantôt la ville fut assaillie très âprement et fut tantôt prise et abandonnée à tous[46], et tous [les] biens et les corps. Là

---

39. Enguerran de Bournonville est un capitaine bourguignon réputé.

40. Très estimé.

41. Lire « et même » (Ms. de Rome). Des prisonniers nombreux et riches.

42. Hector de Bourbon, fils de Louis II, avait été adoubé en 1409. Il avait participé au siège de Bourges. Il fut tué d'une flèche dans la gorge soit par accident, comme notre auteur le dit, soit par traîtrise lors de pourparlers avec Bournonville. Monstrelet justifie ainsi l'exécution ultérieure du Bourguignon. Or, Monstrelet est lui aussi bourguignon, il n'a donc aucun parti pris hostile à Bournonville.

43. La Fortune est la clef de toute causalité historique pour le Bourgeois. Il est plus probable que les gens de Soissons ont peur et qu'ils veulent négocier leur reddition.

44. Enguerran découvre leurs intentions. Il s'ensuit injures et mêlée.

45. En cachette.

46. Le couvent Saint-Médard de Soissons se rendit volontairement.

fut pris Enguerran, qui bien se défendit, et plusieurs autres gentilshommes de sa compagnie ; mais rien ne leur valut, car tous furent pris[47], et liés et amenés par charretées à Paris, et en moururent tous par le jugement des bandés qui faisaient du tout à leur vouloir[48].

100. Et fut la ville prise le 21e jour de mai 1400 et 14, à un lundi après dîner, et Enguerran eut la tête coupée en ladite ville le 26e jour dudit mois, et plusieurs autres, et plusieurs en furent pendus[49], et les femmes de religion et autres prudes femmes et bonnes pucelles efforcées*[50], et tous les hommes rançonnés, et les petits enfants, et les églises et reliques pillées, et livres et vêtements[51], et avant qu'il fût dix jours après la prise de la ville, elle fut si pillée au net[52] qu'il n'y demeura chose qu'on pût emporter. Et dit-on qu'on n'ouït* oncques parler que les Sarrasins fissent pis* que firent ceux de l'ost*[53] en ladite ville par le mauvais conseil qui [pour] lors était entour le bon roi[54], dont homme n'osait parler.

Ceux qui y étaient réfugiés payèrent une composition pour obtenir leur pardon. La répression s'en prit surtout à la garnison bourguignonne et particulièrement à ceux qui étaient mêlés au décès d'Hector de Bourbon.

47. Furent arrêtés en sa compagnie : Pierre du Menou, capitaine du commun et chevalier ; Raoul du Plessis, chevalier cauchois, qui furent exécutés. Furent graciés le père de Pierre du Menou ; Simon de Craon qui avait contribué à la reddition et l'écuyer Guillaume de Crannes. La présentation du Bourgeois est assez partiale. Habituellement, les prisonniers de guerre se rachètent, mais les Bourguignons ont été mis au ban de l'État et certains ont trempé dans une affaire peu claire.

48. A notre connaissance, il n'y eut que deux exécutions à Paris et seul Raoul du Plessis y fut conduit en charrette.

49. Il y eut vingt pendaisons.

50. Le viol fait partie du scénario classique des villes prises d'assaut sans traité. Comme toujours, il s'inquiète pour les religieuses et les pucelles, et pas pour les femmes mariées !

51. Le pillage des villes prises est organisé par les lois de la guerre. Le cinquième du butin revient aux chefs de l'armée, le reste est partagé avec des règles précises. Il vise ici les livres (ou « livrées », Ms. de Rome) et vêtements liturgiques des églises paroissiales, puisque Saint-Médard a signé une composition.

52. Elle fut si bien pillée qu'il n'en restait rien.

53. Ils firent pis que Sarrasins.

54. « Le bon roi » s'oppose aux mauvais conseillers armagnacs. Jamais le

101. Item, quand ils eurent fait du pis qu'ils purent en ladite ville, ils menèrent le bon roi à Laon, et entra dedans sans noise* et sans tançon*[55], car ils prirent exemple à ceux de Soissons.

102. Item, il est vrai que ceux de la bande, qui pour lors gouvernaient le royaume à Paris et ailleurs, firent faire les feux comme on fait à la Saint-Jean[56], aussitôt qu'ils surent la nouvelle de la destruction de la ville, comme si [ce] eussent été Sarrasins ou mécréants qu'on eût détruits[57], ni il n'était nul qui de ce osât parler ni [en] avoir pitié devant les bandés [et bandées], dont vous eussiez vu à cesdits feux et à la vigile Saint-Jean et Saint-Pierre[58] plus de quatre mille femmes, toutes d'état, non pas d'honneur, toutes bandées, et des hommes sans nombre ; et étaient si obstinés à cette fausse bande qu'il ne leur était pas avis que fût digne de vivre qui ne la portait[59]. Et si aucun homme en parlât par aventure, si on le pouvait savoir[60], il était mis à grande finance ou banni, ou longue peine de prison sans merci[61].

103. Item, de Laon s'en alla le roi à Péronne et là vinrent ceux de Gand et de Bruges et du Franc, et des autres bonnes

---

Bourgeois ne dit du mal de Charles VI, dont le surnom était d'ailleurs « le Bien-Aimé ».

55. Avertis par l'exemple de Soissons, ceux de Laon ouvrirent leurs portes.

56. Les feux de la Saint-Jean sont distincts, quoiqu'il en dise, des simples feux de joie qu'on peut réitérer à n'importe quelle date. Il mélange les feux de joie faits à la mi-mai pour la chute de Soissons et ceux faits plus tard le 28 juin pour une défaite des Bourguignons dans le Hainaut. Comme il est le seul à parler des premiers, il faut comprendre que son récit est fortement orienté. Il tient à voir les Armagnacs fêter une guerre civile et un massacre, et pour cela il fait coïncider deux événements différents.

57. Comme si on avait détruit des incroyants et des Sarrasins. Dans ce cas, la joie s'impose !

58. Le 28 juin, c'est la date de la défaite bourguignonne en Hainaut.

59. Nul n'était digne de vivre s'il ne la portait. Il signale que désormais les femmes aussi portent les insignes politiques. Une femme d'état a un état (une position sociale reconnue). Une femme d'honneur se conduit bien. Normalement, une bourgeoise est à la fois une femme d'état et d'honneur.

60. Si quelqu'un disait du mal des Armagnacs et si on le savait...

61. Il était mis en prison ou banni et devait acheter cher son pardon.

villes de Flandre parlementer[62], et aussi y vint la dame de Hollande[63] et ne firent rien.

104. Item, de là s'en alla le roi devant la cité d'Arras[64], et y fit moult* longuement le siège.

105. Item, en cedit an 1400 et 14 fut commencée par lesdits bandés une confrérie[65] de Saint-Laurent-aux-Blancs-Manteaux, le jour de l'Invention Saint-Étienne, 3e jour d'août, et (ils) disaient que c'était la confrérie des vrais et bons catholiques[66] envers Dieu et leur droit seigneur, et fut la Saint-Laurent au vendredi. Et le dimanche ensuivant firent leur fête à Saint-Laurent, et furent plus de 400 tous bandés, [et n'osait] homme, ni femme être au moutier ni à leur fête, s'il n'avait la bande, et aucunes personnes d'honneur qui y étaient allées voir leurs amis pour la fête Saint-Laurent qui se faisait au dimanche, furent en très grand danger de leur bien, pour ce qu'ils n'avaient point de bande.

106. Item, en ce temps étaient guerres par toute France, et si y avait si grand marché de vivres [à Paris], de pain et de vin; car on avait une pinte de bon vin sain et net pour un denier parisis, blanc et vermeil en cent lieux à Paris, et pain à la

---

62. Le roi rencontra à Péronne les envoyés des quatre membres de Flandre; Gand, Ypres, Bruges et le Franc (les campagnes). Il leur offrit des présents et chercha probablement à les détacher du duc.

63. Marguerite de Bourgogne, sœur de Jean sans Peur et épouse du comte Guillaume IV de Hollande (frère de l'évêque de Liège), vint négocier sans succès la paix. Péronne, à la frontière, fut le siège de nombreuses entrevues franco-bourguignonnes.

64. Arras est la première cité réellement bourguignonne assiégée par les troupes royales. Le siège dura du 28 juillet 1414 au début de septembre.

65. Les confréries de dévotion servent classiquement à structurer les partis politiques, en réunissant leurs membres régulièrement sous l'égide d'un saint patron. La confrérie bourguignonne de Paris est dédiée à saint André et siège à Saint-Eustache. Les Armagnacs ont un faible pour les Blancs-Manteaux (ainsi appelés à cause du manteau blanc des Augustins, premiers détenteurs de cette église). Leur couleur est le blanc. Il est possible que saint Laurent ait été choisi, parce que le gril de son martyre multiplie les croix droites qui sont un insigne armagnac.

66. Les Bourguignons et les Armagnacs ne partagent pas le même point de vue sur l'attitude à prendre pour en finir avec le Schisme; de là à se traiter mutuellement d'hérétique, il n'y a pas loin.

value[67], et en toute cette année ne fut trouvé du cru d'icelui vin qui devint gras, ni bouté, ni puant[68].

107. Item, ceux de l'ost* en avaient grand charté*[69], car ils furent moult devant Arras sans rien faire.

108. Item, quand ils virent que tout enchérissait, leurs biens et trétout*, et leurs chevaux mouraient de faim partout, si firent crier la paix[70] le 11e jour de septembre environ trois heures après minuit à un mardi, et ils partirent des tentes après le cri qui avait été tel : qu'homme nul, sur peine de la hart, ne mît feu en son logis[71]. Mais les Gascons, qui étaient en l'aide de la bande[72], firent le contraire, car ils mirent le feu partout où ils purent, en dépit [de ce] qu'on s'en allait ainsi ; et fut le feu si grand qu'il courut au pavillon du roi par-derrière[73], et eût été le roi ars* qui ne l'eût mis hors par devers le meilleur[74]. Et dirent ceux qui se sauvèrent, qu'au feu (il) demeura plus de 500 hommes[75] qui furent ars*, qui étaient malades dedans les tentes.

109. Item, le jeudi ensuivant, fut su à Paris, et ne vîtes, ni ouïtes* oncques plus belle sonnerie à Paris qu'on y fit celui jour, que depuis le matin jusqu'au soir en tous les moutiers de Paris on sonnait, et faisait-on grande joie pour l'amour de la paix.

110. Item, ce jeudi 14e jour de septembre, un jeune homme ôta la bande à l'image [de] Saint-Eustache qu'on lui avait

---

67. A l'avenant. Il était aussi bon marché.

68. Le vin nouveau ne devenait ni gras, ni tourné, ni puant.

69. Cherté. La pénurie régnait dans l'armée autour d'Arras. Cela n'a rien d'étonnant ; les armées vivent en achetant ou en raflant sur place. Dans un pays hostile, le ravitaillement est donc très difficile.

70. La paix fut conclue le 4 septembre. Le roi n'a pas les moyens de cette guerre. L'armée n'est pas ravitaillée et la dysenterie y sévit. Les deux parties craignent par ailleurs un débarquement anglais.

71. Que nul ne fit dans le camp des feux par crainte de l'incendie qui se propage facilement dans des baraques de bois ou des tentes. Il peut s'agir de feux de joie (à cause de la paix) ou de refus de celle-ci. On brûle tout, puisqu'on lève le camp.

72. Qui soutenaient les Armagnacs.

73. L'incendie courut jusqu'aux arrières de la tente royale.

74. Si on ne l'eût sorti pour le mettre en meilleur lieu (plus sûr).

75. Il y eut 500 victimes. Ceux qui étaient malades de dysenterie sous les tentes ne purent se sauver. Le Bourgeois est le seul à donner ce chiffre probablement excessif.

baillée*[76], [et la déchira en dépit de ceux qui (la) lui avaient baillée*]. Et tantôt fut pris, fût tort ou droit[77], lui fut le poing coupé sur le pont Allais[78] devant Saint-Eustache, et fut banni à toujours mais; et si ne fut oncques homme qui osait dire le contraire, tant était tout mal gouverné et de mauvaises gens.

111. Et si sachez que tous ceux qui devant Arras avaient été, ou la plus grande partie, quand ils venaient, étaient si décharnés, si pâles, si empirés[79] qu'il semblait qu'ils eussent été en prison 6 ou 8 mois au pain et à l'eau, et n'en apportèrent que péché[80], et en mourut plus de onze mille quand ils vinrent à leur aise.

112. Item, le 11e jour d'octobre ensuivant, un jeudi, fut fait un champ de bataille[81] à Saint-Ouen, d'un Breton et d'un Portugais[82], et était l'un au duc de Berry et l'autre au duc de Bourgogne; et furent mis au champ à outrance, mais ils ne firent chose dont on doive parler, car on dit tantôt: « ho[83] ! »

---

76. Le Bourgeois n'est pas très clair. Un artisan enleva la bande blanche que les Armagnacs avaient mise par dérision à la statue de saint André dans l'église Saint-Eustache. Il est bien certain que la mettre était une provocation pour les partisans bourguignons et l'enlever un défi à l'autre camp. L'histoire est très symptomatique de l'enrôlement des saints sous les bannières des partis et de la politisation des dévotions au xve siècle.

77. A tort ou à raison. Notre auteur pense « à tort », mais il est prudent. Ce genre de réticences suggère un texte lu à d'autres.

78. Le pont Alais était une passerelle qui recouvrait en bas de la rue Montmartre un cloaque où l'on déversait les immondices des Halles. On coupe le membre coupable en public pour faire peur.

79. Si malades. La faim et la dysenterie expliquent les nombreux morts au retour « quand ils vinrent à leur aise ». Le duc de Bavière et le comte d'Armagnac furent très malades.

80. Comme toujours, le Bourgeois lie le péché (les mauvaises actions commises durant la guerre, en particulier au siège de Soissons) à l'épidémie que Dieu envoie pour punir les soldats.

81. Un duel par gages de bataille. C'est une façon normale pour les nobles de prouver leur bon droit conformément à leur rang. Ils vident ainsi une querelle privée. Le vainqueur sera réputé avoir eu raison, le vaincu sera banni et ses biens confisqués.

82. Il s'agissait de Guillaume de La Haye qui fut massacré en 1418 par les Bourguignons et de Jean du Mez, chambellan portugais de Jean sans Peur. Les rapports entre Portugal et Bourgogne étaient anciens et furent concrétisés par le mariage de Philippe le Bon et Isabelle de Portugal.

83. On arrêta le combat avant qu'il ait commencé. Le duc de Berry craignait pour son serviteur, ce n'est pas certain. Il est plus probable que les

qu'ils devaient faire armes. Et fit ce faire le duc de Berry pour le Breton, qui était de la bande, dont il avait moult grand paour*, car le Portugais se maintenait en son harnois si très légèrement[84], que chacun lui donnait la victoire, mais on ne peut oncques dire lequel la dut avoir au vrai.

113. Item, le samedi ensuivant, 13e jour dudit mois d'octobre, audit an, s'en vint le roi à Paris, à belle compagnie de ceux de Paris[85], et (il) plut tout le jour si très fort qu'il n'y avait si jolis qui n'eussent voulu être à couvert[86]. Et soudainement, environ huit heures de nuit, commencèrent les bonnes gens de Paris sans commandement à faire feux, et à bassiner* le plus grandement qu'on eût vu passé cent ans devant[87], et les tables en mi les rues [dressées à tous venants, par toutes les rues] de Paris qui point aient de renom[88].

114. Item, le 23e jour d'octobre, déposèrent le prévôt, c'est à savoir, André Marchand, et firent lesdits bandés prévôt un chevalier de la cour du duc d'Orléans, qui était baron, nommé messire Tanguy du Châtel[89], et ne le fut que deux jours et deux nuits, pour ce qu'il n'était pas bien de leur accord. La 3e journée ensuivant fut refait prévôt sire André Marchand, très cruel et sans pitié, comme devant est dit.

115. Item, en cedit temps, entre la Saint-Rémi[90] et Noël, lesdits bandés, qui tout gouvernaient, firent bannir toutes les femmes de ceux que devant avaient bannis sans merci[91], qui était moult grande pitié à voir, car toutes étaient femmes

---

deux ducs préférèrent éviter les occasions d'affrontement, la paix étant mal assurée.

84. Le Portugais avait meilleure mine, aurait-il gagné?

85. Le roi fit son entrée à Paris. Les bourgeois et les corps constitués vont le chercher hors de la ville et le ramènent dans la Cité.

86. Il pleuvait tant que les plus optimistes auraient préféré être à l'abri.

87. « Faire feux » : faire du bruit et banqueter sont des signes d'enthousiasme populaire spontané, à cause du retour du roi et de la paix.

88. Qui avaient un certain renom.

89. Tanguy du Châtel, chambellan du roi et du duc de Guyenne, ne réussit à détenir la prévôté qu'en février 1415 et ce jusqu'en 1418. Il est probable que la titulature pompeuse qu'il lui attribue est destinée à créer un effet comique par rapport à l'insuccès de ses efforts pour déloger un simple André Marchand.

90. Le 1er octobre.

91. Les femmes des chefs cabochiens furent bannies.

d'honneur et d'état, et la plus grande partie d'elles n'avait oncques éloigné de Paris sans honnête compagnie ; et elles étaient accompagnées de sergents très cruels. Selon seigneur, mesnie duite. Et qui plus leur destraignait[92] le cœur, c'était qu'on les envoyait toutes au pays du duc d'Orléans, tout au contraire du pays où leurs amis et maris étaient ; et encore autre chose qui leur venait au devant, car toutes femmes sont vitupérées d'être menées à Orléans[93], et là les envoyait-on le plus ; mais autrement ne pouvait être pour le temps, car tout était gouverné par jeunes seigneurs, sinon le duc de Berry et le comte d'Armagnac[94].

116. Item, les fêtes de Noël ensuivant, c'est à savoir, 1400 et 14, fut fait par le roi le comte d'Alençon duc d'Alençon[95], et fut fait duché qui n'était que comté[96], ni oncques mais n'avait été duché jusqu'à celui jour ; ainsi en fut.

[1415]

117. Item, à l'entrée de février ensuivant, joutèrent le roi et les grands seigneurs en la grande rue Saint-Antoine[1], entre Saint-Antoine et Sainte-Catherine-du-Val-des-Écoliers, et y

---

92. Étreignait. Orléans est pays armagnac, elles auraient préféré la Flandre.

93. Les femmes de mœurs légères sont habituellement exilées à Orléans, où il y aurait eu des maisons pour la réhabilitation des filles perdues.

94. Le duc de Berry a soixante-quatorze ans et Bernard d'Armagnac la quarantaine. Le texte vise Louis de Guyenne ou Charles d'Orléans qui ont moins de dix-huit ans.

95. Le comté d'Alençon fut érigé en duché le 1er janvier 1415. Cette faveur qui touche un parent du roi mais un armagnac n'est pas du goût du Bourgeois. C'est la première fois qu'un titre ducal est attribué à un autre qu'à un frère du roi. Tous les titres ducaux récents (à l'exception des duchés du haut Moyen Age comme la Bretagne) remontent aux frères de Charles V et VI.

96. L'autre érection contemporaine est le Bourbonnais.

1. Ces fêtes sont données pour la réception de l'ambassade anglaise du comte de Dorset qui séjourna à Paris de l'automne 1414 à mars 1415.

avait barrières[2]. En ces joutes vint le duc de Brabant[3] pour traiter la paix, et jouta et gagna le prix.

118. À ce temps étaient les Anglais à Paris pour traiter d'un mariage[4] à une des filles du roi de France.

119. Item, le mardi 19e jour, (fut) déposé de la prévôté de Paris André Marchand, qui autrefois avait été déposé par ses démérites, mais il finait* toujours par argent[5], for qu'à cette fois en ladite prévôté fut remis sire Tanguy du Châtel la 2e ou la 3e fois[6].

120. Mais en ce temps aussi étaient chevaliers d'Espagne et de Portugal, dont trois du Portugal[7], bien renommés de chevalerie, prirent par (je) ne sais quelle folle entreprise[8] champ de bataille encontre trois chevaliers de France, c'est à savoir, François de Grignols, la Roque, Maurignon[9] ; et fut ce champ à outrance ordonné au 21e jour de février, vigile Saint-Pierre[10], à Saint-Ouen, et fut avant soleil reconcé[11] qu'ils entrassent en champ, mais en bonne vérité de Dieu, ils ne mirent pas temps qu'on mettrait à aller de la porte Saint-Martin à celle de Saint-

---

2. On avait construit des lices pour la joute.

3. Le roi affronta le duc d'Alençon, le duc de Brabant le duc d'Orléans. Le prix fut gagné par le frère de Jean sans Peur, partie prenante dans les négociations avec l'Angleterre.

4. Ce mariage effectivement désiré par le roi Henri V qui finit par l'obtenir au traité de Troyes n'était pas le seul sujet de négociations. Le roi anglais prétendait toujours au trône et les sommes prévues par les alliances antérieures avec les deux parties n'avaient guère été versées.

5. Il arrivait toujours à ses fins (sauver son poste) par argent (par concussion).

6. C'était la troisième fois. Tanguy avait déjà été prévôt en août 1413 et en octobre 1414.

7. Les trois Portugais étaient Alvar Continge, Pierre Gonzalve de Maillefaye et Jean Gonzalve.

8. Il s'agit cette fois de démontrer sa vaillance en joutes. Malgré ses partis pris, notre auteur préfère trois Français armagnacs à trois Portugais.

9. François de Grignols, chambellan du roi, avait participé au siège d'Arras. Il est aux côtés de Charles VII à Montereau. Il trouva la mort à Verneuil en 1424. Nous ne savons pas précisément qui fut La Roque. Maurignon de Songnacq est un écuyer gascon qui devint capitaine de Pontoise et fut massacré en 1418.

10. Un champ à outrance est une bataille à mort. La fête de la Chaire-Saint-Pierre est le 22 février.

11. Avant que le soleil fût couché.

Antoine, à cheval, que les Portugais ne fussent déconfits* par les trois Français, dont la Roque fut le meilleur.

121. Item, le samedi ensuivant, vigile Saint-Mathieu, fut la paix[12] criée parmi Paris à trompettes et disait chacun que ce avait fait le duc de Brabant ; et fit-on à ce samedi plus de feux parmi Paris que toutes les autres fois devant dites, et si était les Quatre Temps des Brandons[13].

122. Item, environ sept ou huit jours en mars, fut Seine si cruelle à Paris qu'un mole de bûches valait 9 ou 10 sols parisis[14], et un cent de costerets, qui les voulait avoir bons, 28 ou 32 sols parisis, le sac de charbon 12 sols parisis ; bourrées, foin, semblablement ; tuiles, plâtre, en la manière. Et si sachez que depuis la Toussaint jusqu'à Pâques, ne fut oncques jour qu'il ne chût* (eau) de jour ou de nuit[15], et dura la grande eau jusqu'à mi-avril, qu'on ne pouvait aller ès marais entre Saint-Antoine et le Temple, ni dedans la ville, ni dehors.

123. Item, le 17e jour d'avril fut monseigneur de Guyenne en l'hôtel de ville[16], et ordonna trois échevins nouveaux, c'est à savoir, Pierre de Grande-Rue, André d'Épernon et Jean de Louviers, et déposa Pierre Auger, Jean Marcel, Guillaume Cirasse.

124. Item, le jour Saint-Marc ensuivant, fut criée parmi

---

12. Il s'agit de la paix pourparlée à Arras entre Français et Bourguignons, dont les conditions définitives furent jurées le 23 février 1415. Il n'y eut pas d'accord avec les Anglais qui débarquèrent au mois d'août. Antoine de Brabant, qui mourut à Azincourt, avait plaidé la réconciliation.

13. Les Quatre Temps sont des périodes de trois jours de jeûne quatre fois par an. Il s'agit ici du jeûne de fin février-début mars. Il coïncide avec la fête des Brandons (défilé avec port de torche) le premier dimanche du Carême.

14. Les inondations perturbent le ravitaillement de Paris en produits pondéreux ; la molle vaut 50 grosses bûches, les costerets sont de petites bûches, les bourrées du petit bois.

15. Il plut beaucoup durant tout l'hiver 1415 et le quartier du Marais encore très agricole était inondé à l'intérieur des murailles (de la Bastille au Temple) comme à l'extérieur.

16. On en revient avec la paix à un gouvernement d'union. Les trois évincés, Pierre Oger, le drapier Jehan Marcel et Guillaume Cirasse étaient tous armagnacs. Les trois nouveaux sont plus inclassables. Jean de Louviers est sûrement bourguignon (il sera échevin en 1418), Pierre de Grande-Rue, épicier et fournisseur du roi, mourut peu après sa nomination, André d'Épernon est l'ex-prévôt des marchands.

Paris la paix à trompettes, sur peine de perdre corps et biens qui la contredirait.

125. Item, le mois d'août ensuivant, au commencement, arriva le roi d'Angleterre à toute sa puissance en Normandie, et prit port emprès* Harfleur[17], et assiégea Harfleur et les bonnes villes d'entour.

126. Item, monseigneur de Guyenne, fils aîné du roi, se partit de Paris le premier jour de septembre, à un dimanche au soir, à trompes, et n'avait que jeunes gens avec lui, et partit pour aller contre les Anglais[18] ; et le roi de France, son père, se partit le 9e jour ensuivant pour aller après son fils, et alla à Saint-Denis au gîte. Et tantôt après fut cueillie à Paris la plus grande taille qu'on eût vu cueillir d'âge d'homme[19], qui nul bien ne fit pour le profit du royaume de France, ainsi était tout gouverné par lesdits bandés, car Harfleur fut pris par les Anglais audit mois de septembre, le 14e jour, et tout le pays gâté et robé*, et faisaient autant de mal les gens d'armes de France aux pauvres gens, comme faisaient les Anglais, et nul autre bien n'y firent.

127. Et si fit bien, 7 ou 8 semaines puis que les Anglais furent arrivés, aussi bel temps comme on vit oncques point faire en août et en vendanges, jour de vie d'homme, et aussi bonne année de tous les biens[20], mais néanmoins, pour ce, ne s'avança oncques nul des seigneurs de France de combattre les Anglais qui là furent[21].

---

17. Henri V de Lancastre débarqua en pays de Caux le 12 août 1415. Il assiégea Harfleur à partir du 15 août, et la prit le 15 septembre. Jean sans Peur était plus ou moins son allié et espérait se débarrasser des Armagnacs. Officiellement, il devait jouer le vassal fidèle.

18. Le duc de Guyenne envisage de résister aux Anglais et se dirige vers Rouen où les nobles ont été semoncés.

19. Le gouvernement redevenu de fait armagnac a un besoin désespéré d'argent pour faire face aux Anglais et payer une armée. Certes, celle-ci fut battue, mais fallait-il ne rien faire ?

20. Raisonnement curieux ! Les vendanges et les moissons étaient belles, on aurait donc dû se battre les poches pleines, même sans lever l'impôt. Le Bourgeois rêve quelque peu.

21. Tout ceci aboutit à Azincourt, le 25 octobre. Il est certain que les Bourguignons ne furent guère présents, et pour cause, contre les Anglais. Le Bourgeois fait ici porter le chapeau aux Armagnacs qui firent ce qu'ils purent. Leur inaction est due aux lenteurs du rassemblement de l'armée.

128. Item, les dessusdits bandés, le 10e jour d'octobre, l'an 1400 et 15, firent à leur posté*[22] un prévôt des marchands nouvel et quatre échevins, c'est à savoir, le prévôt des marchands, Philippe de Breban, fils d'un impositeur[23]; les échevins, Jean du Pré, épicier, Étienne de Bonpuits, pelletier, Renaud Pizdoue, changeur, Guillaume d'Auxerre, drapier[24]. Et si étaient le roi et monseigneur de Guyenne à ce jour en Normandie, l'un à Rouen, et l'autre à Vernon; ni oncques ceux de Paris n'en surent rien, tant que ce fut fait, et furent moult* ébahis le prévôt des marchands et les échevins qui devant étaient, quand on les déposa sans autre mandement du roi, ni du duc de Guyenne, ni sans le su des bourgeois de Paris[25].

129. Item, le 20e jour dudit mois ensuivant, les seigneurs de France ouïrent* dire que les Anglais s'en allaient par la Picardie, si les tint monseigneur de Charolais[26] si court et de si près qu'ils ne purent passer par où ils cuidaient*. Adonq* allèrent après tous les princes de France, sinon 6 ou 7[27], et les trouvèrent en un lieu nommé Azincourt[28], près de Rousseauville; et en ladite place, le jour Saint-Crépin et Crépinien, se combattirent à eux; et étaient les Français plus la moitié

---

22. A leur pouvoir, à leur choix.

23. Le nouveau prévôt des marchands est un riche changeur parisien. Il fut prévôt du 10 octobre 1415 au 12 septembre 1417. On le trouve beaucoup plus tard maître des monnaies à Paris, donc rallié aux Bourguignons. Il était originaire du Brabant et fils d'un contrôleur des Finances (race que le Bourgeois honnit).

24. Nos quatre échevins appartiennent au milieu de l'argent et du grand commerce traditionnellement armagnac. Jean du Pré est fournisseur du duc de Berry comme Étienne de Bonpuits. Ce dernier et Renaud Pizdoue durent quitter Paris lors de l'entrée des Bourguignons et virent leurs biens confisqués.

25. A l'annonce de la prochaine arrivée des Anglais, Tanguy du Châtel, prévôt de Paris, fit changer les autorités municipales sans respecter les formes habituelles: consultation des bourgeois et mandement royal.

26. C'est le titre normal de l'héritier de Bourgogne. Il s'agit du futur Philippe le Bon. Henri V remontait vers le nord pour regagner Calais. Les Bourguignons n'étaient pas très actifs contre eux!

27. Les seigneurs bourguignons étaient pour beaucoup absents, sauf Antoine de Brabant et Philippe de Nevers.

28. Azincourt, le 25 octobre 1415. C'était l'anniversaire de la prise de Soissons.

qu'Anglais[29], et si furent Français déconfits* et tués, et pris des plus grands de France.

130. Item, tout premièrement, le duc de Brabant, le comte de Nevers, frères du duc de Bourgogne, le duc d'Alençon, le duc de Bar, le connétable de France Charles d'Albret, le comte de Marle, le comte de Roucy, le comte de Salm, le comte de Vaudémont, le comte de Dammartin, le marquis du Pont. Ceux cy-nommés furent tous morts en la bataille[30], et bien trois mille éperons dorés[31] sur les autres ; mais de ceux qui furent pris[32] et menés en Angleterre, le duc d'Orléans, le duc de Bourbon, le comte d'Eu, le comte de Richemont, le comte de Vendôme, le maréchal Boucicaut, le fils du roi d'Arménie, le sire de Torcy, le sire de Heilly, le sire de Mouy, [monseigneur de Savoysi] et plusieurs autres chevaliers et écuyers dont on ne sait les noms. Oncques, puis que Dieu fut né, ne fut faite telle prise en France[33] par Sarrasins ni par autres, car avec eux furent morts

---

29. C'est parfaitement exact, mais la tactique suivie par les troupes royales fut particulièrement mal choisie. La charge frontale en terrain difficile ne pardonne pas.

30. Furent tués : Antoine de Brabant et Philippe de Nevers, frères de Jean sans Peur, Charles d'Albret connétable (à éclipse puisque armagnac) depuis 1402, Édouard III, duc de Bar, et Robert de Bar, comte de Marle, et Soissons, grand bouteiller de France, neveu du duc, Jean VI, comte de Roucy, et Braisne, Ferry de Lorraine, comte de Vaudémont. En revanche, Jean V, comte de Salm, ne mourut qu'en 1431 à Bulgnéville et Charles de La Rivière, comte de Dammartin, qu'en 1427. Tous deux s'échappèrent.

31. Les éperons dorés étaient l'insigne des chevaliers. Le Bourgeois veut dire que 3 000 chevaliers furent tués. Il y avait 20 000 Français à Azincourt sur un champ de bataille très petit et avec un commandement divisé et sans expérience. Il y eut entre 3 000 et 4 000 morts côté français (pour 1 500 côté anglais), dont 600 chevaliers et barons. Chevalerie et baronnage de France du Nord furent décapités.

32. Les prisonniers furent : Charles duc d'Orléans qui le resta jusqu'en 1440, Jean Ier duc de Bourbon qui mourut en Angleterre en 1434, Charles d'Artois, comte d'Eu, qui resta vingt-trois ans en Angleterre. Louis de Bourbon-Vendôme est le deuxième fils de Jean de Bourbon et Catherine de Vendôme. Il fut libéré en 1426. Arthur de Bretagne, frère de Jean V, rentra en France en 1421. Il devint connétable de France puis duc de Bretagne. Jean le Meingre, dit Boucicaut, maréchal de France, mourut en Angleterre en 1416. Guy d'Arménie est le fils du dernier roi d'Arménie, Léon III. De moins haute lignée sont Charles de Savoisy ou Jacques de Heilly, maréchal de Guyenne.

33. Jamais, depuis la naissance du Christ, il n'y eut tant de prisonniers.

plusieurs baillis de France[34], qui avaient avec eux amené les communes de leurs bailliages, qui tous furent mis à l'épée, comme le bailli de Vermandois et ses gens, le bailli de Mâcon et ses gens, celui de Sens et ses gens, celui de Senlis et ses gens, celui de Caen et ses gens, le bailli de Meaux et ses gens ; et disait-on communément que ceux qui pris étaient n'avaient pas été bons ni loyaux à ceux qui moururent en bataille[35].

131. Environ trois semaines après, vint le duc de Bourgogne assez près de Paris[36], moult troublé de la mort de ses frères et de ses hommes, pour cuider* parler au roi ou au duc de Guyenne, mais on lui manda qu'il ne fût si hardi de venir à Paris. Et fit-on tantôt murer les portes, comme autrefois, et se logèrent plusieurs capitaines au Temple, à Saint-(Martin) et ès places devant dites, par défaut de seigneurs ; et furent toutes les ruelles d'entour les lieux devantdits prises desdits capitaines ou de leurs gens[37], et les pauvres gens boutés* hors de leurs maisons, et à grandes prières et à [grande peine] avaient-ils le couvert de leur hôtel, et cette larronaille[38] couchait en leurs lits, comme ils fissent à 11 ou à 12 lieues de Paris[39], et n'était

---

34. Les baillis, chefs des contingents de l'ost levée dans les provinces, paieront un très lourd tribut. Les quinze baillis de France du Nord furent tous tués, ce qui désorganisa complètement l'administration. Le bailli de Vermandois, Pierre de Beauvoir, seigneur de Bellefontaine, fut remplacé par Thomas de Larzy, le bailli de Mâcon par Philippe de Bonnay, le bailli de Sens, Guy d'Aigreville, par André Marchand, le bailli de Senlis, Trouillard de Mancreux, par Guillaume de Han, le bailli de Caen, Girard d'Esquay, par Olivier de Mauny. Le bailli de Meaux, Guillaume de Noiray, périt également. Les remplacements ne datent que de décembre 1415. Les dégâts furent moindres en Languedoc.

35. On accuse ceux qui ont sauvé leur vie de trahison. C'est fort peu vraisemblable. Certains prisonniers furent massacrés durant la mêlée et après celle-ci.

36. Jean sans Peur trouve le moment favorable pour essayer de récupérer sa position à Paris. Il essaie cette fois la route de l'Est.

37. Les rues aux alentours furent occupées par les soldats et les habitants mis dehors (mais ils y avaient toujours le vivre et le couvert !). Probablement, ils durent héberger les soldats.

38. Le Bourgeois n'a pas très bonne opinion des mercenaires du comte d'Armagnac, des Français du Midi qui parlent la langue d'oc. Mais c'est le seul réservoir d'hommes possible à cette date.

39. Comme ils l'auraient fait s'ils avaient été en campagne hors de Paris.

homme qui en osât parler ni porter coutel[40], qui ne fût mis en diverses prisons [comme au Temple, à Saint-Martin, à Saint-Magloire, en Tiron et en autres diverses prisons[41]].

132. Item, environ la fin de novembre, l'an 1400 et 15, le duc de Guyenne, aîné fils du roi de France, moult plein de sa volonté plus que de raison[42], accoucha malade et trépassa le 18e jour de décembre audit [an], jour mercredi des Quatre Temps[43]. Et furent faites ses vigiles le dimanche ensuivant à Notre-Dame de Paris, et fut apporté du Louvre sur les épaules de quatre hommes, et n'y avait que six hommes à cheval[44], c'est-à-savoir devant ; après, les quatre ordres mendiants et les autres collèges [de Paris] ; après sur un grand cheval, lui et son page[45], sur un autre fut le chevalier du guet, après grande pièce[46] le prévôt de Paris ; après le corps, fut le duc de Berry, le comte d'Eu et un autre[47]. En ce point fut porté à Notre-Dame de Paris, et là fut enterré le lendemain.

133. Item, en ce temps fut le pain très cher, car le pain qu'on avait devant pour 8 blancs valait 5 sols parisis, et bon vin pour 2 deniers parisis la pinte[48]. En ce temps furent les portes

---

40. Le port d'armes était interdit sous peine de prison.

41. Ces prisons sont soit de vraies prisons (le Temple), soit des couvents comme l'hôtel de l'ordre normand de Tiron, rue de Rivoli, le couvent Saint-Magloire, rue Saint-Denis, et Saint-Martin-des-Champs.

42. Louis de Guyenne, dauphin, mourut le 18 décembre 1415 de dysenterie. Il n'avait guère bonne réputation (capricieux, dissolu, par ailleurs cultivé). Sa tâche de réconcilier les partis et de rester indépendant de l'un comme de l'autre était impossible pour un prince aussi jeune, dépourvu de moyens et en butte à des pressions contradictoires.

43. Les Quatre Temps d'hiver commencent le 17 décembre.

44. Les obsèques furent aussi solennelles que les circonstances le permettaient. Le prince, qu'on ne put mener à Saint-Denis, fut enterré à Notre-Dame.

45. Probablement le page portant son écu, accompagné du chevalier du guet, Bernard d'Enfernet.

46. Après un grand intervalle.

47. Trois princes du sang seulement, mais ils étaient nombreux morts ou prisonniers. Il faut lire Berry et Ponthieu (le comte d'Eu était en Angleterre). Il s'agit du futur Charles VII qui avait alors treize ans. C'est sa première apparition dans ce récit. Le dernier aurait dû être Jean de Touraine, frère du duc, mais il était en Bourgogne et devenait donc dauphin à la fin de 1415. Il mourut en avril 1416.

48. La guerre fait monter les prix. Le blanc vaut 6 deniers parisis et le sou 12 deniers parisis. Cela fait presque un doublement des prix.

murées, comme autrefois, pour le duc de Bourgogne qui était près de Paris, et grande foison de gens d'armes; par quoi, fromages et œufs [furent si chers] qu'on n'avait que trois oeufs pour un blanc, et un fromage commun (pour) 3 ou 4 sols parisis.

134. Et Paris était gardé par gens étranges[49], et étaient leurs capitaines un nommé Raymonnet de la Guerre[50], Barbazan et autres[51], tous mauvais et sans pitié. Et pour mieux faire leur volonté mandèrent[52] le comte d'Armagnac, personne excommuniée, comme devant est dit, nommé Bernard, et le firent connétable de France à un lundi en la fin de décembre. Et le prévôt de Paris[53], au mois ensuivant, fut fait amiral de France, gouverneur de la Rochelle, et fut déposé d'être amiral une mauvaise personne nommée Clignet de Breban[54], qui moult fit de mal en France, tant comme il fut amiral.

135. Item, le duc de Bourgogne était toujours en la Brie, ni ne pouvait parler au roi, ni le roi à lui, pour puissance qu'ils eussent eux deux[55], car les traîtres de France disaient au roi[56], quand il (le) demandait, qui moult* le demandait souvent, que

---

49. Les Français du Sud sont des « étrangers » pour notre Bourgeois. Ils parlent la langue d'oc, ils sont armagnacs et il en a peur!

50. Raymonnet de la Guerre, capitaine gascon, chef des milices du connétable. Il fut tué en 1418.

51. Arnaud Guilhem de Barbazan, d'une ancienne famille de Bigorre, fut un chef de guerre illustre. Il participa peut-être à l'attentat de Montereau, défendit Melun contre les Anglais. Il fut tué en 1432 à Bulgnéville contre une armée bourguignonne et enterré à l'abbaye de Saint-Denis comme Duguesclin.

52. Ce verbe sans sujet, « mandèrent », vise le duc de Berry. Celui-ci, fort malade (il mourut en 1416) et voyant le duc de Guyenne disparu et les autres enfants de Charles VI beaucoup trop jeunes, eut l'idée de confier le gouvernement, en ces temps difficiles, à son gendre Bernard d'Armagnac (époux de Bonne de Berry et beau-père de Charles d'Orléans) qui possédait une solide expérience militaire et des troupes. Il avait été excommunié comme tous les chefs armagnacs. Il fut fait connétable le 30 décembre 1415.

53. Tanguy du Châtel cumula plusieurs commandements de 1415 à 1418.

54. Clignet de Breban, seigneur de Gondreville, fut amiral de 1405 à 1408 puis gouverneur du comté de Vertus. C'était un client des Orléans.

55. Ils ne pouvaient se parler, bien qu'ils en eussent eu la possibilité. La personne royale était un gage surveillé étroitement par le vainqueur.

56. Les Armagnacs ne cherchent évidemment pas la réconciliation entre Charles VI et Jean sans Peur.

plusieurs fois on l'avait mandé, mais il ne daignait venir ; et d'autre part mandaient au duc de Bourgogne, qui était à Lagny, que le roi lui défendait sa terre, sous peine d'être réputé [pour] traître faux.

[1416]

136. Item, le 12e jour [du mois] de février, fut fait par les dessusdits bandés ledit comte d'Armagnac seul[1] de tout le royaume de France, à qui qu'il en déplût, car le roi était toujours mal disposé[2]. En celui temps, s'en alla le duc de Bourgogne en son pays.

137. Item, le premier jour de mars 1416 ensuivant, jour Saint-Aubin, entra l'empereur roi de Hongrie à Paris[3], à un dimanche, et vint par la porte Saint-Jacques et fut logé au Louvre ; et le 2e mardi ensuivant, furent envoyées semondre* les demoiselles de Paris et des bourgeoises les plus honnêtes, et leur donna à dîner en l'hôtel de Bourbon, le 10e jour ensuivant après sa venue, et à chacune aucun joyel[4].

138. Item, il fut à Paris environ trois semaines, et puis s'en alla devers Angleterre[5] pour avoir les prisonniers du sang de France, qui là étaient de la prise d'Azincourt.

139. Item, [commençant] la semaine péneuse[6] ensuivant, qui

1. Chef du gouvernement, régent de fait.
2. Malade. Il avait des crises de folie intermittentes depuis 1392 et celles-ci s'étaient aggravées.
3. L'empereur Sigismond de Luxembourg est un parent de Charles VI. Son père Charles IV était le frère de Bonne de Luxembourg, grand-mère du roi fou. Charles IV était aussi venu en France en 1377. On espérait la médiation de Sigismond dans le conflit franco-anglais. Il vit Notre-Dame, la Sainte-Chapelle et le Parlement où il fit un chevalier, ce qui provoqua des complications diplomatiques.
4. Il leur donna à chacune un joyau.
5. Il séjourna à Paris du 8 au 20 mars 1416, puis il s'embarqua à Calais pour Londres où il resta cinq semaines. Les négociations sur les prisonniers n'aboutirent pas.
6. La Semaine sainte avant Pâques, le 19 avril.

fut [entrant] le 13e jour d'avril 1416, entreprirent aucuns des bourgeois de Paris de surprendre ceux qui ainsi tenaient Paris en sujétion[7], et devaient ce faire le jour de Pâques, qui fut le 19e jour d'avril, mais ils ne le firent point par sens[8], car cela fut su par ceux de la bande, qui les prirent et les mirent en prison.

140. Et le 24e jour dudit mois d'avril 1416, fut [mené] en un tomberel à boue, le doyen de Tours, chanoine de Paris[9], frère de l'évêque de Paris de devant celui qui pour lors était[10], nommé Nicolas d'Orgemont, fils de feu Pierre d'Orgemont. En ce point, vêtu d'un grand mantel [de] violet, et chaperon de même[11], (il) fut mené ès Halles de Paris, [et] en une charrette devant étaient deux hommes d'honneur sur deux aiz*, chacun une croix de bois en sa main ; et avait l'un été échevin de Paris, et l'autre était homme d'honneur et était en Arts nommé maître Renaud, et l'échevin Robert de Belloy[12]. Et à ces deux on coupa les têtes, voyant ledit d'Orgemont, lequel n'avait qu'un pied[13], et après la justice[14] fut ramené [sans (l') ôter dudit tomberel] en prison au chastel de Saint-Antoine, et environ quatre jours après, fut prêché au parvis Notre-Dame et condamné en chartre* perpétuelle[15] au pain et à l'eau.

141. Item, le premier samedi de mai ensuivant furent décollés pour ce fait trois moult* honnêtes hommes, et de moult

---

7. Un complot anti-armagnac regroupa plusieurs bourgeois de Paris. Ils furent dénoncés avant d'aboutir.

8. Ms. de Paris : « Ils ne le firent pas secret, et là ils agirent follement. »

9. Nicolas d'Orgemont est l'un des fils du chancelier de Charles V, Pierre d'Orgemont. Il avait fait une carrière ecclésiastique (archidiacre d'Amiens, chanoine de Notre-Dame et de Saint-Germain). Il était maître des Comptes et fort riche. Il avait fait partie de la commission anti-armagnac de 1412. Comme il était couvert par le for ecclésiastique, il perdit tous ses offices et ses biens et se retrouva dans la prison épiscopale, à Meung-sur-Loire, où il mourut en 1416.

10. L'évêque de Paris, frère de d'Orgemont, se nommait Pierre d'Orgemont, comme son père, chancelier de Charles V. Il fut évêque de 1384 à 1409. Son successeur fut Gérard de Montaigu (1409-1420).

11. Signe de son état ecclésiastique, ce qui lui valut la vie sauve.

12. Le Bourgeois est favorable au complot bourguignon. Maître Renaud Maillet est maître ès arts, Robert de Belloy, drapier, a été échevin durant la période cabochienne.

13. Il était boiteux de naissance.

14. Après l'exécution judiciaire, d'Orgemont fut ramené en prison.

15. Condamné à la prison perpétuelle.

bonne renommée, c'est à savoir, le seigneur de l'Ours[16] de la porte Baudet, un teinturier nommé Durand de Brie, un marchand de laton* et épinglier nommé Jean Perquin[17] ; et était ledit teinturier maître de la soixantaine des arbalétriers de Paris[18].

142. Item, le 7e jour de mai, fut crié parmi Paris, que nul ne fût si hardi de faire assemblée à corps[19], ni à noces[20], ni en quelque manière sans le congé du prévôt de Paris. En ce temps (il y) avait, quand on faisait noces, certains commissaires et sergents aux dépens de l'épousé, pour garder qu'homme ne murmurât de rien[21].

143. Item, le 8e jour de mai, vendredi, furent ôtées les chaînes de fer qui étaient à Paris et furent portées à la porte Saint-Antoine[22]. En ce temps était [toujours] le pain si cher que petits ménages[23] n'en pouvaient avoir leur saoul, car la charté* dura moult longuement, et coûtait bien la douzaine, qu'on avait devant pour 18 deniers, 4 sols parisis[24].

144. Item, le samedi ensuivant, 9e jour dudit mois, furent ôtées les armures*[25] aux bouchers en leurs maisons, tant de

---

16. Jean Roche, possesseur de l'hôtel de l'Ours (rue Porte-Baudoyer), était sergent du roi et fort riche. Il était un dévoué Bourguignon, dont la famille fut réduite à l'indigence après l'exécution.

17. Nous ne savons rien de ces deux Bourguignons, le teinturier Durand de Brie et le fabricant d'épingles Jean Perquin.

18. Il était soixantenier ; chef de soixante arbalétriers de la milice urbaine.

19. Une assemblée à corps est une réception dans le cadre d'un corps constitué (confrérie, métier ou toute autre association).

20. Les réceptions de noces étaient habituellement très nombreuses. Il leur fallut une autorisation.

21. Ces mesures sont impopulaires. Le Bourgeois insiste sur leur coût et sur la tendance des Parisiens à murmurer contre le nouveau gouvernement.

22. Les chaînes de fer des rues de Paris sont le symbole de l'orgueil municipal. Elles sont enlevées quand on veut punir la ville et restituées quand on désire se la concilier. Elles furent rendues deux jours après (le 10 mai), ce que le Bourgeois se garde bien de signaler.

23. Les foyers humbles ne pouvaient acheter assez pour manger tout leur soûl.

24. Douze petits pains qui coûtaient 18 deniers (1 sou 6 deniers) coûtaient 4 sous, c'est-à-dire 48 deniers.

25. On essaie de désarmer la population urbaine, en commençant par les bouchers, fer de lance des Bourguignons. L'armure signifie toute arme défensive ou offensive.

Saint-Germain, de Saint-Marcel, de Sainte-Geneviève et des Halles de Paris[26].

145. Item, le lundi ensuivant, fut crié parmi Paris, sur peine d'être réputé vrai traître, que tout homme, prêtre, clerc ou lay*, portât ou envoyât toutes ses armures*, quelles qu'elles fussent, ou épées, ou badelaires[27], ou hachettes, ou quelque armure qu'il eût, au chastel de Saint-Antoine.

146. Item, le vendredi, 15e jour dudit mois, firent lesdits commencer à abattre la Grande Boucherie de Paris[28], et le dimanche ensuivant, vendirent les bouchers de ladite boucherie leurs chairs sur le pont Notre-Dame[29], moult ébahis pour les franchises qu'ils avaient en la boucherie, qui leur furent toutes ôtées[30], et semblait ce dimanche que les[dits] bouchers eussent [eu] quinze jours ou trois semaines [de temps] à faire leurs étals, tant furent bien ordonnés du vendredi jusqu'au dimanche.

147. Item, le vendredi ensuivant, furent commencées à murer les portes comme autrefois.

148. Item, le lendemain de la Saint-Laurent ensuivant, firent crier lesdits bandés parmi Paris, que nul ne fût si hardi d'avoir à sa fenêtre coffre ni pot, ni hotte, ni coste en jardin[31], ni bouteille à vin aigre à sa fenêtre qui fût sur rue, sur peine de perdre corps et biens, ni que nul ne se baignât en la rivière[32] sur peine d'être pendu par la gorge.

---

26. Il y a là une cartographie précise des boucheries parisiennes ; les trois boucheries ecclésiastiques de la rive gauche (Saint-Germain, Sainte-Geneviève et Saint-Marcel) et la boucherie royale de la rive droite ou Grande Boucherie des Halles qui a toujours été la plus remuante.

27. Toutes les armes sont stockées hors de portée des bourgeois. Une badelaire est un poignard.

28. On prétexta de l'insalubrité d'ailleurs réelle de la Grande Boucherie pour disperser les étals en quatre boucheries (Halle de Beauvais, Saint-Leufroy, le Petit Pont et le cimetière Saint-Gervais).

29. Ce n'est qu'une installation provisoire pour ne pas cesser la vente.

30. Les franchises des bouchers qui leur assuraient un monopole fructueux remontaient à la fin du XIIe siècle. Leur suppression dura jusqu'en 1418.

31. On se méfie de tout ce qui pourrait servir de projectile dans une émeute urbaine : coffre, pots, bouteilles et costes (bûches).

32. Par la Seine, on peut fuir Paris ou envoyer des émissaires au duc de Bourgogne.

149. Item, le jour de Saint-Laurent ensuivant, firent chanter lesdits bandés aux Quinze-Vingts[33], fût tort ou droit, et y avait commissaires et sergents qui faisaient chanter devant eux tels prêtres qu'ils voulaient, malgré ceux dudit lieu, lesquels voulaient qu'on leur fît droit de certains prisonniers qui étaient à Graville, lesquels furent pris en la franchise par l'outrage du prévôt de Paris ; et furent pris le 25e jour de mai, vigile de l'Ascension Notre-Seigneur, et fut avant la Saint-Laurent ensuivant qu'on chantât ni messe, ni vêpres en ladite église[34].

150. Item, la première semaine de septembre ensuivant, fit-on défense aux bouchers que plus ne vendissent leur chair sur le pont Notre-Dame, et en cette dite semaine commencèrent à vendre en la halle de Beauvais[35], au Petit-Pont, à la porte Baudet, et environ 15 jours après commencèrent à vendre devant Saint-Leufroy au Trou-Pugnais[36].

151. Item, en cette semaine fut crié que nul sergent à cheval ne demeurât hors de la ville de Paris, sur peine de perdre son office.

152. Item, fut crié cette dite semaine que lesdits étals de boucherie seraient baillés au profit du roi au plus offrant[37], et que lesdits bouchers n'y auraient quelque franchise.

153. Item, le mois d'octobre ensuivant, fut commencée la boucherie du cimetière Saint-Jean, et fut achevée, et [y] vinrent vendre ceux de derrière Saint-Gervais, le premier dimanche de février audit an.

---

33. En principe, il n'y avait plus d'offices aux Quinze-Vingts depuis une arrestation menée par les sergents du roi dans ce lieu d'asile. L'évêque protestait ainsi contre la rupture du privilège ecclésiastique et le clergé des Quinze-Vingts le soutenait.

34. Un arrangement fut trouvé dès le 30 mai, ce que le Bourgeois ne signale évidemment pas. Les offices reprirent la semaine suivante et non à la Saint-Laurent (le 10 août) !

35. Les nouvelles boucheries furent aménagées entre-temps. La halle de Beauvais, près des Halles, était la plus grande et comprenait seize étals.

36. Devant l'église Saint-Leufroy, à l'endroit dit « le Trou puant ».

37. Furent mises aux enchères (sans tenir compte du monopole héréditaire des bouchers, seuls en temps normal à pouvoir tenir étal).

[1417]

154. Item, le 20e jour de février audit an, fut crié qu'on ne prît nulle monnaie à Paris que celle du roi[1], qui moult fit grand dommage aux gens de Paris, car la monnaie du duc de Bretagne et du duc de Bourgogne étaient prises comme celles du roi, dont plusieurs marchands, riches et pauvres, et autres gens qui en avaient perdirent moult, car pour la défense homme n'en eût eu quelque nécessité sinon au bullion[2], mais environ un mois après, on reprit les dessusdites monnaies, et défendues comme devant furent[3].

155. Item, le 3e jour d'avril audit an, trépassa monseigneur de Guyenne[4], aîné fils du roi de France, à Compiègne, qui avait été cinq mois ou environ Dauphin.

156. Item, ledit roi Louis, l'an 1417, trépassa environ trois jours en la fin (du mois)[5].

157. Item, en icelui temps, on avait vin sain et net pour un denier la pinte, mais de grosses tailles [trois ou quatre] tous les ans[6], et n'osait nul parler du duc de Bourgogne, qu'il ne fût en péril de perdre le corps ou la chevance*[7], ou d'être banni.

---

1. On interdit les monnaies étrangères ou ducales au profit de la seule monnaie royale. Ces efforts pour établir un monopole royal des monnaies sont fréquents au XVe siècle, mais ne durent pas. La mesure visait surtout le duc de Bourgogne.

2. Nombreux furent ceux qui perdirent beaucoup. La seule solution était de porter les pièces à l'atelier monétaire qui les rachetait pour leur valeur de métal précieux (bullion ou billon).

3. Les deux monnaies ducales restèrent prohibées. Il veut peut-être dire que l'atelier monétaire échangea les pièces interdites à un cours forfaitaire.

4. Jean, duc de Touraine, quatrième fils de Charles VI et époux de Jacqueline de Bavière, rentrait sur Paris en venant des États bourguignons. Il mourut à Compiègne, quatre mois après son frère Louis de Guyenne. Le bruit courut que les deux princes avaient été empoisonnés. Ces événements faisaient du trop jeune comte de Ponthieu, jusque-là élevé en Anjou par sa belle-mère Yolande d'Aragon, l'héritier de France.

5. Louis II d'Anjou mourut le 30 avril 1417. Sa veuve, Yolande, géra avec une redoutable compétence les intérêts de ses fils (Louis III, René, Charles du Maine) et de son beau-fils, le futur Charles VII.

6. L'impôt n'est pas encore annuel malgré le danger patent. Il y a des emprunts forcés liés aux circonstances qui visent surtout les opposants bourguignons.

7. Perdre la vie ou les biens.

158. Item, le 29e jour de mai ensuivant, vigile de la Pentecôte, fut crié que nul ne prît quelque monnaie, que celle du coin du roi seulement, et qu'on ne marchandât qu'à sols et à livres[8], et furent aussi criés à prendre petits moutons d'or pour 16 sols parisis[9], qui n'en valaient pas plus de 11 sols parisis.

159. Et le lundi ensuivant, premier jour des fêtes de Pentecôte, commencèrent les gens de Paris, c'est à savoir, de quelque état qu'ils fussent, prêtres ou clercs, ou autres[10], à curer les voiries ou à faire curer à leur argent ; et fut cette cueillette[11] si âpre, qu'il fallait que chacun, de quelque état qu'il fût[12], de cinq jours en cinq jours en baillât* argent, et quand on payait pour cent on n'y en mettait mie* 40[13], et avaient les gouverneurs le remenant*.

160. Item, cette dite semaine, fut fait le pont-levis à la porte Saint-Antoine, et cette année furent faites les maisons entre les bastilles et l'écorcherie aux Tuileries.

161. Item, en celui temps, fut pris de par le prévôt de Paris un nommé Louis Bourdon[14], chevalier, qui tant fit de peine au chastel d'Étampes, comme devant est dit, et fut noyé pour ses démérites. Et fut la reine privée de tout, que plus ne serait au

---

8. Reprise de l'effort pour imposer la monnaie royale. Cela suscite de nombreuses difficultés pour les lettres de change où figurent des sommes en monnaies étrangères.

9. Le mouton d'or fin à 23 carats frappé en 1417 valait 20 sous, le petit mouton en valait environ la moitié, mais il avait été émis à une valeur nominale de 16 sous au lieu de 11. Le Bourgeois accuse le gouvernement de manipulation monétaire, ce qui est classique pour trouver de l'argent en période où l'impôt rentre mal.

10. Le Bourgeois fut probablement touché par cette taxe. Les rues étaient fort sales, on y jetait de tout malgré les interdictions, et le nettoyage en était épisodique.

11. Cette cueillette de l'impôt.

12. Même les clercs durent payer !

13. Si on payait 100 sous, il y en avait 40 qui servaient à curer les rues et 60 qui revenaient aux gouverneurs armagnacs de Paris. Le Bourgeois les accuse de détourner l'impôt de sa destination et de se remplir les poches. Il est plus probable que les 60 furent consacrés aux dépenses militaires.

14. Louis de Bosredon avait défendu Étampes pour le duc de Berry. Il s'était bien battu à Azincourt et était capitaine du château de Vincennes où s'était réfugiée Isabeau. L'exécution fut une initiative de Charles VI pour des motifs peu clairs et probablement non politiques. Le prisonnier fut mis dans un sac de cuir et jeté à la Seine.

conseil, et lui fut son état amoindri[15]. Et demeurèrent les choses en ce point, sinon que toujours prenaient lesdits gouverneurs lesquels (ils) voulaient et les bannissaient[16], et si fallait qu'ils allassent où lesdits gouverneurs voulaient[17], et en mains* de trois semaines en bannirent plus de huit cents, sans* ceux qui demeurèrent en prison.

162. Item, en ce temps, à l'issue d'août, s'émut* le duc de Bourgogne pour venir à Paris, et vint en conquêtant villes, cités, châteaux, et partout faisait crier, de par le roi et le dauphin et de par lui, qu'on n'y payât nulles subsides[18] ; dont les gouverneurs de Paris prirent si grande haine contre lui qu'ils faisaient [faire processions et faisaient] prêcher[19] qu'ils savaient bien de vrai qu'il voulait être roi de France, et que par lui et par son conseil étaient les Anglais en Normandie[20]. Et par toutes les rues de Paris (il y) avait espies*, qui étaient résidants et demeurants à Paris, qui leurs propres voisins faisaient prendre et emprisonner ; et nul homme, après ce qu'ils étaient pris, n'en osait parler aucunement[21], qu'il ne fût en péril de sa chevance* ou de sa vie.

163. Item, à l'entrée de septembre 1417, approcha le duc de

---

15. La reine s'était réfugiée à Vincennes, craignant une émeute parisienne. Elle était brouillée avec Bernard VII qui avait mis la main sur une partie de son trésor pour payer l'armée. Isabeau n'était pas pour autant dans la misère mais exclue du pouvoir politique. C'est à partir de 1417 que le Bourgeois parle souvent d'elle.

16. Ils bannissaient qui ils voulaient. Il y eut de très nombreuses proscriptions durant l'été 1417, y compris au Parlement où treize conseillers durent prendre la route.

17. Ils les envoyaient vers le sud et non vers la Bourgogne.

18. La propagande bourguignonne est, de manière démagogique, hostile à l'impôt et surtout à celui qui rentre dans les caisses de ses adversaires. Des ordres de ce genre sont par nature populaires !

19. Les prêches et les processions sont des moyens de propagande classiques et efficaces.

20. Riposte armagnacque : le duc veut le pouvoir (ce qui n'est pas faux et sous-entend peut-être que la mort des dauphins n'est pas naturelle. Il restait encore le futur Charles VII et les enfants d'Orléans à éliminer. Il est vrai que ces derniers sont tous en Angleterre). Jean sans Peur avait bien négocié avec les Anglais quand il avait été exclu du pouvoir. Mais pendant la guerre civile, le parti vaincu était repoussé de fait vers l'alliance anglaise. Cette situation rendait une expédition en France facile.

21. Nul n'osait se plaindre de la délation ni avoir pitié des victimes.

Bourgogne de Paris, et gagna L'Isle-Adam, Pont-Sainte-Maxence, Senlis, Beaumont[22]. Adonq fut la porte Saint-Denis fermée et furent abattues les arches pour faire un pont-levis, et (elle) fut deux mois fermée en la droite saison des vendanges[23].

164. Item, environ huit ou neuf jours en septembre, fut déposé Breban devantdit de la prévôté des marchands[24], et fut fait prévôt Étienne de Bonpuits, lequel ne le fut que cinq jours, et fut mis en la prévôté un faiseur de coffres [et de bancs], nommé Guillaume Cirasse, le 12e jour de septembre audit an.

165. En ce temps vinrent les Bourguignons devant Saint-Cloud, et lors fut le pont rompu, et les Bourguignons assaillirent la tour[25] à engins et l'endommagèrent moult, mais point ne fut prise à cette fois, ainsi la laissèrent, mais ils tinrent si [...] le pays autour de Paris[26], que marée ne venait à Paris de nulle part.

166. Item, la livre de beurre salé valait 2 sols parisis, et vendait-on 2 œufs ou 3 au plus 4 deniers parisis ; un petit hareng caqué 6 deniers parisis ; le frais hareng vint environ les octaves Saint-Denis 3 ou 4 paniers, et vendait-on la pièce 3 ou 4 blancs tout lavé, et le poudré 2 blancs rien moins[27] ; et le vin qu'on avait en août pour 2 deniers coûtait en septembre ensuivant 4 ou 6 deniers parisis.

167. Item, en ce temps avait si pesme* douleur à Paris, que nul n'osait aller vendanger hors Paris, devers la porte Saint-Jacques, de toute part, comme à Châtillon, à Bagneux, à

---

22. Jean sans Peur partit d'Arras le 17 août, prit Montdidier le 24, Beauvais le 26 et, en septembre, gagna Pont-Sainte-Maxence, Senlis et Beaumont-sur-Oise. Fin septembre, il contrôlait la banlieue nord et, en octobre, la banlieue sud. Paris était encerclée lorsque les Anglais débarquèrent le 1er août et entreprirent la conquête de la Normandie.

23. Le pont à arches fut remplacé par un pont-levis et la porte fermée. C'était une gêne pour les propriétaires de vignobles hors les murs.

24. Vieux et malade, Philippe de Breban demanda à être relevé de ses fonctions et fut remplacé par l'échevin Guillaume Cirasse.

25. La grosse tour de Saint-Cloud dominait le pont.

26. Ils tenaient si étroitement le pays que le ravitaillement en poissons (la marée) n'arrivait plus.

27. Les difficultés de ravitaillement font monter les prix ; le hareng est frais (c'est le plus cher), caqué (saur et vendu en caques ou, ici, en paniers), le poudré est du hareng salé moins sec (qualité intermédiaire).

Fontenay, Vanves, Issy, [Clamart], Montrouge, car les Bourguignons haïssaient moult les bourgeois de Paris, et ils venaient fourrer[28] jusqu'aux faubourgs de Paris, et quelque personne qu'ils trouvaient était pris et emmené en leur ost*. Et avec eux (il y) avait moult* de gens de Paris qui avaient été bannis, qui tous les connaissaient par enquérir ou autrement; et s'ils étaient de quelque renom, ils étaient cruellement traités et mis à si grande rançon[29], comme on les pouvait mettre, et s'ils échappaient par aucune aventure et venaient à Paris, et si on le savait, on leur mettait sus qu'ils s'étaient fait prendre de leur bon gré, et étaient mis en prison[30].

168. Item, en ce temps fut fait capitaine de la porte du Temple un nommé Simonnet du Bois[31], qui était clerc (de) Jacquot l'Empereur, garde des coffres du roi, et de la porte Saint-Martin un nommé Jehannin Neveu, chaudronnier, fils d'un chaudronnier nommé Colin [Neveu].

169. Item, en cestui mois d'octobre, fut faite une grosse taille de sel[32]; car [peu] fut de gens qui fussent de nulle renommée, à qui on n'envoyât deux setiers ou trois, au gros un muid ou demi-muid; et [si] le convenait payer tantôt au porteur, ou avoir sergents en garnison, ou être mis en prison au Palais, et coûtait le setier 4 écus de 18 sols parisis pour pièce.

170. Item, la plus grande partie des capitaines qui étaient dans Paris, on les payait des avoines[33] qu'on avait amenées à

---

28. Ils venaient faire du fourrage et du ravitaillement jusqu'aux faubourgs.

29. S'ils étaient reconnus armagnacs par les bannis bourguignons, ils devaient payer rançon.

30. S'ils s'échappaient, les Armagnacs leur reprochaient de s'être laissé prendre et les envoyaient en prison.

31. Simonnet du Bois était clerc de Jacques l'Empereur, échanson, garde des joyaux et de l'Épargne de 1404 à 1418. Il est probable que le Bourgeois désapprouve ces choix comme capitaine d'un clerc et d'un chaudronnier.

32. Chacun dut acheter à un prix fixé et élevé (c'est un impôt) une certaine quantité de sel (ici 72 sous parisis le setier). La quantité est fonction de la richesse des contribuables répartis en deux catégories, les gens de quelque renommée et les gros. Normalement la gabelle se borne à fixer un prix élevé du sel mais n'impose pas de quotité d'achat. Le « sel du devoir » ne se généralise qu'au XVe siècle. C'est le prix à payer pour ne pas loger de gens de guerre.

33. Les gens de guerre n'étaient pas payés. Ils pouvaient se nourrir sur les céréales stockées à Paris, en prévision du siège, et ils étaient autorisés à prendre fourrage dans les banlieues.

Paris pour être bien en sécurité, et avaient congé de prendre ce qu'ils pouvaient [piller] autour de Paris, à deux ou trois lieues environ, et ils ne s'en faignaient pas[34]. En ce temps firent les bouchers de Saint-Germain-des-Prés leur boucherie en une rue qui est entre les Cordeliers et la porte Saint-Germain[35], en un lieu en manière de cellier où on descendait à degrés qui avaient dix marches.

171. Item, en ce temps valait la caque[36] de harengs seize livres parisis. Item, qu'autour de Paris, de quelque part que ce fût, n'osait homme aller qu'il ne fût dérobé, et, s'il se revanchait* ou défendait, il était tué des gens d'armes de Paris même, qui issaient toutes fois qu'ils voulaient hors de Paris pour piller ; car quand ils revenaient, ils étaient aussi troussés* de biens que fait le hérisson de pommes[37], et nul n'en osait parler, car ainsi plaisait aux gouverneurs de Paris.

172. Item, en icelui temps, allèrent les Bourguignons [devant Corbeil, et] fourrèrent[38] le pays tout entour et firent plusieurs assauts, mais pas ne le prirent à cette fois, car ils se retrairent* vers Chartres, mais la nuit Saint-Clément arrivèrent devant Paris si soudainement que merveilles[39], et les gens d'armes de Paris les allèrent souvent escarmoucher, mais toujours y perdaient grande [foison de] soudoyers* de Paris, et ceux qui échappaient s'en revenaient par les villages d'entour Paris, et pillaient, robaient*, rançonnaient, et avec ce amenaient tout le bétail qu'ils pouvaient trouver, comme bœufs, vaches, chevaux, ânes, ânesses, juments, porcs, brebis, moutons, [chèvres], chevreaux et toute autre chose dont ils pouvaient avoir argent[40] ; et en églises prenaient-ils livres et toute autre chose

---

34. Ils ne s'en privaient pas.

35. Dans la rue des boucheries Saint-Germain (en haut de l'actuelle rue de l'École-de-Médecine).

36. Voir Annexes : « Poids et Mesures ».

37. Les gens d'armes étaient aussi chargés que le hérisson emportant une pomme pour la manger, en la faisant rouler devant lui. Tous deux sont hérissés de piquants !

38. Dévastèrent le pays.

39. Si soudainement qu'on s'en étonnait. Cette arrivée de Jean sans Peur devant Paris, le 23 novembre, était programmée. Une conspiration devait lui ouvrir la porte Bordelle, mais elle fut découverte, les responsables arrêtés par le prévôt de Paris. L'assaut échoua mais le Bourgeois n'en dit rien.

40. La ville manquait de viande et cela se vendait bien.

qu'ils pouvaient happer*[41], et en abbayes de dames autour de Paris prirent-ils missels, bréviaires et toutes autres choses qu'ils pouvaient piller; et quelque personne qui s'en plaignait à justice ou au connétable, ou aux capitaines, tout bel lui était de se taire[42]. Et vrai est que les gens aucuns qui venaient de Normandie à Paris, qui s'étaient échappés des Anglais par rançon ou autrement, après avaient été pris des Bourguignons, et puis à demi-lieue ou environ, étaient repris des Français et traités si cruellement et par tyrannie comme Sarrasins mais par leurs serments, c'est à savoir, ceux d'aucuns bons marchands hommes d'honneur, qui avaient été prisonniers à tous les trois devantdits, dont ils s'étaient échappés par argent, juraient et affirmaient que plus amoureux leur avaient été les Anglais que les Bourguignons, et les Bourguignons plus amoureux cent fois que ceux de Paris[43], et de pitance* et de rançon, et de peine de corps et de prison, qui moult* leur était ébahissante chose, et à tout bon chrétien doit être.

173. Item, [un peu] après la Toussaint, enchérit tellement la bûche que le cent de bons costerets valait deux francs, et 23 sols moyenne bûche, et celle de Bondy 20 sols parisis[44].

174. Item, la bûche de mole valait 10 sols parisis le mole, et dura cette charté* tout l'hiver[45].

175. Item, en ce temps fut la chair si chère[46], qu'un petit quartier de mouton valait 7 ou 8 sols parisis, et un petit morsel* de bœuf de bon endroit deux [sols parisis] qu'on avait

---

41. Le Bourgeois insiste sur leur impiété; livres des églises, missels et bréviaires des religieuses.

42. Il valait mieux qu'elle se tût.

43. Les Normands qui fuient devant les armées anglaises ont pu être rançonnés d'abord par les Anglais, ensuite par les Bourguignons dont ils ont traversé les lignes, et enfin par les Armagnacs à l'entrée dans Paris. Tous leur extorquaient rançons et pâtis (forfaits payés pour obtenir la paix). Le Bourgeois dit que les Anglais et les Bourguignons étaient plus gentils que les Armagnacs. Il n'est pas sûr que cela ait été l'avis général.

44. On commence la saison de chauffage et le bois manque. Il distingue les grosses bûches (la molle), les moyennes dont les plus appréciées sont celles de Bondy et les petites (costerets).

45. La molle comprend cinquante grosses bûches fixées en rond par un gros lien de métal. On peut donc transporter et vendre le bois à la molle.

46. La viande est chère : le bœuf peu apprécié au Moyen Age (dur) coûte 2 sous le petit morceau bien placé. Le mouton est la viande la plus courante

en octobre pour six deniers parisis, une fressure* de mouton 2 ou 3 blancs, une tête de mouton 6 deniers parisis, la livre de beurre salé 8 blancs.

176. Item, un bien petit porc coûtait 60 sols ou 4 francs[47].

[1418]

177. Item, au mois de janvier audit an, fut le prévôt de Paris devant Montlhéry[1], et se rendirent ceux [de] dedans de par traité d'argent.

178. Item, de là s'en alla à Chevreuse, et gagna la ville et fit tout piller[2], quant que homme pouvait apporter à charroi* ou autrement, comme ils firent à Soissons, et moult* y eut des bonnes gens du pays tués sans pitié.

179. Item, la darraine* semaine de janvier audit an, alla le roi devant Senlis pour la prendre par force ou autrement, et fut la cité abandonnée[3] avant qu'elle fût assaillie.

180. Item, en icelui temps toutes les bonnes villes de Normandie, comme Rouen, Montivilliers, Dieppe, et plusieurs autres, quand ils virent comment Caen, Harfleur, Falaise et plusieurs bonnes villes du pays avaient été prises des Anglais, sans avoir secours du roi de France pour message qu'elles envoyassent, se rendirent au duc de Bourgogne[4].

---

et la plus tendre. On distingue différents morceaux : la tête peu chère, la fressure (abats) de prix moyen et la viande au quartier la plus chère.

47. Le porc est l'autre viande fréquemment consommée. 1 franc or vaut 20 sous argent.

1. Tanguy du Châtel prit Montlhéry par composition. Les bourgeois préférèrent acheter un traité plutôt que de risquer le pillage consécutif à la prise d'assaut.

2. Il prit Chevreuse sans traité, ce qui implique qu'il n'y a de garanties ni pour les personnes ni pour les biens.

3. Évacuée par la population civile et par la garnison. Celle-ci se réfugia dans le château.

4. C'est une version assez drôle. Le Bourgeois en veut aux Armagnacs assiégés dans Paris (par les Bourguignons) de ne pas avoir secouru les villes normandes. Harfleur était tombée en août 1417, Caen le 4 septembre,

181. Item, que le jour Saint-Martin d'hiver 1417[5] fut fait pape un cardinal nommé Martin, par l'accord et consentement de tous les rois chrétiens, et en fit-on fête par toute chrétienté, sinon à Paris[6], ni on n'en osait parler; car le 4e samedi de Carême audit an, pour ce que le recteur toucha au conseil, que ce lui semblait bon qu'on fît solennité du Saint Père, qui tant avait coûté à faire, et si y avait-on mis plus de deux ans et demi[7], pour tant fut mis en prison, et dix ou douze maîtres avec lui[8].

182. Item, était toujours le siège devant Senlis de par le roi, et sachez que peu de gens dedans Senlis (il y) avait[9], mais toujours issaient* [ou] par nuit ou par jour, et souvent firent si grand dommage à l'ost* du roi que le connétable[10] jura la destruction de ladite cité à feu et à sang, et fit crier à trompes, le 12e jour d'avril, que tous les gens d'armes qui à Paris étaient[11], de quelque état qu'ils fussent, allassent devant Senlis, sur peine de perdre harnois et chevaux. Et tant en y alla et tant y en avait sur les champs de toute part, que la semaine péneuse[12] Paris fut si dégarni de bûche, que, qui eût donné en Grève 20 sols parisis d'un costeret, on n'en eût pu finer*. Et à

Falaise le 20 novembre. Rouen fut assiégée du 29 juillet 1418 au 2 janvier 1419. Les villes menacées se tournèrent du côté bourguignon, en espérant ainsi, à tort, échapper à l'avance anglaise. Henri V s'empara des unes comme des autres.

5. Martin V fut élu pape à Constance, le 11 novembre 1417. Cette élection marquait la fin du Grand Schisme.

6. Le Bourgeois déforme fortement. Le recteur de l'Université, Raoul de La Porte, ne parla pas de fêter ou non l'élection du pape. Il proposa que la collation des bénéfices attribuée par le concile aux évêques restât aux mains du pape. Le gouvernement soutenait le concile et fit donc arrêter le bavard et ses supporters. Il fut relâché le lendemain et les autres début mars. Mais notre auteur tient à présenter ses adversaires comme de mauvais catholiques.

7. Exactement 2 ans et 7 mois depuis la déposition de Jean XXIII.

8. Il est le seul à donner ce chiffre.

9. Il ne restait plus que la garnison commandée par Jean, Bâtard de Thian. Après le siège, le duc de Bourgogne récompensa sa bravoure en le nommant bailli et en lui donnant Mouchy-le-Vieux.

10. Bernard d'Armagnac.

11. Les gens d'armes parisiens ou non qui avaient afflué vers la capitale, en prévision du siège de celle-ci.

12. La Semaine sainte. Les mouvements de troupe gênent le ravitaillement en nourriture et en bois de chauffage.

Pâques ensuivant, coûtait le quarteron* d'œufs 8 blancs, et un très petit fromage blanc [6 ou 7 blancs, la livre de vieux beurre salé] 7 ou 8 blancs, une petite pièce de bœuf ou mouton 5 ou 6 blancs, et tout par le mauvais gouvernement du prévôt de Paris et des marchands[13].

183. Item, cette année, le jour des grandes Pâques, neigea toute jour, aussi fort qu'on vit oncques faire à Noël, et si n'eût-on finé* en Grève[14] [de bûche], qui eût donné un franc d'un quarteron[15].

184. Item, le 14e jour d'avril 1418, fut faite la solennité du pape Martin par les églises à Paris et environ, très simplement[16].

185. Item, le 24e jour d'avril audit an, revint le roi et son ost* de devant Senlis, où il avait été depuis le mois de janvier, et ne la put oncques prendre, et si lui coûta tant en canons qu'[en] autre artillerie, avec autre dépense plus de deux cent mille francs ; et si furent souvent ses gens tués, rançonnés de ceux de la cité, et ses tentes arses* et prise son artillerie. Et au dernier[17] s'en partit le roi et le connétable [à très petit honneur, dont les gens d'armes qui avec le connétable] étaient furent si enragés de ce qu'ils avaient failli à leur intention de piller Senlis[18], qu'ils se tinrent si près de Paris de toute part, qu'homme n'osait aller plus loin de Paris que Saint-Laurent[19] tout au plus qu'il ne fût dérobé ou tué.

186. Et vrai fut que l'année de mai[20], les gens de l'hôtel du roi allèrent, comme accoutumé est, au Bois de Boulogne, pour

---

13. Il les accuse de n'avoir pas fait de stocks pour la population civile.

14. La place de Grève est l'un des principaux marchés de produits pondéreux.

15. 1 quarteron vaut 25 costerets. En période de cherté, le cent de costerets vaut habituellement 2 francs.

16. La célébration du pape Martin V fut faite très solennellement le 14 avril 1418. Un *Te Deum* fut chanté à Notre-Dame par l'archevêque de Tours et les cloches de toutes les églises sonnèrent.

17. Et finalement...

18. Étaient si enragés de n'avoir pu piller Senlis comme ils en avaient eu l'intention.

19. Saint-Laurent hors les murs, aux portes nord de Paris. Les gens d'armes non payés refluent vers Paris où on ne les laisse pas tous entrer. Ils bivouaquent dans les banlieues.

20. Lire « la nuit de mai », soit la veille du 1er mai.

apporter du mai pour l'hôtel du roi[21], les gens d'armes de Montmartre, [à] la Ville-l'Évêque, à l'entrée de Paris vinrent sur eux à force, et les navrèrent* de plusieurs plaies, et puis les dérobèrent de tout ce qu'ils purent, et fut bien heureux desdits serviteurs du roi qui se put sauver en gipon* ou en chemise[22] tout à pied. En celui temps allaient femmes d'honneur bien accompagnées voir leurs héritages près de Paris, à demi-lieue, qui furent efforcées*, et leur compagnie battue, navrée* et dérobée*[23].

187. Item, vrai fut qu'aucuns desdits gens d'armes furent pleins de si grande cruauté et tyrannie qu'ils rôtirent hommes et enfants au feu[24] quand ils ne pouvaient payer leur rançon, et quand on s'en plaignait au connétable [ou au prévôt], leur réponse était : « Si elles n'y fussent pas allées, si ce fussent les Bourguignons, vous n'en parleriez pas[25]. »

188. Ainsi commença tout à enchérir à Paris, car deux œufs coûtaient 4 deniers parisis, un petit fromage blanc 7 ou 8 blancs, la livre de beurre 11 ou 12 blancs, un petit hareng saur[26] de Flandre 3 ou 4 deniers parisis, et ne venait quelque chose de dehors à Paris, pour les gens d'armes dessusdits.

189. Ainsi était Paris gouverné faussement, et tant haïssaient ceux qui gouvernaient ceux qui n'étaient de leur bande, qu'ils proposèrent que par toutes les rues ils les prendraient et

---

21. La jeunesse masculine allait alors cueillir « le mai » pour en fixer les branches aux portes de leurs amies. La cour fêtait aussi « le mai », en particulier par des distributions de branches fleuries et de livrées. « Le mai », ou épine fleurie, se cueillait au bois de Boulogne qui était forêt royale.

22. Ils furent attaqués et pillés mais purent se sauver à pied et en chemise, il est possible qu'on ait hésité à tuer des officiers de l'hôtel royal, protégés par la sauvegarde dans l'exercice de leurs fonctions.

23. Qui allait voir ses terres dans la banlieue, même accompagné, risquait le viol et le pillage.

24. En général, on les accuse plutôt de rôtir les pieds de ceux qui ne veulent pas dire où est leur magot. Il est possible que le Bourgeois exagère et se livre au fantasme courant du cannibalisme (symbole de l'horreur absolue), mais des excès de la part de troupes non payées sont très vraisemblables.

25. « Si les Bourguignons l'avaient fait, vous n'en parleriez pas. » Les Armagnacs dénoncent l'indignation des Parisiens comme sélective.

26. Les harengs saurs de Baltique sont réputés. Tout mouvement de gens d'armes se traduit par des difficultés de ravitaillement.

tueraient sans merci, et les femmes ils noieraient[27], et avaient prises par force les toiles de Paris aux marchands et à autres sans payer, disant que c'était pour [faire des tentes et des pavillons pour le roi[28], et c'était pour faire] les sacs pour noyer lesdites femmes. Et encore plus, ils proposèrent que, avant que les Bourguignons vinssent à Paris, ni que la paix se fît, ils rendraient Paris au roi d'Angleterre[29], et [tous] ceux qui ne devaient pas mourir devaient avoir un écu noir [à] une croix rouge, et en firent faire plus de 16000, qui depuis furent trouvés en leurs maisons[30]. Mais Dieu qui sait les choses abscondes*, regarda en pitié son peuple et éveilla Fortune[31], qui en sursaut se leva comme chose étourdie, et mit les pans à la ceinture, et donna hardement* à aucuns de Paris de faire savoir aux Bourguignons qu'ils vinssent tout hardiment le dimanche ensuivant, qui était le 29e jour de mai, à l'heure de minuit, et ils les mettraient dedans Paris par la porte Saint-Germain[32], et que point n'y eût de faute, et que pas ne leur faudraient pour mourir[33], et que point ne doutassent* Fortune, car bien sussent que [toute] la plus grande partie du peuple était des leurs.

190. En icelle semaine s'émurent* les Bourguignons de Pontoise, et vinrent au jour dit [et] à l'heure en Garnelle[34], et là

---

27. Très intéressant passage sur les rumeurs que firent par la suite courir les Bourguignons lors de leur entrée dans Paris. Les Armagnacs auraient voulu tuer tous les hommes et noyer toutes les femmes qui leur étaient hostiles. Leurs partisans épargnés porteraient des signes distinctifs (un écu noir avec la croix rouge droite : il signifie l'alliance du diable noir et des Anglais porteurs de la croix de Saint-Georges).

28. Ils avaient fait saisir des toiles afin de faire des tentes et des drapeaux pour l'expédition d'été prévue contre les Anglais, selon toute vraisemblance.

29. Ils préféraient livrer Paris à Henri V plutôt que signer la paix avec la Bourgogne.

30. Ces écus seraient mis sur les portes comme on signale les maisons closes ou les tavernes.

31. Dieu qui sait tout (les mauvaises intentions des Armagnacs) réveilla Fortune qui retroussa ses manches (mit ses pans à la ceinture).

32. Le jeune Perrinet Leclerc, fils du cinquantenier gardien de la porte Saint-Germain, avait dérobé les clefs à son père et prévenu Jean Villiers de L'Isle-Adam, capitaine de Pontoise pour le duc de Bourgogne.

33. Que pour rien au monde, ils ne leur feraient défaut...

34. Garnelle dans le bourg Saint-Germain, sur la rive gauche hors des portes.

comptèrent leurs gens, et ne se trouvèrent qu'environ 600 ou 700 chevaux, quand Fortune leur dit qu'avec eux serait [la] journée. Adonq* prirent cœur et hardement*, et vinrent à la porte Saint-Germain entre une heure et deux devant le jour, et en était chef le seigneur de L'Isle-Adam et le beau sire de Bar[35], et entrèrent dedans Paris, le 29e jour de mai, criant : « Notre-Dame ! la paix ! Vive le roi et le dauphin et la paix[36] ! » Et tantôt Fortune, qui tant avait nourri lesdits bandés, vit que nul gré ne lui savaient de son bien, vint avec lesdits Bourguignons à toutes manières d'armes et des communes de Paris[37], et leur fit rompre leurs portes, et effondrer leurs trésors et piller, et tourna sa roue si despitement[38], en se vengeant de leurs ingratitudes, pour ce que de paix n'avaient cure*, [car tout joyeux était qui se pouvait mucer* en cave, ou] en cellier, ou en quelque destour*[39].

191. Et quand le prévôt de Paris, nommé Tanguy du Châtel[40], vit Fortune ainsi contre lui, et que les Bourguignons tâchaient à emprisonner les autres en plusieurs prisons diverses, et le commun à piller, vint à Saint-Pol, et prit le

---

35. Les capitaines bourguignons étaient trois : Villiers de L'Isle-Adam, capitaine de Pontoise puis maréchal de France en 1418 (il se rallia ensuite à Charles VII et reprit Paris pour celui-ci en 1436). Guy de Bar, seigneur de Presles et bailli d'Auxois nommé prévôt de Paris en 1418 à la place de Tanguy du Châtel, Claude de Chastellux, seigneur bourguignon. Tous trois s'enrichirent énormément avec le pillage de 1418.

36. Jolis slogans : « Notre Dame » ne peut que plaire aux Parisiens. « La paix » avec l'Angleterre a toujours été réclamée par les Bourguignons et est plus populaire que l'effort de guerre. « Vive le roi et le dauphin » couvre la chose d'un voile de légitimité.

37. Les milices communales se rallièrent aux Bourguignons et se mirent à piller.

38. Fortune, furieuse de l'ingratitude des Armagnacs, tourne sa roue vers le bas. Ce sont de mauvais hommes qui ne se soucient pas de la paix. Le Bourgeois ne se rend pas compte qu'une paix honorable avec l'Angleterre est exclue, étant donné les circonstances.

39. Les Armagnacs ne purent que se cacher (un destour est un endroit peu accessible) ou quitter Paris le plus rapidement possible.

40. Tanguy du Châtel, qui habitait au Châtelet (rive droite) en sa qualité de prévôt de Paris, eut plus de temps pour réagir que le connétable, coincé dans l'hôtel d'Armagnac, rive gauche. Il vint à l'hôtel Saint-Pol, s'empara du dauphin endormi et le porta à la Bastille Saint-Antoine. Il sortit de Paris par l'est et gagna Melun avec l'enfant.

dauphin aîné fils du roi[41] et s'enfuit tout droit à Melun, qui moult* troubla la ville de Paris. Et plusieurs autres des plus gros de la bande, comme maître Robert le Maçon, chancelier du dauphin[42], l'évêque de Clermont[43], le grand président de Provence[44], l'un des mauvais chrétiens du monde, et plusieurs autres de leur bande, se boutèrent dedans le château de la porte Saint-Antoine[45], et par ce furent sauvés et par le dauphin qu'ils avaient, et firent moult d'assauts à ceux qui par là passaient, de trait dont foison avaient.

192. Le dimanche au soir, le lundi, le mardi ensuivant, convint faire grand guet et feux parmi Paris par paour* d'eux. Et en icelui temps se fournirent de gens d'armes les fuyants de leur bande, et le mercredi ensuivant, environ huit heures du matin, issirent* du chastel et allèrent ouvrir la porte par dedans la ville, qui que le voulût voir, et avec eux entra grande foison de gens d'armes[46], et entrèrent en la grande rue Saint-Antoine, criant : « À mort ! Ville gagnée ! Vive le roi et le dauphin et le roi d'Angleterre[47] ! Tuez tout ! tuez tout ! »

193. Item, vrai est que dimanche 29e jour de mai, à l'entrée des Bourguignons, avant qu'il fût none[48] de jour, on [eût]

---

41. Le futur Charles VII, dauphin depuis quelques mois. La fuite de l'enfant était gênante, car il représentait la légitimité.

42. Robert Le Maçon, maître des requêtes de l'hôtel puis chancelier d'Isabeau entra en 1417 au service de son fils comme chancelier. Il céda son cheval à Tanguy du Châtel pour emmener l'enfant cette nuit-là.

43. L'évêque de Clermont, Martin Gouge, ex-chancelier de Louis de Guyenne.

44. Jean Louvet, président des Comptes de Provence fut d'abord au service des Angevins puis de la reine Isabeau, et enfin du dauphin sur lequel il exerça une forte influence jusqu'en 1425. Il était très hostile aux Bourguignons.

45. Ils se réfugièrent à la Bastille Saint-Antoine, d'où on pouvait quitter Paris facilement. Le dauphin avait déjà quitté la capitale vers le sud.

46. Contre-attaque armagnacque à partir de la Bastille : 1 500 hommes d'armes entrent à Paris par la rue Saint-Antoine. Ils furent bloqués par un combat de rues à la hauteur de la porte Baudoyer de l'ancienne enceinte. L'idée était de récupérer le roi (soigneusement gardé au Louvre par les Bourguignons) et le connétable, emprisonné au Chatelet.

47. « A mort ! » et « Tuez tout ! » sont possibles. « Vive le roi d'Angleterre ! » est invraisemblable.

48. None se trouve au milieu de la journée. Le Moyen Age utilise la division antique du jour en périodes de trois heures : mâtines, laudes, prime, tierce, sixte, none, vêpres, complies.

trouvé à Paris gens de tous états, comme moines, ordres mendiants, femmes, hommes, portant la croix de Saint-André[49] ou de croye ou d'autre matière, plus de deux cent mille, sans les enfants. Lors fut Paris moult ému, et s'arma le peuple moult* plutôt que les gens d'armes, et avant que les gens d'armes fussent venus, étaient [tant approchés lesdits bandés par force qu'ils étaient] à l'endroit de Tiron[50]. Adonq* vint le nouveau prévôt de Paris[51] à force de gens, et tantôt à l'aide de la commune (les) repoussa fort, abattant et occisant* à grands tas jusque dehors la porte Saint-Antoine[52], et tantôt le peuple, moult échauffé contre lesdits bandés, vint par toutes les hôtelleries de Paris quérant* les gens de ladite bande, et quant qu'ils en purent trouver, de quelque état qu'ils fussent, prisonniers ou non[53], aux gens d'armes était [amené] en mi la rue, et tantôt tué sans pitié de grosses haches et d'autres armes ; et n'était homme [nul], à celui jour, qui ne portât quelque armure* dont ils féraient* lesdits bandés en passant par emprès*[54], depuis qu'ils étaient tous morts étendus ; [et] femmes et enfants, et gens sans puissance, qui ne leur pouvaient pis* faire, les maudissaient en passant par emprès*[55], disant : « Chiens traîtres, vous êtes mieux qu'à vous n'appar-

---

49. La croix en sautoir rouge de Saint-André est l'emblème des Bourguignons. Jean sans Peur et Isabeau résidaient à Troyes. Il est possible qu'il faille lire « de croye », sorte d'étoffe. L'expression croix de Troyes est inconnue par ailleurs. Le Bourgeois exagère quelque peu l'enthousiasme des Parisiens, mais ceux-ci croyaient à tort que l'arrivée des Bourguignons allait ramener la paix.

50. Il revient au mercredi 1er avril, jour de la contre-attaque armagnacque. Il voit arriver leurs troupes jusqu'à l'hôtel de Tiron, rue de Rivoli. Il exagère un peu pour rendre plus méritoire la riposte des milices parisiennes.

51. Le sire de Bar.

52. Une fois les Armagnacs repoussés hors des murailles, les opérations militaires sont finies. Les émeutes urbaines commencent avec la chasse aux Armagnacs dans les rues.

53. Il avait été fait de nombreux prisonniers le 29 mai et, plus tard, le 12 juin quand la Bastille tomba. Les soldats devaient en principe des rançons, les civils pouvaient être jugés pour trahison. On ne se soucia ni des unes ni de juger les autres.

54. Et il n'y avait personne qui ne portât arme pour en découdre avec lesdits bandés jusqu'à ce qu'ils soient tous étendus morts.

55. Les femmes et les enfants insultaient les cadavres, faute de pouvoir tuer.

tient, encore y en a-t-il, que plût à Dieu que tous fussent en tel état[56]. » Et si n'eussiez trouvé à Paris rue de renom, où n'eût été aucune occision, et en mains* qu'on irait cent pas de terre depuis que morts étaient, ne leur demeurait que leurs brayes*[57], et étaient en tas comme porcs ou milieu de la boue, qui moult* grande pitié était[58], car peu fut cette semaine jour qu'il ne plût moult fort. Et cette journée à Paris furent morts à l'épée ou d'autres armes, en mi les rues, sans* aucuns qui furent tués ès maisons, cinq cent vingt-deux hommes[59]. Et plut tant fort cette nuit que oncques ne sentirent nulle malle* odeur, mais furent lavées par force de la pluie leurs plaies, qu'au matin n'y avait ni sang bête, ni ordure sur leurs plaies[60].

194. Item, en ces jours devantdits prenait-on les Armagnacs par tout Paris et hors Paris. Entre lesquels furent pris plusieurs grands de renom et très mauvais courage, comme Bernard d'Armagnac[61], connétable de France, aussi cruel homme que fut oncques Néron ; Henry de Marle[62], chancelier de France ; Jean Gaudé[63], maître de l'artillerie, le pire de tous ; — quand les pauvres ouvriers lui demandaient leur salaire de leur

---

56. « Vous méritez pis que la mort. Il y en a encore (de vivants), plût à Dieu qu'ils soient tous étendus morts ! »

57. Dès qu'ils étaient morts, on les dépouillait en moins de temps qu'il ne fallait pour faire cent pas. La pègre participait activement aux opérations.

58. Étaient en tas au milieu de la boue. Nul n'osait les ensevelir de peur d'être pris pour Armagnac. Le Bourgeois est plus choqué par les mauvais traitements dont les morts sont l'objet que par le massacre des vivants.

59. 522 morts sur la voie publique et combien dans les maisons mises à sac ?

60. La pluie lave les cadavres dont nul n'a eu l'audace de faire la toilette mortuaire (« le sang bête » est du sang caillé). Fortune et Nature sont plus miséricordieuses que les humains. Dans l'ensemble, il raconte la montée de l'horreur avec impassibilité. Parfois, c'est excessif.

61. Bernard d'Armagnac se cacha dans une maison voisine de son hôtel. Découvert, il fut emprisonné du 31 mai au 6 juin au Châtelet, puis dans la grosse tour du Palais où il fut massacré affreusement le 12 juin.

62. Henri de Marle, chancelier de France et père de l'évêque de Coutances. Ils furent tous deux enfermés dans la grosse tour et massacrés le 12 juin.

63. Jean Gaudet, grand maître de l'artillerie royale. Il s'était fait connaître pour ses rapines. C'était un homme d'humble origine, qui avait débuté comme écuyer de cuisine. Le Bourgeois est très hostile aux parvenus.

besogne, il leur disait : « Avez-vous point chacun un petit blanc, pour à chacun un chevestre* avoir pour vous aller pendre ? Sanglante chenaille*, c'est pour votre preu*[64] ! » ; et n'en avaient autre chose, et par ainsi épargna très grand trésor plus que le roi n'avait ; — maître Robert de Tuillières[65] ; maître Oudart Baillet[66] ; l'abbé de Saint-Denis en France[67], très faux papelard ; Raymonnet de la Guerre[68], capitaine des plus forts larrons qu'on pût trouver en place, car ils faisaient pis* que Sarrasins ; maître Pierre de l'Esclat[69], maître Pierre le Gayant[70], personne schismatique, hérétique contre la foi, et avait été prêché en Grève, digne d'ardoir*.

195. Item, il alla après ce à cour de Rome, et quand il revint, il fut plus maître en Châtelet que devant, et les lettres dont il se mêlait, qu'on avait avant pour 8 sols parisis, il en fallait bailler* 24 sols parisis[71], et si fallait-il payer par sa main.

196. Item, l'évêque de Clermont[72], qui était tout le pire contre la paix, et plusieurs autres. Et tant (il y) en avait au Palais, au Châtelet, Petit et Grand, à Saint-Martin, à Saint-Antoine, à Tiron, au Temple, qu'on ne les savait où mettre[73].

---

64. Avez-vous point chacun quelque sou pour acheter une corde et aller vous faire pendre ? Sanglante chiennerie, c'est pour votre bien ! Il ne payait pas ses salariés et se moquait d'eux. L'histoire est curieuse, les artilleurs sont bien et régulièrement payés comme troupes d'élite.

65. Robert de Tuillières, lieutenant criminel du prévôt et trésorier de France depuis 1409. Il était haï des Bourguignons qu'il poursuivait en justice et fut massacré le 12 juin.

66. Oudard Baillet, conseiller à la grande chambre du Parlement, tué le 12 juin.

67. Philippe de Villette dont nous possédons un célèbre discours sur l'oriflamme adressé à Charles VI. L'abbé de Saint-Denis fut enfermé à la prison Saint-Éloi où il échappa de justesse au massacre. Il se réfugia à L'Isle-Adam où il mourut quelques semaines plus tard. « Papelart » signifie hypocrite.

68. Raymonnet de La Guerre, capitaine des mercenaires gascons du comte d'Armagnac.

69. Pierre de L'Esclat, maître des requêtes de l'hôtel depuis 1397, familier de la reine et fidèle Armagnac, tué le 12 mai.

70. Pierre Le Gayant, clerc du Châtelet, accusé d'hérésie en 1402. Il alla implorer son pardon à Rome puis retrouva son poste.

71. Il se faisait payer plus cher les lettres (copies d'arrêts, lettres de rémission ?) qui passaient par lui.

72. Martin Gouge de Charpaigne, proche des Montaigu et serviteur du duc de Guyenne parvint à s'échapper et rejoignit le dauphin.

73. Les prisons sont combles ; celles de la prévôté (les Châtelets), les

197. Item, [cependant] étaient toujours les Armagnacs à la porte Saint-Antoine[74], pour quoi on faisait toutes les nuits très grands feux, et n'était nuit qu'on ne criât alarme, et faisait-on cris à trompe à minuit, après minuit, devant minuit[75], et néanmoins tout ce plaisait au peuple, parce que de bon cœur le faisaient.

198. Item, le peuple s'avisa de faire en la paroisse Saint-Eustache la confrérie Saint-André[76], et la firent à un jeudi, 9e jour de juin, et chacun qui s'y mettait avait un chapeau de roses vermeilles[77]. Et tant s'y mit de gens de Paris, que les maîtres de la confrérie disaient et affirmaient qu'ils avaient fait faire plus de 60 douzaines de chapeaux, mais avant qu'il fût douze heures, les chapeaux furent faillis[78] ; mais le moutier de Saint-Eustache était tout plein de gens, mais peu y avait homme, prêtre ne autre, qui n'eût en sa tête chapeau de roses vermeilles, et sentait tant bon au moutier, comme s'il fut lavé d'eau (de) rose[79].

199. Item, en cette semaine, ceux de Rouen demandèrent à ceux de Paris aide[80], et [on] leur envoya 300 lances et 300 hommes de trait pour obvier*[81] aux Anglais.

---

forteresses (Temple, Bastille), les prisons ecclésiastiques (Tiron, Saint-Martin-des-Champs).

74. Ils occupèrent la Bastille jusqu'au 12 juin où ils se rendirent au sire de L'Isle-Adam.

75. On maintient la vigilance populaire et l'état d'excitation par des feux et par des cris pour empêcher les gardes de dormir.

76. C'est une réponse à la confrérie armagnacque précédemment signalée. Saint André est le patron de la Bourgogne et l'église Saint-Eustache, près des Halles, est dans un quartier populaire tout dévoué aux ducs. Il peut s'agir de la fête d'une confrérie existante (depuis 1413?) mais mise en sommeil durant le gouvernement armagnac. Plaiderait en ce sens la statue de saint André qui avait reçu une écharpe blanche dans cette même église en 1414.

77. Le rouge est couleur bourguignonne. La rose est la fleur la plus répandue au mois de juin.

78. Avant midi, les chapeaux étaient fanés.

79. Huizinga s'est inspiré de ce passage pour dire que la fin du Moyen Age se caractérise par « l'odeur du sang et des roses ». L'eau de roses est un parfum.

80. Les gens de Rouen voulaient des troupes. Claude de Chastellux fut nommé lieutenant en Normandie, les milices parisiennes envoyèrent des hommes et Jean sans Peur aussi. Cela ne suffit pas à sauver la ville.

81. Obvier : aller contre.

200. Item, le dimanche ensuivant, 12e jour de juin, environ onze heures de nuit, on cria alarme, [comme on faisait souvent] à la porte Saint-Germain ; les autres criaient à la porte [de] Bordelles[82]. Lors s'émut* le peuple vers la place Maubert et environ, puis après ceux de deçà le pont, [comme] des Halles et de Grève[83] et de tout Paris, et coururent vers les portes dessusdites, mais nulle part ne trouvèrent [nulle] cause de crier alarme. Lors se leva la déesse de Discorde[84], qui était en la tour de Mau-Conseil, [et éveilla] Ire la forcenée et Convoitise et Enragerie et Vengeance, et prirent armes de toutes manières et boutèrent hors d'avec elles Raison, Justice, Mémoire de Dieu et Attrempance, moult honteusement. Et quand Ire et Convoitise virent le commun de leur accord, si les échauffa plus et plus, et vinrent au Palais du roi. Lors Ire la desvée* leur jeta sa semence tout ardant* sur leurs têtes[85] ; lors furent échauffés outre mesure, et rompirent portes et barres, et entrèrent ès prisons dudit Palais à minuit, heure moult ébahissante à homme surpris[86], et Convoitise qui était leur capitaine, et portait la bannière devant[87], qui avec elle menait Trahison et Vengeance qui commencèrent à crier hautement : « Tuez, tuez ces faux traîtres Armagnacs ! Je renie Dieu, si ja pié en échappe

---

82. Ces alarmes qui annoncent la venue de gens d'armes armagnacs aux portes sud de Paris sont de fausses nouvelles, créées par l'excitation qui règne dans la capitale où il n'y a nul chef. Le duc de Bourgogne ne gagne Paris que le 8 août.

83. Les quartiers centraux de Paris (Grève, Halles, place Maubert) sont très bourguignons.

84. Pour la première fois, le Bourgeois est vraiment gêné. Comment faire accepter l'inacceptable (lui-même est encore horrifié et l'émeute a échappé à tout contrôle pour basculer dans l'horreur) ? Aussi quitte-t-il le ton très descriptif qu'il utilise dans tout le journal pour un épique affrontement d'allégories. Dans la Tour de Mauvais Conseil (Paris en proie à l'émeute), les acteurs : Ire (la Colère forcenée), Convoitise (d'avoir les biens d'autrui) chassent Raison, Justice, Amour de Dieu, Modération. Une série de séides de plus en plus fous les accompagnent : Forcenerie, Meurtre, Occision pour Ire et Rapine, Larcin pour Convoitise. C'est une psychomachie classique, mais il la rend réaliste par les détails qu'il donne.

85. La Colère jeta sur leurs têtes sa semence brûlante qui rendit fou le commun.

86. Ils forcèrent les prisons vers minuit, heure propice aux surprises.

87. Porter la bannière devant une troupe, c'est en avoir le commandement.

un cette nuit. » Lors Forcenerie la desvée*, et Meurtre et Occision occirent*, abattirent, tuèrent, meurtrirent tout ce qu'ils trouvèrent ès prisons, sans merci, fût de tort ou de droit, sans cause ou à cause[88], et Convoitise avait les pans à la ceinture, avec Rapine sa fille et son fils Larcin, qui, tôt après qu'ils étaient morts ou avant[89], leur ôtaient tout ce qu'ils avaient, et ne voulut pas Convoitise qu'on leur laissât leurs brayes*[90], pour tant qu'ils valussent quatre deniers, qui était une des plus grandes cruautés et inhumanité chrétienne [à][91] autre de quoi on pût parler. Quand Meurtre et Occision avaient fait ce, revenaient tout le jour Convoitise, Ire, Vengeance, qui, dedans les corps humains qui morts étaient, boutaient* toutes manières d'armes, et en tous lieux et tant que, avant que fût prime[92] de jour, (ils) eurent tant de coups de taille et d'estoc au visage, qu'on n'y pouvait homme connaître quel qu'il fût[93], ce ne fut le connétable et le chancelier qui furent connus au lit où tués étaient[94]. Après, allèrent cedit peuple par l'ennortement* de leurs déesses qui les menaient, c'est à savoir, Ire, Convoitise et Vengeance, par toutes les prisons publiques de Paris, c'est à savoir, à Saint-Éloi, au Petit Châtelet, au Grand Châtelet, au Four l'Évêque, à Saint-Magloire, à Saint-Martin-des-Champs, au Temple, et partout[95] firent comme devant est dit du Palais. Et n'était homme [nul] qui en cette nuit ou jour, eût osé parler

---

88. Le Bourgeois évite de se prononcer : « Fût à tort ou à droit. » Il croit la plupart des prisonniers coupables mais la méthode discutable.

89. On les déshabillait avant qu'ils fussent morts.

90. On ne leur laissait rien du tout, si leurs sous-vêtements étaient réutilisables ! Le Bourgeois est choqué. Normalement, les morts gardent leurs braies.

91. Envers l'autre.

92. Prime est la première période de trois heures du jour (6 à 9 heures).

93. On joua le lendemain à défigurer et à mettre en morceaux les cadavres devenus méconnaissables.

94. Cela est difficile à comprendre. Le connétable et le chancelier avaient été tués dans leur lit à la prison du Palais. D'autres sources insistent sur les tortures subies dans la rue. Le connétable fut écorché, une bande rouge de sang remplaçant la bande blanche armagnacque, et son cadavre traîné trois jours dans les rues. Les morts furent systématiquement mutilés. Le Bourgeois passe pudiquement. Jean sans Peur fut furieux : massacrer un prince de la famille royale était délicat et il perdait rançon et interlocuteur.

95. Toutes les prisons furent ainsi vidées ; celles du roi, celles de l'évêque, du chapitre et des abbayes. Seul le Louvre, où résidait le roi, fut épargné.

de Raison ou de Justice, ni demander où elles étaient enfermées, car Ire les avait mises en si profonde fosse, qu'on ne les put oncques trouver [toute] cette nuit, ni la journée ensuivant. Si en parla au peuple le prévôt de Paris, et le seigneur de L'Isle-Adam, en leur admonestant [Pitié], Justice et Raison[96]; mais Ire et Forcenerie répondirent par la bouche du peuple : « Maugré Dieu, sire, de votre Justice, de votre Pitié [et] de votre Raison ! maudit soit de Dieu qui aura pitié de ces faux traîtres Armagnacs Anglais ni que [de] chiens[97] ! car par eux est le royaume de France tout détruit et gâté. » Et si l'avaient vendu aux Anglais.

201. Item, est [vrai] que devant chacune desdites prisons, avant qu'il fût dix heures de jour étaient tous entasssés[98] comme si fussent chiens ou moutons, et n'en avait[99] nulle pitié disant : « Aussi ont-ils fait sacs pour nous noyer et nos femmes et nos enfants, et (ils) ont fait faire étendards pour le roi d'Angleterre et pour ses chevaliers, pour mettre sur les portes de Paris, quand ils l'auront livré aux Anglais[100]. Item, ils ont fait écussons à une rouge croix, plus de trente milliers, dont ils avaient proposé de signer les huis de ceux qui devaient être tués ou non[101]. Si ne nous en parlez plus de par le diable, que pour vous n'en laisserons rien à faire par le sang Dieu ! » Quand le prévôt vit qu'ils étaient ainsi échauffés de la fausse Ire qui les menait, si n'osa plus parler [de Raison], de Pitié, ni de Justice, et leur dit : « Mes amis, faites ce qu'il vous plaira[102]. » Ainsi s'en allèrent ès prisons dessusdites, et quand ils trouvaient trop fortes prisons où ils ne pouvaient entrer, si boutaient dedans force [de] feux*, et ceux qui dedans étaient n'avaient rien de quoi leur aider, si estraignaient* et ardaient* là-dedans à grand

---

96. Les autorités bourguignonnes ont perdu le contrôle de la situation et cherchent à raisonner les émeutiers.

97. « Maudit soit de Dieu, qui a plus pitié de ces traîtres que de chiens ! »

98. Sujet : les cadavres des Armagnacs.

99. Sujet : le commun, on.

100. Nouveau passage sur les rumeurs répandues par le camp bourguignon : les autres voulaient noyer les femmes et enfants de Paris, faire tuer les habitants des maisons qui n'auraient pas leurs écussons. Enfin, ils livreraient la ville aux Anglais.

101. Mettre des signes noir et rouge sur les portes de ceux qui devaient être épargnés.

102. Capitulation des autorités dont pour une fois le Bourgeois parle.

martyre. Et ne laissèrent en prison de Paris, sinon au Louvre, pour ce que le roi y était, quelque prisonnier[103] qu'ils ne tuassent ou par feu ou par glaive. Et tant tuèrent de gens à Paris, tant hommes que femmes, depuis cette heure de minuit jusqu'au lendemain douze heures, qu'ils furent nombrés à mille cinq cent dix-huit[104], et furent le connétable, le chancelier, un capitaine nommé Raymonnet de la Guerre, maître Pierre de l'Esclat, maître Pierre Gayant, maître Guillaume Paris, l'évêque de Coutances, fils du chancelier de France, en la cour de derrière devers la Couture, et furent deux jours entiers au pied du degré du Palais sur la pierre de marbre, et puis furent enterrés ces sept à Saint-Martin en ladite cour de derrière la Couture[105], et tous les autres à la Trinité ; entre lesquels morts furent trouvés tués quatre[106] évêques du faux et damnable conseil, et deux des présidents du Parlement[107].

202. Item, cette semaine fut déposé de la prévôté[108] des marchands Guillaume Cirasse, et y fut mis sire Noël Marchand.

---

103. Ils incendiaient les prisons dont ils ne pouvaient s'emparer. Les prisonniers étaient brûlés vifs et étouffés.

104. On ne sait pas combien il y eut de victimes. Le chiffre de 1 518 n'est pas absurde (en douze heures d'émeutes) mais nous ne sommes capables que de comptabiliser les chefs armagnacs et les gens d'argent qui y laissèrent la vie. Les anonymes, les partisans de base sont indénombrables.

105. Sa comptabilité est curieuse ; il classe par lieu de sépulture ! Il y en eut sept à Saint-Martin-des-Champs dans la cour de derrière la Couture selon lui, dans un fumier selon d'autres : le connétable, le chancelier, Pierre de L'Esclat, Raymonnet de La Guerre, le fils d'Henri de Marle, Guillaume Paris et Pierre Le Gayant (ces deux derniers inquiétés pour hérésie par l'officialité). La fosse commune fut creusée dans la cour de l'hôpital de la Trinité, rue Saint-Denis.

106. Les quatre évêques sont : Jean de Marle à Coutances, Guillaume de Cantiers à Évreux, Pierre Fresnel à Lisieux et Jean d'Achery à Senlis. Les évêques normands sont très logiquement armagnacs et faisaient partie du Conseil royal, présidé en fait par le connétable.

107. Henri de Marle et Arnaud de Corbie (soit deux sur quatre). Bien d'autres parlementaires en firent les frais : Jean de Vitry ; Oudart Gencien ; Oudart Correl et Jean de Combes. D'autres s'enfuirent. Parmi les victimes célèbres, l'écrivain Jean de Montreuil, le meilleur humaniste de sa génération, fut tué. Le chancelier de l'Université, Jean Gerson, dut s'enfuir et mourut à Lyon.

108. On changea le prévôt et les échevins qui avaient prudemment pris la fuite. On vit réapparaître des Bourguignons comme le boucher Michel Thibert.

203. Item, en celui temps, on attendait monseigneur de Bourgogne de jour en jour[109], et si n'était homme qui pût savoir au vrai où il était, dont le peuple fut plus félon, et n'osait le prévôt de Paris faire justice[110].

204. Item, cette semaine fut fait procureur du roi[111] un nommé Vincent Lormoy.

205. Item, le 20e jour de juin, fut faite justice d'un nommé Boudart[112], qui était sergent à cheval, demeurant en la grande rue Saint-Denis, l'un des plus mauvais de tous ceux de la bande, et pour ce que si mauvais était contre le duc de Bourgogne, et [que] moult bel parleur était et grande faconde d'homme, il reconnut à sa fin que quand il voulait il était à l'étroit conseil des bandés[113], et avait eu commission de par le prévôt[114] et les autres, environ devant huit ou neuf jours (avant) que les Bourguignons arrivassent à Paris, de faire tuer tout le quartier des Halles, c'est à savoir, hommes, femmes et enfants, lesquels il eût voulu, et leurs biens confisqués à lui et à ceux qui lui eussent aidé à faire ladite occision[115]. La semaine que lesdits Bourguignons entrèrent à Paris, devait ce être fait[116], et reconnut qu'un nommé Simonnet Taranne avait un autre quartier pour faire semblablement, et autres de leur maudit conseil devaient ainsi faire par tout Paris[117]. Mais Dieu

---

109. Le duc ne se pressait guère, étant donné la situation. Il attendait de voir l'évolution de la situation et il lui déplaisait de porter la responsabilité des massacres.

110. Cette absence rendait le peuple nerveux, les autorités ne savaient que faire et n'osaient pas régir contre les émeutiers.

111. Procureur du roi au Châtelet.

112. Pierre Boudart, sergent à cheval au Châtelet, était armagnac.

113. Le parti armagnac était-il dirigé par un conseil institutionnalisé? Les chefs armagnacs étaient tous au conseil du roi et il n'est point sûr qu'il y ait eu un conseil du parti. Les Bourguignons le croyaient. Qui dit conseil dit complot. Un étroit conseil est un conseil suprême et peu nombreux.

114. Il aurait été chargé par Tanguy du Châtel de...

115. Faire tuer ceux qu'il voudrait et se voir attribuer leurs biens à lui et à ses complices. Ceci est de l'ordre de la rumeur. Ayant glorieusement massacré, il faut charger l'autre de pensées similaires.

116. Bien évidemment! Les Bourguignons ont donc bien fait d'entrer par traîtrise dans Paris. Il y avait urgence (bien qu'ils ne le sussent pas!).

117. Les Armagnacs auraient divisé Paris en quartiers à massacrer et à piller. Ce mythe est probablement dû à l'influence de l'encadrement des milices de quartier dans les émeutes bourguignonnes qui venaient d'avoir

qui sait les choses abscondes*, qui mua le conseil d'Holopherne par main de femme[118], les fit choir* en la fosse qu'ils avaient faite, comme devant est dit.

206. Item, le samedi ensuivant, fut décapité Guillaume d'Auxerre, drapier, élu de Saint-Éloi, âgé de plus de 66 ans, qui avait de moult belles filles à Paris[119], toutes femmes d'honneur et d'état, lesquelles il vilena* moult, car il connut tant de trahisons contre le roi et son royaume, que lui et ceux de ladite bande avaient machinées et fait alliance aux Anglais[120], que fort serait à croire[121]; et encusa[122] autres, desquels furent décapités un sergent d'armes, nommé Monmélian, lequel avait fait[123] par son pourchas* décapiter le sieur de l'Ours[124] de la porte Baudet, [et lequel seigneur de l'Ours, environ six semaines] après que les Bourguignons furent entrés à Paris, fut dépendu, lui et plusieurs autres, du gibet, et furent mis en terre sainte, et fait leur service honnêtement.

207. Item, au mois de juin, fut la porte Saint-Antoine murée, et (il n'y) avait à Paris que deux portes ouvertes[125], c'est à savoir, la porte Saint-Denis et celle de Saint-Germain.

208. Item, en cette année ne fut nouvelle du Lendit[126], si ce ne fut à la fin qu'on vendit un peu de souliers de Brabant en

---

lieu. Simon Taranne, échevin, était le fils d'un changeur. Le milieu des gens de finances était armagnac.

118. Dieu qui sait les choses cachées, qui changea le sort d'Holopherne par la main de Judith, les fit tomber dans la fosse qu'ils avaient préparée. Il était peu probable que les Armagnacs eussent prévu des massacres à grande échelle, mais le Bourgeois est obligé d'en inventer pour justifier les émeutes.

119. Guillaume d'Auxerre était un riche drapier de la Cité. Il avait des filles mariées côté bourguignon.

120. Il les déshonora, car il était au courant de l'alliance entre les Armagnacs et les Anglais.

121. Il eut connaissance de tant (de trahisons) que cela est difficile à croire. Cette alliance est imaginaire, mais les Bourguignons dont l'attitude à l'égard des Anglais n'était pas très nette avaient besoin de le faire croire.

122. Il en accusa d'autres.

123. Il l'avait dénoncé.

124. On a déjà parlé de ce partisan bourguignon qui possédait l'hôtel de l'Ours, porte Baudoyer (cf. note 16, mai 1416).

125. Les gens d'armes couraient toujours la campagne.

126. La foire Saint-Denis n'eut pas lieu à cause de la guerre, ou plutôt n'eut aucun succès. On y vendait des produits de Flandre et de Brabant.

trois étals en la grande rue Saint-Denis, emprès* les Filles-Dieu.

209. Item, la vigile Saint-Jean furent remises les chaînes de fer au bout des rues de Paris, et cuida*-t-on tout trouver[127] ; mais il s'en faillit trois cents que les bandés en leur vivant avaient dégâtées à leur profit, on ne sait en quel lieu, et les refit-on moult hâtivement.

210. Item, le dimanche 3e jour de juillet, fut faite une des plus belles processions qu'on eût vues oncques[128]. Toutes les églises de Paris s'assemblèrent à Notre-Dame de Paris et de là vinrent à grand luminaire [et saintuaires*] à Saint-Merry, à Saint-Jean-en-Grève, et là moult bien dévotement prirent le corps Notre Seigneur que les faux juifs bouillirent et l'apportèrent moult revérentement, faisant grandes louanges à Dieu, à Saint-Martin-des-Champs ; et allaient les gens de l'Université deux par deux, c'est à savoir, emprès chacun maître allait un bourgeois au-dessous de lui[129], et tous les autres semblablement.

211. Item, le vendredi ensuivant vinrent les Armagnacs de Meaux jusques devant Paris, et boutèrent le feu à la Villette, à la Chapelle et ailleurs ès granges pleines de blés nouveaux[130]. Si cria-t-on alarme à Paris, si s'enfuirent, et en s'en allant [allèrent couper les cordes des Armagnacs qui pendus étaient au petit gibet de Paris[131], et en s'en allant] prirent grande proie de bétail, [et] prisonniers pauvres laboureurs en leurs lits, et le commun de Paris s'arma, mais on ne leur voulut ouvrir la porte sitôt, pour ce que sans chef étaient[132]. Tôt après vint le prévôt de Paris, qui issit* à grande compagnie, et eux le suivirent

---

127. Les chaînes de fer des rues. Il en manquait. Pierre Émery, chargé de les collecter, avait reçu ordre d'en employer pour des fournitures militaires. Il est possible que certains s'en soient aussi attribué pour les revendre.

128. L'Université et le chapitre Notre-Dame sont fort inquiètes et tentent de calmer les esprits avec des moyens éprouvés : processions où l'on prêche la concorde. Le Bourgeois est muet sur cet aspect des choses.

129. Le trajet est classique ; Notre-Dame, Saint-Jean-en-Grève (pour chercher l'hostie du miracle des Billettes), Saint-Martin-des-Champs et retour. Il insiste sur l'accord de l'Université et des bourgeois.

130. C'est la politique de la terre brûlée.

131. Pour forcer à les enterrer. Le sujet est : « les Armagnacs. »

132. Les milices parisiennes voulaient sortir pour poursuivre les bandes armagnacques.

moult âprement. Et fut vrai que les Armagnacs pouvaient bien être à plus de trois lieues loin ains que le prévôt issit*, et le commun moult s'en tint mal content, toutesvoies* suivirent-ils tant leurs ennemis à pied qu'ils rescouirent[133] presque tous les prisonniers, et furent jusqu'à Lagny-sur-Marne, et là leur fut dit que la grosse bataille[134] pouvait [ja] bien être à trois grosses lieues loin ; lors s'en revinrent le mieux qu'ils purent, moult* las, car moult faisait grand chaud, et on ne trouvait rien nulle part qu'ès bonnes villes, car pour la guerre on y mettait tout[135]. Quand ils furent venus à Paris, si furent moult courroucés et voulurent aller tuer les prisonniers armagnacs du Châtelet, si n'eût été le capitaine de Paris qui par douces paroles les apaisa[136]. Et tantôt après on fit faire les barrières devant le Châtelet, mais néanmoins convint-il mener les gros prisonniers à très grande compagnie de gens d'armes à la porte Saint-Antoine, ou autrement (ils) eussent été tués du peuple[137].

212. Item, vrai est qu'en icelui temps Soissons se rendit aux Bourguignons, et prirent des gros bourgeois de la ville qui étaient Armagnacs[138], desquels ils firent justice, car ils[139] connurent à la mort que dedans quatre jours [ils avaient eu pensée] de tuer par nuit ou par jour tous ceux qui étaient de la partie du duc de Bourgogne, et femmes et enfants faire noyer en sacs qu'ils avaient tous propres fait faire à femmes moult volontaires à la fausse traître bande[140].

213. Item, vrai est qu'ils avaient fait faire monnaie de plomb

---

133. Recouvrèrent, récupérèrent.

134. Ils allèrent jusqu'à Lagny, où ils apprirent qu'une grosse armée armagnacque n'était pas loin !

135. Toutes les provisions étaient à l'intérieur des murailles des villes.

136. Les prisons étaient pleines à nouveau. Charles de Lens, amiral de France et capitaine de Paris, les calma et prit des précautions.

137. Les prisonniers les plus précieux furent mis à l'abri.

138. Chaque ville avait ses Armagnacs et ses Bourguignons. Ici, on se débarrasse des Armagnacs de Soissons en leur attribuant des forfaits futurs tout à fait mythiques.

139. Ils reconnurent au moment de leur mort avoir eu la pensée de...

140. On raffine sur les mythes parisiens où il a déjà été question de noyer les femmes et enfants. Les sacs apparaissent comme une preuve de leurs mauvaises intentions. Ils les avaient fait faire à des femmes volontaires de leur bande.

très grande foison[141], et en devaient bailler* aux dizeniers de la ville de Paris, selon ce qu'ils avaient de gens en leurs dizaines qui étaient de la bande, et n'en devait avoir [nul] autre qu'eux ; et devaient aller parmi les maisons lesdits bandés par tout Paris à force de gens armés portant ladite bande, disant partout : « Avez-vous point de telle monnaie ? » S'ils disaient : « Voyez en ci ! » ils passaient outre [sans plus dire] ; s'ils disaient : « Nous n'en avons point ! » ils devaient tous être mis à l'épée, et les femmes et enfants noyés. Et était la monnaie telle : un peu plus grande qu'un blanc de quatre deniers parisis, en la pile un écu à deux léopards l'un sur l'autre, et une étoile sur l'écu ; en la croix[142], à un des quingnets[143] une étoile, à chaque bout de la croix une couronne.

214. Item, le jeudi 14e jour de juillet vint la reine à Paris, et l'amena le duc de Bourgogne et la présenta au roi au Louvre[144], laquelle avait été longtemps comme bannie et hors de France[145] par les bandés, si le duc de Bourgogne ne l'eût secourue, qui toujours en son exil l'honora comme sa dame, et la rendit à son seigneur le roi de France, moult honorablement le jour dessusdit[146]. Et fut à leur venue la porte Saint-Antoine démurée, et furent les bourgeois de Paris vêtus tous de pers[147], et (ils) furent reçus avec tels honneurs et joie qu'oncques dame ou seigneur avait été en France, car partout où ils passaient, on criait à

---

141. Ceci est un mythe aussi sous cette forme. Il s'agit d'insignes de parti (les Bourguignons en ont aussi) qu'on porte au cou sous son vêtement ou dans sa bourse (s'il faut garder la chose secrète). Ils sont en plomb.

142. A l'avers un écu à deux léopards, l'un au-dessus de l'autre, avec une étoile, au revers une croix avec une couronne au bout de chaque branche et une étoile dans chaque quartier. Cette monnaie imaginaire s'inspire des monnaies anglaises (écu à trois léopards passants) et françaises (croix couronnée). Elle symbolise probablement la trahison des Armagnacs.

143. Quartier d'une monnaie dont le centre est une croix.

144. Isabeau avait échappé à une tutelle pour une autre. Jean sans Peur l'avait installée à Troyes et comptait sur son appui pour contrôler le gouvernement.

145. Il exagère un peu. Bernard VII l'avait envoyée à Vincennes puis à Tours d'où elle rejoignit Troyes. Tout ceci n'est pas hors de France !

146. C'était dans son intérêt. Isabeau représentait une puissance à ménager, surtout pour Bourgogne, cousin lointain du roi.

147. Un vêtement pers avec une croix de Saint-André veut dire : Bourgogne. Le pers (bleu-vert) et le rouge sont couleurs bourguignonnes.

haute voix « Noël ! » et peu y avait gens qui ne pleurassent de joie et de pitié[148].

215. Item, la semaine ensuivant, avait à Saint-Denis en France un [capitaine] nommé Jean Bertran, aussi bon homme d'armes et aussi prudhomme pour son seigneur comme nul qu'on sût en tout le royaume de France, mais pas n'était de grand lignage. Si accroissait sa renommée de jour en jour pour le bon sens et prouesse qu'il avait ; si en eurent les Picards si grande envie qu'ils l'épièrent le lundi ensuivant que la reine vint à Paris, entre Paris et Saint-Denis endroit la Chapelle de la ville, et là l'assaillirent par trahison et le navrèrent* de lances et d'épées[149] ; moult* se défendit longuement, mais rien ne lui valut, car il n'était que lui cinquième[150] ; enfin le dépecèrent* tous et meurtrirent, dont le duc de Bourgogne fut si dolent* quand il le sut, qu'il commença à larmer* moult fort des yeux, mais autre chose n'en osa faire par paour* d'émouvoir le commun, qui fut si ému quand ils le surent qu'à très grand-peine furent apaisés[151].

216. Item, en ce temps, les Armagnacs faisaient moult souvent grands griefs* autour de Paris, et prirent cette semaine même Moret en Gâtinais[152], et tuèrent grande partie du peuple sans merci.

217. Item, le 20e jour dudit mois de juillet, les Anglais prirent le Pont-de-l'Arche[153] par deux capitaines faillis et recréants[154], l'un nommé Guillaume, et l'autre Robinet de

---

148. Il y avait peu de gens qui ne pleuraient de joie et d'émotion. Jean sans Peur habita l'hôtel d'Artois, puis l'hôtel Neuf près des Tournelles.

149. Il s'agit d'un règlement de comptes privé entre un boucher bourguignon devenu capitaine de Saint-Denis et des gens de guerre picards qu'il avait spoliés.

150. Ils étaient quatre contre lui, dans un endroit désert.

151. Il est probable que ce meurtre fut spontanément attribué aux Armagnacs, avant que l'enquête ne prouve le contraire.

152. Moret-sur-Loing ou Milly-en-Gâtinais, plus probablement (Ms. de Paris).

153. La prise de Pont-de-L'Arche date du 19 juillet 1418. Guillaume et Robert de Braquemont semblent avoir capitulé rapidement. Leur gendre passa au service des Anglais.

154. Faillis (à l'honneur) et refusant de se battre ? Le Bourgeois fait toujours semblant de croire Jean sans Peur actif en Normandie contre les Anglais. Il est impossible de savoir si la ville aurait été secourue dans le délai

Bracquemont, et (ils) le rendirent par leur mauvaiseté, avant que les trêves fussent faillies, car ils savaient bien que le secours venait de Paris très grand, pour y être à la journée.

218. Item, en icelui temps avait à Paris un chevalier du guet, nommé messire Gautier Raillart[155], qui nulles fois n'allait au guet qu'il n'eût devant lui trois ou quatre ménétriers jouant de hauts instruments, qui moult était étrange chose au peuple, car ils disaient qu'il semblait qu'il dise aux malfaiteurs : « Fuyez-vous-en, car je viens. »

219. Item, toujours faisaient les pauvres gens le guet et feux et veiller toute nuit[156]. Et si était la bûche si chère que toujours la bûche de Bondy coûtait 13 ou 14 sols parisis, [celle de Grève la plus petite était à 26 sols parisis, le mole à 10 sols parisis], le sac de charbon 13 ou 14 sols parisis, et en ce temps on n'avait que deux ou trois œufs pour un blanc, la livre de beurre au meilleur marché 6 blancs, très petit vin pour 6 deniers parisis à la pinte.

220. Item, le dimanche 21e jour d'août, fut fait en Paris une grande [émeute] terrible et horrible et merveilleuse[157], car pour cause que tout était si cher à Paris [et] qu'on ne gagnait rien pour les Armagnacs qui étaient autour de Paris, s'émut* le peuple celui jour, et tuèrent et abattirent ceux dont ils purent savoir qu'ils étaient de ladite bande, et comme dervés* s'en furent au Châtelet et l'assaillirent de droit assaut ; et ceux qui dedans étaient, qui bien savaient la malle* volonté du commun, espécial aux Armagnacs, se défendirent moult efforcément, et jetaient tuiles et pierres et ce qu'ils pouvaient pour cuider* élonger leurs vies[158]. Mais ce ne leur valut rien, car le Châtelet fut échelé[159] de toute part, et détruit et pris par force, et tous ceux de dedans mis à l'épée[160], et la plus grande partie

---

prévu. La procédure utilisée est une capitulation à terme. Si on n'est pas secouru dans un certain délai, on capitule. Ici, ils ont fait plus vite.

155. Gautier Raillart, capitaine bourguignon, fut chevalier du guet de 1418 à 1428 (?).

156. Ce paragraphe donne implicitement les causes de l'émeute du 21 août et vise à l'excuser. Les gens étaient fatigués des nécessités militaires et la vie était plus chère que jamais.

157. Au sens d'étonnante.

158. Car ils croyaient ainsi allonger (et sauver) leur vie.

159. Pris d'assaut avec des échelles.

160. Gardiens et prisonniers, selon toute vraisemblance !

fit-on saillir sur les carreaux[161], où grande compagnie était du peuple qui les occisaient* sans merci de plus de cent plaies mortelles; car trop souffrait le peuple de griefs* par eux[162], car rien ne pouvait venir à Paris qui ne fût rançonné deux fois plus qu'il ne valait, et toutes nuits guet de feu, de lanternes en mi les rues, aux portes, faire gens d'armes et rien gagner, et tout cher plus que de raison par les faux bandés qui tenaient maintes* bonnes villes d'entour Paris, comme Sens, Moret, Melun, Meaux en Brie, Crécy, Compiègne, Montlhéry, et plusieurs autres forteresses et châteaux, où ils faisaient tous les maux qu'on peut faire ni penser. Car par eux fut plus martyré* de gens que ne firent les anciens ennemis de chrétienté, comme Dioclétien et Maximien, et autres qui firent à Rome martyrer* plusieurs saints et saintes, mais leur tyrannie n'était point accomparegée[163] auxdits bandés, comme Dieu sait; par quoi ledit peuple était ainsi ému* contre eux, comme devant est dit.

221. Item, dudit Châtelet, quand ils eurent mis à l'épée tous ceux qu'ils purent trouver, s'en allèrent au Petit Châtelet, où ils eurent moult fort assaut[164]; mais ce ne leur valut rien, car tous furent tués comme ceux du Grand Châtelet, de là s'émurent pour venir au château de Saint-Antoine[165]. Lors vint le duc de Bourgogne à eux, qui les cuida* apaiser par douces paroles[166], mais rien n'y valut; car ils s'en furent, comme gens dervés*, droit au château et l'assaillirent à force, et percèrent portes [et tout] à pierres qu'ils jetaient encontre; et nul d'en haut si hardi qu'il s'osât montrer, car ils leur envoyaient sajettes et canons[167]

161. On les fit tomber par les fenêtres sur la place, où ils étaient tués, s'ils n'étaient pas déjà morts.

162. Il en revient à la nécessité d'excuser cette émeute. La vie était chère et les troupes armagnacques aux portes.

163. Leur tyrannie n'était pas comparable à celle desdits bandés (qui était pire, puisqu'ils étaient chrétiens et n'avaient pas l'excuse du paganisme).

164. Deuxième massacre au Petit Châtelet.

165. Troisième but: la Bastille Saint-Antoine où l'on avait mis les prisonniers d'importance à qui on avait promis un procès régulier.

166. Le duc de Bourgogne cherche à préserver ses prisonniers et son autorité.

167. Ils percèrent les portes, ils envoyaient des flèches (sajettes) et des pierres (les canons ont encore à cette époque des boulets en pierre stockés dans toutes les forteresses).

si très dru que merveille. Grande pitié en avait le duc de Bourgogne, qui là affouit [à grand hâte[168]], accompagné de plusieurs grands seigneurs et gens d'armes, pour leur cuider* faire cesser l'asaut pour la compagnie qu'il amenait, mais oncques, pour puissance qu'il eût, ni lui, ni sa compagnie ne les purent apaiser, s'il ne leur montrait tous les prisonniers qui là étaient, et s'ils n'étaient amenés au Châtelet de Paris[169]; ils disaient que ceux qu'on mettait audit château étaient toujours délivrés par argent, et les boutait*-on [hors] par les champs[170], et faisaient après plus de maux que devant, et pour ce les voulaient avoir. Et quand le duc de Bourgogne vit la chose ainsi, que bien voyait qu'ils disaient vérité, si leur délivra, par ainsi que nul mal (ils) ne leur feraient[171], et ainsi fut accordé d'une part et d'autre, et furent amenés par les gens du duc de Bourgogne, et étaient, tant un qu'autre, environ vingt[172]. Quand ils vinrent près du Châtelet, si furent[173] moult ébahis, car ils trouvèrent si grand nombre de peuple, qu'oncques, pour puissance qu'ils eussent, ne les purent sauver qu'ils ne fussent tous martyrés* de plus de cent plaies; et là furent tués cinq chevaliers, tous grands seigneurs[174], comme Enguerran de Marcognet[175] et son fils, premier chambellan du roi notre sire, monseigneur Hector de Chartres[176] et plusieurs autres, Charlot Poupart[177], argentier du roi, le vieil Taranne[178] et un de ses fils,

---

168. Accourut. Il avait une escorte, mais les autres étaient très nombreux.

169. Ce transfert au Châtelet va être un prétexte pour tuer les prisonniers.

170. Ce n'est pas totalement faux. Les rémissions peuvent s'acheter, d'autant plus qu'en matière politique il y a peu de preuves. Ils seraient alors libérés.

171. Ils leur promirent la vie sauve, le duc se laissa convaincre, qu'il les crût ou non.

172. Les autres textes disent sept ou dix.

173. Sujet : les gens du duc qui les conduisaient au Châtelet.

174. Ils furent exécutés par le bourreau et les corps jetés à la foule. Le Bourgeois simplifie les scènes d'horreur qui le troublent également.

175. Enguerran de Marcognet, écuyer de Louis d'Orléans et chambellan de Charles VI. Il avait été bailli de Melun.

176. Hector de Chartres, maître d'hôtel du roi.

177. Charles Poupart, valet de chambre de Charles VI et argentier du roi depuis 1390.

178. Jean Taranne, riche changeur et orfèvre fournisseur du roi. Sa famille se réfugia à Orléans.

dont le duc de Bourgogne fut moult* troublé, mais autre chose n'en osa faire.

222. Item, après cette occision, droit en l'hôtel de Bourbon[179] s'en allèrent, et mirent à mort aucuns prisonniers ; (ils) y trouvèrent en une chambre une queue pleine de chausses-trappes[180], et une grande bannière comme (un) étendard, où il (y) avait un dragon figuré, qui par la gueule jetait feu et sang[181]. Si furent plus mus en ire que devant[182], et la portèrent tout parmi Paris, les épées [toutes] nues, criant sans raison : « Voyez ci la bannière que le roi d'Angleterre avait envoyée aux faux Armagnacs[183], en signifiance de la mort dont ils nous devaient faire mourir. » Et ainsi criant, quand ils l'eurent partout montrée, (ils) la portèrent au duc de Bourgogne, et quand il l'eut vue, sans plus dire, (elle) fut mise à terre, et marchèrent dessus, et en prit chacun qui en put avoir sa pièce, et en mirent les pièces au bout de leurs épées et de leurs haches[184].

223. Item, toute cette nuit ne dormirent[185], ni ne cessèrent de quérir* et de demander partout si on savait nuls Armagnacs ; aucuns en trouvèrent qui furent tués et mis à mort sur les carreaux tous nus[186].

224. Item, le lundi ensuivant, 22e jour d'août, [furent] accusées aucunes femmes, lesquelles furent tuées et mises sur les carreaux sans robe que leur chemise, et à ce faire était plus enclin le bourreau que nul des autres ; entre lesquelles femmes il tua une femme grosse, qui en ce cas n'avait aucune coulpe[187],

---

179. L'hôtel de Bourbon est situé près du Louvre, entre la rue des Poulies et la rue d'Autriche. Il avait été reconstruit en 1390.

180. Un tonneau plein de pièges.

181. Un étendard avec un dragon jetant du feu. Il peut s'agir d'une ancienne devise de la maison de Bourbon utilisée pour une fête. Les émeutiers y voient de mauvaises intentions à leur égard.

182. Ils furent plus en colère qu'avant.

183. Cette bannière est attribuée à Henri V car le lion et le léopard héraldiques sont, symboliquement, la même chose.

184. Elle fut mise en morceaux gardés en signe de victoire.

185. Sujet : les émeutiers.

186. Ces massacres à répétition commencent à irriter les autorités et la bourgeoisie bourguignonne est débordée par sa base. En fait, les notables et le duc cherchent à reprendre la situation en mains. Ils vont commencer par faire un exemple (Capeluche), puis se débarrasser des troupes.

187. Il tua une femme enceinte et innocente. Ce fut le prétexte utilisé. En fait, il était devenu trop encombrant et trop familier avec le duc de

dont il advint un peu de jours après qu'il en fut pris et mis au Châtelet, lui troisième de ses complices[188], et au bout de trois jours après eurent les têtes coupées. Et ordonna le bourreau au nouveau bourreau[189] la manière comment il devait couper tête, et fut délié et ordonna le tronchet* pour son cou et pour sa face, et ôta du bois au bout de la doloire et à son coustel, tout ainsi comme s'il voulait faire ledit office à un autre, dont tout le monde était ébahi ; après ce, cria merci à Dieu et fut décollé* par son valet.

225. Item, en celui temps, vers la fin du mois d'août, faisait si grande chaleur de jour et de nuit, qu'homme ni femme ne pouvait dormir par nuit, et avec ce était très grande mortalité de boce et d'épidémie, et tout sur jeunes gens et sur enfants[190].

226. Item, celui an, demeuraient les blés et les avoines [aux champs] à sayer* tout autour de Paris, que nul n'y osait aller pour les Armagnacs qui tuaient tous ceux qu'ils pouvaient prendre qui étaient de Paris. Pour quoi la commune de Paris s'émut[191], et allèrent devant Montlhéry, et y furent [environ] dix ou douze jours, et firent le mieux qu'ils purent, et eussent gagné le chastel et les traîtres de dedans, si n'eussent été aucuns gentilshommes qui avec eux étaient, qui les devaient garder et mener[192] ; mais, quand ils virent que la commune besognait si bien, si parlementèrent aux Armagnacs qui bien voyaient qu'ils ne pouvaient longuement durer contre la commune[193], qui si

---

Bourgogne qu'il appelait « beau-frère » (allusion à la mort de Louis d'Orléans ?).

188. Il fut arrêté avec deux complices dans une taverne le 23 août et décapité le 26 août.

189. Il montra à son aide comment lui couper le cou.

190. Cette épidémie de peste était favorisée par la malnutrition et frappait surtout les jeunes et les pauvres. Il s'agit probablement d'une peste bubonique (bosse).

191. C'est la suite de la manœuvre des classes dirigeantes pour calmer le jeu mais le Bourgeois n'en sait rien. En fait, le menu peuple n'était guère satisfait d'être expédié à Montlhéry.

192. L'armée bourguignonne préférait traîter avec la garnison de Montlhéry une reddition payante et profitable. Les milices parisiennes ne partageaient pas cette vision de la guerre.

193. Les Armagnacs veulent gagner du temps. Tanguy du Châtel remonte vers Étampes où il entre le 10 septembre et fait lever illico le siège de Montlhéry.

âprement les assaillait de jour et de nuit, et prirent grand argent des Armagnacs, par ainsi qu'ils feraient lever le siège, et ainsi firent-ils quand ils eurent l'argent. Si firent entendre aux bonnes gens, que vraiment il venait un très grand secours à ceux du chastel[194], et qui se pourrait sauver, si se sauvât, que plus ne seraient là, et se partirent[195]. Quand ce vit la commune, si se départirent [de là] moult* courcés*[196], et quand ils vinrent près de Paris, on leur ferma les portes, et demeurèrent à Saint-Germain, à Saint-Marcel, à Notre-Dame-des-Champs, deux ou trois jours et nuits[197]; et les Armagnacs, tantôt après le département du siège[198], couraient jusqu'au bout desdits villages où étaient nos gens pour les cuider* surprendre, mais oncques pour leur puissance ne les purent grever*. Et si n'avaient nul capitaine que de ceux de Paris, car les gentilshommes qui les avaient laissés cuidaient* que les Armagnacs les dussent tous tuer, mais oncques (les) Armagnacs ne les osèrent assaillir; et vrai était que qui eût laissé faire les communes, il n'y eût demeuré Armagnac en France en moins de deux mois qu'ils n'eussent mis à fin[199]; et pour ce les haïssaient les gentilshommes qui ne voulaient que la guerre, et (eux) la voulaient mettre à fin[200]. Quand on vit qu'ils avaient si grande volonté d'affiner[201] la guerre, on les laissa entrer dedans

---

194. Il est probable que Louis de Berghe, Gautier de Ruppes et Gautier Raillart, qui commandaient les Bourguignons, furent avertis de l'arrivée de renforts.

195. Qu'eux rentraient sur Paris, que les milices se sauvent si elles le veulent !

196. Elles n'avaient pas été payées elles, et fort manœuvrées dans cette histoire !

197. Ils avaient été éloignés le temps de se débarrasser des chefs du commun, ce que le Bourgeois n'a pas l'air d'avoir compris.

198. La levée du siège de Montlhéry permit aux Armagnacs d'arriver le 13 septembre jusque sous les murs sud de Paris.

199. Si on avait laissé faire les milices, il n'y aurait plus eu d'Armagnacs (vivants) en France en moins de deux mois. Le Bourgeois a une confiance naïve et excessive dans les vertus guerrières de la milice parisienne.

200. Les milices haïssaient les nobles qui voulaient poursuivre la guerre (leur souci des lois de la guerre évitant les massacres), car les miliciens voulaient la fin de la guerre (en tuant tous leurs adversaires !). Le Bourgeois a l'air de croire cela possible. Or, on ne tue pas une idée, même si on peut tuer certains de ses porteurs.

201. Mettre fin à. Ils retournèrent au travail.

Paris, et (ils) allèrent faire leur labeur ; et les Armagnacs faisaient du pis* qu'ils pouvaient, car ils tuaient femmes et enfants, et boutaient feux autour de Paris, et si n'était homme nul qui y mît remède aucun.

227. Et d'autre part[202] étaient devant Rouen de toute part assiégée[203] les Anglais, qui moult* faisaient de grief* de toute part à ceux de Rouen, et si n'était homme nul qui aucun secours leur envoyât ; si leur convint perdre l'abbaye de Sainte-Catherine-du-Mont de Rouen[204], dont furent moult affaiblis, mais à souffrir leur convint ; et tout ce était par les faux traîtres de France qui ne voulaient que la guerre, car bien savaient tous combien de rançon ils devaient payer, si pris étaient[205].

228. Allait ainsi le [royaume de] France de pis* [en pis*], et pouvait-on mieux dire la Terre Déserte[206] que la terre de France. Et tout ce était, ou la plus grande partie, par le duc de Bourgogne qui était le plus long homme en toutes ses besognes qu'on pût trouver[207], car il ne se mouvait d'une cité [quand il y était, ni que] si paix fût partout[208], si le peuple par force de plaintes ne l'émouvait[209], dont tout enchérit en Paris [de plus en plus]. Car c'était en septembre le commencement d'hiver

---

202. Ce « d'autre part » ne manque pas de sel. Jusque-là, il s'en est très peu occupé, sauf pour accuser faussement les Armagnacs de collusion avec Henri V. Ce qui est grave pour lui, c'est ce qui se passe à Paris, il est inconscient de la gravité de la situation en Normandie.

203. Rouen fut assiégée du 29 juillet 1418 au 2 janvier 1419. Contrairement à ce que le Bourgeois a prétendu plus haut, elle n'a jamais reçu de secours. La ville n'avait plus rien à manger et tint jusqu'à l'extrême limite.

204. L'abbaye Sainte-Catherine, qui dominait la ville, fut prise le 30 août. C'était un gros handicap pour les assiégés.

205. C'est à cause des Armagnacs que tout arrive ! Il faut comprendre que les Armagnacs encouragent la résistance de Rouen à cause de leurs intérêts personnels. Ils seraient rançonnés si la ville tombait. L'idée du Bourgeois semble être la paix à n'importe quel prix.

206. Pour la première fois, l'auteur se laisse aller au découragement et au doute envers les chefs bourguignons. La Terre Déserte est la Terre Gaste, le pays maudit des romans celtiques.

207. Le duc était « l'homme le plus lent » (à se décider) qu'on pût trouver. Jean sans Peur est un indécis dépassé par les événements.

208. Il cherchait à rétablir la paix intérieure dans chaque ville. Le Bourgeois pense à Paris. Il n'est pas sûr que cette interprétation altruiste de la politique bourguignonne soit fondée.

209. Il ne partait pas (de Paris) à la demande du peuple qui se plaignait.

qu'on se devait garnir[210], et un cent de bonne bûche valait toujours 2 francs, un sac de charbon, 16 sols parisis ; le mole 10 ou 12 sols parisis ; la livre de beurre salé, 7 ou 8 blancs en gros ; œufs, 2 deniers parisis la pièce ; un petit fromage, 3 sols parisis ; bien petites poires ou pommes un denier la pièce ; deux petits oignons, 2 deniers parisis ; bien petit vin pour 2 ou 3 blancs, et ainsi de toutes choses.

229. Item, en celui mois de septembre, fut mandé le duc de Bretagne[211] de par le roi, et vint à Corbeil, de là à Saint-Maur-des-Fossés. Et là vint la reine, le duc de Bourgogne et plusieurs autres seigneurs ; là firent-[ils] une paix[212] telle quelle, voulût ou non la reine[213]. Tout fut pardonné aux Armagnacs, les maux qu'ils avaient faits, et si était prouvé contre eux qu'ils étaient consentants de la venue du roi d'Angleterre, et qu'ils en avaient eu grands deniers dudit roi[214], item, d'empoisonner les deux aînés fils du roi de France, et savait-on bien que ce avait été et fait faire, et de l'empoisonnement du duc de Hollande[215], et de

---

Implicitement, le Bourgeois lui reproche de ne pas aller devant Rouen où il y a une urgence évidente.

210. Le commencement de l'hiver où l'on devait faire des stocks de provisions.

211. Le duc Jean V, époux de Jeanne de France, fille de Charles VI, avait offert sa médiation entre le dauphin Charles et le duc de Bourgogne.

212. Les négociations eurent lieu en septembre 1418 en présence des ducs d'Anjou et d'Alençon. Le traité fut signé le 16 septembre 1418 (traité de Saint-Maur). Le Bourgeois se rend assez mal compte que Jean sans Peur est dans une impasse. Le parti armagnac n'est nullement éliminé par la prise de Paris. Il s'est rapidement reconstitué autour du dauphin qui, bien qu'âgé de quinze ans, a montré un sens politique inattendu. Il représente la seule légitimité possible et Jean sans Peur cherche à le faire revenir à Paris. Par ailleurs, si l'on veut faire quelque chose contre Henri V, il faut bien se réconcilier. Le dauphin refusera finalement de se plier aux stipulations de la paix de Saint-Maur.

213. La reine Isabeau ne semble pas avoir été hostile au traité.

214. Ces accusations sont totalement farfelues. Ce sont des rumeurs répandues par la propagande bourguignonne. Les Armagnacs ont fait ce qu'ils ont pu contre les Anglais.

215. La mort prématurée et brutale des deux dauphins, Louis de Guyenne et Jean de Touraine, a donné lieu à toutes sortes de rumeurs dans chaque camp. Le comte (et non duc) de Hollande, Guillaume IV, était l'époux d'une princesse bourguignonne. Il mourut brutalement en 1417. La reine Isabeau avait été envoyée à Vincennes puis à Tours, lieux qui ne sont pas hors du royaume.

bouter* hors la reine de France de son royaume. Et si convint tout mettre ce à néant, ou sinon ils eussent détruit le royaume de France et livré aux Anglais le dauphin qu'ils avaient devers eux[216]. Ainsi fut faite cette paix, qui qu'en fût courcé* ou joyeux[217], et fut criée parmi Paris à quatre trompes et à six ménestrels, le lundi 19e jour de septembre l'an 1400 et 18.

230. Item, en cedit mois, au commencement, [fut] déposé de la prévôté de Paris le Beau de Bar, et y fut mis un écuyer nommé Jacques Lamban[218].

231. Item, cedit mois de septembre, était à Paris et autour la mortalité si très cruelle[219], qu'on eût vu depuis 300 ans par le dit des anciens ; car nul n'échappait qui fût féru* de l'épidémie, espécialment jeunes gens et enfants. Et tant en mourut vers la fin dudit mois, et si hâtivement, qu'il convint faire ès cimetières [de Paris] grandes fosses[220], où on en mettait trente ou quarante en chacune, et étaient arrangés comme lards, et puis [un peu] poudrés par-dessus de terre[221] ; et toujours jour et nuit on n'était en rue qu'on ne rencontrât Notre Seigneur[222], qu'on portait aux malades, et trétous avaient la plus belle connaissance de Dieu Notre Seigneur à la fin, qu'on vit oncques avoir à chrétiens[223]. Mais au dit des clercs, on n'avait oncques vu ni ouï* parler de mortalité qui fût si desvée*, ni plus âpre, ni dont moins échappèrent de gens qui férus* en furent, car en moins

---

216. La théorie bourguignonne est que le dauphin est prisonnier de leurs adversaires et que s'il avait sa liberté, il reviendrait se jeter dans les bras de Jean sans Peur.

217. Qu'on en soit courroucé ou joyeux.

218. Guy de Bar avait été nommé lieutenant général en Normandie. Le bailli de Vermandois, Jacques Lamban, fut nommé suppléant durant son absence. Guy de Bar resta prévôt de Paris en titre et de fait durant ses séjours à Paris.

219. L'épidémie de peste fut si grave que le Parlement interrompit ses séances.

220. Les fosses communes, faites pour trente à quarante corps, sont une des conséquences de l'épidémie.

221. Serrés comme des morceaux de lard et à peine recouverts de terre. Le temps manque et les fossoyeurs font au plus vite.

222. On rencontrait de jour comme de nuit les clercs portant la dernière eucharistie (le viatique) aux malades.

223. Cette maladie pourrait passer pour un juste retour des choses pour les émeutiers de l'été 1418. Le Bourgeois, qui ne veut pas qu'on puisse penser cela, insiste donc sur les morts pieuses.

de cinq semaines trépassa en la ville de Paris plus de 50 000 personnes[224]. Et tant trépassa de gens d'église qu'on enterrait quatre, ou six, ou huit chefs d'hôtel à une messe à notte[225], et convenait marchander aux prêtres pour combien ils la chanteraient, et bien souvent en convenait payer 16 ou 18 sols parisis, et d'une messe basse 4 sols parisis[226].

232. Item, en ce temps, qui était environ le 12e jour d'octobre, n'était pas encore cessée la mortalité aucunement, ni les Armagnacs pour paix, ni pour autre chose ne laissaient à faire comme devant trétout le pis* qu'ils pouvaient, et venaient souvent jusque emprès de Paris prendre proie et hommes et femmes, et (les) menaient en leurs garnisons[227], ni nul n'en osait mot dire, et pour vrai il semblait qu'au duc de Bourgogne en fut a poy*[228], et (il) apaisait le peuple de douces paroles.

233. Item, tout le mois d'octobre et de novembre, fut la mort[229] ainsi cruelle comme devant est dit, et quand on la vit si dervée* qu'on ne savait mais[230] où les enterrer, on fit grandes fosses, aux Saints-Innocents cinq, à la Trinité[231] quatre, aux autres selon leur grandeur, et en chacune on mettait six cents personnes ou environ. Et fut vrai que les cordonniers de Paris comptèrent le jour de leur confrérie Saint-Crépin et Saint-Crépinien[232] les morts de leur métier, et comptèrent et trouvèrent qu'ils étaient trépassés bien 1 800, tant maîtres que valets,

---

224. Il y eu 50 000 morts en un peu plus d'un mois. Il faudrait savoir combien il y en a d'ordinaire et dans le même temps pour apprécier la gravité de l'épidémie.

225. Une grand-messe chantée.

226. Le prix des messes a augmentée (et on traite de 4 à 8 clients à la fois) 16 ou 18 sous la grand-messe et 4 sous la messe basse (plus courte et au personnel moins nombreux). Notre Bourgeois est un clerc particulièrement intéressé à ces problèmes.

227. Ils en avaient toute une série dans le Bassin parisien : Compiègne, Montlhéry, Soissons, Meaux, Melun.

228. Il semblait que le duc de Bourgogne ne s'en souciait guère « à peu ».

229. La mortalité.

230. On ne savait plus où.

231. Les Saints-Innocents (où fut peinte la première danse macabre) et la Trinité étaient les principaux cimetières de la capitale.

232. Les cordonniers de Paris avaient fondé une confrérie à Notre-Dame, dédiée aux saints Crépin et Crépinien, patrons de leur métier, vers 1380. Elle regroupait les maîtres du métier et les valets.

en ces deux mois en ladite ville. Et ceux de l'Hôtel-Dieu[233], ceux qui faisaient les fosses ès cimetières de Paris, affirmaient qu'entre la Nativité Notre-Dame et sa Conception, (on) avait enterré de la ville de Paris plus de cent mille personnes[234], et sur quatre ou cinq cents n'en mourait pas douze anciens, que tous enfants et jeunes gens.

234. Item, les Armagnacs tenaient toujours les villes et forteresses devant dites, et tinrent Paris en si grande sujétion qu'un enfant de quatorze ans mangeait bien pour 8 deniers de pain à l'heure, et coûtait la douzaine 6 sols parisis, qu'on avait eue pour 7 ou 8 blancs, un bien petit fromage 10 ou 12 blancs, le quarteron[235] d'œufs 5 ou 6 sols parisis ; la chair d'un bon mouton, le bœuf 38 francs ; ainsi petite bûche comme de Marne toute verte, 40 sols parisis ou 3 francs le cent, la bûche de mole 12 sols le mole, méchantes bourrées[236] où il n'y avait que feuilles, le cent 36 sols parisis, un quarteron de poires d'Angoisse[237] 4 sols parisis, de pommes 2 sols ou 6 blancs, la livre de beurre salé 8 blancs, un petit fromage venant de la foisselle[238] 16 deniers parisis, une paire de souliers qu'on avait devant pour 8 blancs [en 1418], coûtaient 16 ou 17 blancs, et toutes autres choses, quelles qu'elles fussent, étaient ainsi chères à Paris partout.

235. Item, en ce mois de novembre[239], fut remis le Beau de Bar, c'est à savoir, messire Guy de Bar, dit le Beau, en la prévôté de Paris, comme devant.

236. Item, en cedit mois de novembre, eurent lesdits bouchers congé de refaire[240] la Grande Boucherie de Paris, de

---

233. Le principal hôpital de Paris dans l'île de la Cité.

234. Du 8 septembre au 8 décembre, il y aurait eu 100 000 morts : chiffre sûrement excessif pour une ville de 200 000 habitants au maximum.

235. Un quarteron est une mesure (25 œufs en principe).

236. Méchantes bourrées (fagots) où il n'y avait que feuilles.

237. Les poires d'Angoisse correspondent à la variété « bon chrétien d'hiver ».

238. Du fromage venant d'une faisselle (ou faiscelle) : fromage blanc frais. La pénurie touche surtout les denrées alimentaires fraîches et le bois de chauffage dont s'inquiète le Parlement, qui fait faire des coupes dans les forêts royales.

239. Ce fut, en fait, le 10 octobre que Guy de Bar prêta à nouveau serment comme prévôt de Paris.

240. Les bouchers obtinrent la restitution de tous leurs anciens privilèges

devant le Châtelet, et fut commencé à quérir* les fondements le mercredi 11e jour de novembre.

237. Et environ 12 jours après fit crier le roi à trompes qu'il pardonnait à tout homme[241] fût Armagnac ou autre, quelque chose qu'on lui eût méfait, sinon à trois, le président de Provence, maître Robert le Maçon et Raymond Raguier[242] ; ces trois[243] avaient fait tant de trahisons contre le roi qu'il ne leur voulut pardonner, car par eux trois, se faisaient tous les maux devant dits.

238. Item, la semaine d'après partit le roi et monseigneur de Bourgogne pour aller contre les Anglais[244], et allèrent loger à Pontoise, et là furent jusqu'à trois semaines après Noël sans rien faire, sinon manger tout le pays d'autour. Et les Anglais étaient devant Rouen, et le dauphin ou ses gens gâtaient le pays de Touraine[245], et les autres étaient autour de Paris, et venaient jusqu'aux portes de Paris piller, tuer, ni oncques le duc de Bourgogne ni les siens ne s'avancèrent aucunement de contester aux Anglais ni (aux) Armagnacs[246]. Et pour ce, enchérit

---

et la reconstruction sur le même emplacement de la Grande Boucherie (détruite et éclatée en plusieurs emplacements par les Armagnacs). Jean sans Peur récompense ainsi ses plus fidèles partisans dans la population parisienne.

241. L'amnistie générale est une conséquence du traité de Saint-Maur. Il pardonnait à tout homme, quelles qu'aient été ses fautes envers lui (le roi), sauf à...

242. Robert Le Maçon et Jean Louvet, cf. notes 42 et 44. Raymond Raguier, trésorier général de la reine, puis trésorier des guerres, général des finances (1417-1418), était impopulaire comme tout ce qui touchait à l'impôt. Il était armagnac et fort riche. Ses maisons à Paris furent attribuées à des seigneurs bourguignons.

243. Le profil de ces trois conseillers de Charles VII est très proche. Tous sont d'excellents financiers. On a vu que les milieux d'affaires s'étaient très généralement ralliés aux Armagnacs comme les officiers de finance. Ces trois-là sont des boucs émissaires très présentables pour une population exaspérée par la fiscalité.

244. Le 24 novembre, le duc et le roi partirent en principe pour secourir la population de Rouen qui tenait toujours. On resta à Pontoise jusqu'à la mi-janvier à piller le pays (c'est-à-dire à vivre sur le pays). Rouen avait capitulé le 2 janvier.

245. Le dauphin prit Tours, le 30 décembre 1418, par composition. Il était dorénavant tout-puissant au sud de la Loire et pouvait compter sur l'appui de la maison d'Anjou.

246. Ils n'osèrent livrer réellement bataille ni aux Anglais ni aux

trétout* de plus en plus à Paris, car rien n'y pouvait venir pour ceux devant dits[247]. En icelui temps coûtait un petit pourcel 6 ou 7 francs, et toute chair enchérit tellement que pauvres gens n'en mangeaient point[248] ; mais en cette année fut tant de choux que tout Paris en fut gouverné tout l'hiver, car fèves et poix étaient outrageusement chers.

239. Item, en ce temps valait une bonne livre de chandelle 8 blancs, ou 7 au moins.

240. Item, payait en ce temps tout homme qui vendait vin, de chacune queue[249] en gros, 8 sols parisis ; et celui qui l'achetait autant, et du poinçon 4 sols parisis, et si on la vendait au détail de vin, à 4 deniers autres 8 sols parisis, à 6 deniers 12 sols parisis. Et fut commencée cette douloureuse pratique environ la Toussaint 1418.

[1419]

241. Item, le 20e jour de janvier, audit an 1419[1], entrèrent les Anglais dedans Rouen, et la gagnèrent par leur force, et parce qu'ils n'avaient de quoi vivre dedans la cité, mais moult la

---

Armagnacs. Notre auteur est désorienté par la politique fluctuante de Jean sans Peur qui ménage Henri V et ne peut s'en prendre ouvertement au dauphin.

247. Le ravitaillement était très difficile. Le Parlement avait pris des mesures pour convoyer les vivres et fixer des maxima de prix à la consommation.

248. Le xve siècle, contrairement à d'autres époques, mange beaucoup de viande. La viande est habituellement au menu hebdomadaire des classes populaires. Sa consommation aurait été égale (à population comparable) à celle de la France des années 1950.

249. Une queue de vin fait 402 litres. Elle vaut au prix de gros 8 sous parisis. Ce calcul n'est pas clair. La seule chose sûre est que l'augmentation des prix du vin touche tant le gros que le détail (au poinçon ; 1 poinçon vaut 201 litres). Il est probable qu'il s'y ajoute aussi une nouvelle taxe sur le commerce du vin qualifiée de « douloureuse pratique ».

1. C'est l'entrée solennelle du cortège d'Henri V dans la capitale normande. Celle-ci s'était rendue le 2, faute de vivres.

tinrent longuement contre les Anglais, comme environ six ou sept mois[2].

242. Item, après ce vinrent devers Paris pour gagner le remenant* de France[3], et nul ne les contredisait que ceux des bonnes villes qui leur tenaient un peu de pied[4], mais tantôt les convenait rendre, car nuls des gentilshommes ou peu[5] s'en mêlaient pour la haine des Bourguignons et Armagnacs ; et par ce vint si grande cherté à Paris de toutes choses dont on pouvait vivre, car tous les plus grands[6] étaient ébahis. Et valait un setier de blé 4 ou 5 francs audit an 1419 ; petit pain pour 8 sols parisis la douzaine ; une petite pièce de chair, 6 blancs ; une fressure de mouton, 12 deniers ; [pour] un petit fromage, 4 sols parisis ; trois œufs, 3 blancs ; la livre de beurre salé, 4 sols parisis ; un quarteron de petites pommes, 16 deniers ; chaque poire, 4 deniers ; le cent de harengs saurs, 3 écus ; le cent de harengs caqués, 4 francs ; deux petits oignons, un denier ; deux chefs d'ail, 4 deniers ; quatre navets, 2 deniers ; un boissel* de bons pois, 10 ou 11 sols parisis, et fèves autant ; bûche chère comme devant est dit ; le cent de noix, 16 deniers ; la pinte d'huile d'olive, 6 sols parisis ; la livre de saindoux, 12 blancs ; la chopine, 18 deniers ; la livre de fromage pressé, 3 sols parisis. Bref, tout [ce de quoi créature humaine pouvait vivre] était tant cher que chacun denier coûtait quatre [deniers] de toutes choses, sinon de métaux comme airain ou étain[7] ; airain avait-on pour 6 deniers la livre ; étain pour 10 deniers la livre ou pour

---

2. Depuis juillet 1418 (7 mois).

3. Pour s'emparer du reste de la France. Le Bourgeois a bien tard réalisé le danger que présentait l'expédition d'Henri V.

4. Nul n'allait contre eux, que les milices urbaines qui leur résistaient un peu. Cela tient à l'article de foi ! Il est hostile aux armées nobiliaires paralysées par les factions, et favorable aux milices.

5. Eux aussi résistent « un peu » ! Vu les résultats, le Bourgeois ne peut guère attribuer de bonnes notes aux activités militaires des uns ou des autres ! Il est injuste de présenter la noblesse comme plus divisée que les bonnes villes, elles aussi paralysées par les factions.

6. Lui probablement dans tous les plus grands... Ils n'avaient pas prévu la montée des prix. Le Bourgeois sous-entend une certaine imprévoyance des autorités bourguignonnes de la capitale.

7. Il veut dire que les prix avaient en moyenne quadruplé, sauf pour les métaux.

8 deniers ; la livre de potin[8] 4 deniers parisis, mais l'argent[9] valait en ce temps 10 francs le marc, un des petits moutons[10] devant dits de 16 sols valait 20 sols parisis.

243. Item, la première semaine de février audit an, fut prise Mantes par les Anglais[11], et plusieurs forteresses d'autour, et n'était homme qui y mît aucun remède, car les seigneurs de France étaient si courcés* l'un à l'autre[12], car le dauphin de France était contre son père à cause du duc de Bourgogne qui était avec le roi[13], et tous les autres seigneurs du sang de France étaient prisonniers du roi d'Angleterre de la bataille d'Azincourt[14] du jour Saint-Crépin et son frère devant dit.

244. Item, en ce mois de février audit an, l'an 1419, fut déposé le Beau de Bar de la prévôté de Paris, et fut fait prévôt de Paris un nommé Gilles de Clamecy[15], natif de la ville de Paris ; ce qu'on n'avait oncques [mais] vu d'âge d'homme qui à celui temps fut trouvé [en vie], que de la nation de Paris on eût fait prévôt[16].

245. Item, au mois de mars ensuivant, valait le marc d'argent 14 francs ; le setier de bon blé, 100 sols parisis ; la pinte de bonne huile de noix, 6 ou 8 sols.

246. Item, au mois de mars ensuivant, environ quinze jours, fut le blé si cher que le setier valait 8 francs ; et environ huit jours à l'issue dudit mois[17], fut crié par les carrefours de Paris

---

8. Métal d'alliage.
9. L'argent vaut 10 francs les 245 grammes.
10. La pièce de 1 mouton d'or vaut 20 sous parisis (argent).
11. Les Anglais prirent Mantes, Vernon et Pontoise en février 1419.
12. Si courroucés les uns contre les autres.
13. Le Bourgeois pourrait changer d'optique. Le duc de Bourgogne, qui détient le roi, le déçoit, de la sorte les autres ne sont plus les Armagnacs (terme péjoratif) mais les gens du dauphin. C'est la première fois qu'il consent à dire ainsi. Sa présentation ne sous-entend pas que le dauphin soit responsable de la semi-captivité de Charles VI, mais bien Jean sans Peur.
14. Les autres seigneurs prisonniers sont armagnacs. Jusque-là, il ne les a guère regrettés ! Le jour de saint Crépin et de son frère (saint Crépinien), c'est-à-dire le 25 octobre 1415.
15. Gilles de Clamecy, licencié ès lois, maître à la Chambre des Comptes depuis 1417, était un modéré compétent. Il fut prévôt du 3 février au 5 octobre 1419 puis réélu du 6 octobre à décembre 1420. Il se rallia ensuite au duc de Bedford.
16. On n'avait jamais vu depuis bien longtemps (un âge d'homme) un prévôt qui fût natif de Paris.
17. Huit jours avant la fin de mars.

que nul ne fût si hardi qu'il vendît blé seigle[18] plus de 3 francs le setier, le meilleur setier de méteil plus de 60 sols parisis, le meilleur froment plus de 72 sols parisis le setier, et que nul moulnier* ne prît point de la mouture qu'argent[19], c'est à savoir, 8 blancs par setier, et que chacun boulanger fît bon pain blanc, pain bourgeois et pain festiz[20] à toute sa fleur, et de certain poids dit au cri. Quand les marchands qui allaient aux blés et les boulangers ouïrent le cri, si cessèrent de cuire[21], et les marchands d'aller hors; et aussi ils n'y allaient point, [et n'allassent] qu'à une lieue de Paris que ce ne fût sur leur vie[22], car les Anglais sans cesser [venaient] toutes les semaines une fois ou deux jusqu'au pont de Saint-Cloud, et les Armagnacs jusqu'aux portes de Paris sans cesser, et nul homme n'osait issir*.

247. Item, en la darraine* semaine de mars, l'an 1419, la quatrième semaine de Carême, qui eût donné ès Halles de Paris, ou en la place Maubert, 20 sols d'une douzaine de pains, il n'en eût pu finer*[23]. Vrai est qu'aucuns boulangers cuisaient et n'en pouvait avoir chacun qu'un ou deux[24] tout au plus, et y avait toujours quelque cinquante ou soixante personnes à l'huis qui attendaient qu'il fût cuit[25], et le prenaient tout venant du four. En ce point était la cité de Paris gouvernée, et pour vrai en tout le Carême pauvres gens ne mangeaient que pain

---

18. On a ici toutes les qualités de céréales: le seigle (appelé blé noir/seigle), le moins cher, le méteil (qui fut un mélange mestail/blé/seigle), le froment (blé pur de qualité).

19. Que nul meunier ne prît pour la mouture que 8 blancs par setier moulu...

20. Trois qualités de pain: pain blanc de base; pain festiz (qualité moyenne); pain bourgeois. Le prix par quantité est précisé. Ces tarifs de maximum des prix sont en général peu efficaces, malgré les efforts des autorités.

21. Après la proclamation de l'ordonnance de maximum, les marchands de céréales et les boulangers font la grève sur le tas.

22. Les marchands prennent prétexte de l'insécurité et non de la diminution de leurs bénéfices. Ils n'allaient pas plus loin qu'une lieue, car ils auraient risqué leur vie.

23. Les boulangers qui ne veulent pas vendre selon les maxima ne fabriquent guère de pain.

24. Ceux qui n'étaient pas en grève rationnaient la clientèle à un ou deux (pains).

25. Il y avait des queues aux rares boulangeries ouvertes.

aussi noir et mal savouré[26] qu'on pourrait faire. Vers la fin de Carême vint des hannons[27] de fois à autres, mais on vendait le sac 26 sols parisis qu'on avait vu avoir pour 5 blancs autrefois, et n'en avait-on que bien peu pour 5 ou 6 blancs ; et vint un peu de figues grasses et rudes, et si en vendait-on la livre 2 sols ; et toujours un hareng caqué bon 8 deniers parisis ; un saur, 6 deniers ; une petite seiche, 3 ou 4 blancs ; et enchérirent tant les oignons qu'une petite botte de [20 ou] de 24 oignons valait 4 sols parisis.

248. Item, un peu devant mars[28], fut pillée la ville de Soissons, et grande occision faite d'hommes, de femmes et d'enfants par les Armagnacs.

249. Item, audit an, en mars, fut faite grande occision en la cité de Sens, que le seigneur de Guittré y fit, pour ce que ceux de la cité voulaient mettre les Bourguignons dedans sans son su, car il en était bailli[29].

250. Item, en ce temps furent Pâques le 16e jour d'avril 1419. Lors fut la chair si chère[30] qu'un bœuf, qu'on avait vu donner maintes fois pour 8 francs ou pour 10 tout au plus, coûtait 50 francs ; un veau, 4 ou 5 francs ; un mouton, 60 sols ou 4 francs. Toute chair qu'on pouvait manger, fût volaille ou autre, était tant chère, car un homme eût bien mangé à son repas pour 6 blancs de bon bœuf, ou mouton, ou lard ; et n'avait-on que deux œufs pour 2 blancs ; un fromage mou, 6 ou 8 blancs ; la livre de beurre salé, 14 blancs ; le frais, 18 blancs ; une fressure* de mouton, 2 sols ou 8 blancs ; un pied de mouton, 4 deniers ; la tête de mouton, 3 ou 4 blancs. Et toujours couraient les Armagnacs, comme devant est dit, tuaient, pillaient, boutaient feux partout sur femmes, sur hommes [et] sur grains, et faisaient pis* que Sarrasins, et nul ne les contredisait[31], car le duc de Bourgogne était toujours avec le roi à Provins[32], et (ils) ne s'en bougeaient, et y furent jusqu'au

---

26. Du pain noir et de mauvaise saveur.

27. Hannons : coquillages proches des praires.

28. La ville fut reprise le 8 mars 1419 par les partisans du dauphin.

29. Le bailli de Sens, Guillaume de Guitry, était fidèle au dauphin et il refusa de livrer la ville aux Bourguignons.

30. Nouvelle cherté qui touche surtout la viande : bœuf, mouton ou lard.

31. L'armée delphinale s'était montrée active et en général heureuse dans ses opérations en 1419.

32. Jean sans Peur qui ne sentait plus la capitale sûre à cause des Anglais

28e jour de mai 1419 qu'ils vinrent à Pontoise, c'est à savoir le roi, la reine, le duc de Bourgogne, et passèrent [par] devant Paris par le bout de Saint-Laurent sans entrer à Paris[33], dont on fut moult ébahi [à Paris ; de Pontoise allèrent à Meulan et] eurent trêves aux Armagnacs trois mois ensuivants[34], et là parlementèrent aux Anglais aussi par trêves de faire aucun mariage[35], et fut une dure chose au roi de France, que lui, qui devait être le souverain roi des chrétiens, convint qu'il obéît à son ancien ennemi mortel[36], pour être contre son enfant et ceux de la bande qui nonobstant trêves pillaient toujours et robaient* comme devant.

251. Item, en ce temps était la très grande charté* de toute vitaille*, comme devant est dit, et valaient quatre chefs d'ails bien petits 4 deniers parisis.

252. Item, le 8e et le 9e jour de juin ensuivant, après les trêves devant dites environ six jours, vint tant de biens à Paris, de lards, de fromages pressés, qu'ils étaient ès Halles entassés aussi haut qu'un homme, et fut donné pour 2 blancs ou pour 3 francs ce qui coûtait six la semaine de devant[37], et vint tant d'ail à Paris, que ce qui coûtait 12 ou 16 sols la semaine de devant était donné pour 5 ou pour 6 blancs ; et vint grande

---

et du dauphin, s'était réfugié à Provins sur la route de l'est et de ses États du 22 janvier au 26 mai 1419. Le Bourgeois n'en a pas parlé, évidemment. La capitale était confiée à Philippe de Saint-Pol, neveu du duc et capitaine de Paris à quinze ans. Ce n'était pas fait pour rassurer les Parisiens.

33. Ils allèrent à Pontoise sans rentrer dans Paris. L'Université et le Parlement négociaient en sous main avec le dauphin (ce que le Bourgeois ne dit pas ou ne sait pas) et la capitale était loin d'être aussi bourguignonne qu'en 1418.

34. Le traité de Meulan fut signé le 28 mai. Il prévoyait des trêves et des négociations pour juillet 1419.

35. Henri V voulait épouser Catherine de France, fille de Charles VI, et voir ainsi légaliser ses conquêtes (frontières de Brétigny, Calais et la Normandie). Les Bourguignons ne pouvaient dire oui sous peine de rallier toute l'opposition au dauphin qui, lui, refusait net.

36. Le Bourgeois garde toute son affection et son respect pour son roi fou (le souverain de tous les rois chrétiens). Il n'est pas favorable à un abaissement du roi au profit de l'Angleterre et insensiblement la séparation du roi et de son enfant (due à Jean sans Peur) lui paraît inadmissible. Pourtant, il n'aime toujours pas les Armagnacs. L'opinion était très divisée en 1419 et le dauphin ralliait lentement les sympathisants.

37. Les prix sont divisés par deux ou trois. Cela prouve, contrairement à ce qu'il a prétendu, que la trêve est respectée.

foison de pain de Corbeil, de Melun et du plat pays d'entour Paris, qu'ils avaient des biens des bonnes villes, et si en vint d'Amiens et de par-delà, mais peu amenda (le pain) du marché de tous jours[38], fors* qu'il était plus blanc.

253. Item, la vigile de la Trinité, vint tant de poisson à Paris qu'on avait quatre ou cinq bonnes soles pour un gros[39], et l'autre marée à la value; et fut la Trinité[40] le jour Saint-Barnabé, 9e jour de juin l'an 1419.

254. Item, la semaine ensuivant, fut crié qu'on prît les moutons[41] devant dits de 16 sols pour 24 sols parisis, dont les marchands de loin furent plus éloignés[42] que devant de venir marchander à Paris et nul n'y venait qui de la monnaie tînt compte au prix qu'elle courait en ce temps[43]; car il courait à Paris blancs de Bourgogne de 8 deniers parisis pièce[44], qu'on appelait lubres, qui ne valaient mie* trois deniers, et avec ce étaient rouges comme méreaux[45]. Si eussiez vu par tout Paris où marchandise courait toujours débats, fût à pain ou à vin, ou à autre chose[46].

255. Item, en icelui temps fit tant le duc de Bourgogne que paix fut faite entre le Dauphin et le roi de France, son père, et tous les Anglais[47], comme en manière de traité, tant que ladite paix fut faite entre Melun et Corbeil, en un lieu dit le Poncel[48],

---

38. Le pain de tous les jours n'était pas meilleur, mais il était plus blanc et moins cher.

39. 5 soles pour 1 gros (12 deniers ou 1 sou). Le reste de la marée dans les mêmes proportions.

40. La Trinité tombe quarante jours après Pâques (entre le 16 avril et le 11 juin).

41. La monnaie du même nom. C'est une dévaluation qui décourage les marchands étrangers.

42. Furent plus réticents à venir...

43. Nul n'y venait qui tînt compte de la monnaie au prix (théorique nouveau) qu'elle avait à cette époque. Les prix normaux et réels divergent.

44. Avaient cours à Paris des blancs, pièces d'argent bourguignonnes qui valaient théoriquement 8 deniers et en fait 3 deniers (à cause de leur faible poids et de leur faible teneur en argent).

45. Il y avait plus de cuivre que d'argent dedans. Elles étaient donc rouges comme méreaux (jetons).

46. Chaque transaction donnait lieu à des discussions à cause de la valeur incertaine de la monnaie.

47. Les Anglais ne sont pas compris dans le traité de paix entre le duc de Bourgogne et le dauphin.

48. Traité du Ponceau ou de Pouilly, le 11 juillet 1419. Il était beaucoup

à une lieue de Melun emprès* Pouilly, et là jurèrent tous les vassaux de part et d'autre à tenir ladite paix, sans jamais aller à l'encontre de ce qui fait en était ; et fut le mardi 11e jour de juillet, et en fut faite très grande fête à Paris ; et fut confirmée le 19e jour dudit mois ladite paix de tous les seigneurs qui pour lors étaient en France. Et tous les jours [à Paris] et espécialment de nuit faisait-on très grande fête pour ladite paix à ménétriers et autrement[49].

256. Item, le pénultime* jour dudit mois, fut la fête Saint-Eustache[50], qui fut faite moult joyeusement, et le lendemain, jour Saint-Germain, tourna en si grande tribulation que oncques fit fête[51] ; car à dix heures, ainsi qu'ils cuidaient* [ordonner] d'aller jouer au Marais[52], comme coutume était, vint à Paris un grand effroi, car, par la porte Saint-Denis, quelque vingt ou trente personnes, si effrayés comme gens qui étaient, (il n'y) avait guère, échappés à la mort ; et bien y paraissait, car les aucuns étaient navrés*, les autres le cœur leur faillait[53] de paour* et de chaud et de faim, et semblaient mieux morts que vifs. Si furent arrêtés à la porte et leur demanda-t-on l'achoison[54] dont grande douleur leur venait, et ils (se) prirent à larmoyer en disant : « Nous sommes de Pontoise qui a été à cette journée[55], au matin, prise des Anglais [pour certain], et puis ont tué, navré* tout ce qu'ils ont trouvé en leur voie[56], et bien se tient pour bienheureux qui put échapper de leur main, car oncques Sarrasins ne firent pis* aux chrétiens qu'ils font[57]. » Et ainsi qu'ils disaient, regardaient ceux qui gardaient

---

moins favorable au duc de Bourgogne que le précédent. La paix fut très classiquement jurée par tous les grands concernés.

49. On fit chanter un *Te Deum* et on organisa des processions. Les cloches sonnèrent, on fit de la musique et des feux de joie.

50. Saint Eustache, dont le corps repose à Saint-Denis, est très populaire à Paris. Sa paroisse est rive droite.

51. Le lendemain, la fête tourna en la plus grande tribulation (qui eut) jamais (succédé) à une fête.

52. Des jeux publics sont attachés à la fête de Saint-Eustache.

53. Ils défaillaient de faim, de peur et à cause de la chaleur.

54. L'occasion, la raison de leur douleur.

55. Pontoise fut prise le 31 juillet 1419. Les Anglais arrivaient aux portes de Paris.

56. Tout ce qu'ils ont trouvé sur leur chemin.

57. Le Bourgeois découvre la guerre étrangère et qu'elle est pire que la guerre civile.

la porte devers Saint-Ladre[58], et voyaient venir grandes tourbes[59] d'hommes, femmes et enfants, les uns navrés, les autres dépouillés ; l'autre portait deux enfants entre ses bras ou en hottes[60], et étaient les femmes, les unes sans chaperon, les autres en un pauvre corset, autres en leur chemise[61] ; pauvres prêtres qui n'avaient vêtu que leur chemise ou un surplis, la tête toute découverte, et en venant faisaient si grands pleurs, cris et lamentations, en disant : « Dieu, gardez-nous par votre grâce de désespoir, car hui au matin étions en nos maisons aisés [et manants[62]], et à midi ensuivant sommes comme gens en exil quérant* notre pain. » Et en ce disant, les aucuns se pâmaient, les autres s'asseyaient à terre si las et si douloureux que plus ne pouvaient ; car moult* avaient perdu aucuns de sang, les autres étaient moult* affaiblis de porter leurs enfants, car la journée était très chaude et belle. Et (en) eussiez trouvé entre Paris et le Lendit[63] quelque trois ou quatre cents ainsi assis, qui recordaient[64] leurs grandes douleurs et leurs grandes pertes de chevance* et d'amis, car peu y avait personne qui n'eût aucun ami ou amie ou enfant demeuré à Pontoise. Si leur croissait leur douleur tellement, quand il leur souvenait de leurs amis, qui étaient demeurés entre ces cruels tyrans Anglais, que le pauvre cœur ne les pouvait soutenir, car faibles étaient moult pour ce qu'encore n'avait le plus bu ni mangé[65], et aucunes femmes grosses accouchèrent en la fuite, qui tôt après moururent ; et n'est nul si dur cœur qui eût vu leur grand déconfort qui se fût retenu de pleurer ou larmoyer. Et [toute] la semaine ensuivant ne finèrent[66] que d'ainsi venir, [tant] de Pontoise

---

58. Porte Saint-Lazare.
59. Des foules... Ms. de Paris : des tourbes.
60. Deux enfants entre ses bras ou sur son dos (comme une hotte).
61. La ville avait été surprise tôt le matin et l'habillement des fuyards est sommaire.
62. « Ce matin, nous étions dans nos demeures à l'aise, et à midi nous sommes en exil, cherchant notre pain. »
63. Entre Paris et l'endroit de la foire Saint-Denis le long de la route du nord.
64. Rappeler.
65. Ils n'avaient ni bu ni mangé pour la plupart.
66. Ne cessèrent. Ces scènes d'exode ont frappé les Parisiens comme notre auteur, d'autant plus que les autorités se révélaient impuissantes à loger et à ravitailler ces nouveaux venus.

[que] des villages d'entour, et étaient parmi Paris moult ébahis à grands troupeaux. Car [toute] vitaille* était moult chère, espécialment pain et vin, [car on n'avait point de vin] qui rien valût, pour moins de 8 deniers la pinte; un petit pain blanc, 8 deniers parisis; les autres choses de quoi homme pouvait vivre, par cas pareil.

257. Item, le peuple de Paris était moult* émerveillé du roi et du duc de Bourgogne, (parce) que, quand Pontoise fut prise, comme dit est, ils étaient à Saint-Denis bien accompagnés de gens d'armes[67], et ne firent aucun secours à ceux de Pontoise, ains vidèrent le lendemain leur bagage et allèrent au pont de Charenton, et de là à Lagny[68], et passèrent au plus près de Paris sans entrer dedans, dont [tout] le peuple [de Paris] fut moult ébahi et se tint pour mal content, car il semblait proprement que tous s'enfuissent devant les Anglais[69], qu'ils eussent grande haine à ceux de Paris et du royaume; car en ce temps n'avait chevalier de renom d'armes à Paris, ni capitaine nul, non plus que le prévôt de Paris et celui des marchands[70], qui n'avaient pas accoutumé à mener fait de guerre. Et pour ce les Anglais, qui savaient bien qu'à Paris (il n'y) avait que la commune, car toujours avaient-ils des amis à Paris et ailleurs, vinrent la vigile Saint-Laurent ensuivant devant Paris jusqu'auprès de Paris[71], sans ce que nul leur contredît; mais assaillir n'osèrent Paris pour la commune, qui tantôt se mirent sur les murs pour défendre la ville, et fussent volontiers ladite commune aux champs issue[72], mais les gouverneurs ne voulurent laisser homme issir*. Quand ce virent les Anglais, ils s'en allèrent, pillant, tuant, robant*, prenant gens à rançon, et le lendemain,

---

67. L'armée royale et bourguignonne ne chercha pas à secourir Pontoise.

68. Ils s'en allèrent (vers Lagny) en direction de l'est, cherchant à se mettre en sécurité.

69. Les Bourguignons se désintéressent du sort de la capitale. Le duc ne veut pas prendre le risque d'affronter les Anglais.

70. En principe si, mais Philippe de Saint-Pol avait quinze ans et peu de troupes. Le prévôt de Paris, Gilles de Clamecy, était un maître des Comptes et le prévôt des marchands était bourgeois. Il convient de se demander si ces nominations en période de guerre avaient été judicieuses.

71. Ils s'avancèrent jusqu'aux murailles le 9 et le 10 août.

72. Lire : eussent fait volontiers ceux de la commune une sortie (ce qu'on leur interdit).

jour Saint-Laurent, revinrent faire une course[73] jusque devant Paris, et s'en retournèrent vers Pontoise.

258. Item, ce jour Saint-Laurent, tonna et espartit* le plus terriblement et le plus longuement qu'on eût vu d'âge d'homme, et plut à la value[74], car cette tempête dura plus de quatre heures sans cesser. Ainsi était le monde en doute de la guerre Notre Seigneur et de celle de l'ennemi[75].

259. Item, [environ] douze jours après, commencèrent [les bouchers] derechef à refaire la Grande Boucherie. En ce temps n'était nouvelle fors* que du mal que les Anglais faisaient en France, car de jour en jour gagnaient villes et châteaux, et minaient[76] tout le royaume de France de chevance* et gens, et tout envoyaient en Angleterre.

....[77]

260. ...comment, et les grands seigneurs de France pris des Anglais tout par orgueil[78], faire sacrilège cent fois le jour, violer églises, manger chair au vendredi[79], efforcer* filles et femmes et dames de religion, rôtir hommes et enfants ; bref, je crois que les tyrans de Rome, comme Néron, Dio(c)létien, Dèce et les autres ne firent oncques la tyrannie qu'ils font et ont fait. Tous ces faits devantdits de pardurable perdition que chacun sait, étaient tous mis à néant, quant à la justice corporelle[80], de la divine je me tais, quand la déesse de Discorde et son père

---

73. Une course : une chevauchée pour piller.
74. Dans les mêmes proportions.
75. L'orage est un signe de combat entre Dieu et le Diable comme de celui du roi (notre seigneur) et de son ennemi.
76. Privaient.
77. Le passage coupé est la relation du meurtre du duc Jean sans Peur sur le pont de Montereau, le 10 septembre 1419. Il est probable que ce fut un crime prémédité par l'entourage de Charles VII (où les fidèles de Louis d'Orléans et de Bernard d'Armagnac étaient nombreux). Celui-ci y consentit. Ce fut une énorme erreur politique qu'il mit des années à rattraper.
78. Ce grand passage lyrique est consacré aux guerres civiles. Comment en est-on arrivé là ? Le Bourgeois pense que tout cela vient des péchés commis par la noblesse française, pleine d'orgueil et peu respectueuse de la religion.
79. Manger de la viande le vendredi est interdit par l'Église.
80. La justice de ce monde ne tenait pas compte de ces forfaits. Les responsables n'étaient pas inquiétés.

Satan, à qui ils sont, leur fit la fausse trahison douloureuse faire[81], dont tout le royaume est à perdition, si Dieu n'en a pitié [ou] y veuille de sa grâce [ouvrer*], qu'ils soient en tel état qu'ils le veuillent connaître[82] et qu'ils ne puissent nuire à nul, comme ils ont fait le temps passé, car par leurs [faits] outrageux devant dits meurent de faim les gens aux champs et à la ville, et de froid[83]. Car aussitôt qu'ils eurent fait leur damnable volonté du bon duc[84], tous ceux des garnisons coururent çà et là, pillant, robant*, rançonnant, boutant feux*, par quoi tout enchérit tellement que le blé, qui ne valait que 40 sols parisis, valut tantôt après 6 ou 7 francs; [un setier de pois et de fèves, 10 ou 12 francs]; fromage, œufs, beurre, ail, oignons, bûche, chair, bref toutes choses de quoi gens et bêtes [et enfants] pouvaient vivre, enchérirent tellement qu'une très petite bûche valait 3 francs le cent. Et pour cette charté* fut ordonné le Bois de Vincennes à être coupé[85], et coûtait le mole 16 ou 18 sols parisis, et n'en avait-on que 32 par mole; une somme de charbon, 3 francs, qu'on avait eue autrefois [aussi bonne] pour 5 ou 6 sols.

261. Item, les petits enfants ne mangeaient point de lait, car la pinte coûtait 10 deniers ou 12. Certes, en icelui temps pauvres gens ne mangeaient ni chair ni graisse, car un petit enfant eût bien mangé pour 3 blancs de chair à son repas. La pinte de bon saindoux, 4 ou 5 sols parisis; un pied de mouton, 4 deniers; un pied de bœuf, 7 blancs, et les tripes à la value; beurre salé, 4 sols; un œuf, 8 deniers; un petit fromage, 7 sols parisis; une paire de souliers d'homme, 8 sols parisis; des patins[86], 8 blancs; bref toutes autres choses quelconques

---

81. L'assassinat du 10 septembre. S'il était plus logique, il partirait de celui de Louis d'Orléans en 1407 qui déchaîna la guerre civile, mais ce serait avouer les responsabilités de son héros (le duc Jean) dans ce cycle infernal.

82. Qu'ils soient en tel état qu'ils veulent reconnaître (leur faute).

83. Par leur faute (il vise le meurtre de Montereau) les gens meurent de faim et de froid. Le lien entre les deux n'est pas évident (sauf par l'action divine).

84. Il est mort, il a toutes les qualités ! A vrai dire, le qualificatif lui va assez mal.

85. Le bois de chauffage manque. Il est cher et on a fixé des prix maximaux. La ville a décidé de faire abattre du bois à Vincennes au printemps de 1419 et elle limite les quantités vendues à chacun.

1 molle = 1 stère de 50 bûches habituellement; 1 somme = 1 sac.

86. Pantoufles.

étaient [enchéries] pour la mort du bon duc, et si ne gagnait-on denier. Et si ne valait rien la monnaie blanche[87], car un blanc de 16 deniers ne valait pas plus de 3 deniers parisis en argent, et un écu d'or du temps passé valait 38 sols parisis ; [pour] un marc d'argent, 14 francs. Et pour ce point, pour la faible monnaie, ne venait point de marchandise à Paris, et si étaient les Anglais tous les jours jusqu'aux portes de Paris, s'ils voulaient, et les Armagnacs d'autre côté, qui étaient aussi mauvais ; et allait chacun deux ou trois fois la semaine au guet, une fois parmi la ville, l'autre fois sur les échifles[88], et si était le plein cœur de l'hiver, et toujours pleuvait et faisait très froid. Et furent les vendanges cette année, l'an 1419, les plus ordes[89] [et pluvieuses], les raisins pourris, les plus faibles vins qu'on eût oncques vu d'âge d'homme, et si coûtèrent cette année quatre fois plus qu'ils n'avaient fait d'âge d'homme qui fût en vie[90], et tout par les maux qu'ils faisaient partout ; car, pour certain qui avait[91] à cinq ou six lieues près de Paris, la queue lui coûtait 5 ou 6 francs seulement à amener, et en convoi de gens d'armes à une lieue près de Paris, 16 ou 20 sols parisis, sans*[92] vendanger, labourer, reloyer, autres dépenses. Et quand tout eut été vendangé et recueilli, ils n'eurent ni force ni vertu, ni couleur, et n'en était guère ou peu qui sentissent sinon le pourri[93] ; car le plus n'avaient point été ordonnés en vendanges à leur temps, pour la paour* qu'on avait des dessusdits, et pour le doute* qu'on avait tout temps de leur trahison. La nuit de la sainte fête de Toussaint, oncques [on] ne sonna à Paris pour les trépassés[94], comme coutume est, sinon gare-feu ; et néan-

---

87. La monnaie était de plus en plus dévaluée (c'est un moyen de remplir les caisses sans recourir à l'impôt, et les Bourguignons sont hostiles à l'impôt). La monnaie d'argent est traditionnellement plus soumise aux dévaluations que les pièces d'or.

88. Les échifles sont des guérites de bois placées au-dessus des remparts.

89. Les plus affreuses et pluvieuses.

90. Il explique deux choses différentes : le vin était infect à cause des conditions climatiques (pluie, froid) et il se vendit cependant quatre fois plus cher que d'habitude à cause des gens d'armes.

91. Sous-entendu (des vignes). Dans ce cas il ne paie que le transport.

92. Sans tenir compte des autres dépenses vendanger, labourer, relier les sarments.

93. Les raisins sentaient le pourri, car ils avaient été cueillis trop tard.

94. On ne sonna pas le glas pour les trépassés. On se borna à laisser fonctionner les cloches d'incendie. Pourquoi ? Il est possible que sonner

moins[95] toutes ces pauvretés, misères et douleurs, oncques à pape ni à empereur, ni à roi[96], ni à duc, si comme je crois, on ne fit autant de service après leur trépassement, ni aussi solennel en une cité, comme on a fait pour le bon duc de Bourgogne, à qui Dieu pardonne.

262. Item, à Notre-Dame de Paris (il) fut fait le jour Saint-Michel le plus piteusement que faire se put, et y avait au moutier trois mille livres de cire[97], toutes en cierges et en torches; et là eut un moult piteux sermon que fit le recteur de l'Université, nommé maître Jean l'Archer[98]. Et après ce le firent toutes les paroisses de Paris [et toutes les confréries de Paris] l'une après l'autre, et partout faisait-on la présentation de grands cierges et de grandes torches, et étaient les moutiers encourtinés de noires serges[99]. Et chantait-on le *Subvenite* des Morts et vigiles à neuf psaumes, et par tous les moutiers étaient après mis [les armes] du bon duc trépassé et du sire de Navailles[100] qui fut mort avec lui, dont Dieu veuille avoir les âmes et de tous les autres trépassés, et veuille donner grâce à nous et à toute cette gent de le connaître, comme nous devons, et nous donne ce que disait à ses apôtres: « Paix soit avec vous[101] ! » car par cette maudite guerre tant de maux ont été faits que je cuide* qu'en soixante ans passés par devant, il n'avait pas eu au royaume de France, comme il a été [de mal]

---

pour les trépassés (Jean sans Peur vient de mourir) ait pu passer pour une provocation aux yeux des Armagnacs. Or, la ville est dans une situation délicate. Le Bourgeois est hostile à ces ménagements politiques, l'assassinat du duc lui a fait retrouver la ferveur militante qu'il avait perdue en 1419.

95. Et malgré cette misère... on lui fit plus beau service...

96. L'assassinat fait éclater les hiérarchies politiques. Les funérailles d'un simple duc sont mieux fêtées que celles d'un roi ou d'un empereur.

97. Dans l'église, on utilisa 1 500 kg de cierges ou torches.

98. Jean L'Archer, docteur en théologie, recteur depuis juin 1419, était l'un des orateurs préférés de l'Université.

99. Toutes les paroisses de Paris offrirent des cierges et mirent leurs ornements de deuil avant de célébrer des offices des morts.

100. Pour une messe de funérailles, on expose les écus des trépassés, ici les armes de Bourgogne et ceux d'Archambaud de Foix, seigneur de Navailles qui, grièvement blessé à Montereau, succomba à ses blessures.

101. Dieu veuille avoir leurs âmes comme celles de tous les trépassés et nous donne de le connaître (au paradis) et nous donne sa paix, comme il disait...

puis douze ans en ça[102]. Hélas ! tout premier Normandie en est toute exilée[103], et la plus grande partie, qui soulait* faire labourer et être en son [lieu[104]], lui, sa femme, sa mesnie[105], et être sans danger, marchands, marchandises, gens d'église, moines, nonnains, gens de tous états[106], ont été boutés* hors de leurs lieux, étrangers comme si eussent été bêtes sauvages, dont il convient que les uns truandent qui soulaient* donner[107], les autres servent qui soulaient* être servis, les autres larrons et meurtriers par désespoir, bonnes pucelles, bonnes prudes femmes venir à honte par effors* ou autrement[108], qui par nécessité sont devenues mauvaises ; tant de moines, tant de prêtres, tant de dames de religion et d'autres gentes femmes avoir tout laissé par force[109] et mis corps et âme au désespoir, Dieu sait bien comment. Hélas[110] ! tant d'enfants morts [nés] par faute d'aide[111], tant de morts sans confession, par tyrannie et en autre manière, tant de morts sans sépulture en forêts et en autre destour*, tant de mariages qui ont été délaissés à faire[112], tant d'églises arses* et brûlées, et chapelles, maisons Dieu, maladeries[113] où on soulait* faire le saint service Notre Sei-

---

102. A partir de là, le Bourgeois abandonne ses soucis religieux et moraux pour la réflexion politique. Depuis douze ans en 1407 lors de l'assassinat de Louis d'Orléans.

103. Perdue.

104. Il y a eu beaucoup de Normands qui quittèrent leur pays à cause de la guerre. Être en son lieu : être chez soi.

105. Sa maisonnée. Le mot comprend la famille et les serviteurs.

106. Sa revue des états du monde est très personnelle. Il n'y a pas de nobles (pourtant nombreux chez les exilés normands), mais il ne les aime pas beaucoup ! Le clergé est réduit aux gens d'Église, moines, religieuses. Le tiers est personnifié par le marchand et le gros propriétaire terrien (ni salariés, ni valets, ni pauvre commun).

107. Ceux qui avaient l'habitude de donner prennent (illégalement, d'où le verbe truander). L'idée est que c'est le monde à l'envers.

108. Être violées ou devenir putains (venir à honte par nécessité).

109. Les clercs ne sont pas faits pour vagabonder sans rien sur les routes, les femmes non plus.

110. Deuxième partie de son raisonnement. Il quitte les exilés normands pour les victimes de la guerre en général.

111. Ils meurent sans baptême.

112. Les mariages non faits signifient des femmes sans protection et des enfants en moins.

113. Tout ceci est fondation de charité. Chapelles (familiales), maisons-Dieu (hôpitaux), maladreries (léproseries) sont dotées de sanctuaires pour

gneur et les œuvres de miséricorde, où il n'y a mais que les places[114], tant d'avoir mucé*, qui jamais bien ne fera[115], et de joyaux d'église et de reliques, et d'autres qui jamais bien ne feront, si n'est d'aventure[116]. Bref, je cuide* que personne ne pourrait, pour sens qu'il ait, bien dire les grands, misérables, énormes et damnables péchés qui se sont ensuivis et faits puis[117] la très malheureuse et damnable venue de Bernard, le comte d'Armagnac, connétable de France[118]; car, oncques, puis que le nom vint en France de Bourguignon et d'Armagnac[119], tous les maux qu'on pourrait penser ni dire ont été tous commis au royaume de France, tant que la clameur du sang innocent [répandu] crie devant Dieu vengeance[120]. Et (je) cuide* en ma conscience[121] que ledit comte d'Armagnac était un ennemi en forme d'homme, car je ne vois nul qui ait été à lui, ou qui de lui se renomme, ou qui porte sa bande[122], qui tienne la loi ni foi chrétienne, ains se maintiennent envers tous ceux dont ils ont la maîtrise[123], comme gens qui auraient renié

---

les offices (reliques, joyaux d'Église) et de bâtiments pour les œuvres de miséricorde.

114. Dont il n'y a plus que l'emplacement.

115. Tant d'or caché qui ne sera jamais utilisé pour les pauvres ou les malades.

116. Parce qu'ils sont cachés et ne réapparaîtront que par hasard (d'« adventure »).

117. Depuis.

118. Les catastrophes qu'il a annoncées à partir de 1407 ne commencent plus qu'à la fin de 1415.

119. C'est un problème intéressant que de savoir quand apparurent les noms de parti. Le Bourgeois ne dit jamais Bourguignons. C'est par ailleurs un qualificatif qui n'a rien de péjoratif. Armagnac est plus révélateur. Le Bourgeois l'utilise dès 1411, à une époque où Bernard d'Armagnac n'est pas encore au pouvoir. Le terme est forcément péjoratif. Les Armagnacs eux-mêmes ne l'utilisent pas.

120. Le sang de l'innocent, qui, répandu, crie vengeance vers Dieu, est une idée biblique (Genèse IV, 10).

121. Je crois en ma conscience que le comte d'Armagnac était un Diable en forme d'homme.

122. Il distingue : les serviteurs du comte « qui ont été à lui » ; les partisans du comte « qui de lui se recommandent » ; les sympathisants simples qui portent l'insigne.

123. Ils se comportent envers eux-même comme des non chrétiens, et ils ne font pas mieux envers ceux qui leur sont soumis. L'attaque contre les Armagnacs est jusqu'ici uniquement morale.

leur Créateur, comme il appert* par tout le royaume de France. Car j'ose bien dire que le roi d'Angleterre n'eût été tant hardi de mettre le pied en France [par guerre], si n'eût été la dissension qui a été de ce malheureux nom[124], et fût encore toute Normandie française[125], ni le noble sang de France ainsi répandu, ni les seigneurs dudit royaume ainsi menés en exil, ni la bataille perdue, ni tant de bonnes gens morts n'eussent oncques été en la piteuse journée d'Azincourt, où tant perdit le roi de ses bons et loyaux amis, si ne fut l'orgueil de ce malheureux nom Armagnac[126]. Hélas ! à faire ces malheureuses œuvres, ils n'en auront de remenant* que le péché[127], et s'ils n'en font amendement durant la pauvre vie du corps, ils en seront en très cruelle, misérable [et pardurable] damnation ; car certes on ne peut rien mesconter[128] à Dieu, car il sait tout, plein de miséricorde, ne s'y fie homme nul, ni en longue vie n'en autre chose de folle espérance ou de vaine gloire, car en vérité il fera à chacun droit selon sa desserte[129]. Hélas ! je ne cuide* mie*, que depuis le temps du roi Clovis[130] qui fut le premier roi chrétien, que France fut aussi désolée et divisée comme elle est aujourd'hui[131], car le Dauphin ne tend à autre chose jour et nuit, lui et les siens, que de gâter tout le pays de son père à feu

---

124. La guerre civile résulte de l'existence de ce nom de malheur (malheureux à ce sens) ; Armagnac. Ce raisonnement pourrait tout aussi bien s'appliquer à Bourguignon !

125. Il mélange les catastrophes récentes (la perte de Normandie et la mort de Jean sans Peur en 1419) et les anciennes, liées à Azincourt (la bataille perdue), ses morts et ses prisonniers.

126. L'orgueil de ce nom de malheur. Les Armagnacs ont voulu tout le pouvoir et auraient refusé l'aide des Bourguignons (en particulier à Azincourt). Pouvaient-ils se fier à une planche pourrie, Jean sans Peur négociant en même temps avec Henri V ? Azincourt a moins gêné le Bourgeois à l'époque. Mais les conséquences s'en sont révélées catastrophiques.

127. A faire ces œuvres de malheur, il ne leur restera que le péché et ils iront donc en enfer, sauf amendement (improbable).

128. On ne peut raconter des mensonges à Dieu.

129. Dieu fera à chaque fidèle droit selon sa desserte (le jugera suivant ses actes).

130. Le baptême de Clovis est l'alpha et l'oméga de son histoire de France.

131. Il oublie bien d'autres divisions, comme entre les fils de Clovis.

et à sang[132] ; et les Anglais d'autre côté font autant de mal que les Sarrasins. Mais encore vaut-il trop mieux être pris des Anglais que du Dauphin ou de ses gens, qui se disent Armagnacs[133] ; et le pauvre roi et la reine depuis la prise de Pontoise ne se meuvent de Troyes à pauvre mesnie[134], comme fugitifs et déchassés hors de leur lieu par leur propre enfant[135], qui est grande pitié à penser à toute bonne personne.

263. Item, fit le roi à Troyes la fête de Toussaint en l'an 1419, et ceux de Paris ne pouvaient avoir nulle vraie nouvelle de son retour[136], dont moult étaient courcés* les bons.

264. Item, fit le roi à Troyes son Noël, parce qu'on ne l'osait ôter de Troyes, pour faute de puissance et de compagnie et pour paour* des Anglais et des Armagnacs ; car chacun d'eux le tâchait à prendre, et par espécial les Armagnacs pour avoir leur paix[137]. La troisième cause, tout était si cher à Paris que le plus sage ne s'y savait vivre ; espécialment pain et bûche y était si chère que oncques depuis deux cents ans avait été, et la chair, car à Noël, un quartier de mouton, quand il était bon, coûtait 24 sols parisis ; pour la chair d'un mouton, 6 francs ; une oie, 16 sols parisis, et l'autre[138] à la value. En ce temps, il n'était nouvelles aux ménagères d'œufs ni de fromages de Brie, ni de pois ni de fèves, car les Armagnacs détruisaient tout et prenaient femmes et enfants à rançon, et les Anglais d'autre côté. Et convint prendre trêves aux Anglais par force[139], qui étaient anciens ennemis du roi, et furent données depuis la moitié de décembre jusqu'au mois de mars.

---

132. Ne veut que détruire tout le pays de son père. C'est assez illogique. Pourquoi abîmerait-il par principe son héritage?

133. Ils ne se disent pas du tout. Leurs adversaires les nomment ainsi. Eux se disent delphinaux ou Français.

134. Ne sortent pas de Troyes avec leur pauvre escorte.

135. Ce n'est pas le dauphin qui a fait quitter Paris à Charles VI, mais Jean sans Peur qui veut garder le roi sous la main.

136. Le nouveau duc Philippe ne souhaitait nullement ramener le roi à Paris, mais les Parisiens l'espéraient, voyant dans la présence royale une garantie contre les Anglais.

137. Ceci n'est pas faux. Si le dauphin avait réussi à récupérer la personne du roi fou, le duc de Bourgogne n'aurait plus eu de légitimité.

138. Il manque un mot (« volaille », probablement).

139. Les trêves furent signées le 24 décembre 1419. Les négociations avaient commencé fin septembre et durèrent jusqu'au traité de Troyes.

[1420]

265. Passa décembre, janvier, février qu'oncques le roi ni la reine ne vinrent à Paris, ains* étaient toujours à Troyes, et toujours couraient autour de Paris les Armagnacs, pillant, robant*, boutant feux*, tuant, efforçant* femmes et filles, femmes de religion. Et à dix lieues autour de Paris ne demeurait aux villages nulle personne qu'aux bonnes villes[1], [et quand ils s'enfuyaient aux bonnes villes] et s'ils apportaient quelque chose, fût vitaille* ou autre chose, tout leur était ôté des gens d'armes des uns ou des autres, fût Bourguignon ou Armagnac, chacun faisait bien son personnage[2], et ainsi le plus[3], fût femmes ou hommes, quand ils venaient aux bonnes villes, y venaient nus de tous biens, et convenait que les bonnes villes fournissent tous les villages, par quoi le pain enchérit tant. Car en ce temps, on n'avait pas trop bon blé pour 10 francs le setier, dont chacun franc valait 16 sols parisis, et si coûtait le setier à moudre 8 ou 10 sols parisis, sans* ce que le meunier en prenait à mal profit[4].

266. Item, pour ce fut ordonné que le blé, quand on le baillerait au moulnier*, serait pesé, et rendrait la farine au poids, et avait-on du setier [pesant] 8 deniers, et le moulnier du moudre 4 sols parisis.

267. Item, en ce temps, on ne faisait point de pain blanc et si n'en faisait-on point de moins de 8 deniers parisis la pièce, par quoi pauvres gens n'en pouvaient finer*, et le plus de pauvres gens ne mangeaient que pain noir.

268. Item, en ce temps en Carême[5], était cette charté*, car il n'y avait ni épices, ni figues, ni raisins, ni amandes, de chacun

---

1. Il ne demeurait personne que dans les bonnes villes (à l'abri des remparts).

2. Tout leur était ôté par les uns ou les autres. Chacun jouait bien son rôle. Il admet ici que les gens d'armes des deux côtés se conduisent de la même façon quand ils ne sont pas payés.

3. Et ainsi la plupart se réfugie dans les villes sans nourriture ni biens.

4. Il coûtait 8 à 10 sous sans (compter) ce que le meunier en prenait (en plus) comme mauvais profit (bénéfice illégal).

5. Le Carême implique des privations ou plutôt, ici, d'autres nourritures : figues, amandes...

ce[6] coûtait la livre 5 sols parisis ; l'huile d'olive, 4 sols parisis.

269. Item, la teinture était si chère qu'une aune[7] de drap à teindre en vert encre coûtait 14 sols parisis, et autres couleurs à la value.

270. Item, en ce temps de mars, l'an 1420, faillirent[8] les trêves des Anglais, et on leur demanda autres trêves en attendant le duc de Bourgogne[9], mais le roi anglais n'en voulut oncques nulles donner, s'il n'avait le château de Beaumont, et Corbeil et Pont-Sainte-Maxence, et plusieurs autres choses[10], mais on ne lui en accorda nulle[11]. Si commença la guerre comme devant, et tous, uns et autres n'avaient envie que sur la ville de Paris seulement[12], [et seulement] pour la richesse qu'ils cuidaient* à eux usurper, ni à nulle autre chose ne tendaient qu'à piller tout.

271. Item, en ce Carême, le jour du grand Vendredi[13] qui fut le 5e jour d'avril, vinrent les Armagnacs comme diables déchaînés, et coururent autour de Paris, tuant, robant et pillant. Et icelui jour boutèrent le feu au fort de Champigny-sur-Marne et ardirent* femmes et enfants, hommes, bœufs, vaches, brebis et autre bétail, avoine, blé et autre grain, et quand aucuns des hommes saillaient* pour la détresse du feu, ils mettaient leurs lances à l'endroit, et avant qu'ils fussent à terre, ils étaient percés de trois ou quatre lances ou de leurs haches ; cette très cruelle félonie firent là et ailleurs cedit jour, et le lendemain,

---

6. Chacune de (ces denrées).

7. Voir Annexes : « Poids et Mesures. »

8. Se terminèrent les trêves avec.

9. Le duc Philippe le Bon (1420-1467). Il hésitait sur la conduite à tenir envers les Anglais. Il voulait à la fois venger la mort de son père et rester fidèle à ses obligations de vassal envers Charles VI.

10. Les trêves furent prolongées le 12 mars moyennant livraison des châteaux de Beaumont-sur-Oise, Corbeil et Pont-Sainte-Maxence. Henri V contrôlait la Seine et l'approvisionnement de Paris à partir de la Normandie. Il était donc en mesure d'imposer ses conditions.

11. Si, au bout du compte.

12. Paris est l'objectif de tous les gens d'armes du Bassin parisien. En fait, c'était surtout l'objectif d'Henri V qui voulait la capitale et la couronne.

13. Le jour du Vendredi saint. Faire la guerre ce jour-là est un péché digne du Diable.

vigile de Pâques, firent autant ou pis* à un chastel nommé Croissy[14].

272. Item, la semaine de devant[15], étaient allés les marchands de Paris et d'ailleurs vers Chartres ou proche, pour faire venir de la vitaille* pour la ville de Paris, qui grand métier en avait[16], mais aussitôt qu'ils furent partis, les Armagnacs le surent par faux traîtres, de quoi Paris était bien garni[17]. Si leur allèrent au-devant jusqu'à Gallardon et là les assiégèrent ; pour quoi à Pâques [il y] eut si grande charté* de chair que le plus de gens de Paris ne mangèrent ce jour que du lard, qui en pouvait avoir[18] ; car le quartier d'un bon mouton coûtait bien 32 sols parisis, une petite queue de mouton 10 sols parisis, une tête de veau et la fressure 12 sols chacune, 6 sols parisis la vache, le porc haut prix, car de bœuf n'y avait point à Paris pour ce jour. Et pour vrai les bouchers de la Grande Boucherie de Beauvais juraient et affirmaient par la foi de leurs corps, qu'ils avaient vu par maintes* années devant passées qu'en l'hôtel d'un tout seul boucher de Paris, à un tel jour, on avait tué plus de chair qu'on ne fit en toutes les boucheries de Paris, ni autour[19].

273. Item, encore fit le roi sa Pâque[20] à Troyes cette année, l'an 1420.

274. Item, cette année étaient les violettes au mois de janvier, bleues [et jaunes], plus que l'année d'avant n'avaient été en mars.

275. Item, à Pâques 1420, qui furent le 7e jour d'avril, étaient

---

14. Croissy-Beaubourg (Seine-et-Marne), près de Lagny. La vigile de Pâques est le Samedi saint.

15. La semaine des Rameaux (la dernière de mars).

16. Qui en avait grand besoin. Paris ne recevait plus grand-chose de Normandie. Le trafic sur la Seine était fortement perturbé aussi en amont (d'où on recevait le bétail).

17. Les Armagnacs ont toujours des partisans à Paris, qui les renseignent.

18. Le repas de Pâques est un repas de fête où normalement le lard n'a pas sa place.

19. Qu'autrefois en un seul jour dans une seule boucherie on vendait plus de viande qu'on en avait vendu en ce jour de Pâques dans toutes les boucheries de Paris et alentour.

20. Assista à la messe de Pâques et y communia comme c'est le devoir de tout fidèle depuis le quatrième concile du Latran (1215).

ja les roses, et furent toutes passées[21] quinze jours en mai, et en l'entrée de mai vendait-on[des] cerises bonnes[22], et étaient les blés plus mûrs en la fin de mai qu'en l'année devant à la Saint-Jean, et autres biens par cas semblable, qui fut grand bien pour le pauvre peuple, car toujours était le très cher temps [de toutes choses], comme devant est dit, et de vêture encore plus[23]. Drap[24] de 16 sols valait 40 sols parisis, l'aune de bonne toile 12 sols, futaine 16 sols parisis, serge 16 sols, et chausses et souliers encore plus que devant.

276. Item, en ce temps étaient les Armagnacs plus acharnés à cruauté qu'oncques mais[25], et tuaient, pillaient, efforçaient*, ardaient* églises et les gens dedans, femmes grosses et enfants, bref ils faisaient tous les maux en tyrannie et en cruauté qui pussent être faits par diable ni par homme[26]; par quoi il convint qu'on traitât au roi d'Angleterre, qui était l'ancien ennemi de France, malgré qu'on en eût[27], pour la cruauté des Armagnacs, et lui fut donnée une des filles de France, nommée Catherine[28]. Et vint[29] gésir* dedans l'abbaye de Saint-Denis le 8e jour de mai 1420, et le lendemain passa par [devant] la porte Saint-Martin par dehors la ville, et avait bien en sa compagnie, comme on disait, 7 000 hommes de trait et très grande compagnie de gens d'estoffe[30] [?]; et portait-on devant lui un heaume couronné d'une couronne d'or pour connaissance[31], et portait

---

21. Il y avait déjà des roses et elles furent toutes fanées.

22. Le 24 juin. L'année fut très ensoleillée. Il est rare que le Bourgeois soit aussi bucolique et s'occupe d'autre chose que des blés.

23. Ceci s'explique par la désorganisation des commerces avec la Flandre (laine, draps) et la Normandie (toiles).

24. Le drap est un tissu de laine. La toile est un tissu de chanvre et de lin. La futaine et la serge sont des tissus mélangés, légers et peu chers.

25. Plus acharnés que jamais.

26. Les Armagnacs étaient devenus des diables, en conséquence... Le Bourgeois cherche à dégager la responsabilité des Parisiens et du duc de Bourgogne dans le traité de Troyes.

27. Malgré qu'on en eût : bien qu'il y ait des réticences.

28. Le traité fut juré le 21 mai 1420. Il prévoyait non seulement ce mariage mais l'accession d'Henri V au trône de France à la mort de Charles VI, le dauphin étant privé de ses droits. Le Bourgeois garde là-dessus un silence prudent ou gêné.

29. Sujet : Henri V.

30. Des gens d'armes par opposition aux gens de trait ou des Écossais.

31. Pour faire connaître son rang (sa qualité royale), le port de la couronne devant le prince est assez fréquent dans les cérémoniaux d'entrée.

en sa devise une queue de renard de broderie[32]. Et alla gésir* au pont de Charenton, pour aller à Troyes voir le roi, et là lui fut présenté quatre charretées de moult* bon vin de par ceux de Paris, dont il ne tint pas grand compte par semblant[33].

277. Item, cette journée, ne laissa-t-on issir personne de ceux du commun de Paris[34].

278. Item, de là alla à Troyes[35] sans contredit des Armagnacs[36] qui s'étaient vantés qu'ils le combattraient, mais oncques ne s'osèrent montrer.

279. Item, le jour de la Trinité 1420, qui fut le 2e jour de juin, épousa à Troyes ledit roi anglais la fille de France[37], et le lundi ensuivant, quand les chevaliers de France et d'Angleterre voulurent faire une joute pour la solennité du mariage de tel prince, comme accoutumé est, le roi d'Angleterre, pour qui on voulait faire les joutes pour lui faire plaisir, dit, oyant* tous, de son mouvement : « Je prie à monseigneur le roi, de qui j'ai [épousé la] fille, et à tous ses serviteurs, et à mes serviteurs je commande, que demain au matin nous soyons tous prêts pour aller mettre le siège devant la cité de Sens, où les ennemis de monseigneur le roi sont, et là pourra chacun de nous jouter [et] tournoier, et montrer sa prouesse et son hardement*, car plus belle prouesse n'est au monde que de faire justice des mauvais[38], afin que le pauvre peuple [se] puisse vivre. » Adonq le roi lui octroya, et chacun s'y accorda, et ainsi fut fait ; et tant firent que le jour Saint-Barnabé, 11e jour dudit mois de juin, fut

---

32. Une devise est un emblème personnel par opposition aux trois léopards héraldiques caractéristiques de tous les rois de Grande-Bretagne.

33. L'offrande de vin est classique pour se concilier un visiteur. Le Bourgeois ne croit pas qu'Henri V y ait été insensible, mais qu'il fit semblant.

34. Ce qui prouve que l'on n'était pas sûr de leurs réactions à l'égard des Anglais.

35. Il entra à Troyes le 20 mai, suivi de 12 000 hommes.

36. Sans que les Armagnacs s'y opposent.

37. Ce mariage était la base de la proclamation d'Henri V comme héritier de France et régent.

38. Henri V se soucie de répandre une image de vaillant guerrier soucieux de justice. En fait, il voulait profiter de sa supériorité militaire pour prendre les villes armagnacques les plus gênantes avec le soutien plus ou moins ouvert des Bourguignons. En 1420, tous pensaient que la situation était réglée ou allait l'être rapidement.

la cité prise[39], et de là vinrent assiéger Montereau-où-faut-Yonne[40].

280. Item, tant furent devant Montereau en l'an 1420 que ceux de dedans se rendirent, sauve leur vie, en payant une somme d'argent[41]. Entre les autres était le sire de Guitry[42], l'un des plus pleins de cruauté et de tyrannie qui fût au monde, lequel fut délivré avec les autres, qui depuis fit tant de tyrannie au pays de Gâtinais et ailleurs que fit oncques Sarrasin.

281. Item, de là vinrent le roi d'Angleterre et les Bourguignons devant Melun et mirent le siège.

282. Item, en ce temps étaient pleines vendanges à la mi-août, et toujours couraient les Armagnacs plus que devant ; et par eux enchérit tant la chose[43], espécialment à Paris, qu'une paire de souliers valait 10 sols parisis, une paire de chausses peu bonnes 2 francs ou 40 sols ; toutes choses de quoi homme se pouvait aider, au prix.

283. Item, un écu d'or[44] de 18 sols valait en ce temps 4 francs ou plus ; un [bon] noble d'Angleterre valait 8 francs.

284. Item, en ce temps [il y] avait si grande faute de change[45] à Paris que les pauvres gens n'avaient nulles aumônes ou bien peu ; car en ce temps 4 vieux deniers parisis valaient mieux

---

39. Reddition de Sens, le 11 juin, par composition.

40. Reddition de Montereau, le 1er juillet. Montereau où l'Yonne faut (tombe en cascade).

41. C'est une composition classique. On garde ses biens et sa vie contre de lourdes rançons.

42. Guillaume de Chaumont, seigneur de Guitry, était bailli d'Évreux en 1415. Il rallia le dauphin en 1418 et fut fait par lui réformateur général des eaux et forêts et comte de Chaumont. Il assista à l'entrevue du pont de Montereau et fut tué à la bataille de Verneuil en 1424. Le Bourgeois aurait manifestement préféré qu'il soit tué en 1420.

43. Toute chose en général dont les hommes avaient besoin (se pouvaient aider) comme il le dit plus loin.

44. Il s'agit ici des monnaies d'or royales : l'écu à la couronne et le mouton. L'écu valait théoriquement 40 sous parisis et le mouton 26 sous parisis, mais le cours réel ne correspondait pas toujours au cours légal (car la monnaie était dévaluée). Cette dévaluation ne touchait pas le noble d'Angleterre (dont la valeur était double de celle de l'écu), le dollar de l'époque dont c'est la première apparition dans ce récit.

45. Pénurie de métaux précieux. On frappait donc des pièces de pire en pire.

qu'un gros de 16 deniers[46] qui pour lors courait, et faisait-on de très mauvais lubres de 8 deniers[47], qui par devant furent tant refusés, et par justice défendus les gros dessusdits. Et pour plus grever* le pauvre commun, fut mis le pain de 8 deniers à 10, et celui de seize à vingt[48].

285. Item, une livre de bonne chandelle valait 10 blancs ; un œuf, 4 deniers ; la livre de fromage pressé, 8 blancs.

286. Item, à la Saint-Rémi, le propre jour, fut crié le pain[49] de 5 blancs à 2 sols parisis, celui de 10 deniers à 12 deniers ; un œuf, 6 deniers ; un hareng caqué, 12 deniers ; un hareng poudré, 5 blancs.

287. Item, en cette saison était le vin si cher qu'une queue de vin du cru d'entour Paris, on la vendait 21 ou 22 francs ou plus ; et en cette année plusieurs (raisins) qui furent cueillis au mois d'août devinrent gras ou aigres.

288. Item, en ce temps couraient toujours devant Paris et venaient jusqu'aux portes de Paris les Armagnacs, et boutaient feux*, prenaient marchands à l'entrée de Paris, et n'était homme qu'on laissât issir*. Et semblait[50] qu'aucuns de ceux qui gouvernaient en ce temps eussent aucune alliance avec eux, car nul marchand n'allait de Paris ou ne venait à Paris tant secrètement qu'ils n'en sussent aucunement l'allée ou la venue ; par quoi Paris demeura si nu de tous biens, espécialment de pain et de bûche, qu'un setier de bonne farine valait 16 ou 17 francs, la méchante bûche de Marne 4 francs, et toutes choses au prix, car l'ost* du roi qui toujours était devant Melun sans rien faire degâtait tant de biens qu'on s'en sentait bien[51] vingt lieues tout autour.

---

46. Les gros de 16 deniers frappés à partir de mai 1420 étaient des pièces très mauvaises.

47. Le lubre est une monnaie bourguignonne qui correspond à peu près à un blanc. Les gens ne l'acceptaient plus en paiement.

48. Le 3 juillet 1420 le pain blanc avait été réduit de 10 deniers à 8 deniers et le pain bis de 8 à 6 mais ce maximum ne fut pas tenable et dès l'automne, le pain augmenta à nouveau.

49. Ces tarifs de prix de vente maximum touchent surtout la nourriture de base du pauvre commun : le pain, les œufs et les harengs indispensables les jours maigres et durant le Carême.

50. Il court des bruits de complot contre les bons marchands de la ville. Le Bourgeois se garde bien de citer des responsables précis.

51. On s'en ressentait à...

289. Item, fut là tout octobre, et le 17e jour de novembre, jour Saint-Germain, à un dimanche, entrèrent nos seigneurs dedans Melun, et se rendirent tous ceux [de] dedans à la volonté [du roi[52]], car tous mouraient de faim, et mangeaient leurs chevaux ceux qui en avaient.

290. Item, le jeudi ensuivant, furent amenés à Paris environ de cinq à six cents prisonniers de ladite ville de Melun, et furent mis en diverses prisons[53].

291. Item, depuis que la ville de Melun fut prise, furent nos seigneurs de France[54], c'est à savoir, [le roi de France], le roi d'Angleterre, les deux reines[55], le duc de Bourgogne, le duc Rouge[56] et plusieurs autres seigneurs, tant de France que d'ailleurs, demeurant à Melun et à Corbeil jusqu'au premier jour de décembre, jour Saint-Éloi, qui fut à un dimanche. Et cedit jour entrèrent à Paris à grande noblesse, car toute la grande rue Saint-Denis par où ils entrèrent[57], depuis la seconde porte jusqu'à Notre-Dame de Paris, étaient encourtinée et les rues et parées moult noblement, et la plus grande partie des gens de Paris qui avaient puissance furent vêtus de rouge couleur[58]. Et fut fait en la rue de la Kalende[59] devant le Palais, un [moult] piteux mystère de la passion Notre Seigneur au vif, selon qu'elle est figurée autour du chœur de Notre-Dame de Paris[60], et duraient les échafauds[61] environ cent pas de long,

---

52. Du roi (Henri V). La ville signa une composition coûteuse de 20 000 francs et la garnison fut faite prisonnière.

53. Leur sort fut très variable. Quelques-uns furent condamnés à mort, d'autres se rachetèrent (Pierre de Vaudétar, Étienne de Cormargeon), le reste périt de faim et de misère dans les cachots parisiens.

54. L'expression est assez drôle, puisqu'elle comprend le roi d'Angleterre et le duc de Bavière.

55. Isabeau et sa fille Catherine.

56. Louis VII de Bavière, dit le Roux, électeur palatin.

57. Le 1er décembre 1420 : l'entrée solennelle d'Henri V à Paris marque la reconnaissance par la ville de son nouveau régent et héritier. Une entrée royale solennelle (l'entrée du sacre en particulier) se joue toujours sur le trajet porte Saint-Denis-Notre-Dame.

58. Le rouge est la couleur anglaise en héraldique comme en emblématique.

59. Rue de la Calandre, dans l'île de la Cité.

60. Sur la clôture du chœur de Notre-Dame. Ces sculptures datent de la fin du XIVe siècle.

61. Estrades sur lesquelles on faisait la représentation.

venant de la rue de la Kalende jusqu'aux murs du Palais, et n'était homme qui vît le mystère à qui le cœur n'apitât[62]. Ni oncques princes ne furent reçus à plus grande joie qu'ils furent, car ils encontraient* par toutes les rues processions de prêtres revêtus de chapes et de surplis[63], [portant saintuaires*], chantant *Te Deum laudamus* ou *Benedictus qui venit* ; et fut entre cinq et six heures après midi, et toute nuit quand ils revenaient en leurs églises ; et ce faisaient si liement[64] et de si joyeux cœur, et le commun par cas pareil, car rien qu'ils fissent pour complaire auxdits seigneurs ne les ennuyait[65], et si avait très grande pauvreté de faim la plus grande partie, espécialment le menu peuple ; car un pain, qu'on avait au temps devant pour 4 deniers parisis, coûtait 40 deniers parisis, le setier de farine 24 francs, [le setier] de pois ou de fèves bonnes 20 francs.

292. Item, le lendemain, 2e jour dudit mois, entra la reine, avec elle la reine d'Angleterre, la femme du duc de Clarence[66] frère du roi d'Angleterre, dedans Paris, à telle joie comme devant est dit au jour du dimanche, et vinrent lesdites reines par la porte Saint-Antoine, et furent les rues tendues par où elles vinrent et leur compagnie, comme devant est dit.

293. Item, avant qu'il fût huit jours passés après leur venue[67], enchérit tant le blé et la farine que le setier de blé froment valait à la mesure de Paris, ès Halles dudit Paris, 30 francs de la monnaie qui lors courait, et la farine bonne valait 32 francs, et autre grain haut prix, selon qu'il était ; et n'y avait point de pain à moins de 24 deniers parisis pour pièce, qui était à tout le bran[68], et le plus pesant ne pesait que vingt onces[69] ou environ. En icelui temps avaient pauvres gens et pauvres

---

62. S'apitoyât. Les mystères de la Passion du milieu du XVe siècle sont nombreux. Le plus célèbre est celui d'Arnoul Gréban.

63. La présence du clergé parisien était obligatoire et l'enthousiasme assez variable contrairement à ce que dit notre auteur.

64. Avec liesse : joyeusement.

65. Le raisonnement est intéressant. Les pauvres faisaient tout pour complaire aux seigneurs, ils espèrent des aumônes et un meilleur ravitaillement.

66. Margaret Holland, épouse de Thomas de Clarence, frère d'Henri V qui commandait l'un des corps expéditionnaires anglais. Il fut tué à Beaugé en 1421.

67. L'arrivée de la cour et de nombreuses troupes fait monter les prix.

68. Lire « avec le son » ; du pain bis.

69. On faisait des pains plus légers pour les vendre moins cher.

prêtres mal temps, qu'on ne leur donnait que deux sols parisis pour leur messe[70], et pauvres gens ne mangeaient point de pain que choux et navets, et tels potages sans pain ni sel[71].

294. Item, tant enchérit le pain avant que Noël fût, que ceux de 4 blancs valaient 8 blancs, et n'était nul qui encore en pût finer*, s'il n'allait devant le jour chez [les] boulangers[72] et donner pintes et chopines aux maîtres et aux valets pour en avoir. Et si n'y avait vin en ce temps qui ne coûtât 12 deniers la pinte au moins ; mais on ne le plaignait point qui en pouvait avoir, car quand se venait environ 8 heures, il y avait si très grande presse à l'huis des boulangers[73] que nul ne le croirait qui ne l'aurait vu. Et les pauvres créatures[74], qui pour leurs pauvres maris qui étaient aux champs[75] ou pour leurs enfants [qui mouraient de faim en leurs maisons, quand ils] n'en pouvaient avoir pour leur argent ou pour la presse, après cette heure, ouïssiez parmi Paris piteuses plaintes[76], [piteux cris], piteuses lamentations, et petits enfants crier : « Je meurs de faim. » Et sur les fumiers parmi Paris (en) 1420, pussiez trouver ci dix, ci vingt ou trente enfants[77], fils et filles, qui là mouraient de faim et de froid, et n'était si dur cœur qui par nuit les ouît crier : « Hélas ! je meurs de faim ! » qui grande pitié n'en eût ; mais les pauvres ménagers[78] ne leur pouvaient aider, car on n'avait ni pain, ni blé, ni bûche, ni charbon ; et si était le pauvre peuple tant oppressé des guets, qu'il fallait faire de nuit et de jour, qu'ils ne savaient eux aider ni à autrui.

---

70. Ce genre de réflexion suppose que le Bourgeois est en fait un pauvre prêtre d'une paroisse parisienne, car les variations du tarif des messes sont moins publiques que celles du pain.

71. Potage : légumes verts.

72. Il faut faire la queue et amadouer le personnel des boulangeries. En fait, ceux-ci étaient plus ou moins en grève contre les tarifs imposés pour le pain qu'ils refusaient de respecter à cause du prix de la farine. De nombreux procès s'ensuivirent de décembre à juin 1421.

73. Si grande queue à leur porte. Le Bourgeois ne dénonce pas la grève, il a l'air de croire à une simple pénurie.

74. Ce sont les femmes qui font la queue.

75. Il y a encore de nombreux journaliers agricoles à Paris.

76. Vous les auriez entendues se plaindre... Il a coupé sa phrase en oubliant la construction prévue.

77. Des enfants abandonnés ou orphelins. Les institutions charitables parisiennes ne font plus face en période de guerre et de pénurie.

78. Les pauvres habitants. Les ménagers n'ont pas les privilèges des bourgeois et ne sont que de simples résidents.

295. Item, en ce mois de décembre, fut déposé de la prévôté de Paris Clamecy, et fut institué prévôt de Paris un chevalier nommé [monseigneur] Jean du Mesnil[79], le 17e jour de décembre, jour Saint-Ladre.

296. Item, le jour Saint-Étienne ensuivant, fut institué prévôt des marchands un nommé maître Hugues le Coq[80].

297. Item, le jour Saint-Jean-Évangéliste ensuivant, 22e jour de décembre, fut institué évêque de Paris un nommé maître Jean Courtecuisse, maître en théologie et prudhomme[81].

298. Item, ce jour partit la fille de France, nommée Catherine, que le roi d'Angleterre avait épousée et fut menée en Angleterre[82], et fut une piteuse départie, espécialment du roi de France et de sa fille.

299. Item, le roi d'Angleterre laissa pour être capitaine de Paris son frère le duc de Clarence[83], et deux autres comtes qui peu de bien firent à Paris.

300. Item, en ce temps était le blé si cher, que le setier de bon blé valait 32 francs et plus ; le setier d'orge, 27 francs ou 28 francs ; un pain de seize onces à toute la paille, 8 blancs ; de fèves, de pois, nul pauvre homme n'en mangeait qui ne les lui donnait[84].

301. Item, une pinte de vin moyen pour ménage coûtait 16 deniers parisis tout le mains*, qu'on avait eu meilleur le temps précédent ou aussi bon pour 2 deniers parisis.

---

79. Jean du Mesnil, chambellan du roi, fut prévôt de Paris du 16 décembre 1420 au 10 mars 1421 où il mourut.

80. Le prévôt des marchands, Hugues Le Coq, garda la prévôté de 1420 à 1429, puis de 1434 à 1436. Il perdit sa charge à l'entrée de Charles VII dans Paris. C'était un conseiller du Parlement.

81. Jean Courtecuisse, docteur en théologie et aumônier de Charles VI, était l'un des orateurs préférés de l'Université. Il fut élu par le chapitre au détriment de Philibert de Montjeu, élu d'Amiens favori d'Henri V et des Bourguignons. Il ne réussit pas à s'imposer.

82. Catherine de France quitta Paris après Noël. Elle fit son entrée à Rouen le 31 décembre, débarqua en Angleterre le 1er février et fut couronnée à Westminster le 23. Henri V revint aussi en Angleterre.

83. Thomas de Clarence fut jusqu'à sa mort lieutenant d'Henri V en France. On lui adjoignit Thomas Beaufort, duc d'Exeter (frère d'Henri IV, oncle d'Henri V) et deux comtes, John Holland, comte d'Huntingdon, capitaine de Vincennes, et Gilbert Humphreyville, comte de Kent, capitaine de Melun. Le stationnement de troupes anglaises coûtait cher.

84. Sauf si quelqu'un lui en donnait.

[1421]

302. Item, en ce temps, à la Chandeleur, pour conforter pauvres gens[1], furent remis sus les enfants de l'ennemi d'enfer[2], c'est à savoir, impositions, quatrièmes, et maltôtes[3], et en furent gouverneurs gens oiseurs[4] qui ne savaient mais de quoi vivre, qui pinçaient[5] tout de si près que toutes marchandises laissaient à venir[6] à Paris, tant pour la monnaie, comme pour les subsides. Par quoi si grande charté* s'ensuivit qu'à Pâques un bon bœuf coûtait 200 francs ou plus; un bon veau, 12 francs; la fliche[7] de lard, 8 ou 10 francs; un pourcel, 16 ou 20 francs; un [petit] fromage tout blanc, 6 sols parisis, et toute viande au prix; un cent d'œufs coûtait 16 sols parisis. Et tout jour et toute nuit avait parmi Paris, pour la charté* devant dite, les longues plaintes, lamentations, douleurs, cris pitoyables, qu'oncques je crois que Jérémie le prophète ne fit plus douloureux, quand la cité de Jérusalem fut toute détruite et que les enfants d'Israël furent menés en Babylonie en chétivaison[8]; car jour et nuit criaient hommes, femmes, petits enfants: « Hélas ! je meurs de froid », l'autre de faim. Et en bonne vérité il fit le plus long hiver qu'homme eût vu, passé avait quarante ans, car

1. C'est de l'humour noir. Le rétablissement des impôts en période de cherté n'est pas populaire.

2. Le Bourgeois a toujours son allergie (d'origine bourguignonne) à la fiscalité. Mais autrement que faire, sauf piller, manipuler la monnaie, etc. Il croit toujours que l'État peut vivre du domaine royal, ce qui est irréaliste au XVe siècle.

3. Imposition probablement des tailles directes. Le quart et la maltôte sont des indirects sur diverses marchandises. Ce sont pour lui des créations du Diable.

4. Des gens oisifs et sans ressources. Il sous-entend qu'ils vivent sur le contribuable.

5. Qui mettaient la main sur tout... (pour lever les taxes).

6. Les marchandises ne venaient plus car la monnaie n'était pas bonne et les taxes étaient élevées.

7. Il donne le prix du bœuf, du veau, du lard par fliche (tranche), du porc.

8. Il s'agit de l'un des livres prophétiques de la Bible. Le prophète Jérémie annonça la chute de Jérusalem à cause des péchés d'Israël, la captivité à Babylone et la chute de cette dernière. Implicitement, Paris est ici comparée à Jérusalem.

les fériés de Pâques il neigeait[9], il gelait et faisait toute la douleur de froid qu'on pouvait penser. Et pour la grande pauvreté qu'aucuns des bons habitants de la bonne ville de Paris voyaient souffrir, firent tant qu'ils achetèrent maisons trois ou quatre dont ils firent hôpitaux[10] pour les pauvres enfants qui mouraient de faim parmi Paris, et avaient potages et bon feu et bien couchés ; et en moins de trois mois avait en chacun hôpital bien quarante lits ou plus bien fournis, que les bonnes gens de Paris y avaient donnés ; et était l'un en la Heaumerie, un autre devant le Palais, et l'autre en la place Maubert. Et en vérité, quand ce vint sur le doux temps, comme en avril, ceux qui [en hiver] avaient fait leurs breuvages[11] comme dépenses*, de pommes ou de prunelles, quand plus[12] y en avait, ils vidaient* leurs pommes ou leurs prunelles en mi la rue, en intention que les porcs de Saint-Antoine les mangeassent[13]. Mais les porcs n'y venaient pas à temps, car aussitôt qu'elles y étaient jetées, elles étaient prises de pauvres gens, de femmes, d'enfants qui les mangeaient[14] par grande saveur, qui était une très grande pitié, chacun pour soi-même, car ils mangeaient ce que les pourceaux ne daignaient manger ; ils mangeaient trognons de choux sans pain et sans cuire, les herbettes des champs sans pain et sans sel. Bref, il était si cher temps que peu des ménagers* de Paris mangeaient leur saoul de pain, car de chair ne mangeaient-ils point, ni de fèves, ni de pois, que verdure, qui était merveilleusement chère.

303. Item, au mois de mars vers la fin, ès fériés de Pâques, les Armagnacs prirent journée de combattre contre le duc de Clarence, qui était capitaine de Paris, et le duc d'Ostet[15] et frère

---

9. Les jours fériés de Pâques, il neigeait...

10. Il s'agit en fait d'hospices ou d'orphelinats pour héberger les enfants. La capacité d'accueil est de 2 à 4 par lit suivant les nécessités.

11. Ce terme peut désigner une boisson (de pommes et de prunelles) ou une nourriture (dans ce cas, on les fait sécher comme provision d'hiver et on les jette au printemps suivant, quand apparaissent les fruits frais). La dépense est un mélange eau et jus de fruits.

12. Quand il leur en reste.

13. Les porcs de l'abbaye de Saint-Antoine ont le droit de vaguer dans les rues pour manger les détritus.

14. Les pauvres mangent n'importe quoi tellement ils ont faim.

15. C'est une erreur du Bourgeois. Humphrey, duc de Gloucester, troisième frère d'Henri V (et non l'aîné qui est Clarence), n'était pas à Paris

aîné du roi anglais ; et devait être la bataille entre Angers et Le Mans sur la rivière du Loir. Si alla voir la place le duc de Clarence avant que le jour de la bataille fût, laquelle place[16] était au pays des Armagnacs, et lui convint passer ladite rivière par un pont bien étroit, et fut bien accompagné de 1 500 hommes d'honneur et de 500 archers. Ses[17] ennemis, qui toujours avaient des amis partout, le surent et firent deux embûches en un bois où il lui convenait passer après la rivière ; et devant outre le bois avait bien 400 hommes armés [au clair] sur une petite montagne, lesquels les Anglais pouvaient bien voir[18]. Si n'en tinrent compte, car ils cuidaient* que plus n'y en eût que ceux-là, dont ils furent déçus ; car en la vallée il y avait une grosse bataille* d'Armagnacs, sans* les deux embûches[19] devant dites, qui, aussitôt qu'ils virent que les Anglais furent dedans le bois, issirent* par-derrière, et allèrent rompre le pont, et puis les vinrent accueillir par-derrière et par les côtés, et les autres par-devant ; et ainsi furent tous mis à l'épée[20], sinon environ 200, comme ménestrels et autres qui échappèrent, par bien fuir, et refirent le pont le mieux qu'ils purent et s'enfuirent à leurs logis. Et quand ceux des logis qui étaient demeurés le surent, ils se mirent comme fous enragés ès faubourgs du Mans, et mirent le feu, et tuèrent femmes et enfants, et hommes vieux et jeunes sans merci. Et fut la vigile de Pâques[21], qui fut le 22e jour de mars 1421.

304. Item, en ce mois fut ordonné garde de la justice de la

---

en 1421 et ne fut pas présent à la bataille de Beaugé. Il faut remarquer qu'il écorche joliment les noms anglais.

16. A Beaugé, dans le Maine-et-Loire. La région est contrôlée par la maison d'Anjou.

17. Le possessif est intéressant. Les ennemis de Clarence sont-ils ceux du Bourgeois ? Il semble bien opter pour la neutralité.

18. Curieusement, il est capable de décrire dans le détail la tactique utilisée : une troupe bien en vue, d'autres cachées qui rampent vers le pont et attaquent par-derrière.

19. Troupes en embuscade.

20. Furent tués le duc de Clarence, le maréchal d'Angleterre (Lord Roos), le comte de Kent et le comte de Tancarville. Furent faits prisonniers les comtes de Somerset et d'Huntingdon. Le Bourgeois les confond tous dans l'anonymat. Il avait parlé d'Azincourt très différemment.

21. C'est une critique implicite. L'armée anglaise s'en prend à des innocents un jour béni (le Samedi saint).

prévôté de Paris sire Jean de la Baume, seigneur de Valfin[22].

305. Item, le samedi 12e jour d'avril ensuivant, fut criée la monnaie à Rouen[23], que le gros de 16 deniers parisis ne vaudrait que 4 deniers parisis, et le noble 60 sols tournois, et l'écu 30 sols tournois.

306. Item, le mardi ensuivant, en fut si grand escri[24] à Paris que chacun cuidait* certainement qu'on fît ainsi le mercredi ou le samedi ensuivant de la monnaie comme on avait fait à Rouen, dont tous vivres enchérirent tant qu'on n'en pouvait finer* ; car une pinte d'huile qui ne valait que 5 sols ou 16 blancs coûta avant le samedi 12 sols parisis ; la livre de chandelle 10 sols parisis ; la livre de beurre salé 10 sols parisis, et toutes autres choses haut prix. Et vendait chacun marchand ainsi qu'il voulait toutes denrées[25], car nul n'y mettait aucun remède pour le profit public, mais disait-on que tous ceux qui y devaient mettre le meilleur remède étaient marchands eux-mêmes[26] ; par quoi le pauvre peuple souffrait tant de pauvreté, de faim, de froid et de toute autre malchance, que nul ne le sait que Dieu de paradis, car quand le tueur de chiens avait tué des chiens[27], les pauvres gens le suivaient aux champs pour avoir la chair ou les tripes pour leur manger.

307. Item, le dimanche devant la Pentecôte commencèrent les bouchers à vendre chair à la porte de Paris, et laissèrent le cimetière Saint-Jean, [le] Petit-Pont, la halle de Beauvais et les autres boucheries qui par devant avaient été faites[28].

---

22. Jean de la Baume Montrevel, seigneur de Valfin, était chambellan du duc de Bourgogne. Il devint prévôt de Paris (en 1421) puis capitaine (à partir de juillet) et maréchal de France en 1422. Il mourut au début de 1436.

23. L'atelier de Rouen était passé sous contrôle anglais. On y frappait donc un peu de tout, des nobles (monnaies or anglaises), des écus d'or (monnaie or) et des parisis (monnaie de la double monarchie). Les mutations monétaires sont criées dans les rues pour que chacun soit au courant.

24. Escry : émoi, protestations. On croyait que la monnaie parisienne allait être partiellement renforcée. Cela entraîna une hausse des prix.

25. Les marchands ne respectaient pas les maxima.

26. Les marchands devaient faire eux-mêmes leur propre police. Il est probable que les marchands prétendaient échapper aux contrôles en se les attribuant.

27. Il y avait des gens payés pour tuer les chiens errants (suspects de rage en particulier). Il était donc déconseillé d'en manger.

28. Les bouchers abandonnèrent les boucheries créées par les Arma-

308. Item, en cet an fut hiver si long et si divers[29] qu'il faisait très grand froid jusqu'en la fin de mai, et en la fin de juin n'étaient pas les vignes encore fleuries ; et si fut si grande année de chenilles que le fruit fut tout dégâté, et furent en cette année trouvés à Paris en aucuns lieux scorpions qu'on n'avait point en ce temps accoutumé à voir.

309. Item, en ce temps à la porte Saint-Honoré fut vue dessous le pont en l'eau une source comme de sang un peu moins rouge[30], et fut aperçue le jour Saint-Pierre et Saint-Paul qui fut au dimanche, et dura jusqu'au mercredi ensuivant ; et en furent les gens qui y allaient moult ébahis, et tant qu'il convint que la porte fut fermée et le pont levé deux jours pour la grande multitude du peuple qui là allait, et si ne put oncques personne savoir la signifiance de la chose[31].

310. Item, le jeudi ensuivant, vigile Saint-Martin[32], furent criées les monnaies à Paris, que le gros de 16 deniers ne vaudrait que 4 deniers parisis, le blanc de 4 deniers un denier parisis ; une pièce de monnaie de 2 deniers parisis qui pour lors était ne valait plus qu'une maille[33] ; qui moult dommagea pauvres gens et ne fit profit qu'à ceux qui avaient rentes et revenus[34].

311. Item, le jour Saint-Martin, entra le roi d'Angleterre à Paris[35] à belle compagnie, et si ne savait-on rien de sa venue, tant qu'il fut à Saint-Denis[36] en France.

312. Item, en ce temps étaient les loups si affamés qu'ils déterraient à leurs pattes les corps des gens qu'on enterrait aux villages et aux champs[37] ; car partout où on allait, on trouvait

---

gnacs mais comme la Grande Boucherie du Châtelet ne suffisait pas, ils furent obligés d'établir des étaux supplémentaires.

29. Il s'amuse : un hiver divers ! : un terrible hiver.

30. C'est probablement un phénomène naturel dû à l'oxyde de fer qui teinte l'eau, mais un ruisseau de sang annonce des catastrophes.

31. Ou plus exactement, on ne voulait pas se l'avouer, ce qui explique que l'on évita toute publicité à l'événement inquiétant.

32. Le 3 juillet. C'est un alignement sur la monnaie de Rouen.

33. Une maille est un demi-denier.

34. Ceux qui étaient endettés ou locataires y perdirent, et ceux qui avaient des stocks y gagnèrent.

35. Henri V entra à Paris le 4 juillet. La mort de Clarence nécessitait une réorganisation de la présence anglaise.

36. On ne savait rien de sa venue avant qu'il fût arrivé à Saint-Denis.

37. Ils déterraient avec leurs pattes les corps (dans les cimetières). Être

des morts et aux champs et aux villes de la grande pauvreté qu'ils souffraient [du cher temps et de la famine], par la maudite guerre[38] qui toujours croissait de jour en jour de mal en pire.

313. Item, en ce temps était [très] grande mortalité, et tous mouraient de chaleur qui au chef[39] les prenait et puis la fièvre, et mouraient sans rien ou peu empirer de leur chair, et toutes femmes ou les plus jeunes gens. En ce temps était le vin si cher que chacune pinte de vin moyen coûtait 4 sols parisis ; et si n'amendait point le pain[40], et si y avait en ce temps à Paris plus de blé qu'homme qui fut né en ce temps [y] eût oncques vu de son âge, car on témoignait qu'il y en avait pour bien gouverner Paris [pour plus] de deux ans entiers[41], et si n'était point [encore] cueilli de l'août nul grain.

314. Item, en ce temps était un gros murmure [à Paris] pour le cri devantdit de la monnaie, car tous les gros[42], ceux du Palais, du Châtelet se faisaient payer en forte monnaie, et tout le domaine du roi[43], comme impositions, quatrièmes et tous subsides ; et ne prenaient[44] le gros que pour 4 deniers parisis, et le mettaient[45] en toutes choses aux pauvres gens pour 16 deniers parisis. Si se courça* le commun et firent parlement[46] en la maison de ville ; quand les gouverneurs[47] les virent, si eurent paour*, et firent crier que le terme des maisons premier[48] venant se paierait en 12 gros pour un franc, et cependant on y remédierait le mieux qu'on pourrait, et était environ dix

---

mangé par les loups, mort ou vivant, est l'une des grandes peurs médiévales.

38. Son analyse s'affine. Il ne croit plus que la guerre est uniquement la faute des autres.

39. A la tête.

40. S'améliorait. C'est assez illogique, car il y a des stocks de grains.

41. Il y avait deux ans de stocks bien qu'on n'ait pas encore cueilli la nouvelle récolte.

42. Les gros (bourgeois ; il vise surtout les gens de Justice) se faisaient payer les loyers et les rentes en monnaie forte.

43. De même on exigea l'impôt dans la nouvelle monnaie forte.

44. Sujet : les gros et les percepteurs.

45. Remettaient. Dans l'autre sens, ils font les paiements à leurs salariés en monnaie faible d'où un grand murmure !

46. Ils se réunirent pour se consulter.

47. Le prévôt et les échevins : les autorités municipales.

48. Que le plus prochain terme des loyers (la Saint-Rémi à deux mois de là) serait payé en monnaie faible.

ou douze jours après la Saint-Jean[49], l'an 1421. Et fut dit au cri que la darraine* semaine d'août chacun qui tenait maison à titre de louage, ou qui devait cens ou rente, allât parler à son hôte, ou censier ou rentier, savoir en quelle monnaie ils se voudraient (être) payés après la Saint-Rémi, et, ouïe* leur réponse, ils étaient quittes pour renoncer au louage, ou cens ou rente[50]; dont le peuple se déporta* et fut apaisé, pour ce qu'encore avait deux mois de terme à prendre ou renoncer, et que le terme de la Saint-Rémi venant serait payé, comme on l'avait accoutumé devant, 12 gros pour un franc[51].

315. Item, en ce temps étaient les loups si affamés qu'ils entraient de nuit ès bonnes villes et faisaient moult de divers dommages, et souvent passaient la rivière de Seine et plusieurs autres à nage; et aux cimetières qui étaient aux champs, aussitôt qu'on avait enterré les corps, ils venaient par nuit et les déterraient et les mangeaient; et les jambes qu'on pendait aux portes[52], mangèrent-ils en saillant*, et les femmes et enfants en plusieurs lieux.

316. Item, la première semaine du mois d'août, l'an 1421, fut institué prévôt de Paris Pierre dit le Barrat[53].

317. Item, en celui temps, prit le roi d'Angleterre Dreux, Bonneval, Épernon et autres villes, par traité que les Armagnacs qui dedans étaient s'en allèrent sauvement[54], que puis firent tant de maux que nul ne le croirait.

318. Item, en ce temps était tout fruit si cher qu'on n'avait que 4 pommes pour un blanc; le cent de noix valait 4 sols; deux poires, 6 blancs; deux livres de chandelle pour 16 sols parisis; un petit fromage, 13 sols parisis; un œuf, 3 blancs; un

---

49. La fin juin, le début juillet. La Saint-Jean est le 24 juin.

50. Que chaque locataire ou propriétaire aille trouver son propriétaire ou locataire pour se mettre d'accord. S'il n'y avait pas d'accord, le locataire pouvait renoncer à son bail pour le deuxième terme.

51. Le Bourgeois se met à distinguer des intérêts divergents dans le commun qu'il considérait jusque-là en bloc.

52. Les jambes pendues aux portes de Paris sont celles de divers condamnés.

53. Pierre Le Verrat, seigneur de Crosne, fut bailli de Montargis puis prévôt de 1421 à 1422. Il s'occupa des funérailles de la duchesse de Bedford en 1432, puis se retira auprès de Philippe le Bon.

54. Avec la vie sauve. Ce sont des capitulations par composition. Dreux fut prise le 20 août, Bonneval et Épernon début septembre.

boisseau de fèves ou pois, 2 francs ; la livre de beurre, 28 blancs ; la pinte d'huile 16 sols parisis ; une paire de souliers de cordouan[55], 24 sols ; la paire de basane, 16 sols ; la pinte de vin, 4 sols ; la chair plus chère qu'oncques mais.

319. Item, en ce temps, prit le roi d'Angleterre deux villes moult nuisantes à Paris, que les Armagnacs tenaient, à savoir, Beaugency[56] et Villeneuve-le-Roi[57], et de là s'en vint devant Meaux, droit[58] à la Saint-Rémi.

320. Item, en ce temps était le duc de Bourgogne devant Saint-Riquier en Ponthieu, et là tenait le siège[59], et comme il voulut aller à Boulogne-sur-la-Mer en pèlerinage, les Armagnacs le surent et le cuidèrent* surprendre, mais la Vierge Marie y fit miracle[60], car si une partie de ses gens le laissa et s'enfuirent comme consentants de la venue des Armagnacs[61], mais malgré eux, par la grâce de Dieu [et de sa glorieuse mère], les Armagnacs furent tous déconfits*, et en demeura bien 1 100 sur la place[62], sans* les capitaines qui furent pris, et tous les grands qui là étaient, [qui] furent menés en diverses prisons[63].

321. Item, le 3e jour de novembre ensuivant 1421, fut derechef la monnaie criée[64], que les gros de 16 deniers ne seraient mis que pour 2 deniers, et firent autre monnaie qui ne valait que 2 deniers tournois, dont le peuple fut si oppressé et grevé* que pauvres gens ne pouvaient vivre ; car choux, poireaux, oignons, verjus[65], etc., on n'avait (pas) à moins de

55. Du cuir de luxe par opposition à la basane, cuir courant.
56. C'est probablement une erreur, elle ne fut pas prise.
57. Villeneuve-sur-Yonne, prise le 27 septembre.
58. Juste le jour de. La Saint-Rémi est le 9 octobre.
59. Saint-Riquier-de-Ponthieu était convoitée par Philippe comme très proche de ses terres d'Artois. Le dauphin y envoya une armée de secours qui fut battue.
60. Notre-Dame-de-Boulogne est un grand centre de pèlerinage.
61. Ils étaient surpris par l'armée de secours, dont la venue était assez improbable, étant donné la distance par rapport aux bases du dauphin au sud de la Loire.
62. D'après les autres sources, il y aurait eu entre 400 et 700 morts (dont le sixième de Bourguignons). Il voit grand.
63. Furent faits prisonniers Poton de Saintrailles, La Hire, les deux frères de Gamaches, Raoul de Gaucourt qui furent libérés moyennant rançon. Saint-Riquier fut prise par composition.
64. Décri des anciennes monnaies et création d'une nouvelle monnaie.
65. Liquide aigre-doux, vinaigre.

2 blancs, car ils ne valaient qu'un denier après le cri. Et qui tenait à louage maison[66] ou autre chose, il en convenait payer huit fois plus que le louage, c'est à savoir, du franc 8 francs, de 8 francs, 64 francs ; [ainsi] des autres choses, dont le pauvre peuple eut tant à souffrir de faim et de froid que nul ne le sait que Dieu. Et si gelait aussi fort à la Toussaint qu'il fit oncques à Noël, et ne finait*[-on] de rien qui n'avait menue monnaie[67].

322. Item, en ce temps avait à Paris le premier président du Parlement, nommé Philippe de Morvilliers[68], le plus cruel tyran qu'homme eût oncques vu à Paris, car pour une parole contre sa volonté, ou pour surfaire[69] aucune denrée, il faisait percer langues, il faisait mener bons marchands en tombereaux parmi Paris, il faisait gens tourner au pilori ; bref il faisait jugements si cruels et si terribles et si épouvantables qu'homme nul n'osait parler contre lui ni appeler de lui[70], et avec ce faisait payer si grandes amendes et si pesantes que tous ceux qui venaient entre ses mains s'en sentaient[71] toute leur vie, ou de vilenie ou de chevance*, ou de partie de leurs corps.

323. Item, en ce temps il ordonna, de sa maîtrise et de son orgueil, que nul orfèvre[72] ni nul d'autre métier ne changerait pour nul besoin à son ami ni à autre or pour monnaie, ni monnaie pour or que les changeurs[73] ; et si n'y avait si hardi

---

66. En location. Qui louait une maison... Les loyers auraient été multipliés par huit.

67. Peu clair. On ne trouvait rien si l'on n'avait pas de menue monnaie. Mais qu'appelle-t-il ainsi, l'ancienne ou la nouvelle monnaie ?

68. Philippe de Morvilliers fut avocat au Parlement. Les Bourguignons en firent un premier président en 1419. Il le resta jusqu'à l'entrée de Charles VII dans Paris en 1436. Il mourut en 1438. Chargé de nombreuses missions officielles, c'était une puissance à respecter.

69. Tromper sur la qualité ou le prix. Si quelqu'un avait parlé contre sa volonté ou trompé sur la qualité des denrées, il risquait gros. Le Bourgeois insiste sur l'arbitraire des condamnations des bons marchands (à vrai dire pas toujours respectueux des règlements municipaux sur les prix ou autres).

70. Ni faire appel (en justice) contre lui.

71. S'en ressentaient toute leur vie ou dans leur honneur ou dans leurs biens ou dans une partie de leur corps (poings coupés par exemple). Vilenie est le contraire d'honneur. S'ils veulent s'en sortir, ils doivent dire comme lui et choisir la vilenie.

72. Les orfèvres pouvaient en principe commercer des métaux précieux.

73. Ce monopole des changeurs a été plusieurs fois affirmé en 1419 et en

changeur qui eût osé prendre d'un écu d'or pour change (plus) que deux deniers tournois[74], qu'il ne lui eût fait tantôt amender[75] [de deux ou] de trois cents livres de bonne monnaie.

324. Item, en ce temps, était encore le roi d'Angleterre devant Meaux[76], qui là perdait moult de ses gens de faim, de froid, car environ quinze jours ou trois semaines devant Noël, plut tant fort jour et nuit, et tant neigea au haut pays que Seine fut si desrivée[77] et si grande qu'en Grève[78] elle était jusque par-deçà le moutier du Saint-Esprit plus de deux lances, et en la grande cour du Palais tout outre le moutier de Notre-Dame, de dessous la Sainte-Chapelle et en la place Maubert [emprès*] la Croix-Hémon. Et [ne] dura [que] dix jours, et puis commença [à] décroître le dimanche devant Noël, et tant qu'elle mit à croître il gelait si fort que tout Paris était pris de glace et de gelée, et ne pouvait-on moudre à nul moulin à eau nulle part qu'à ceux au vent[79], pour les grandes eaux.

325. Item, en ce temps, toute malheureuseté était à Paris par lui[80] qui faisait payer à tout homme qui n'avait point de puissance selon sa qualité[81], argent fin, l'un 4 marcs, l'autre 3, l'autre 2, l'autre 3 ou 4 onces, pour faire cette méchante monnaie devant dite ; et qui était refusant, tantôt avait sergents en sa maison et était mené en prisons diverses, et ne pouvait-on parler à lui, ct le convenait payer, et n'eût eu plus vaillant au

---

1421, pour limiter la spéculation. Les changeurs étaient moins nombreux et plus faciles à surveiller que les orfèvres.

74. Il faut lire : aucun changeur n'osait prendre pour changer un écu d'or plus de 2 deniers de commission. C'est le tarif légal fixé dans une ordonnance du 31 octobre 1421.

75. Sans qu'on lui fît aussitôt payer une amende de...

76. Le siège de Meaux fut interminable et coûta très cher aux Anglais. La ville, assiégée depuis l'automne 1421, ne fut prise qu'au début de mai 1422.

77. En crue, sortie de ses rives.

78. Sur la place de Grève, il y avait deux lances (50 cm ?) d'eau jusqu'à l'hôpital du Saint-Esprit (entre la place à l'ouest et l'Hôtel de Ville, au sud), de même dans l'île de la Cité. Il en était également de même sur la rive gauche : la Croix Hémon est le nom du carrefour au-dessus de la place Maubert.

79. Les moulins à eau étaient paralysés, mais non ceux à vent.

80. Philippe de Morvilliers, sa nouvelle bête noire.

81. Les ateliers monétaires payaient l'or et l'argent qu'on était forcé de leur apporter à la tête du client.

monde[82], puisque ce président l'avait dit. Et étaient de son conseil[83] deux autres tyrans, Jean Dole et Pierre d'Orgemont, qui mirent marchandise si au bas[84], qu'homme ne vendait ni n'achetait que seulement pain et vin ; car un homme était tout chargé de dix francs en monnaie[85], et pour ce n'en portait-on point dehors. Et si était chacun si grevé* de payer sa maison que plusieurs renoncèrent en ce temps à leurs propres héritages pour la rente[86], et s'en allaient par déconfort vendre leurs biens sur les carreaux, et se partaient de Paris comme gens désespérés. Les uns allaient à Rouen[87], les autres à Senlis, les autres devenaient brigands de bois ou Armagnacs[88], et faisaient tant de maux après, comme eussent fait les Sarrasins, et tout par le faux gouvernement des devantdits loups ravissants[89], qui faisaient contre la défense du Vieil Testament et du Nouvel[90], car ils mangeaient la chair à tout le sang, et si prenaient la brebis et la laine. Hélas ! la grande pitié d'aller parmi la ville de Paris, fût à fête ou autre jour, car vraiment on y voyait plus de gens demandant l'aumône[91] que d'autres, qui maudissaient leurs

---

82. Même s'il (la victime) n'avait plus un sou vaillant au monde puisqu'il l'avait décidé ainsi.

83. Il avait deux complices aussi tyranniques que lui. Jean Dole fut avocat au Trésor et trésorier de France en 1421. Il fut ensuite l'un des principaux conseillers du duc de Bedford. Pierre d'Orgemont était gouverneur des Finances. C'est à leur responsabilité dans la levée de l'impôt qu'est due leur impopularité.

84. Il y avait des taxes élevées sur les échanges.

85. Car chaque contribuable devait payer 10 francs (par maison, semble-t-il). Il ne lui restait plus d'argent pour faire des achats autres qu'indispensables.

86. Beaucoup préfèrent vendre plutôt que payer l'impôt.

87. Le brigandage devint endémique en Normandie. Il s'y mêlait des motifs politiques et économiques. La répression anglaise très vigoureuse ne réussit pas à juguler le phénomène.

88. Logiquement, ils auraient tout aussi bien pu s'enrôler de l'autre côté. Mais en pratique, le brigandage est surtout un phénomène armagnac difficile à interpréter (résistance populaire aux Anglais ?).

89. Loups voleurs. Ce sont nos trois têtes de Turcs : Morvilliers, Dole et d'Orgemont. De ravir au sens premier.

90. L'Ancien et le Nouveau Testament autorisent à prendre la laine des brebis, mais ni leur chair ni leur sang.

91. Expansion incontrôlée du chômage et de la mendicité dans les grandes villes.

vies cent mille fois le jour[92], car trop avaient à souffrir. Car en ce temps on leur donnait très peu, car chacun avait tant à faire de soi que peu pouvait aider à autre nulle personne, ne vous eussiez été en [quelque] compagnie que vous ne vissiez les uns lamenter ou pleurer à grosses larmes, maudissant leur nativité, les autres Fortune, [les autres] les seigneurs, les autres les gouverneurs[93], en criant à haute voix bien souvent et assurément : « Hélas ! hélas ! vrai très doux Dieu, quand nous cessera cette pesme* douleur et cette douloureuse vie et cette damnable guerre » ; en disant maintes* fois : « [Vrai Dieu] *vindica* [*sanguinem*] *sanctorum*[94] ! Venge le sang des bonnes créatures qui meurent [sans desserte[95]] par ces faux traîtres Armagnacs. »

326. Item, en ce mois de décembre, le 5e jour d'icelui, eut la fille de France en Angleterre un fils nommé Henry[96].

327. Item, le lundi devant Noël, lendemain Saint-Thomas, (en) furent apportées les nouvelles à Paris, dont on sonna partout moult grandement, et fit-on par tout Paris les feux comme à la Saint-Jean.

[1422]

328. Item, [en ce temps], la vigile de la Thiphaine*[1], vint à Paris le duc de Bourgogne, qui amena foison de gens d'armes qui firent moult de mal aux villages d'entour Paris, car il ne

---

92. En période de crise, les aumônes diminuent.

93. Cette recherche des responsabilités ne manque pas d'intérêt. Le hasard : être né au mauvais moment, au mauvais lieu ; la fortune ; les seigneurs (Bourgogne - Henri V) ; les gouverneurs (la municipalité parisienne). A vrai dire, il est bien difficile de choisir.

94. Mélange de deux passages de l'Apocalypse (VI, 10, et XIX, 2).

95. Sans l'avoir mérité.

96. Le futur Henri VI (1422-1461) naquit à Windsor le 6 décembre 1421. Paris en fut avisée par des lettres officielles et organisa des réjouissances. L'enthousiasme du Bourgeois est très relatif. Il rapporte sans commentaire.

1. La veille de l'Épiphanie, donc le 5 janvier. Philippe le Bon y resta jusqu'au 16 janvier avant de rejoindre avec ses troupes Henri V au siège de Meaux.

demeura rien après eux qu'ils pussent (emporter), s'il n'était trop chaud ou trop pesant[2]; et les Armagnacs étaient du côté de la porte Saint-Jacques, de Saint-Germain, de Bordelles jusqu'à Orléans, qui faisaient des maux autant qu'oncques firent tyrans sarrasins.

329. Item, en ce temps était le roi d'Angleterre devant Meaux, et y fit son Noël et sa Thiphaine[3], qui en toute la Brie avait ses gens qui partout pillaient; et, pour iceux et pour les devantdits, on ne pouvait labourer ni semer nulle part. Souvent on s'en plaignait aux seigneurs dessusdits[4], mais ils ne faisaient que s'en moquer ou rire, et en faisaient leurs gens pis* trop que devant, dont le plus des[5] laboureurs cessèrent de labourer, et furent comme désespérés, et laissèrent femmes et enfants, en disant l'un à l'autre: « Que ferons-nous? Mettons tout en la main du diable[6], ne nous chaut[7] ce que nous devenons; autant vaut faire du pis* qu'on peut comme du mieux. Mieux nous vaudrait servir les Sarrasins que les Chrétiens, et pour ce faisons du pis* que nous pourrons. Aussi bien ne nous peut-on que tuer ou que prendre; car par le faux gouvernement des traîtres gouverneurs[8], il nous faut renier femmes et enfants, et fuir au bois comme bêtes égarées; non pas un an ni deux, mais il y a ja quatorze ou quinze ans que cette danse douloureuse[9] commença, et la plus grande partie des seigneurs de France en sont morts à glaive, ou par poison, ou par trahison, ou sans confession, ou de quelque mauvaise mort contre nature[10]. »

---

2. Il admet que l'armée bourguignonne ne se conduit guère mieux que les autres. Philippe le Bon n'a pas à Paris, où il vient rarement, la popularité dont son père avait joui.

3. Il y passa Noël et l'Épiphanie (la fête des Rois).

4. Les seigneurs anglais et bourguignons s'en préoccupaient peu, probablement parce que ce ne sont pas leurs paysans. Le Bourgeois pense peut-être en outre que les nobles se soucient peu des humbles en général.

5. La plus (grande partie) des.

6. Dans la pratique, ils se convertissent au brigandage (sous la conduite du Diable).

7. Verbe challoir (importer). Peu nous importe...

8. Les traîtres qui nous gouvernent.

9. Il y a quinze ans depuis 1407. Il compare ici la guerre civile à une danse macabre où le danseur, entraînant tous les États, serait le Diable et non la Mort.

10. Ceux qui restent sont de mauvais seigneurs. Les bons seigneurs sont morts à glaive (Azincourt), à poison (Guyenne, Touraine), par trahison

330. Item, en ce temps n'avait point à Paris d'évêque, car maître Jean Courtecuisse devant dit[11], élu par l'Université et par le clergé et par Parlement, ne plaisait point au roi d'Angleterre, et pour ce ne fut-il tout cet an aucunement possesseur de l'évêché, mais demeura tout ce temps à Saint-Germain-des-Prés, car il n'était pas bien assur[12] en son hôtel à Paris, pour ce qu'il n'était en la grâce du roi d'Angleterre.

331. Item, pour la bienvenue[13] du duc de Bourgogne devant-dit on fit crier qu'une petite monnaie nommée noiraude[14], qui ne valait qu'une poitevine, vaudrait une maille tournoise ; et fut tout le bien qu'il nous fit pour lors à la ville de Paris, qui tant l'aimait et qui tant avait eu à souffrir et encore avait de rechef pour lui et pour son père, qui tant fut long et négligent en ces choses toutes, que Dieu sait. Et vraiment le fils en tenait bien les tâches[15], car on eût bien fait en un quart d'an, ce où il mettait deux ou trois ans, et faisait bien semblant que de la mort de son père peu ou néant lui challait*[16] ; car certes il menait telle vie damnable et de jour et de nuit[17], comme avait fait le duc d'Orléans et les autres seigneurs qui étaient morts moult honteusement, et était gouverné par jeunes chevaliers pleins de folie et d'outrecuidance[18], et gouvernait selon ce qu'ils se gouvernaient, et eux selon lui, et en vérité de Dieu à nul d'eux ne challait [que] d'accomplir sa volonté[19].

(Jean sans Peur). Ce qui fait peur au Moyen Age, ce n'est pas la mort en soi, mais la mort subite, sans confession, qui n'offre aucune garantie pour l'autre monde.

11. Henri V ne voulait pas de lui. Il n'était pas bien en sûreté dans l'hôtel épiscopal et s'était réfugié à l'abbaye de Saint-Germain. Ceci se termina en juin 1422 par un transfert à l'évêché de Genève où il mourut en mars 1423, léguant 1 200 écus d'or au chapitre Notre-Dame qui l'avait élu et soutenu.

12. En sûreté.

13. C'est de l'humour noir.

14. Noiraude. C'est de la monnaie noire. Il est vrai que le noir est, depuis le meurtre de Montereau, la couleur des Bourguignons ! Cette noiraude vaut 1 denier de Poitiers ou 1/2 denier tournois.

15. Avait les mêmes défauts.

16. Philippe le Bon a fait ce qu'il a pu pour obtenir réparation. Le Bourgeois voyait cela de manière plus sanglante.

17. L'apologie du tyrannicide de Jean Petit, commandée par Jean sans Peur, s'en était prise à la vie privée de Louis d'Orléans, honteuse de jour comme de nuit. De nuit, c'était pire péché !

18. Son entourage était plein de jeunes fous orgueilleux qu'il écoutait.

19. Nul (ni le duc ni ses conseillers) ne se souciait de Dieu, mais de faire

332. Item, en ce temps fut déposé de la prévôté de Paris cil qui est nommé devant le Verrat, et fut nommé le bailli de Vermandois de Champluisant[20].

333. Item, le roi d'Angleterre fit son Noël, sa Thiphaine et sa quarantaine[21] devant Meaux.

334. Item, le 2e jour de mars 1422, le seigneur d'Offémont[22] cuida* venir conforter les Armagnacs de Meaux, et vint environ minuit, accompagné de cent fers de lance, et savait bien par où on pouvait mieux entrer en la cité par-dessus les murs; et là les Armagnacs de dedans avaient mis échelles appuyées aux murs pour monter[23] ledit seigneur d'Offémont et ses gens, et avaient lesdits Armagnacs couvert les échelles de draps de lit pour sembler à ceux de l'ost*, quand ils tournaient[24] pour faire le guet, que ce fussent les murs qui blancs étaient à celui endroit, et ainsi le cuidait* le guet en passant par celui endroit. Quand le guet fut passé, ceux de dedans virent que temps était de faire monter ledit seigneur, si firent le signe que faire devaient quand temps serait de monter, et montèrent par les échelles qui moult étaient près à près.

335. Item, la moitié des gens dudit d'Offémont alla émouvoir l'ost*, pensant, que quand il serait monté lui et l'autre moitié de ses gens, qu'il viendrait compagnie de ceux de la ville pour secourir les autres[25], mais il advint autrement. Quar*, en la propre échelle par où ledit seigneur montait, [il y] avait

---

sa propre volonté. C'est une exécution en règle! Il ne l'a pas traité de tyran ni de diable incarné, mais presque! C'est un jugement curieux. Philippe, qui était bon, scrupuleux, compétent, est envoyé aux enfers pour avoir eu une folle jeunesse alors que Jean sans Peur, que la moralité n'étouffait pas, est pour lui le bon duc... Cette évolution s'explique surtout parce que ses convictions bourguignonnes sont moins sûres. Le scepticisme le gagne.

20. Simon de Champluisant, bailli de Vermandois fut prévôt de Paris du 3 février au 1er décembre 1422.

21. Le Carême dure quarante jours!

22. Guy de Nesle, seigneur d'Offémont en Picardie. Il avait combattu à Saint-Riquier. Prisonnier et blessé à Meaux, il fut libéré grâce à son oncle Raoul de Coucy, évêque de Noyons.

23. Pour qu'il puisse escalader les remparts.

24. Quand ils faisaient les tournées de guet.

25. Ils pensent sottement que la garnison de la ville viendra les aider contre les Anglais, mais, de la sorte, ils attirent l'attention sur ceux qui montent au rempart.

devant lui quatre ou cinq ribauds[26], montant comme lui, dont l'un avait à son cou des besaces qui [toutes] étaient pleines de harengs saurs que ledit larron avait emblées[27] en venant à un marchand ; comme il était presque au plus haut de l'échelle, sa besace lui échappe, qui pesait et était fort loyée[28], et rencontre[29] ledit seigneur d'Offémont sur la tête et le trébuche de si haut comme il était dedans les fossés. Quand ses gens l'entendirent, si dirent l'un à l'autre : « Aidons à monseigneur. Hélas ! monseigneur est chu[30] ! » Çà et là ès fossés [il y] avait des Anglais du commun qui faisaient le guet, si cuidaient* que ceux qu'ils oyaient* parler fussent de leurs gens ; mais, quand ils ouïrent dire : « Aide à monseigneur ! », [si] furent ébahis, car bien savaient que nul homme de nom[31] n'avaient cette nuit avec eux au guet, et cuidèrent* que ceux de la ville descendissent sur eux. Si cuidèrent* éloigner[32] la place pour l'aller dire en l'ost*, mais, pour ce qu'il était après minuit, que leurs corps étaient travaillés de veiller, aventure les mena tout droit aux échelles. Si ouïrent qu'on plaignait trop le seigneur, si dirent : « Monseigneur, de par le diable, pert vous morts trétous[33]. » Et crièrent alarme, si furent les Armagnacs si effrayés qu'ils s'enfuirent (à) qui mieux mieux, et fut ledit seigneur pris par un qui était queux[34] de la cuisine du roi anglais, et dix ou douze autres qui furent menés au roi d'Angleterre comme prisonniers.

336. Item, ceux qui dedans la ville étaient savaient bien que la mine[35] que le roi d'Angleterre avait fait faire était près de percer, et surent bien le lendemain que le sire d'Offémont était pris et autres assez, et que le plus[36] des habitants étaient contre

---

26. Soldats de rien.
27. Volées.
28. Chargée.
29. Lui frappe la tête et le fait tomber du haut dans le fossé.
30. Monseigneur est tombé !
31. Qu'il n'y avait nul gentilhomme de ce rang à faire le guet.
32. Ils pensèrent s'éloigner de.
33. Monseigneur de par le Diable, on dirait que vous tout mort. On se moquait du mauvais français des Anglais.
34. Cette histoire d'un noble frappé par un paquet de harengs et fait prisonnier par un cuisinier est trop jolie pour être honnête.
35. La mine (le couloir) qu'Henri V avait fait faire sous le rempart était terminée (permettant aux Anglais de forcer l'enceinte urbaine).
36. La majeure partie. C'est un dogme du Bourgeois. Les Armagnacs

eux, s'ils l'eussent pu ou osé. Si prirent conseil ensemble qu'ils porteraient leurs biens et leurs vivres au Marché[37], qui moult* était fort, et bouteraient le feu* en la ville, et tueraient tous ceux qui ne seraient [pas] de leur malle* intention damnable[38], et ainsi commencèrent à porter leurs biens audit Marché, et tellement et de tel cœur y entendirent, qu'ils délaissèrent ou oublièrent tout entièrement la garde des murs de la ville. Un bon prudhomme[39] des habitants de ladite ville, quand il vit qu'ils étaient en ce point, si soi pensa, s'il pouvait, qu'il garderait la cité d'ardoir*, et monta sur les murs, et fit à savoir aux Anglais leur volonté, et que hardiment assaillissent, que personne ne leur contredirait; si lui baillèrent* une échelle, et descendit, et fut mené au roi d'Angleterre et lui dit qu'il voulait qu'on lui coupât le cou, si ainsi n'était[40], comme devant est dit. Si la fit tantôt le roi assaillir et la prit sans avoir guère de peine. Quand les habitants de la ville se virent ainsi surpris, si se boutèrent* ès églises çà et là où ils purent[41] et cuidèrent* mieux eux sauver, et quand le roi anglais aperçut ainsi leur méchef[42], si fit crier partout que chacun revînt à son propre hôtel, et que chacun fît son labour[43], comme devant faisaient. Et ainsi le firent, et le roi d'Angleterre mit le siège devant le Marché de ladite ville.

337. Item, en ce temps [il y] avait au chastel d'Orsay[44] vingt murdriers* ou trente, qui le 6e jour d'avril prirent le pont et le

---

sont impopulaires auprès du commun. Dans une ville armagnacque, il a probablement tort.

37. Le Marché est la forteresse de Meaux. Il avait déjà joué un grand rôle lors de la jacquerie de 1358, en sauvant les nobles qui y étaient réfugiés.

38. C'est peu vraisemblable. Les combattants se retirèrent dans le Marché amplement pourvu de vivres et d'armes. Il aurait été pour eux dangereux d'incendier la ville autour de leur refuge.

39. Il s'agit de justifier la trahison par le patriotisme urbain (empêcher la ville de brûler). Or, l'incendie de la ville par les Armagnacs est peu probable. Le sinistre aurait pu gagner le Marché.

40. Qu'on lui coupât le cou si l'assaut rencontrait de la résistance.

41. Les habitants ont peur du roi d'Angleterre. Une ville prise par assaut n'a aucune garantie pour les personnes ni pour les biens. Les gens de Meaux durent acheter très cher des rémissions.

42. Leur infortune, leur méprise.

43. Que chacun se remit au travail.

44. Ces routiers se trouvaient au château d'Orsay (Ms. de Rome) ou de Courcy (Ms. de Paris).

château de Meulan[45], et fut avec eux le capitaine d'Étampes ; dont tout enchérit après merveilleusement en celui an, l'an 1422 à Paris, pour ce qu'il ne venait nuls vivres en ce temps à Paris que de Rouen[46], si convenait passer par là allant et venant ; dont ceux de Paris furent moult ébahis. Mais par la grâce de Dieu ils ne s'y tinrent que quatorze jours ou environ qu'ils ne s'en allassent francs et quittes par traité[47], et emportèrent tout ce qu'ils voulurent emporter ; car on ne pouvait pour lors mieux faire, pour ce que le siège était toujours devant Meaux.

338. Item, en cette année était la plus belle apparence ès vignes en tout le royaume de France qu'on eût oncques vu, mais la nuit Saint-Marc[48] et la nuit ensuivant furent toutes gelées [entièrement], et semblait proprement qu'on eût bouté le feu partout de fait avisé[49], tant étaient brûlées jusqu'à la terre.

339. Item, cette année 1422 fut la grande année de hannetons, de Pâques jusqu'à la Saint-Jean.

340. Item, le premier dimanche de mai ensuivant, se rendirent ceux du marché de Meaux à la volonté du roi d'Angleterre[50] ; et fit-on parmi Paris les feux et très grande fête.

341. Item, le jeudi ensuivant, envoya à Paris le roi d'Angleterre bien cent prisonniers dudit chastel[51], et étaient liés quatre quatre, et furent mis dedans le [chastel du] Louvre ; et le deuxième jour après furent remis en bateaux et menés en diverses prisons en Normandie et en Angleterre[52].

---

45. Le pont de Meulan fut pris le 5 avril par Louis Paviot, capitaine armagnac d'Étampes. Il dut rendre la ville le 15 au comte de Salisbury et fut tué en 1423 lors du deuxième siège de Meulan.

46. Comprendre que nul vivre ne venait de Pontoise à Rouen et inversement à cause de la prise de Meulan.

47. Meulan fut rendue par composition. La garnison sort libre et emmène ses bagages.

48. La nuit de la Saint-Marc, le 25 avril.

49. Qu'on eût mis le feu volontairement.

50. Le 2 mai. Ce fut une capitulation et non un traité de composition. Les conditions furent très sévères, car Henri V était furieux de la très longue résistance des gens de Meaux.

51. La garnison de Meaux comprenait de nombreux nobles : le capitaine Guichard de Chissay, Philippe Malet, Perron de Lupé, Jean d'Aunay, Sinador de Girême, frère de l'évêque. La plupart furent conduits en Grande-Bretagne (à Flint, Holt, Conway) au nombre d'environ 150.

52. D'après le Bourgeois, il y aurait eu 250 prisonniers. Il compte quatre

342. Item, le mardi ensuivant, on en amena de rechef bien cent et cinquante, et l'évêque[53] au Louvre comme les autres, et [le vendredi ensuivant, 15e jour de mai, furent mis en] bateaux comme les autres devantdits, mais les premiers ne furent point ferrés, mais ceux-ci le furent deux par deux[54], chacun par une des jambes, sinon l'évêque de Meaux et un chevalier qui avec lui était. Ces deux furent entre eux deux en un batel* petit, et tous les autres comme porcs en tas[55], et en ce point furent menés comme les autres devantdits; et n'avaient trois et quatre à l'heure qu'[56] un pain bien noir pesant deux livres, et très peu de pitance*, et de l'eau à boire. Et ce pourquoi ferrés étaient et non les autres, la cause est [pour ce] que natifs du pays étaient et d'environ[57], et étaient avec ce tous de renom de chevance*[58], mais les laboureurs du pays en icelui temps n'avaient nuls pires ennemis, car ils étaient pires à leurs voisins que n'eussent été [les] Sarrasins[59].

343. Item, le 5e jour de mai, fut le bâtard de Vaurus[60] traîné parmi toute la ville de Meaux, et puis la tête coupée, et son corps pendu à un arbre, lequel il avait nommé de son vivant l'Arbre de Vaurus, et était un orme; et dessus lui fut mise sa tête en une lance au plus haut de l'arbre, et son étendard dessus son corps[61].

344. Item, emprès lui fut pendu un larron murdrier* nommé

---

exécutions : les deux frères ou cousins de Vaurus, le bailli de Meaux, Louis Gast, et son lieutenant, Jean de Rouvres.

53. L'évêque de Meaux, Robert de Girême, mourut à la Tour de Londres en 1426. Garder un évêque en prison civile est hautement irrégulier.

54. Cela ne se fait pas. En principe, les prisonniers donnent leur parole et doivent être correctement traités.

55. Le Bourgeois est choqué. On ne traite pas les humains comme des animaux qu'on mène à l'abattoir.

56. Ils n'avaient (pour trois ou quatre) à l'heure (de manger) que...

57. On avait mis aux fers les gens de la région en craignant qu'ils ne s'évadent.

58. Ils étaient renommés pour leurs avoirs. On ne garde que les riches, les autres ne valent pas qu'on leur avance la nourriture.

59. Cette phrase est indispensable pour faire passer le triste spectacle précédent.

60. D'autres textes parlent ici de Denis de Vaurus son cousin (ou demi-frère).

61. Ses armoiries furent pendues à l'arbre (pour le déshonorer).

Denis de Vaurus[62], lequel se nommait son cousin, pour la grande cruauté dont il était plein, car on n'ouït oncques parler de plus cruel chrétien en tyrannie, que tout homme de labour qu'il pouvait trouver et attraper, ou faire attraper, quand il voyait qu'ils ne pouvaient de leur rançon finer*, il les faisait mener liés à queues de chevaux à son orme tout batant*, et s'il ne trouvait bourrel* prêt, lui-même les pendait, ou celui qui fut pendu avec lui, qui se disait son cousin. Et pour certain[63] tous ceux de ladite garnison ensuivaient la cruauté des deux tyrans devantdits.

345. Et bien parut par une damnable cruauté que ledit de Vaurus fit que c'était le plus cruel (tyran) qu'oncques guère fut Néron ou autre ; car quand il prit un jeune homme en faisant son labour, il le lia à la queue de son cheval et le mena batant* jusqu'à Meaux, et puis le fit géhenner*, pour laquelle douleur le jeune homme lui accorda ce qu'il demandait pour cuider* eschiver* la grande tyrannie qu'il lui faisait souffrir, et fut à si grande finance que tels trois[64] ne l'eussent pu payer. Le jeune homme manda à sa femme, laquelle il avait épousée en cet an, et était assez près de terme d'avoir enfant[65], la grande somme en quoi il s'était assis pour eschiver* la mort et le quassement* de ses membres. Sa femme qui moult l'aimait y vint, qui cuida* améliorer le cœur du tyran [plus que de l'homme], mais rien n'y exploita[66], ains lui dit, que s'il n'avait la rançon à certain jour nommé, qu'il le pendrait à son orme. La jeune femme commanda à son mari à Dieu, moult tendrement pleurant[67], et lui

62. Cette histoire est fort louche. Nous en avons ici la version anglophile. Elle présente le bâtard de Vaurus comme un émule de Néron qui prend plaisir à faire le mal. Les textes armagnacs soulignent l'illégalité de ces exécutions et font dire au bâtard de Vaurus qu'il préfère mourir que de rompre son serment (fait au dauphin) et prêter serment au roi d'Angleterre. Le choc provoqué par ces exécutions explique la légende noire dont le Bourgeois se fait l'écho.

63. Rien n'est moins certain, mais il y eut plusieurs exécutions et il faut des coupables.

64. Sa rançon fut si grande que trois tels (que lui) ne l'auraient pu payer (à eux tous).

65. Tous les motifs pour attirer la compassion y sont : la paysanne est jeune, mariée depuis moins d'un an, enceinte, elle aime son mari...

66. Rien n'y fit, ainsi lui dit.

67. Recommanda. C'est la grande scène des adieux.

d'autre part pleurait moult fort pour la pitié qu'il avait d'elle. Adonq se départit la jeune femme maudissant Fortune, et fit le plus tôt qu'elle put finance[68], mais ne [le] put pas au jour qui nommé [lui] était, mais environ huit jours après. Aussi (tôt) que le jour que le tyran avait dit fut passé, il fit mourir le jeune homme, comme il avait fait mourir les autres, à son orme sans pitié et sans merci. La jeune femme vint aussitôt qu'elle put avoir fait finance, si vint au tyran, et lui demanda son mari en pleurant moult* fort, car tant lassée était que [plus] ne se pouvait soutenir, [tant pour l'heure du travail qui approchait] que pour le chemin qu'elle avait fait, qui moult était grand[69] ; bref tant de douleur avait qu'il la convint pâmer. Quand elle revint[70], si se leva moult piteusement quant au secret de nature, et demanda son mari de rechef, et tantôt lui fut répondu que ja ne le verrait tant que sa rançon fût payée. Si attendit encore et vit plusieurs laboureurs amener devant lesdits tyrans, lesquels aussitôt qu'ils ne pouvaient payer leur rançon, étaient noyés ou pendus sans merci ; si eut très grand paour* pour son mari, car son pauvre cœur lui jugeait moult mal[71] ; néanmoins [amour] la tint de si près, qu'elle leur bailla* ladite rançon de son mari. Aussitôt qu'ils eurent la pécune, ils lui dirent qu'elle s'en allât d'illec*, et que son mari était mort ainsi que les autres vilains. Quand elle ouït* leur très cruelle parole, si eut tel deuil à son cœur que nulle plus, et parla à eux comme femme désespérée et forcenée qui son sens perdait pour la grande douleur de son cœur. Quand le faux et cruel tyran, le bâtard de Vaurus, vit qu'elle disait paroles qui pas ne lui plaisaient, si la fit battre de bâtons, et mener tout batant* à son orme et lui fit accoler, et la fit lier, et puis lui fit couper [tous] ses draps[72] si très court qu'on la pouvait voir jusqu'au nombril, qui était une des [plus] grandes inhumanités qu'on pourrait penser[73]. Et dessus elle[74],

---

68. Rassembla l'argent le plus vite qu'elle put.
69. Elle est lasse par la proximité du terme, par le chemin qu'elle a fait, elle pleure et s'évanouit.
70. A elle.
71. Juger mal : ici, être inquiet, avoir de mauvais pressentiments.
72. Tous ses vêtements tellement courts que...
73. Le Bourgeois est toujours aussi sensible à la pudeur (cadavre oui, mais déshabillé non !).
74. Au-dessus, sur l'arbre, il y avait.

avait quatre-vingts ou cent hommes pendus, les uns bas, les autres haut ; [les bas, aucunes fois*, quand le vent les faisait brandeler[75],] touchaient à sa tête, qui tant lui faisaient de freour* qu'elle ne se pouvait soutenir sur pied ; si lui coupaient les cordes dont elle était liée la chair de ses bras ; si criait la pauvre lasse moult hauts cris et piteuses plaintes. En cette douloureuse douleur où elle était, vint la nuit, si se déconforta sans mesure, comme celle qui trop de martyre souffrait, et quand il lui souvenait de l'horrible lieu[76] où elle était, qui tant était épouvantable à humaine nature, si recommençait sa douleur si piteusement en disant : « Sire Dieu, quand me cessera cette pesme* douleur dont je souffre. » Si cria tant fort et longuement que de la cité la pouvait-on bien ouïr, mais il n'y avait nul qui l'eût osée aller ôter d'où elle était, que n'eût été mort[77]. En ces douleurs et douloureux cris le mal de son enfant la prit, tant pour la douleur de ses cris, comme pour la froidure du vent qui par dessous l'assaillait de toute part, ces ondées la hâtèrent plus et plus[78] ; si cria tant haut que les loups qui là repairaient[79] pour la charogne, vinrent à son cri droit à elle, et de toute part [l'assaillirent], espécialment au pauvre ventre qui découvert était, et lui ouvrirent à leurs cruelles dents[80], et tirèrent l'enfant dehors par pièces, et le remenant* de son corps dépecèrent tout. Ainsi fina[81] cette pauvre créature et autres assez, et fut au mois de mars en Carême, l'an 1420.

346. Item, en ce temps, le samedi 23e jour de mai, firent crier soudainement les gouverneurs de Paris que nul, de quelque état qu'il fût, ne prît gros ni n'en fît prendre sous [très] grosses peines[82], et qu'on les portât tous aux changeurs ordonnés pour

---

75. Aller et venir.

76. La forêt est le lieu de l'aventure, de l'horreur et des bêtes sauvages, par opposition à la cité. Elle fait donc peur.

77. Nul n'aurait osé aller la délivrer sous peine de mort.

78. L'accouchement est hâté par les cris de la femme, le vent et la perte des eaux.

79. Cherchaient à manger.

80. Il cherche à porter l'horreur à son comble. L'enfant pas encore né est mangé par les loups.

81. Ainsi trouva sa fin cette pauvre créature (de Dieu) et autres assez (d'autres aussi, en assez grand nombre).

82. On fit suspendre la circulation des gros très dépréciés qui durent passer à la fonte. Il fut défendu aussi de les garder. Cette démonétisation du gros avait pour but d'arrêter les gros delphinaux identiques en apparence.

les changer, lesquels étaient quatre, qui avaient chacun une bannière de France à leur change. Et n'avait-on du marc pesant des bons gros que huit sols parisis, des mauvais[83] aussi comme rien, qui fut une très ébahissante chose à Paris aux riches et aux pauvres, car le plus[84] n'avaient autre monnaie; si perdaient moult, car le meilleur[85] qui soulait* valoir seize deniers parisis ne valait qu'un denier ou (un demi) tournois. Si y eut grand murmure du peuple, mais à souffrir leur convint, quelque nécessité qu'ils eussent de pain ou de vin, par défaut d'autre monnaie. Car vrai est que iceux gros furent ainsi défendus à prendre, pour gros très mauvais que le Dauphin ou les Armagnacs faisaient faire en son nom, qui par eux étaient envoyés à Paris et ès autres bonnes villes[86] non tenant leur parti damnable, par faux marchands qui après ce encore gagnaient[87] par grande déception; car quand la monnaie fut criée que plus n'eût de cours, [de] tous les meilleurs d'iceux gros faux on n'en avait qu'une maille tournois, et pour cette cause fut ainsi défendu que nul n'en fît aucun trésor.

347. Item, le 25e jour de mai, jour Saint-Urbain, furent à Paris décapités deux des capitaines de la rébellion de Meaux, c'est à savoir, maître Jean de Rouvres, et un chevalier qui était bailli de ladite ville, nommé messire Louis Gast[88].

348. Item, ce jour[89], vint la reine d'Angleterre au Bois de Vincennes à moult belle compagnie de chevaliers et de dames.

349. Item, le 29e jour dudit mois de mai[90], vint la reine à

---

83. Les gros valaient à l'origine 16 deniers parisis. Ils n'en valaient plus guère que 1 denier parisis ou 1/2 denier tournois (1 maille).

84. La plupart (des gens) ne possédaient pas d'autres pièces que ces gros dépréciés. Ils n'avaient pas d'or.

85. Les gros des premières émissions.

86. Qui n'étaient pas de leur parti. On écoule ces pièces côté bourguignon. C'est un phénomène de guerre monétaire visant à faire effondrer la monnaie adverse.

87. Qui faisaient du bénéfice avec cette mauvaise monnaie.

88. Ils furent condamnés par le prévôt de Paris et exécutés le jour même. C'est gênant. On n'exécute pas des militaires prisonniers qui n'ont fait que leur métier de bailli et de capitaine. Gêné, le Bourgeois les qualifie de « capitaines de la rébellion » parce qu'ils ont été exécutés comme rebelles (au traité de Troyes et à Henri V).

89. On ne saurait dire qu'elle avait bien choisi son jour.

90. L'entrée de la reine Catherine eut lieu le samedi 30 mai.

Paris et portait-on devant sa litière deux manteaux d'hermines[91], dont le peuple ne savait que penser sur ce, sinon que c'était signe qu'elle était reine de France et d'Angleterre.

350. Item, pour l'amour du roi d'Angleterre et de la reine, et des seigneurs dudit pays, firent les [gens de] Paris aux fêtes de la Pentecôte, qui fut le derrain* jour de mai, le mystère de la passion Saint Georges[92] en l'hôtel de Nesle.

351. Item, lendemain de la Fête-Dieu[93], se partit le roi d'Angleterre de Paris et emmena à Senlis le roi et la reine de France et sa femme. Et la semaine ensuivant, fut pris un armurier de la Heaumerie, nommé maître Jean ......, lequel était ou avait été armurier du roi, et sa femme, et un boulanger du coin de la Heaumerie[94], nommé ......, lequel boulanger eut la tête coupée un peu de temps après ; et fut pris ledit armurier à Couppeaulx-lez-Saint-Marcel dehors Paris, et sa femme aussi, et furent emprisonnés au Palais. Et disait-on qu'ils avaient marchandé aux Armagnacs de livrer la ville de Paris le dimanche ensuivant, qui était 21e jour de juin 1422, et que pour cette cause les Armagnacs de Compiègne[95] s'étaient plus tôt rendus en espérance qu'en cette journée on pillât Paris. Mais Dieu, qui ordonne et nous devisons[96], les en garda, dont ils se tinrent moult à déçus[97], car ils étaient assez forts et bien envitaillés*[98] pour tenir un an entier la place, comme il apparut quand ils issirent*. Ils étaient plus de cent hommes d'armes à cheval, et bien mille de pied, et bien 500 folles malles* femmes[99], qui tous firent serment aux rois que jamais ne

91. Deux manteaux d'hermine, emblèmes un peu énigmatiques de sa double royauté.

92. Saint Georges est le patron du royaume d'Angleterre et le garant de l'excellence de sa chevalerie. Ce mystère a donc une thématique très orientée.

93. Le vendredi 11 juin.

94. Nous ignorons leurs noms. Les complots, vrais ou non, sont nombreux durant ces périodes de crise. Toute la population parisienne n'est pas favorable à Henri V.

95. Guillaume de Gamaches, capitaine de Compiègne, avait rendu la ville au duc de Bedford le 18 juin 1422.

96. Proverbe : « Dieu ordonne et nous bavardons » (devisons). On dit actuellement : « L'homme propose et Dieu dispose. »

97. Ils furent très déçus.

98. Ils avaient beaucoup de ravitaillement.

99. Des filles de joie qui suivaient l'armée. Il gonfle leur nombre. Cela en fait une pour trois !

s'armeraient contre le roi de France ni d'Angleterre[100] ; et ainsi s'en allèrent francs et quittes, emportant chacun ce qu'il put emporter, sans aucune autre aide de chevaux ou de charrettes, et s'en allaient moult joyeusement en cette intention de piller Paris.

352. Item, en cette année fit merveilleusement chaud en juin et en juillet, et n'y plut qu'une fois, dont les terres se sentirent[101], pour quoi les potages et les marais[102] furent aussi que tous ars* aux champs, et ne rendirent pas la moitié de leur semence ; et convint arracher les avoines et les orges à la main, racine et tout sans faucher ni soyer*. Et pour cette grande chaleur fut si grande année d'enfants malades de la vérole qu'oncques de vie d'homme on eût vu, et tant en étaient couverts qu'on ne les connaissait[103] ; et plusieurs grands hommes l'avaient, espécialment des Anglais, et disait-on que le roi d'Angleterre[104] en eut sa part. Et vrai est que moult de petits enfants en furent si agrevés que les uns en mouraient, les autres en perdaient la vue corporelle.

353. Item, en cette année 1422, fut largement fruit et aussi bon qu'on doit ou peut demander, et très bons blés et largement ; et vrai est qu'il fut si très peu de vin qu'en deux arpents on ne trouvait qu'une caque de vin, ou un poinçon[105] tout au plus.

354. [Item, en la darraine* semaine d'août étaient pleines vendanges].

355. Item, en cet an, au mois de juin, défièrent les Armagnacs le duc de Bourgogne et toute sa puissance, et devait être la journée le 2e mercredi d'août, et le 12e jour dudit mois, et devait être la bataille en leurs marches sur la rivière de Loire vers La Charité-sur-Loire[106]. Si fit le duc de Bourgogne une très

---

100. C'est la règle dans un traité de composition : Ne pas se battre contre Charles VI ou Henri VI.

101. S'en ressentirent.

102. Les légumes de jardin (potages) et de maraîchage (marais).

103. Qu'on ne les reconnaissait. La vérole défigure et fait perdre la vue.

104. De nombreux bruits coururent sur la mort prématurée d'Henri V : poison, maladie sexuelle ou vérole.

105. 1 caque vaut 2 poinçons. Voir Annexes III, p. 453.

106. Ce récit est très confus. Les troupes du dauphin contrôlaient La Charité et assiégeaient Cosne que Philippe vint délivrer mais il ne put battre

belle assemblée, et vint en la place où était devisé[107] que la bataille serait, et là fut devant la journée que ce devait être et après trois ou quatre jours. Mais les Armagnacs, quand ils surent sa puissance, ne s'osèrent oncques montrer, et n'eurent point de honte de s'enfuir sans coup frapper[108], et tant que le duc de Bourgogne les attendait, qui les avait bel attendre[109], car ils savaient que le plus des [grandes] garnisons de Normandie étaient venus en l'aide du duc de Bourgogne ; là tournèrent-ils et firent occisions grandes, boutèrent feux*, ardirent* églises et tous les maux qu'on peut penser, comme eussent fait Sarrasins.

356. Item, en ce mois d'août, le darrain* jour, à un dimanche, trépassa le roi d'Angleterre Henry au Bois de Vincennes, qui pour lors était régent de France, comme devant est dit ; et fut audit Bois tout mort, pour l'ordonner comme à tel prince affiert[110], jusqu'[au jour de] l'Exaltation Sainte-Croix en septembre. Et ce jour après dîner fut porté à Saint-Denis[111] sans entrer à Paris, et le lendemain, jour des octaves Notre-Dame, fut fait son service à Saint-Denis en France, et toujours [il] y avait cent torches ardant* en chemin comme aux églises.

357. Item, de Saint-Denis fut porté à Pontoise et de là à Rouen[112].

358. Item, le samedi après la Sainte-Croix en septembre[113],

---

les troupes adverses et se retira sans succès. Le Bourgeois fabule certainement.

107. Quand il y a défi, on fixe un lieu et une date pour la bataille. Implicitement, c'était pour le 16 août, jour où Cosne capitulerait si elle n'avait pas de secours.

108. S'enfuir sans coup frapper. C'est Philippe qui regagna ses bases !

109. Il avait beau les attendre, comme ils savaient que la plupart... Ils s'en retournèrent.

110. Pour organiser les cérémonies comme à tel prince appartient. Le corps d'Henri V resta à Vincennes du 31 août au 15 septembre (jour de l'Exaltation Sainte-Croix).

111. En présence du duc de Bedford, son frère, et du duc d'Exeter, son oncle. Un roi de France aurait été enseveli à Saint-Denis, Henri V ne fit qu'y passer.

112. Et de là à Calais. Le corps arriva à Londres le 5 octobre et fut enseveli le 15 à Westminster. Le Bourgeois ne donne aucun avis sur cette mort. A vrai dire, comme tous les Parisiens, il est plutôt soulagé, ce qui se voit dans la description du retour de Charles VI.

113. Le 19 septembre.

vint le roi de France et la reine à Paris, qui moult* avaient été grand pièce[114] à Senlis; et moult fut le peuple de Paris joyeux de leur venue et criaient, parmi les rues où ils passaient, moult hautement « Noël ! » et faisaient bien signe que moult aimaient leur souverain seigneur[115] loyalement.

359. Item, ils firent au soir des feux parmi Paris, et dansaient et montraient signe de liesse moult grande de la venue dudit seigneur.

360. Item, le samedi ensuivant après la venue du roi et de la reine, qui fut le 25e jour de septembre l'an 1422, fut décollé* et écartelé ès Halles de Paris un nommé messire de Boqueaux[116], chevalier et grand terrien et grand seigneur, lequel était de la maudite bande un des souverains[117], et connut et confessa que par lui était ou avait été tué et meurtri, de laboureurs et au[tres, [plus] de 600 à 700 hommes[118], sans* ce qu'il avait bouté feux*, pillé églises, efforcé* pucelles et femmes de religion[119] et autres, et si fut le principal[120] de piller la ville de Soissons.

361. Item, le 21e jour du mois d'octobre, vigile des onze mille Vierges[121], trépassa de ce siècle le bon roi Charles[122], qui plus longuement régna que nul roi chrétien dont on eût mémoire, car il régna roi de France quarante-trois ans. Et fut en (son) hôtel de Saint-Pol comme il était trépassé dedans son lit en sa chambre, le visage trétout* découvert deux ou trois jours[123], la croix au pied de son lit, et bel luminaire; et là le voyait chacun qui voulait, pour prier pour lui.

---

114. Longtemps.

115. Ce souverain seigneur est-il Charles VI ou le jeune Henri VI? Le Bourgeois semble considérer que Charles VI retrouve sa place avec la mort d'Henri V.

116. Raoul de Boqueaux, chambellan du roi et capitaine de Choisy-sur-Oise s'était emparé de Soissons en 1418. Il avait été fait prisonnier lors de la prise de Choisy à l'automne de 1422.

117. Un des chefs des Armagnacs.

118. C'était un routier. Il est bien difficile de juger de la pertinence des aveux. Il a été torturé et il a dit ce qu'on voulait qu'il dise.

119. Le plus grave, ce sont les pucelles puis les femmes de religion. Pour les autres, ce n'est guère la peine d'en parler. Sur le viol, le Bourgeois a des opinions et des classifications très classiques.

120. Le principal (responsable) du pillage de Soissons.

121. Soit le 20 octobre.

122. C'est très différent du récit pour Henri V. Charles VI a été un bon roi, il l'a été longtemps (quarante-trois ans depuis 1380).

123. L'exposition du corps du roi permet de lui rendre les honneurs et de

362. Item, il fut ordonné à Saint-Pol, comme à tel prince appartenait, et y mit-on, tant pour l'ordonnance comme pour attendre aucuns des seigneurs du sang de France[124] pour le compagner[125] à mettre en terre ; car il fut à Saint-Pol depuis le jour de son trépassement devantdit jusqu'au 11e jour de novembre ensuivant[126], jour Saint-Martin. Mais oncques n'y eut à l'accompagner celui jour nul du sang de France quand il fut porté à Notre-Dame de Paris ni en terre, ni nul seigneur qu'un duc [d'Angleterre], nommé le duc de Bedford[127], frère de feu le roi Henry d'Angleterre, et son peuple et ses serviteurs[128], qui moult faisaient grand deuil pour leur perte, et espécialment le menu commun de Paris criait quand on le portait parmi les rues : « Ah ! très cher prince, jamais n'aurons si bon [prince], jamais ne te verrons. Maudite soit la mort ! jamais n'aurons que guerre, puisque tu nous as laissés. Tu vas en repos, nous demeurons en toute tribulation et en toute douleur, car nous sommes bien taillés que nous ne soyons en la manière de la chétivaison[129] des enfants d'Israël, quand ils furent menés en Babylonie. » Ainsi disait le peuple en faisant grandes plaintes, profonds soupirs et piteux.

363. *Item, la manière comment il fut porté à Notre-Dame de Paris.*

Il y avait (sept prélats) tant évêques que abbés, dont les quatre avaient la mitre blanche, dont l'un était l'évêque de Paris nouvel[130], car il avait chanté premièrement à Paris le jour de la Toussaint comme évêque[131], lequel attendit le corps du roi à l'entrée de Saint-Pol pour lui donner de l'eau bénite au partir

---

prier pour lui. La population parisienne se sent concernée, elle ne l'était pas pour la mort d'Henri V.

124. La présence de la famille royale pose évidemment problème puisque le dauphin et les princes de son camp ne peuvent venir.

125. L'accompagner.

126. Du 22 octobre au 11 novembre. Il avait été embaumé puis remplacé par un mannequin funéraire.

127. Jean, duc de Bedford, frère d'Henri V régent de France et époux d'Anne de Bourgogne. Philippe de Bourgogne, qui ambitionnait aussi le titre de régent, s'était abstenu.

128. Le peuple et les serviteurs de Charles VI.

129. Captivité.

130. Jean de La Rochetaillée, patriarche de Constantinople, venait de remplacer Courtecuisse, transféré à Genève.

131. Fait sa première messe comme évêque.

hors dudit lieu[132] ; et tous les autres entrèrent dedans ledit lieu, sinon lui, c'est à savoir, tous les mendiants, l'Université en son état, tous les collèges, tout le Parlement, le Châtelet, le commun, et lors fut apporté hors de Saint-Pol. Quand tout fut assemblé, lors commencèrent les serviteurs tel et si grand deuil, comme devant est dit.

364. *La manière comment il fut porté à Notre-Dame et à Saint-Denis et enterré.*

Il fut porté tout en la manière qu'on porte le corps Notre Seigneur à la fête Saint-Sauveur[133], et un drap d'or sur lui porté (à)[134] quatre proches ou à six ; et le[135] portaient les serviteurs sur leurs épaules, et étaient bien trente ou plus, car il pesait bien, comme on disait.

365. Item, il[136] était haut comme une toise, largement couché en envers en un lit, le visage découvert ou sa semblance, couronné d'or, tenant en une de ses mains un sceptre royal, et en l'autre une manière de main faisant la bénédiction de deux doigts[137], et étaient dorés et si longs qu'ils advenaient[138] à sa couronne.

366. Item, tout devant[139] allaient les mendiants, l'Université ; après, les églises de Paris ; après, Notre-Dame de Paris et le Palais après ; et chantaient ceux-là et non autres. Et tout le peuple qui était en mi les rues et aux fenêtres pleurait et criait, comme si chacun vît mourir là rien[140] que plus aimât, et vraiment leurs lamentations [étaient] assez semblables à celles de Jérémie le prophète qui criait au dehors de Jérusalem, quand elle fut détruite : « *Quomodo sedet sola civitas plena populo*[141]. »

---

132. Jeter de l'eau bénite sur le corps à la sortie de l'hôtel Saint-Pol.
133. L'Eucharistie lors de la Fête-Dieu. Il veut dire sous un dais.
134. Par.
135. Le cercueil surmonté de l'effigie.
136. C'est un mannequin de bois à figure et mains en cire peinte.
137. Une main de justice.
138. Qu'ils touchaient à.
139. Le Bourgeois donne ici l'ordre du cortège.
140. Comme s'il vit mourir (la personne) que plus il aimait.
141. Début des Lamentations de Jérémie sur Jérusalem. Le texte de Jérémie n'est pas neutre : « Comment consoler cette ville populeuse ? Voilà que cette reine de nombreuses terres est veuve, voilà qu'elle qui dirigeait tant de provinces, elle est soumise à autrui ! »

367. Item, là avait sept crosses, c'est à savoir, l'évêque de Paris nouvel, celui de Beauvais[142] et celui de Thérouanne[143], l'abbé de Saint-Denis[144], celui de Saint-Germain-des-Prés[145], celui de Saint-Magloire[146], celui de Saint-Crépin et Saint-Crépinien[147], et étaient les prêtres et clercs tous d'un rang, les seigneurs du Palais, comme le prévôt, le chancelier et les autres de l'autre rang ; et devant y avait 250 torches que les pauvres serviteurs portaient, tous vêtus de noir, qui moult [fort] pleuraient, et un peu devant y avait dix-huit crieurs de corps[148].

368. Item, il [y] avait vingt-quatre croix de religieux[149], et d'autres sonnant leurs cloches [devant]. Ainsi fut porté, et était après le corps tout seul le duc de Bedford, frère de feu le roi Henry d'Angleterre, qui tout seul faisait le deuil[150], ne quelque homme du sang de France n'y avait. Ainsi fut porté ce lundi à Notre-Dame de Paris, où il (y) avait deux cent cinquante torches qui toutes étaient allumées. Là furent dites vigiles, et lendemain bien matin sa messe, et après sa messe fut porté en la manière devant dite à Saint-Denis, et fut après son service enterré emprès* son père et sa mère[151], et y alla de Paris plus de dix-huit mille personnes, tant petits que grands, et fut faite une donnée[152] à tous de huit doubles[153], qui pour lors valaient deux deniers tournois la pièce, et [il n'y] avait pour lors plus grande monnaie, ni plus petite, ce n'était or.

369. Item, on donna à dîner à tous venants, et fut le mercredi qu'il fut enterré ; et quand il fut enterré et couvert, et que l'évêque de Paris, qui avait dit la messe, et son diacre

---

142. Pierre Cauchon, évêque de Beauvais, qui jugea Jeanne d'Arc.
143. Louis de Luxembourg, futur archevêque de Rouen.
144. Jean de Bourbon de la Boulaye (1418-1430), successeur de Philippe de Villette.
145. Jean Bourron (1419-1436).
146. Pierre Louvel (1417-1447).
147. Jean de Servaville, abbé de Saint-Crépin de Soissons.
148. Les crieurs des morts.
149. Vingt-quatre monastères étaient représentés.
150. Le Bourgeois ne trouve pas cela normal.
151. Dans la chapelle Saint-Jean-Baptiste auprès de Charles V et de Jeanne de Bourbon.
152. C'est une distribution d'aumônes.
153. Le double argent (2 deniers) est la seule monnaie d'argent qui a alors cours officiel.

l'abbé de Saint-Denis et le sous-diacre l'abbé de Saint-Crépin, qu'ils eurent dit les commandaces[154] des Trépassés, un héraut cria hautement que chacun priât pour son âme, et que Dieu voulût sauver et garder le duc Henry de Lancastre, roi de France et d'Angleterre[155] ; et, en criant ce cri, tous les serviteurs du roi trépassé tournèrent dessus dessous leurs masses, leurs verges, leurs épées[156], comme ceux qui plus n'étaient officiers.

370. Item, le duc de Bedford, au revenir, fit porter l'épée du roi de France devant lui[157], comme régent, dont le peuple murmurait fort, mais souffrir à cette fois le convint.

371. Item, à tel jour proprement, le jour Saint-Martin d'hiver, et à telle heure comme il entra à Paris au revenir de son sacre[158], au 43e an de son règne, fut-il porté enterrer à Saint-Denis le jour Saint-Martin d'hiver ; et disaient aucuns anciens qu'ils avaient vu son père venir du sacre[159], et vint en état royal, c'est à savoir, tout vêtu d'écarlate vermeille, de housse, de chaperon fourré, comme à état royal appartient ; et en telle manière fut porté enterrer à Saint-Denis. Et aussi, comme on disait, avait été cestui roi[160] à son sacre ainsi ordonné de souliers d'azur semés de fleurs de lis d'or, vêtu d'un manteau de drap d'or vermeil, fourré d'hermines, et comme chacun le put voir ; mais plus noble compagnie [eut] à son sacre qu'il n'eut à son enterrement. Et son père eut aussi noble compagnie ou plus à son enterrement qu'à son sacre, car il fut porté [enterrer] de ducs et de comtes, et non d'autre gent, qui tous étaient vêtus

---

154. Prières pour recommander à Dieu les trépassés.

155. Proclamation du nouveau roi Henri VI.

156. Les masses, verges et épées sont mises à l'envers car la mort du roi interrompt les offices jusqu'à ce que le successeur renomme les officiers ou en choisisse d'autres.

157. Le port devant Bedford de l'épée joyeuse est symbole de l'entrée en fonction du nouveau régent. On ne couronne pas un régent, le rite d'entrée est donc indéterminé. Si le peuple murmure, c'est qu'il espérait Philippe de Bourgogne dans ce rôle.

158. Charles VI avait fait sa première entrée à Paris le 15 novembre 1380. Il fut enterré le même jour.

159. Charles V sacré en 1364. Pour s'en souvenir, soixante ans après, il faut être vraiment très âgé. Il aurait été vêtu de pourpre à son entrée comme à sa mort.

160. Charles VI fut sacré et enterré en habit héraldique (robe fleurdelisée).

[des] armes de France, et y avait plus de prélats, de chevaliers et d'écuyers de renommée qu'il n'y avait à compagner ce bon roi à ses darrains* jours de toutes gens, de quelque état que ce fût[161]. Et vu ce, les grandes lamentations que le pauvre peuple faisait de si débonnaire (prince) avoir perdu, et le peu d'amis qu'ils avaient, et la foison d'ennemis, n'est pas merveille s'ils doutaient[162] moult la fureur de leurs ennemis et s'ils disaient la lamentation Jérémie le prophète: « *Quomodo sedet sola civitas.* » Et car toujours faisaient iceux ennemis de pis en pis*, et convint en ce temps abattre le castel de Beaumont[163], et fut abattu. Item, en décembre, les blancs de deux blancs en la première semaine furent criés à prendre partout, un peu devant Noël.

372. Item, en icelui temps, fut démis le prévôt de Paris devant nommé, qui avait été bailli de Vermandois, et fut élu un nommé messire Simon Morhier[164], chevalier.

[1423]

373. Item, en icelui temps, le premier jour de l'an, prirent les Armagnacs le pont de Meulan[1], qui tant coûta que Dieu le sait; car il les convint assiéger, et ils se tinrent fort et puissamment, et coururent jusqu'à Mantes souvent piller et rober*, ou ailleurs, comme accoutumé l'avaient.

374. Item, le dixième jour après qu'ils eurent pris Meulan, à la conjonction du mois de janvier, le 12e jour, fit le plus âpre

---

161. L'enterrement de Charles V fut une très grande cérémonie où tout le sang de France était là d'où le contraste avec Charles VI, si peu accompagné.

162. Il n'était pas étonnant qu'ils redoutassent.

163. Le château de Beaumont-sur-Oise fut abattu sur l'ordre du duc de Bedford.

164. Simon Morhier, maître d'hôtel d'Isabeau, fut prévôt de Paris du 1er décembre 1422 au 14 avril 1436. Il se fixa ensuite à Rouen.

1. Le pont de Meulan fut pris le 14 janvier par Jean de Graville et Yvon de Garancières. Il fut confié à Louis Paviot.

froid qu'homme eût vu faire ; car il gela si terriblement, qu'en moins de trois jours, le vin aigre, le verjus[2] gelait dedans les caves et celliers, et pendaient les glaçons ès voûtes des caves ; et fut la rivière de Seine, qui grande était, toute prise, et les puits gelés en moins de quatre jours, et dura cette âpre gelée 18 jours entiers. Et si avait tant neigé avant que cette âpre gelée commençât environ un jour ou deux devant, comme on avait vu trente ans devant ; et, pour l'âpreté de cette gelée et de la neige, il faisait si froid que personne ne faisait quelque labeur que souler, crocer, jouer à la pelote[3] ou autres jeux pour soi échauffer ; et vrai est qu'elle fut si forte qu'elle dura en glaçons, en cours, en rues, près des fontaines, jusque près de la Notre-Dame en mars. Et vrai est que les coqs et gélines* avaient les crêtes [gelées] jusqu'à la tête.

375. Item, en icelui mois [de février], furent sermentés[4] tous ceux de Paris, c'est à savoir, bourgeois, ménagers*, charretiers, bergers, vachers, porchers des abbayes, et les chambrières et les moines même, d'être bons et loyaux au duc de Bedford, frère de feu Henry roi d'Angleterre, régent de France, de lui obéir en tout et partout, et de nuire de tout leur pouvoir à Charles qui se disait roi de France[5] et à tous ses alliés et complices. Les uns de bon cœur le firent, les autres de très mauvaise volonté.

376. Item, en icelui temps, cuidèrent* les Armagnacs faire lever le siège qui devant le pont de Meulan était, mais ils n'osèrent, pour ce que trop peu étaient et moult doutaient* les communes qui trop les haïssaient, et à bonne cause était, car tous les pires Sarrasins de ce monde ne leur eussent pas fait plus de tyrannie qu'ils faisaient quand ils les prenaient[6]. Et quand ils virent la puissance dudit régent, si lui mandèrent

---

2. Sorte de vinaigre.

3. Jouer à la soule, à la marelle et à la pelote.

4. Obligés de prêter serment au traité de Troyes et en conséquence de reconnaître Henri VI comme roi et Bedford comme régent. Il est rare qu'on fasse jurer ainsi l'ensemble des chefs de famille, mais le gouvernement anglais était fort mal assuré. Le serment s'étendit même aux ecclésiastiques.

5. La mort de Charles VI a fait du dauphin un roi encore plus encombrant. Les Anglais ne lui reconnaissent évidemment pas cette qualité.

6. Les communes avaient raison de haïr les Armagnacs car ceux-ci, quand ils s'emparaient de l'un d'entre eux, se montraient tyranniques envers lui.

journée de bataille au vendredi, 26e jour de février. Et la semaine devant celui jour, on ne cessait jour et nuit de prendre gens à Paris, qu'on soupçonnait [d']être de leur parti[7], et étaient mis en prisons.

377. Item, en cette semaine on fit quatre jours ensuivant processions, et ne fit homme à Paris quelque labeur en ces jours.

378. Item, quand ce vint à la journée que combattre se devaient les Armagnacs, vint à quatre lieues près ou environ un comte d'Écosse[8] qui était bien accompagné, mais il attendait le secours de Tanguy du Châtel, qui lui avait promis qu'il le secourrait, mais il lui joua de ce métier dont Ganelon joua à son vivant[9], car il n'y vint ni n'y envoya. Quand ce vit le comte d'Écosse qu'il fut trahi, si se retrait* le plus bel qu'il put pour sauver ses gens et lui vers le pays des Armagnacs, et là eut grande tançon* entre lui et Tanguy et grosses paroles ; par quoi ledit comte se partit de leur compagnie et s'en alla en son pays[10]. Et ceux de Meulan qui dedans étaient assiégés, ne surent comment se conseiller ; car bien aperçurent que Tanguy, en qui ils se fiaient le plus, les avait trahis. Si se fièrent peu au demeurant[11] des Armagnacs, car ils n'avaient à manger sinon peu, et bien savaient que les communes les haïssaient très mortellement, comme ceux qui bien avaient desservi [à eux[12]], comme devant est dit, de leur cruauté et tyrannie. Si n'osèrent attendre plus, ni eux fier en leur fortune, ains se rendirent bon gré mal gré à la volonté du duc de Bedford, régent, lequel les

7. Le complot de Michel de Lallier, pour livrer la ville à Charles VII, découvert à la fin de 1422, motiva de nombreuses mesures de rigueur.

8. James Stuart, comte de Buchan, fils du duc d'Albany régent d'Écosse, était connétable de France depuis la bataille de Beaugé. Il fut tué à Verneuil en 1424. Il amenait des secours à Meulan.

9. Tanguy joua le rôle de Ganelon (le traître de *La Chanson de Roland).* Il est possible que Buchan se soit mal entendu avec Tanguy ou que la manœuvre ait été simplement ratée. Mais Tanguy était la bête noire du Bourgeois. Il sauva le dauphin en 1418 et participa au meurtre de Montereau.

10. Il fut envoyé par Charles VII en Écosse pour recruter et amener une nouvelle armée qui fut confiée au comte de Douglas.

11. Ils se fiaient peu aux autres Armagnacs.

12. Les communes les haïssaient parce qu'ils les avaient traitées avec cruauté.

prit tous à merci le premier jour de mars l'an 1423[13], parce qu'à grande foison étaient gentilshommes, car ils étaient bien de cent à quatre-vingts cottes d'armes. Si soi pensa que moult* appétissait[14] la puissance des autres et que la sienne croîtrait, dont il fut déçu, car aussitôt qu'ils purent issir*, ils ne tinrent oncques foi ou serment qu'ils eussent fait[15], mais firent pis* qu'ils n'avaient fait devant, dont le peuple fut moult à malle* paix[16], mais à souffrir le convint.

379. Item, en avril ensuivant après Pâques qui furent le 4e jour d'avril l'an 1423, fut fait un grand conseil en la cité d'Amiens[17] de nos seigneurs, et là firent mariage et alliances de maintenir la guerre contre les Armagnacs, et fut donnée la sœur du duc de Bourgogne au régent de France[18]. Et après leurs dits mariages vinrent à Paris, c'est à savoir, le duc de Bedford, le comte de Salisbury, le comte de Suffolk[19] et plusieurs autres seigneurs [d'Angleterre; ni n'y vint quelque seigneur] de France, sinon Anglais, lesquels menaient le plus grand état de vêture et de joyaux qu'on eût oncques[20] vu d'âge d'homme nul, ni nul ne s'entremettait du gouvernement du royaume qu'eux[21].

380. Item, en celui an, furent tous les figuiers, romarins, les

---

13. Ce fut une composition dont les Armagnacs sortirent moyennant une promesse de neutralité qu'ils ne tinrent pas.

14. Il pensa en lui-même que cela diminuait fort...

15. Qu'ils avaient fait lors du traité de composition.

16. Dont le peuple eut mauvaise paix et à souffrir lui convint.

17. 4 avril 1423 : entrevue d'Amiens entre le duc de Bourgogne, le duc de Bretagne Jean V et le duc de Bedford. On y passa un traité d'assistance mutuelle où chacun promettait 500 hommes d'armes aux autres.

18. Il y eut deux mariages. Anne de Bourgogne épousa le duc de Bedford en juin 1423. Jusqu'à sa mort, le 13 novembre 1432, elle fut le meilleur atout de l'alliance anglo-bourguignonne. Le frère du duc Jean V, Arthur de Richemont, épousa Marguerite de Bourgogne, veuve du duc de Guyenne, en octobre.

19. Thomas de Montaigu, comte de Salisbury, fut tué au siège d'Orléans en 1428. William de la Pole, comte de Suffolk, fut gouverneur du Chartrain en 1423. Il combattit à Cravant et à Verneuil.

20. Ce sont ici de nettes critiques. Les Anglais se remplissent les poches avec les rançons et les profits multiples qu'ils font sur le continent. Ils étalent donc une opulence choquante.

21. Nul ne se mêlait... Les Parisiens auraient bien vu des seigneurs bourguignons participer au gouvernement.

treilles des marais et très grande partie des vignes toutes gelées et des noyers[22], de la gelée devant dite, espécialment tout ce qui était dehors de la terre, et environ la mi-mai commencèrent à jeter de terre[23].

381. Item, en cet an 1423, la 2e semaine de juin, allèrent les Anglais devant Orsay[24] qui tant avait fait de mal en France, espécialment autour de Paris, de toute part ; car les larrons qui étaient dedans le chastel, étaient pires que Sarrasins qui oncques fussent. Et n'est nul qui crût[25] la douleur et la tyrannie qu'ils faisaient souffrir aux chrétiens qu'ils prenaient, car, premier, nul n'échappait d'eux quand ils le prenaient qu'il ne perdît quand il avait, s'ils pouvaient[26] ; et, après cette cruelle rançon, quand ils avaient tout ce que les pauvres gens ou les riches pouvaient finer*, les faisaient-ils aucunes fois mourir de faim ou d'autre cruelle mort. Et pour ce, aussitôt qu'on mit le siège devant, ceux de Paris et des villages d'entour y allèrent de bon cœur, et fut assiégé ledit chastel moult âprement. Moult se défendirent les larrons qui dedans étaient, car bien avaient de quoi, car grand temps avait qu'ils n'avaient fait que gagner par roberies[27], mais leur défense rien ne leur valut, car avant huit jours ensuivant ils furent si honteusement pris qu'ils furent amenés à Paris, chacun un chevestre* dedans le cou bien étroit fermé[28], accouplés l'un à l'autre, comme chiens, venant à pied depuis ledit chastel jusqu'à Paris, et étaient environ cinquante, sans* les femmes et petits pages.

382. Item, ceux qu'on tenait à gentilshommes[29] venaient un peu après les devant dits et n'avaient point de corde au cou, mais ils tenaient chacun en la dextre main une épée toute nue par le milieu de la lamelle ou environ[30], la pointe contre la poitrine en signe de gens rendus à la volonté du prince ; et

---

22. La plupart des vignes et des noyers.
23. Les parties non gelées ne repoussèrent que vers le 15 mai.
24. Orsay, au sud de Paris, fut assiégée par le comte de Salisbury et elle fut prise fin juin 1423.
25. Verbe croire.
26. Qu'il ne perdit pas tout ce qu'il avait, s'ils pouvaient (le lui prendre).
27. Faire des gains en volant.
28. Une corde de chanvre autour du cou.
29. Ceux dont on pensait qu'ils étaient nobles.
30. Par le milieu de la lame, la pointe contre la poitrine. C'est le signe que leur vie est à la merci de celui qui les a pris.

furent amenés le jour Saint-Gervais et Saint-Protais qui fut cette année au samedi[31].

383. Item, tantôt après fut faite une grosse taille et emprunt, qui fit tant de grief* aux pauvres gens, que très grande foison s'en allèrent hors de Paris demeurer[32].

384. Item, la derraine* semaine du mois de juillet, fut ordonné par l'évêque de Paris[33] que nulle femme ne serait au chœur du moutier[34] quand on ferait le divin office, ni nul homme bigame ou sans couronne[35] ne toucherait aux reliques, ni à quelque chose qui fût sacrée ou bénite, ni ne servirait le prêtre à l'autel, mais ce ne dura guère.

385. Item, en ce temps fut faite monnaie noire de trois tournois la pièce, qu'on n'osa faire oncques courir, pour ce que celle de deux tournois était blanche et celle de trois tournois noire[36] ; le peuple en fut si mal content qu'il la convint laisser, et si était [toute] assenniée[37].

386. Item, en ce temps venaient à Paris les loups toutes les nuits, et en prenait-on souvent trois ou quatre à une fois, et étaient portés [parmi Paris] pendus par les pieds de derrière, et leur[38] donnait-on de l'argent grande foison.

---

31. La fête de saint Gervais et de saint Protais le 18 juin. La duchesse de Bedford fit relâcher les prisonniers, ce dont le Bourgeois, probablement hostile à cette clémence, ne dit rien.

32. L'évasion fiscale la plus efficace consiste à ne plus habiter dans les villes bien contrôlées et où on ne peut éviter l'impôt. Ici, de plus, la taille destinée à chasser les Armagnacs des forteresses du Bassin parisien semble n'avoir été perçue qu'à Paris.

33. Jean de Rochetaillée, évêque de Paris de 1422 à 1423.

34. Dans le chœur de l'église durant la messe. Les femmes restaient dans la nef.

35. Tonsure. Les clercs et les laïcs menant bonne vie auraient seuls accès au chœur et au service de la messe. Bigame : veut dire simplement remarié. L'Église était encore assez réticente vis-à-vis des secondes noces qui posaient un problème pour le paradis où un seul homme se retrouverait nanti de plusieurs épouses !

36. Des deniers noirs valant 3 tournois ou 2 parisis, fabriqués en septembre 1423. Il est anormal que la monnaie de 2 tournois soit plus blanche que celle de 3 tournois (valant moins, son aloi aurait dû être pire).

37. Verbe assigner. Cette monnaie déjà fabriquée ne fut pas mise en circulation. Elle était frappée.

38. A ceux qui les avaient attrapés et promenaient leur peau dans les rues.

387. Item, le jour de l'Invention Saint-Étienne, 3e jour d'août, fut faite grande fête à Paris au soir, comme de faire grands feux, danser tout ainsi comme à la Saint-Jean[39] ; mais c'était moult piteuse chose à penser pourquoi la fête se faisait[40], car mieux on dût avoir pleuré, car, comme on disait que 3 000 ou plus furent morts des Armagnacs par armes et quelque 2 000 pris et quelque 1 500 noyés[41] pour eschiver* la cruelle mort que ceux qui les suivaient[42] leur promettaient. Or, voyez, quel dommage et quelle pitié par toute chrétienté, car peu d'iceux qui ainsi sont morts ont petite souvenance de leur Créateur à l'heure[43], et ceux qui les occient* aussi peu[44], car le plus n'y vont que pour la convoitise, et non point pour l'amour de leurs seigneurs dont ils se renomment, ni pour l'amour de Dieu, ni pour charité aucune, dont ils sont tous en péril d'être honteusement morts au siècle, et les âmes à perdition.

388. Item, quans[45] lieux demeurés inhabités, comme villes, châteaux, moutiers, abbayes et autres, hélas ! hélas ! quans orphelins on peut en terre chrétienne trouver, et quantes pauvres femmes veuves et chétives par telles occisions. Hélas ! si un chacun de nous regardait [bien] si une telle[46] douleur nous était advenue ou promise, comme grande douleur et comme

---

39. Le 24 juin où l'on fait les feux de la Saint-Jean et où la jeunesse danse autour.

40. La raison de la fête était très pitoyable. La bataille de Cravant eut lieu le 31 juillet 1423, ce fut un désastre pour les troupes du dauphin.

41. C'est la première fois qu'une défaite armagnacque le fait pleurer : 3 000 morts et 2 000 prisonniers. Les chiffres sont les mêmes dans les autres chroniques. L'armée du connétable James Stuart fut anéantie.

42. Poursuivaient.

43. A l'heure (de la mort).

44. Verbe occire : tuer. Ceux qui tuent et ceux qui sont tués oublient Dieu. L'Église hésite à envoyer les morts au combat au paradis. Ils y vont en effet pour les soldes, et non pour l'amour de leurs seigneurs dont ils se réclament. Faire la guerre pour de l'argent est encore mal vu de l'opinion publique, bien que ce soit le cas de toutes les armées depuis 1350. Le Bourgeois n'admet que le service vassalique, et encore.

45. Combien de... Le Bourgeois est très sensible à la terre brûlée et aux malheurs de la population civile.

46. Si une douleur comparable nous avait frappés comme nous aurions grandes douleurs... et volonté de nous venger. Il se met dans la peau des Armagnacs. Le désastre des uns provoque des rancœurs, lesquelles entraînent désastres nouveaux pour les autres et poursuite de la guerre.

grande haine nous percerait les cœurs de nos ventres, et comme grande volonté nous aurions d'en être vengés, et tout, pour ce que nous n'avons nul regard au temps qui est à venir, lequel est moult douteux[47] tant au regard de cruelle mort par vengeance divine, pour la joie que nous avons du mal d'autrui et de la destruction dont on nous peut tous juger homicides, car on dit que bonne volonté est réputée pour fait[48]. Et si dit Notre Seigneur par la bouche de l'apôtre : « Qui de glaive ferra*, de glaive mourra[49] ! » Nous faisons semblant, comme fit Calchas, un devin de Troie la grande, lequel alla à son dieu qui était nommé Apollon par le congé du roi Priam, pour demander lesquels seraient vaincus ou ceux de la grande Troie ou les Grecs, si lui fut répondu qu'en la fin Troie serait détruite, pourquoi il laissa sa cité et [ses amis], et s'en alla par devers les Grecs, et leur dit la réponse d'Apollon, par quoi ils lui firent moult grande joie pour cette fois pour la réponse [d'Apollon]. Auquel Apollon le diable conversait[50] qui dit à Calchas que les Grecs vaincraient, mais il leur cela* la très grande douleur qui leur en advint[51], car tous périrent, car très peu en échappa, que tous ne fussent occis* ou périllés en mer à leur retour[52], ni Calchas n'eut oncques puis joie qu'un peu, quand il vint avec les Grecs, ni oncques puis on ne se fia en lui. Or voyez quelle douleur il en advint aux deux parties pour vouloir avoir vengeance, car l'Écriture[53] témoigne que là moururent par glaive ou par feu plus de vingt-deux milliers d'hommes, dont très grande partie d'Orient demeura veuve [et orpheline] de toute chevalerie, car peu ou néant en échappa qui pût rapporter les nouvelles pleines de douleurs en son pays. Et pour ce pour l'amour de Dieu ayons pitié de nous-mêmes, en craignant la main de Notre Sauveur Jésus-Christ, car nul ne sait qu'à

---

47. Redoutable.
48. Approuver le malheur d'autrui ou s'en réjouir est comme le faire. Donne, de la sorte, une part de responsabilité.
49. « Qui frappera par l'épée mourra par l'épée. » Apocalypse, XIII, 10.
50. Le Diable inspirait Apollon, car...
51. Peu de Grecs réchappèrent de la guerre de Troie.
52. En péril. Il fait allusion au retour difficile d'Ulysse.
53. L'Écriture ne parle pas de la guerre de Troie. Il suit Dares ou Ditis très connus au Moyen Age qui en résumèrent les épisodes. L'Écriture signifie ici simplement le récit ou encore l'*Histoire de destruction de Troie*, de Guido da Columna.

l'œil lui pend[54], car à telle mesure que nous mesurons nous serons mesurés[55].

389. Item, la derraine* semaine d'août, vint le duc de Bourgogne à Paris[56] à petit preu* pour le peuple, car il avait grande compagnie qui tout degâtait aux villages d'entour Paris, et les Anglais aussi y étaient. En icelui temps, le vin était très cher plus que longtemps n'avait été, et il y avait très peu de raisins ès vignes, et encore ce peu dégâtaient lesdits Anglais et Bourguignons, comme eussent fait porcs[57], et n'était nul qui en osât parler. Ainsi était le peuple gouverné par la malle* et convoiteuse volonté des gros, qui gouvernaient Paris, qui toujours étaient avec les seigneurs[58], et n'avaient nulle pitié du pauvre peuple qui tant avait de pauvreté. Mais firent lesdits gouverneurs, pour complaire aux seigneurs, à un lundi, 6e jour de septembre, après dîner, environ trois heures, crier la monnaie que trois doubles ou niquets ne vaudraient qu'un blanc[59], qui devant valaient six tournois; dont le peuple se troubla moult, et de ce advint qu'on ne put, cette journée ni lendemain, ni pain ni vin à Paris pour son argent finer*.

390. Item, en ce temps, les Anglais prenaient aucunes fois* une forteresse sur les Armagnacs au matin, et si ils en perdaient aucunes fois* deux au soir, ainsi durait la guerre[60] de Dieu maudite.

391. Item, en ce temps, au mois de septembre, fit tant l'évêque de Paris, qui était patriarche, qu'il fut archevêque de Rouen par faute de suffisance[61], et le jour Saint-Denis ensui-

---

54. Nul ne sait ce qui lui pend au nez.

55. « On nous traitera comme nous traitons les autres. » Il accumule ici les proverbes.

56. Philippe le Bon séjourna à Paris du 27 août 1423 au 23 février 1424.

57. Les Anglais et les Bourguignons sont comparés à des troupeaux de porcs détruisant les récoltes.

58. Les gros (bourgeois riches de Paris) s'entendent avec les seigneurs (anglo-bourguignons) pour opprimer le pauvre peuple.

59. Les doubles deniers de 3 tournois. L'ordonnance du 6 septembre 1423 prévoit que 3 doubles ne vaudront que 1 petit blanc de 5 deniers tournois (au lieu de 6 deniers tournois). Elle vise à éviter la contrefaçon par les monnaies delphinales.

60. Le Bourgeois commence depuis Cravant à se rendre compte qu'il n'y a pas de victoire possible dans cette guerre qui s'éternise.

61. Jean de La Rochetaillée devint archevêque de Rouen en août 1423. Il prétendait n'avoir pas reçu certification officielle et refusait en conséquence d'abandonner Paris.

vant, 9e jour d'octobre, fut fait un autre évêque de Paris nommé Jean de Vienne[62].

392. Item, en ce mois de septembre devantdit, eurent journée de bataille ensemble les Armagnacs et les Anglais, et fut en Normandie environ Avranches[63], et furent déconfits* bien 4 000 Anglais tous morts en la place, dont ce fut pitié et [c']est qu'il faut que chrétienté détruise ainsi l'un l'autre[64], et certes ce ne fut pas sans grande destruction des autres, car tout le peuple les avait en trop mortelle haine et les uns et les autres.

393. Item, quand ledit évêque de Vienne fut reçu évêque de Paris, il fit faire quarante jours tout ensuivant procession, que Dieu par sa grâce veuille mettre la paix en la chrétienté et apaiser le temps qui trop était contraire pour les semailles, car il fut bien quatre mois tout entiers ou plus qu'oncques ne cessa de pleuvoir de jour ou de nuit.

394. [Item, en ce temps avait au chastel d'Ivry-la-Chaussée[65] une grande compagnie de larrons qui se disaient Armagnacs ou de la bande, auxquels rien, s'il n'était trop chaud ou trop pesant, ne leur échappait, et, qui pis* est, tuaient, boutaient feux*, efforçaient* femmes et filles, pendaient hommes, s'ils ne payaient rançon à leur guise, ni marchandise nulle par là n'y pouvait échapper].

395. Item, en icelui temps, le monde était [moult] ébahi pour le temps [pluvieux] qui tant durait et le doux temps qu'il faisait. De la Saint-Rémi jusqu'environ la Saint-Thomas l'apôtre[66], faisait si très doux temps, que la violette jaune était aussi commune comme elle a été aucunes fois* en mars, ni ne gela point en icelui temps, et disait chacun qu'hiver était tout passé ;

---

62. Jean de Nant, archevêque de Vienne, fut transféré à Paris par une bulle pontificale et reçu par le chapitre, le 9 octobre. Il récupéra l'hôtel de son oncle, l'amiral Jean de Vienne, et s'y installa jusqu'à sa mort en octobre 1426.

63. Le 26 septembre 1423 Jean d'Harcourt, comte d'Aumale, battit les Anglais commandés par William de La Pole à Gravelle, puis tenta de prendre Avranches. Il y eut 1 500 morts, semble-t-il. William de La Pole fut fait prisonnier.

64. C'est une pitié que les chrétiens se détruisent les uns les autres.

65. Ivry-la-Bataille, dans l'Eure, avait été prise par Gérard de la Pallière au service de Charles VII.

66. Du 9 octobre au 21 décembre.

mais Dieu qui ordonne, et nous devisons[67], commença à faire geler à la Saint-Thomas, et gela de plus en plus fort, et dura jusqu'à la Chandeleur[68] sans cesser. Et en ce temps qu'il gelait si âprement avait si grand marché de choux à Paris qu'on en avait une charretée pour douze blancs, on en avait assez pour quatre ou pour six personnes pour un noiret[69] qui ne valait qu'une poitevine ou environ, et avait-on pois, fèves pour deux sols parisis le boissel*.

396. Item, de fruit à grande abondance et très bon on avait à Noël et après un quarteron de pommes de Romiau ou de Capendu[70] pour quatre deniers et pour moins.

397. Item, en ce temps, toutes gens qui avaient maisons[71] y renonçaient, puisqu'elles étaient chargées de rentes, car nuls des censiers[72] ne voulaient rien laisser de leurs rentes et aimaient mieux tout perdre que faire humanité à ceux qui leur devaient rente[73], tant était la foi petite, et par ce défaut de foi on eût trouvé à Paris de maisons vides et croisées[74] saines et entières plus de vingt-trois milliers où nul n'habitait[75].

398. Item, en ce temps, bien peu après ou devant Noël, fut reprise Compiègne par les Armagnacs[76], et avec ce prirent

---

67. Proverbe : « Dieu ordonne et nous bavardons. » Il l'a déjà utilisé plusieurs fois : « L'homme propose et Dieu dispose. »

68. Il gela du 21 décembre à la Chandeleur, en février.

69. La charretée de choux coûte 12 blancs. On peut acheter assez de choux pour 6 personnes avec un noiret (qui vaut 1 denier poitevin ou 1/2 denier tournois).

70. Ce sont deux variétés de pommes. Un quarteron vaut 25 pommes. Capendu se trouve près de Montpellier. Roumau est situé près d'Albi.

71. Qui étaient propriétaires de maisons obérées par des rentes.

72. Les propriétaires des certificats de rente.

73. Se montrer humains, réduire les rentes ou accorder des délais aux propriétaires des maisons obérées dont les loyers qui baissaient ne couvraient plus le prix des rentes.

74. Dont les fenêtres étaient obstruées par des croisillons (pour éviter qu'on ne s'y installe sans payer).

75. Le grand nombre de maisons vides à Paris ne s'explique pas uniquement par les rentes. La population a beaucoup diminué à cause des nombreux exils politiques et des problèmes de ravitaillement.

76. Compiègne fut reprise par les Armagnacs à Noël 1423. Le prévôt de Paris, Jean Villiers de L'Isle-Adam essaya de la reprendre à la tête des milices parisiennes. Il échoua complètement.

[très] grande foison de blés qu'on amenait à Paris [du pays] de Picardie. Et tantôt que les nouvelles furent sues à Paris, le prévôt de Paris y mena grande foison de gens de Paris pour les assiéger, mais il n'y fit chose dont on doive parler, que gâter finance et donner peine aux pauvres gens.

399. Item, en ce temps n'avait en France nul seigneur, ni nul chevalier de renom, ni Anglais, ni autre[77], et pour ce étaient les Armagnacs si hardis et si entreprenants.

[1424]

400. Item, à l'issue de février, audit an 1424, ce rendirent ceux du Crotoy[1] et ceux de Mont-Aiguillon[2] aux Anglais leurs vies sauves, et s'en allèrent franchement, qui tant de maux avaient fait, car ils s'étaient tenus plus d'un an[3].

401. Item, en ce temps rien ne se faisait que par l'Anglais, ni nul des seigneurs de France ne se mêlait du gouvernement du royaume[4]. En icelui temps était la reine de France demeurante à Paris[5], mais elle était si pauvrement gouvernée qu'elle n'avait tous les jours que huit setiers de vin tout au plus pour elle et son tinel[6], et le plus de ceux de Paris, qui leur eût demandé : « Où est la reine » ? ils n'en eussent su parler. Tant en tenait-on peu de compte, qu'à peine en challait*-il au peuple, pour ce qu'on disait qu'elle était cause des grands maux et doulcurs[7] qui pour lors étaient sur terre.

---

77. Jean de Bedford était en Angleterre, Philippe le Bon était reparti dans ses États fin février 1423.

1. La place forte du Crotoy se rendit au duc de Bedford le 3 mars 1424.
2. Montaiguillon (entre Paris et Nogent-sur-Seine) fut prise par le comte de Salisbury et démolie.
3. Ils avaient occupé ces châteaux pendant plus d'un an.
4. Il veut dire que le duc de Bourgogne était exclu du gouvernement.
5. Isabeau demeura à l'hôtel Saint-Pol jusqu'à sa mort en 1435. Depuis le traité de Troyes, elle avait perdu toute importance politique.
6. Tinel : train de maison, suite, cortège.
7. Cette mauvaise réputation d'Isabeau est, à l'origine, due à la propa-

402. Item, tout l'hiver et tout le Carême jusqu'après Pâques qui furent le 23e jour d'avril l'an 1424, environ le mai, on alla assiéger Gaillon[8], Sézanne[9], Nangis et autres forteresses, lesquelles furent toutes prises des Anglais, et s'en allèrent les Armagnacs desdits (chastels), leurs vies sauves, sinon ceux de la garnison du chastel de Sézanne, qui furent tous mis à l'épée, et les autres[10] firent pis* la moitié qu'ils n'avaient fait devant.

403. Item, en ce temps, le régent de France fit assiéger à l'entrée de juillet ceux qui étaient dedans Ivry-la-Chaussée qui avaient peu de vivres, et était leur espérance toute d'eux garnir de vivres des biens qui étaient sur terre en celui mois, espécialment de tous blés et de potages[11] pour toute l'année, car de chair avaient-ils toujours assez. Mais on dit bien souvent qu'un pense l'âne et autre l'ânier[12], et Dieu qui mua le propos d'Holopherne[13], tourna leur joie, quand ils cuidèrent* être plus assurés, en tristour*, car ils furent de si près pris, qu'ils n'eurent point de pouvoir de cueillir ni blé, ni vin, ni potage, pour quoi il convint qu'ils traitassent au régent. Et fut leur traité tel[14] qu'ils se devaient rendre à la volonté du prince, s'ils n'avaient dedans quinze jours secours au mois d'août, lequel leur fut accordé, et de ce baillèrent* otages bons et suffisants tous gentilshommes ; car bien étaient audit chastel 400 hommes d'armes tous de renom, si eurent grande espérance au secours

---

gande bourguignonne qui avait accusé la reine de fréquenter de trop près Louis d'Orléans (cf. le Pastoralet). Le traité de Troyes excluant le dauphin de la succession fit naître le soupçon de bâtardise du prince et renforça la légende noire d'Isabeau. La reine semble surtout n'avoir eu aucune capacité politique.

8. Le siège de Gaillon en Normandie, dans la vallée de la Seine, dura jusqu'au 8 juillet. La ville fut alors prise par les Anglais.

9. Sézanne (Marne) près d'Épernay, assiégée par le comte de Salisbury, refusa de se rendre. La garnison fut massacrée et les habitants aussi.

10. Ceux qu'on relâcha (les hommes des autres garnisons) firent bien pis qu'auparavant.

11. De stocker des grains et des légumes.

12. C'est un proverbe. « L'âne pense une chose et son conducteur, l'asnier, une autre. »

13. Dans l'Ancien Testament, Holopherne est le type du guerrier injuste dont Dieu veut la perte.

14. Ils furent assiégés dès le 15 juin par le comte de Suffolk et promirent le 5 juillet de rendre la place s'ils n'étaient pas secourus avant le 15 août.

que point ne leur faudrait[15] audit jour. Si surent les Armagnacs le jour, si firent grande assemblée de toute leur puissance et eux mirent en chemin par devers Chartres, tuant, robant, pillant, prenant hommes et femmes, bref, ils faisaient tout mal. D'autre part, le régent qui était devant le castel d'Ivry-la-Chaussée[16] fit semondre* son ost* partout, et quand ils furent venus, si furent armés à dix milliers tous hommes défensables, lesquels il ordonna moult sagement, car il se mit en une plaine moult belle ; et, par derrière lui avait un tertre moult haut, par quoi il n'avait garde par derrière, car nul ne pouvait bonnement descendre ladite montagne par devers eux sans grand travail. En ce temps, les Armagnacs approchèrent plus et plus l'ost* du régent ; quand il le sut, si fit ordonner ses batailles* et les pria de bien faire, et là les attendit de pied coi[17] en moult belle ordonnance. Les Armagnacs envoyèrent coureurs montés[18] davantage pour aviser l'ost* dudit régent, quand les coureurs virent son ost* en si belle ordonnance, si s'en retournèrent comme gens effrayés à leurs gens, en leur disant que très grande folie serait d'assembler, et que le mieux serait de s'en retourner chacun en sa garnison. Si s'avisèrent puis après ce d'une trahison[19], car ils envoyèrent à une lieue près de l'ost* du régent environ 500 hommes d'armes bien montés et armés, lesquels firent semblant de [venir pour] lever le siège, dont ils n'avaient talent ni hardement[20], et ceux qui étaient dedans le chastel s'enorgueillirent[21] et commencèrent à crier et braire[22], en disant paroles moult vileneuses et dépiteuses au régent et à ses gens, car ils cuidaient* bien à cette fois être secourus et délivrés, quand ils virent les cinq cents hommes, car leur pensée était que ce fût l'avant-garde des Armagnacs, mais autrement était, car ils n'étaient ainsi venus que pour ce que bien savaient que le régent les attendrait en la place ; si ne se bougèrent du lieu où ils étaient, dont les deux osts* pouvaient (se) voir l'un

---

15. Au secours qui point ne leur manquerait.
16. Le duc de Bedford attend l'armée de secours devant Ivry.
17. De pied ferme. Coi : tranquille.
18. Des éclaireurs à cheval.
19. Une ruse de guerre qui leur permettrait de se retirer.
20. Ni la possibilité, ni le courage.
21. S'enorgueillirent.
22. Comme des ânes facilement trompés.

l'autre[23]. Et, cependant que là se tenaient, les Armagnacs faisaient retourner leur charroi et leur train le plus tôt qu'ils pouvaient pour s'enfuir sans rien perdre ni sans coup férir*[24].

404. Quand ceux qui devant l'ost* du régent étaient venus, eurent tant été illec*[25], que bien fut l'ost* à pied éloigné de trois ou quatre grosses lieues, si montèrent[26] moult tôt et s'enfuirent après leurs gens qui tiraient vers le Perche ; et ce jour était lundi, vigile de la Notre-Dame mi-août 1 424[27]. Quand ils furent près de Verneuil au Perche[28], si firent une grande trahison, car ils prirent grande foison de leurs soudoyers écossais[29], qui bien savaient parler le langage d'Angleterre, et leur lièrent les mains, et les mirent aux queues des chevaux, et les touillèrent[30] de sang en manière de plaies, en mains, en bras et en visage, et ainsi les menèrent devant Verneuil, criant et braillant à hauts cris en langage d'Anglais : « Mal vîmes cette douloureuse journée ! quand nous cessera cette douleur ? » Quand les Anglais qui dedans la ville[31] étaient, virent la douleur contrefaite, si furent moult ébahis, et fermèrent leurs portes et se mirent en haut pour défendre leur ville. Et quand les Armagnacs virent ceci, [ils] leur montrèrent le sire de Torcy[32] qui s'était rendu à eux, qui était lié comme les autres par trahison, qui leur dit que toute la chevalerie d'Angleterre

---

23. Les Anglais se gardent de bouger de leur situation favorable et les autres attendent le repli du reste de leur armée.

24. Ce récit est sujet à caution. La même armée affronte une semaine après les Anglais à Verneuil.

25. Ils restèrent là jusqu'à ce que les autres à pied se fussent suffisamment éloignés.

26. A cheval. Pour faire semblant de se battre, ils étaient à pied.

27. Veille de l'Assomption, le 14 août 1424.

28. Verneuil-sur-Avre, dans l'Eure.

29. Les Écossais étaient nombreux dans l'armée delphinale de la garde écossaise du prince aux troupes des comtes de Buchan et de Douglas. Deux connétables de France de suite furent écossais. De nombreuses familles s'implantèrent. Soudoyers : mercenaire soldé.

30. Tacher, barbouiller de sang.

31. De Verneuil.

32. Jean d'Estouteville, seigneur de Torcy, avait dix-neuf ans. Son père était prisonnier en Angleterre. Il devint grand maître des arbalétriers de Charles VII. Joue-t-il la comédie, c'est difficile à savoir.

était morte en celui jour devant Ivry, et que pour néant se tandraient[33], que jamais n'auraient secours, et ce témoignèrent les autres qui bien parlaient anglais, et jurèrent par leur serment qu'ainsi était. Si ne surent comment se conseiller[34], car ils tenaient le sire de Torcy l'un des bons et vrais chevaliers qui fût avec le régent, et voyaient les autres liés aux queues des chevaux, qui parlaient leur langage et leur affirmaient la chose être toute vraie, et si avaient peu de vivres ; si s'accordèrent qu'ils se rendraient, leurs vies sauves ; ainsi leur fut accordé. Mais quand les Armagnacs furent dedans la ville, si firent trop grand mal, car ils mirent tous ceux qu'ils purent attraper à mort[35], et plusieurs femmes et enfants, et se logèrent en la ville et tout leur train[36]. Ceux qui purent [s']échapper s'enfuirent [à] qui mieux mieux, les aucuns arrivèrent en l'ost* du régent, qui moult furent ébahis quand ils virent ceux de l'ost* qui faisaient bonne chère et liée[37], si contèrent leur aventure au régent, et on avait dit au régent qu'ils[38] faisaient semblant de fuir, afin qu'il donnât congé à ses gens, et cette pensée avaient-ils de lui courir [sus], s'il leur eût donné congé ; mais aussitôt qu'il sut la chose, si soi départit et parlementa à ceux du chastel[39] qu'ils avaient pensée de faire, que bien sussent que tous mourraient de malle* mort, s'ils ne se rendaient, si se rendirent à lui, et en fit ce qu'il voulut, il en fit pendre, il en délivra la plus grande partie[40], qui depuis firent tant de maux tant que ce hideux temps dura.

405. Après ce s'émut* ledit régent, duc de Bedford, à tout son ost*, le plus tôt qu'il put, et suivit les Armagnacs jour et

---

33. Qu'ils se battraient pour rien.
34. Les Anglais de Verneuil ne savaient que faire.
35. C'est peu probable. Ils avaient promis la vie sauve à la garnison anglaise qui rejoignit Bedford et ils avaient besoin de l'appui des civils. Ils n'ont pu s'en prendre qu'aux partisans anglo-bourguignons.
36. Avec tous leurs bagages.
37. Bonne chère et joyeuse. Sujet : « ceux de l'ost ».
38. Les Armagnacs.
39. Il parlementa avec les Armagnacs de Verneuil de leurs projets (avortés) et les menaça de mort s'ils ne se rendaient pas.
40. On ne sait sur quels critères, probablement ceux qui n'avaient pas respecté des serments de neutralité (lors d'une capitulation antérieure). C'est normal.

nuit[41], (tant) que, le jeudi d'après la mi-août qui fut au mardi[42], approcha des Armagnacs tant qu'ils [se] virent l'un et l'autre. Quand ils virent le régent, si émurent leur gent et virent qu'ils étaient bien dix-huit mille combattants, et firent épier par leurs hérauts les gens dudit régent, qui dirent par leur foi qu'ils n'étaient pas dix mille au plus[43]. Quand ce ouïrent* les Armagnacs, qui de Lombards avaient grande plante[44] moult bien montés, ils leur dirent : « Nous ordonnerons en telle manière, que vous de Lombardie, qui si bien êtes montés, quand la bataille sera bien émue[45], vous serez 3 000 de vous qui par-derrière eux viendrez, et tuerez tout sans prendre homme à rançon. » À ce s'accordèrent les Lombards, le régent d'autre part ordonna sa bataille*, et fut en une belle plaine, si n'eut de quoi se fermer[46]. Si fit descendre ses gens à pied, et fit lier tous les chevaux de son ost* derrière l'ost*[47], les têtes devers le cul, trois ou quatre d'épais, et tous furent ainsi liés ensemble, [de sorte] que même les chevaux ne se pouvaient mouvoir l'un sans l'autre, car moult étaient court liés. Quand eurent ainsi ordonné les deux osts* leurs batailles*, et qu'ils furent en ordonnance, les Armagnacs, qui moult étaient pécheurs[48], firent demander au régent (ce) qu'il avait en pensée et qu'il vaudrait mieux faire un bon traité que combattre, car moult se doutaient* pour leurs péchés. Le régent tout assuré[49] leur manda que tant de fois avaient leur foi mentie, que jamais on ne les devait croire, et que bien sussent qu'à lui jamais

---

41. Le récit du Bourgeois n'est pas clair. En fait, seule une poignée d'Armagnacs s'est réfugiée à Verneuil. L'armée armagnacque est-elle en fuite ou cherche-t-elle à pénétrer en Normandie ?

42. Le 17 août.

43. D'après les hérauts, il y avait 18 000 Armagnacs et 10 000 Anglo-Bourguignons.

44. Grande quantité de cavaliers légers originaires d'Italie du Nord.

45. Sera en cours.

46. Se protéger sur les côtés ou derrière. Le champ de bataille est parfaitement plat, sans fossés ni collines.

47. C'est une précaution habituelle pour éviter les fuites et le désordre que les chevaux pourraient causer.

48. Pourquoi le seraient-ils plus que les autres ? Ils cherchent à gagner du temps.

49. Sûr de lui. Il convient de justifier ce refus, en principe peu chrétien, de trêves ou de paix.

n'auraient traité ni paix, tant qu'il les eût combattus. Adonq il n'y eut plus parlé[50], les deux osts* vinrent l'un contre l'autre, [et commencèrent à frapper et mallier[51] l'un sur l'autre] de toutes manières d'armures* de guerre qu'on pût penser, de trait ou d'autre chose. Là eussiez ouï* tant douloureux cris et plaintes, tant d'hommes choir* à terre, que puis n'en relevèrent, l'un chasser, l'autre fuir, l'un mort sus, l'autre gésir* à terre gueule baiée[52], tant sang épandu de chrétiens, qui oncques n'avaient vu en leur vivant l'un l'autre[53], et si venaient ainsi tuer l'un l'autre pour un peu de pécune qu'ils [s']en attendaient à avoir[54]. La bataille fut moult cruelle, qu'on ne savait qui en avait le meilleur. Les Armagnacs avaient grande fiance aux Lombards qu'ils avaient ordonnés [de] venir par-derrière rompre la bataille* du régent de France, lesquels n'osèrent oncques ce faire quand ils virent la haie[55] des chevaux qui par-derrière était. Si ne leur fut à guère[56] qui gagnât ou perdît, mais qu'ils eussent du pillage ; si tuèrent les pauvres valets et pages qui dessus les chevaux étaient, et eurent le cœur failli[57] d'aider à leur gent, et prirent tous les bons chevaux et tout ce qui dessus était troussé*, et ainsi s'enfuirent sans plus revenir vers leur pays ; ainsi s'en allèrent honteusement comme couards et convoiteux[58]. Quand les Armagnacs virent qu'ils ne venaient point, si furent moult ébahis ; si leur fut dit par un héraut comment les Lombards s'en étaient fuis sans coup férir* pour le pillage ; si furent les Armagnacs si ébahis qu'ils ne surent quel conseil prendre ; et si étaient entrés en bataille plus de 15 000, mais leur péché leur nuisait tant qu'ils ne pouvaient faire chose où ils eussent honneur oncques[59], puis que le duc de

50. Il n'y eut plus de pourparlers.
51. Taper.
52. La bouche ouverte.
53. Répandre le sang de quelqu'un qu'on n'a jamais vu est le comble de l'horreur.
54. Les soldats ne s'entre-tueraient qu'à cause des soldes qui leur sont versées. C'est l'idée du Bourgeois qui ignore le sentiment national.
55. Les rangées de chevaux.
56. Ils ne se souciaient guère de savoir qui gagnait ou perdait pourvu qu'ils puissent piller.
57. Ils n'osent pas aider les leurs.
58. Peureux et convoitant (le bien d'autrui).
59. Ils ne pouvaient rien faire d'honorable depuis qu'ils avaient fait tuer

Bourgogne fut tué par eux. Quand les Anglais les virent ébahis, si se rallient et leur courent sus moult âprement de tout leur pouvoir, et prennent terre sur eux plus et plus, si âprement que les Armagnacs ne purent plus souffrir l'estour[60], ains s'en commencèrent à fuir moult honteusement pour sauver leurs vies[61], et les gens du régent les poursuivirent jusque devant Verneuil au Perche. Là fut grande l'occision et cruelle des Armagnacs, car là furent morts par armes par le dit des hérauts bien neuf milliers. Et si fut pris le duc d'Alençon[62] et mort le comte d'Aumale[63] fils du comte d'Harcourt, et le comte de Douglas[64] écossais mort, et le comte de Buchan[65] mort, et le comte de Tonnerre[66] mort, et le comte de Ventadour[67] mort, et le vicomte de Narbonne[68], lequel eut la tête coupée depuis qu'il fut mort, et son corps pendu au gibet et sa tête en une lance moult haute.

406. Item, furent trouvés morts de la partie des Armagnacs bien 2 375 cottes d'armes[69].

407. Item, de ceux du régent, furent environ trouvés 3 000 morts, et très peu y eut de morts de gens de nom[70].

---

le duc de Bourgogne. Le Bourgeois leur refuse la gloire de s'être fait tuer sur place à Verneuil.

60. Le choc.

61. Il y eut très peu de fuyards. Il y eut 9 000 morts et beaucoup de prisonniers.

62. Le jeune duc Jean II. Il resta prisonnier jusqu'au début de 1428. C'est le compagnon de Jeanne d'Arc.

63. Jean d'Harcourt, comte d'Aumale, capitaine de Charles VII pour la Normandie.

64. Archibaldt de Douglas, duc de Touraine et connétable de France, beau-père du comte de Buchan.

65. James Stuart, comte de Buchan, fils du duc d'Albany, régent d'Écosse. On l'a déjà vu à Cravant.

66. Louis de Châlons, comte de Tonnerre, avait échappé à la tuerie d'Azincourt.

67. Jacques de Ventadour. Victorieux à Beaugé, il avait été blessé à Cravant et mourut à Verneuil.

68. Guillaume d'Avaugour, vicomte de Narbonne, avait participé à l'assassinat de Montereau. Son cadavre fut donc traité comme celui d'un criminel.

69. Ces 2 375 morts étaient des Écossais, des Français du Sud et quelques Normands comme le prouve la liste de leurs chefs.

70. Il y eut très peu de morts de renom (selon le Bourgeois). Il y en eut quand même beaucoup et, en conséquence, Bedford interdit les réjouissances.

408. Quand ceux qui dedans la ville s'étaient mis, virent la grande déconfiture, si ne surent comment conseiller fors* que de se rendre à la merci du régent, et ainsi le firent. Si furent les uns navrés, les autres bien demi-morts, et en ce point furent boutés* hors de la ville à leur grande confusion, tous nus de toutes leurs armures*[71].

409. Item, les Lombards qui avaient pillé les chevaux devant dits ne tinrent pas tous ensemble leur chemin ; par quoi l'une partie fut encontrée[72] devers Chartres et furent tous détroussés en grande foison de tués et navrés*, laquelle bataille dessusdite fut le jeudi 17e jour du mois d'août l'an 1424. Et le vendredi ensuivant 18e jour dudit mois fit-on les feux par tout Paris[73] et moult* grande fête pour la perte des Armagnacs, car on disait qu'ils s'étaient vantés que, s'ils eussent eu le dessus sur nos gens, ils n'eussent épargné ni femmes, ni enfants, ni héraut, ni ménétriers[74], que tout ne fût mort à l'épée.

410. Item, le jour de la Nativité Notre-Dame en septembre vint le régent à Paris[75], et fut Paris paré partout où il devait passer, et les rues parées, nettoyées. Et furent au-devant de lui ceux de Paris vêtus de vermeil[76], et vint environ cinq heures après dîner, et allèrent une partie des processions de Paris aux champs au-devant de lui[77] jusqu'outre la Chapelle-Saint-Denis, et quand ils encontrèrent[78], si chantèrent hautement : *Te Deum laudamus* et autres louanges à Dieu. Ainsi vint dedans Paris bien aconvoyé[79] de processions et de ceux de la ville, et partout où il passait, on criait hautement : « Noël ! » Quand il vint au

---

71. Sans armes.
72. Rencontrée (par des gens d'armes anglais) qui les battirent.
73. Paris ordonna de son propre chef deux jours de réjouissances et deux processions les 19 et 20 août.
74. Les femmes et enfants font partie des non-combattants (il n'y en avait pas à Verneuil). Les hérauts et les ménétriers (musiciens) sont protégés par les lois de la guerre. Il s'agit ici de rumeurs nécessaires pour expliquer un massacre. Les Armagnacs n'auraient fait ni mieux ni pis que d'habitude.
75. Bedford fit son entrée à Paris, le 8 septembre.
76. Couleur des Anglais.
77. Ce sont les rites d'une entrée royale.
78. Le rencontrèrent.
79. Accompagné.

coin de la rue aux Lombards[80], là joua un homme despartisé[81] le plus habilement qu'on avait oncques vu.

411. Item, devant le Châtelet [il y] avait un moult [bel] mystère du Vieil Testament et du Nouvel, que les enfants de Paris firent, et fut fait sans parler, ni sans signer[82], comme si ce fussent images élevés contre un mur[83]. Après, quand il eut moult* regardé le mystère, il s'en alla à Notre-Dame, où il fut reçu comme si ce fût Dieu[84], car les processions qui n'avaient pas été aux champs et les chanoines de Notre-Dame le reçurent au plus grand honneur, en chantant [tous les] hymnes et louanges qu'ils purent, et jouait-on des orgues et de trompes, et sonnaient toutes les cloches. Bref, on ne vit oncques plus d'honneur faire quand les Romains faisaient leur triomphe[85] qu'on lui fit à cette journée et à sa femme, qui toujours allait après [lui], quelque part qu'il allât[86].

412. Item, cette année furent les plus belles vendanges qu'oncques on eût vu d'âge d'homme, et tant de vin que la futaille[87] fut si chère qu'on vendait deux ou trois queues vides une queue de vin ; un poinçon sans loyer, 16 ou 18 sols parisis, et, bref, plusieurs mirent leur vin en cuves qu'ils firent enfoncer. Et fut le vin à si grand marché [avant la fin de vendange] qu'on avait la pinte pour un double, dont les trois ne valaient qu'un blanc, et pour un denier en avait-on la pinte[88] environ la Saint-Rémi qui fut au dimanche cette année.

413. Item, au soir que le régent fut entré à Paris, comme devant est dit, on fit par tout Paris feux[89] et très grande joie, et fut la Nativité Notre-Dame au vendredi.

---

80. L'actuelle rue des Lombards, dans le Marais.
81. Un homme déguisé le plus habilement qu'on n'ait jamais vu.
82. Sans parler ni faire de gestes. Ce sont des scènes muettes et fixes, des tableaux vivants.
83. Des statues élevées le long d'un mur.
84. Légère désapprobation. Doit-on faire pour un régent (anglais) ce qu'on fait pour un roi de France ?
85. Il compare la cérémonie à un triomphe à l'antique, cérémonie qui a mauvaise presse chez les auteurs chrétiens, car elle déifie son titulaire.
86. Bedford associe son épouse française à toutes les cérémonies officielles. Ce n'est guère courant et le Bourgeois ne sait qu'en penser.
87. Les tonneaux. Certains ont une capacité d'une queue (402 l), d'autres d'un poinçon. On fit aussi des cuves enterrées en maçonnerie.
88. Une pinte (0,97 l) de vin coûtait un denier en septembre.
89. D'autres sources disent que ces feux ne furent pas tout à fait spontanés.

414. Item, tout homme de quelque état, sinon les gouverneurs, de tant de queues de vin qu'ils cueillirent, chacun paya très grande rançon[90], car tous ceux qui avaient vin devers la porte Saint-Jacques et celle de Bordelles[91], payaient de chacune queue trois sols parisis, forte monnaie, et de poinçons, de caques, de barils au fur[92] des queues ; et si avaient à leurs dépens[93] les Anglais par-delà la porte Saint-Jacques, et l'autre porte pour les Armagnacs qui toujours couraient en ce pays-là.

415. Item, au côté de deçà les ponts[94] [on] ne payait que la moitié, pour ce que les faux mauvais n'y couraient point, et si ni avaient nulles gens d'armes.

416. Item, au mois de novembre, fut marié le sire de Toulongeon[95] en l'hôtel du duc de Bourgogne, qui était frère au seigneur de la Trémoille[96], lequel y vint par sauf-conduit, et si fut marié le sire de Scales[97], anglais, et firent joutes plus de quinze jours tous les jours sans cesser, et puis s'en alla le duc de Bourgogne[98] en son pays. Et quand il s'en fut allé, le régent prit l'hôtel de Bourbon[99] pour sien la première semaine de décembre, et là firent [moult] grande fête qui coûta moult ; et pour ce fut assise une très grosse taille et lourde, et fut quinze jours devant Noël, et quand elle fut assise, tous les grands seigneurs s'en allèrent à Rouen.

---

90. Il s'agit d'une taxe sur la production du vin, 3 sous par queue de vin.

91. Dans la banlieue sud de Paris.

92. En proportion.

93. Cette taxe devait servir à faire se retirer les Armagnacs d'Orsay et de Marcoussis. Ils entretenaient les Anglais.

94. Sur la rive droite où habite le Bourgeois, on ne payait que demi-tarif car il n'y avait pas d'Armagnac dans les banlieues nord.

95. Jean de la Trémoille, seigneur de Jonvelle, chambellan de Philippe le Bon, épousa Jacqueline d'Amboise, dame de la reine Isabeau.

96. Georges de la Trémoille, son aîné, partisan de Charles VII, eut un sauf-conduit pour assister aux noces.

97. Thomas de Scales, capitaine de Verneuil, fut ensuite sénéchal de Normandie en 1450 et mourut en 1460. Il avait épousé Emma Walesborough. La double cérémonie eut lieu à l'hôtel d'Artois (ou de Bourgogne).

98. Philippe de Bourgogne, qui avait quitté Paris en février, y était revenu à l'automne 1424 pour ces mariages qui furent l'occasion de négociations avec le dauphin.

99. Bedford d'abord avait habité l'hôtel des Tournelles. Il s'installa en décembre 1424 dans l'hôtel plus luxueux et plus grand des ducs de Bourbon. Il faut remarquer qu'il n'utilisa aucune des résidences royales françaises.

417. Item, en ce temps couraient blancs de huit deniers parisis, petits blancs aux armes de France et d'Angleterre, et couraient niquets et noirets, quatre pour un niquet, trois niquets pour un blanc[100]; et si avait très grande foison de blancs de huit deniers aux armes de Bretagne, dont plusieurs marchands, bourgeois et autres qui en avaient, furent trompés, car soudainement, le 9e jour de décembre, fut publié qu'ils ne courraient que pour sept deniers parisis[101]. Ainsi perdirent tous ceux qui en avaient la huitième partie de leur pécune.

418. Item, la reine de France ne se mouvait de Paris, ni tant ni quand[102], et était aussi comme si ce fût une femme d'étrange pays[103], enfermée tout temps en l'hôtel Saint-Pol, où le noble roi Charles le VIe trépassa de ce siècle, son bon mari que Dieu pardonne, et bien gardait son lieu, comme femme veuve[104] doit faire.

419. Item, en icelui temps s'en allèrent les Anglais en la comté de Hainaut, et là furent jusqu'après la Saint-Jean-Baptiste, pour ce qu'ils voulaient avoir la terre de la comtesse[105] qu'un des frères du régent de France[106] avait prise plus par volonté que par raison, et l'épousa ; et si était-elle mariée en France au comte de Hainaut, frère du comte de Saint-Pol. Si en commença une très douloureuse guerre[107].

---

100. 4 noirets (1/2 denier) valent 1 niquet (2 deniers) et 3 niquets (6 deniers en principe) valent 1 blanc. Mais il y a aussi de grands blancs de 8 deniers.

101. La parité de la monnaie bretonne par rapport au parisis fut changée. Le grand blanc breton ne valut plus que 7 deniers parisis.

102. Ne bougeait jamais de Paris ni de l'hôtel Saint-Pol.

103. Une étrangère. Elle était bavaroise.

104. Elle se conduisait dignement comme une veuve. La reine était âgée et malade.

105. Jacqueline de Bavière, comtesse de Hainaut et Hollande, était veuve depuis 1417 de Jean de Touraine, fils de Charles VI. Elle s'était remariée à Jean de Bourgogne, duc de Brabant (frère aîné de Philippe de Saint-Pol). Elle obtint du pape la dissolution de ce mariage.

106. Elle se remaria en mars 1423 à Humphrey de Gloucester, frère d'Henri V et de Bedford, auquel elle apporta ses biens à la grande fureur des Bourguignons qui voulaient garder à tout le moins le Hainaut.

107. En novembre 1424, Humphrey de Gloucester intervint en Hainaut. Cela rendit très fragile l'alliance anglo-bourguignonne.

[1425]

420. Item, après Pâques, l'an 1425, fut si grande année de hannetons en France, que tous les fruits furent gâtés et grande partie des vignes.

421. Item, en ce temps rendirent ceux d'Étampes le chastel au duc de Bourgogne et plusieurs forteresses d'entour, et après allèrent les Anglais, de par le régent, devant la cité du Mans[1].

422. Item, l'an 1424, fut faite la Danse Macabre aux Innocents[2], et fut commencée environ le mois d'août et achevée au Carême ensuivant.

423. Item, après Pâques, un peu devant la Saint-Jean, ceux de la rue Saint-Martin et des rues d'entour eurent congé de faire ouvrir la porte Saint-Martin à leurs coûts et dépens, et de faire le pont-levis, les barrières, bref et tout ce qu'à la porte convenait pour lors, qui moult était endommagée ; car l'arche du pont était rompue, et les murs d'entour de toute part, et toutes les barrières pourries, et toutes les serrures enrouillées. Bref il semblait qu'on ne l'eût point ouverte puis quarante ans, tant était tout démoli et empiré ; mais les habitants de la grande rue Saint-Martin y firent si grande diligence et si bonne de leur peine et de leur argent, qu'on pouvait bien dire qu'ils avaient le cœur à l'œuvre[3], car chacune dizaine[4] à son tour y allait, et portaient pelles, houes, et hottes et paniers, et emplirent et vidèrent ce qu'il y fallait ainsi faire, et tiraient les grandes pierres des fossés, pesant une queue de vin ou plus. Et avec eux se mettaient prêtres et clercs, qui de leur aider faisaient toute leur puissance[5], et firent par bonne diligence, tant de leurs corps peiner que bien payer ouvriers, qu'elle fut plus tôt faite que chacun y pouvait passer chevaux et charrettes, sept semaines[6], que le commun peuple ne le jugeait, car tous ou

---

1. La ville du Mans fut assiégée par le comte de Salisbury jusqu'au 10 août.
2. C'est la plus célèbre danse macabre de France qui orna le cimetière des Innocents et fut souvent copiée et diffusée par des estampes.
3. Du cœur à l'ouvrage.
4. La milice de quartier est organisée à la base par dizaine.
5. Faisaient tout ce qu'ils pouvaient pour les aider.
6. Elle fut refaite en moins de sept semaines, avant le 10 août (Saint-

le plus disaient qu'il serait avant la Saint-Rémi qu'on y pût passer, et gens et harnois, comme dit est, y passèrent tout à leur aise l'an 1425, et dit-on que, passé avait trente ans, on n'y avait vu passer autant de gens comme ce jour y passa. Et cedit jour[7] la gardèrent les dizeniers du quartier, et le quartenier et le cinquantenier, et firent bonne chère ce jour de Saint-Laurent, qui fut au mercredi.

424. Item, le dernier dimanche du mois d'août, fut fait un ébatement en l'hôtel nommé d'Armagnac[8], en la rue Saint-Honoré, qu'on mit quatre aveugles tous armés en un [parc[9]], chacun un bâton en sa main, et en ce lieu [y] avait un fort pourcel*, lequel ils devaient avoir[10] s'ils le pouvaient tuer. Ainsi fut fait, et firent cette bataille si étrange, car ils se donnèrent tant de grands coups de ces bâtons, que de pis leur en fut, car quand [le mieux] cuidaient* frapper le pourcel*, ils frappaient l'un sur l'autre, car s'ils eussent été armés pour vrai, ils s'eussent tués l'un l'autre.

425. Item, le samedi vigile du dimanche devant dit, furent menés lesdits aveugles parmi Paris, tous armés, une grande bannière devant, où il avait un pourcel* portrait[11], et devant eux un homme jouant du bedon[12].

426. Item, le jour Saint-Leu et Saint-Gilles, qui fut au samedi premier jour de septembre, proposèrent aucuns de la paroisse[13] faire un ébatement nouvel, et le firent, et fut tel ledit ébatement : ils prirent une perche bien longue de six toises ou près, et la fichèrent en terre[14], et au droit bout d'en haut mirent un panier de dedans une grasse oie et six blancs[15], et oignirent très bien la perche[16], et puis fut crié que qui pourrait aller

---

Laurent) alors qu'on avait cru qu'elle ne serait pas terminée avant la Saint-Rémi, le 9 octobre.

7. La Saint-Laurent, le 10 août.
8. L'ex-hôtel du connétable, entre la rue des Bons-Enfants et la rue Saint-Honoré.
9. Une sorte de ring, en fait.
10. On donnerait le cochon à celui qui l'aurait tué.
11. Un cochon représenté. C'est une parade parodique.
12. Le Bedon est un instrument de musique du genre tambour.
13. La paroisse fête ses patrons.
14. C'est le principe du mât de cocagne dans les fêtes villageoises.
15. Une oie et 6 blancs (des pièces).
16. La barbouillèrent de graisse pour rendre l'ascension difficile.

quérir* ladite oie en rampant contremont[17] sans aide, la perche et panier il aurait, et l'oie et les six blancs; mais oncques nul, tant sut-il bien grimper, n'y put advenir. Mais au soir un jeune valet, qui avait grimpé le plus haut, eut l'oie, non pas le panier, ni les six blancs, ni la perche[18]; et ce fut fait droit devant Quincampoix, en la rue aux Oies.

427. Et le mercredi suivant, on coupa la tête à un chevalier, mauvais brigand, nommé messire Étienne de Favières[19], né de Brie, très mauvais larron et pire que larron, et furent pendus aucuns de ses disciples au gibet de Paris et en autres gibets.

428. Item, en celui mois, les Armagnacs laissèrent Rochefort où ils étaient assiégés de nos gens[20], et si vinrent plus quatre temps[21] que nos gens n'étaient pour lever le siège. Mais quand les Armagnacs virent que nos gens étaient de si bonne ordonnance, ils n'osèrent approcher sinon de bien loin, et firent une escarmouche bien âpre de leur trait, et les autres contre eux moult âprement, espécialment ceux de Paris qui moult les grevèrent* de leur trait, dont plusieurs de delà furent navrés*, aussi furent plusieurs de nos gens[22]. Mais quand les Armagnacs virent la bonne volonté que nos gens avaient d'eux défendre, comme il apparut à eux, ils eurent paour* et tinrent la chose en état, et en ce faisant firent vider leur bagage le plus tôt qu'ils purent. Et quand ils surent que ce fut fait, ils firent manière d'entrer dedans Rochefort[23], mais ils firent autrement, car ils firent bouter le feu dedans, et ardirent* blés et lards et autres biens qu'ils ne pouvaient emporter, à fin telle que les autres

17. Grimper.

18. Il n'eut ni le panier ni l'argent, car il n'était pas arrivé en haut. Il eut l'oie !

19. Étienne de Favières était un routier armagnac.

20. Rochefort-en-Yvelines, près de Dourdan, changea plusieurs fois de mains. Les Armagnacs la reprirent en 1427, la reperdirent en 1428. Nos gens : il s'agit de la milice parisienne et non des Anglais.

21. La phrase est incompréhensible. Probablement il en vint quatre fois plus que nos gens n'étaient pour (faire) lever le siège : il arriva une armée de secours.

22. Elle n'osa approcher et se borna à envoyer des flèches. Il y eut beaucoup de blessés des deux côtés.

23. Ils firent semblant de se réfugier dans la ville qui brûla (accidentellement ?).

n'en amendassent[24] de rien ; et quand ils virent que le feu montait haut et qu'on ne le pourrait éteindre, ils s'en allèrent [ainsi] sans plus faire. Un peu après nos gens allèrent dedans, ils n'y trouvèrent que les parois[25], si s'en revint chacun en son lieu.

429. Item, en ce temps fut ouverte la porte de Montmartre au mois de septembre, et au mois d'octobre fut fait le pont-levis.

430. Item, en ce temps courait une monnaie à Paris, nommée plaques[26], pour douze deniers parisis, et étaient de par le duc de Bourgogne ; lesquelles plaques, quand on vit que chacun en avait ou peu ou grand, on les cria parmi Paris, le samedi 12e jour de novembre 1425, à huit doubles qui avaient été prises pour neuf doubles, dont grand murmure fut, mais à souffrir le convint, quoique le cœur en doulût[27].

[1426]

431. Item, la première semaine de janvier 1426, vint une grande plainte à Paris des laboureurs pour larrons brigands qui étaient entour à douze, à seize, à vingt lieues de Paris environ, et faisaient tant de maux que nul ne le dirait, et si n'avaient point d'aveu et nul étendard[1], et étaient pauvres gentilshommes qui ainsi devenaient larrons de jour et de nuit. Quand le prévôt de Paris[2] ouït* la plainte, si prit les compagnons de la

---

24. Afin que les provisions n'améliorent pas (la situation de leurs adversaires).

25. Les murs.

26. C'est une monnaie flamande qui a cours aux Pays-Bas. Le cours des plaques fut plusieurs fois abaissé en 1425. Charles VII en faisait frapper d'identiques à Tournai, d'un aloi inférieur. La guerre monétaire était fréquente au xve siècle.

27. Quoique le cœur en fût douloureux.

1. Il s'agit de simples brigands, gentilhommes ou soldats ruinés. « Aveu » signifie que nul ne les avouait pour ses partisans. Ils ne se battaient pas non plus sous les couleurs du dauphin.

2. Simon Morhier.

soixantaine de Paris, arbalétriers et archers, et les mena hâtivement où on lui avait dit que ces larrons repairaient[3], et tant fit que en moins de huit jours il en prit plus de 200 et les envoya en diverses prisons ès bonnes villes dont plus près était, et le mercredi, 9e jour du mois de janvier 1426, en amena à Paris deux charretées des plus gros, et n'étaient que vingt ou environ[4].

432. Item, en ce temps avait toujours guerre le frère du régent de France au duc de Bourgogne[5], et firent plusieurs escarmouches les Flamands et les Anglais de la partie dudit frère du régent.

433. Item, en ce temps on criait les harengs frais[6] parmi Paris à la moitié de Carême, environ la Saint-Benoît[7], et en vint grande foison à Paris.

434. Item, on avait aussi bons pois qu'il en fut oncques nuls, le boissel* pour trois blancs ou quatorze deniers; fèves pour dix ou pour douze deniers.

435. Item, en ce temps commença la guerre entre les Anglais et les Bretons, et [prirent] les Anglais la ville de Saint-James-de-Beuvron[8], et la garnirent de vivres et la fortifièrent moult ; et les Bretons[9] les assiégèrent dedans la ville en mars, l'an 1426, et là furent jusqu'après Pâques, qu'ils traitèrent ensemble sans coup férir* ; et disait-on communément qu'aucuns des grands de Bretagne évêques[10] ou autres, en eurent de l'argent, dont le commun de Bretagne[11] en fut trop mal content, mais ils l'endurèrent pour cette fois.

---

3. Avaient leur repaire.
4. Cela fait douter qu'on en ait pris 200 !
5. La duchesse Jacqueline réussit à s'échapper de Gand mais, dans l'ensemble, les troupes anglaises de son nouvel époux furent battues.
6. Si on les crie, c'est qu'il y en a trop sur le marché.
7. La Saint-Benoît, le 21 mars.
8. Les Anglais de Th. de Rameston, lieutenant de Suffolk, occupaient Saint-James-de-Beuvron à la frontière de la Normandie et de la Bretagne.
9. Une armée conduite par Arthur de Richemont qui venait d'être fait connétable par Charles VII. Il vient ici en aide à son frère Jean V. Il avait 15 000 hommes, mais ne put prendre la ville.
10. L'évêque de Nantes, Jean de Malestroit, fut accusé d'avoir fait échouer l'opération par hostilité au rapprochement entre Jean V et Charles VII.
11. La communauté bretonne (au sens national).

436. Item, en ce temps était recommencée la guerre entre le duc de Bourgogne et le frère du régent de France, et fut adonq levée une grosse taille, qui moult greva* le menu peuple.

437. Item, au mois de juin ensuivant, furent les eaux si grandes par toute France que la propre nuit de la Saint-Jean, l'an 1426, quand le feu fut bien allumé et que les gens dansaient autour, et que le feu fut abattu, la rivière crût tant qu'elle vint éteindre le feu, et prit-on ce qu'on put avoir du feu hâtivement, et le bois[12] qui n'était pas encore tout ars*, et le porta-t-on vers la Croix, et là fut ars* le remenant* de la bûche[13]. Mais avant qu'il fût quatre jours ou six après, elle fut si démesurée qu'elle passa la Croix[14], et furent les marais de Paris pleins d'eau; et commença à l'entrée de juin, et fut avant dix ou douze jours, au mois de juillet, qui font bien 40 jours, qu'elle fut tant apetissée que d'être marchande[15], et furent les gagnages des bas pays[16] tous perdus. Pour ce fut faite une procession générale la semaine d'après la Saint-Jean, mercredi devant Saint-Pierre et Saint-Paul, qui fut moult solennelle et piteuse; et allèrent les paroisses à Notre-Dame[17], et portèrent la châsse de la benoîte Vierge Marie, c'est à savoir, par le pont qui est derrière l'Hôtel-Dieu, et puis par la rue première d'outre le Petit-Châtelet, et allèrent par-dessus le Pont-Neuf, et après par le Grand-Pont, et revinrent par le pont Notre-Dame en la grande église; et là chantèrent une messe de la Vierge Marie moult dévotement, et fit-on un moult piteux sermon, et le fit frère Jacques de Touraine[18], religieux de l'ordre Saint-François.

---

12. Les bûches de la Saint-Jean, le 24 juin, ont des propriétés particulières de porte-bonheur.
13. Le restant des bûches fut brûlé au pied de la Croix de la place de Grève.
14. L'eau fut si abondante qu'elle couvrit la Croix de la place de Grève.
15. Il fallut bien 40 jours avant qu'elle ne redescendît au point d'être navigable.
16. Les récoltes cultivées au bord de la Seine.
17. Une procession eut lieu la dernière semaine de juin (entre le 24 et le 28) pour conjurer l'inondation.
18. Jacques Texier ou Textoris (de Touraine) est docteur en théologie, franciscain et fervent partisan des Bourguignons. Il fut l'un des juges de Jeanne d'Arc.

438. Item, en ce temps fut le Lendit au lieu accoutumé[19], qui n'avait mais sise[20] puis l'an 1418.

439. Item, en cette année 1426, fut tant de cerises que maintes fois on en avait ès Halles de Paris neuf livres pour un blanc de quatre deniers parisis ; mais, tout courant plus de six semaines, on en avait six livres pour quatre deniers parisis, et durèrent jusqu'à la mi-août, qu'on avait la livre toujours pour deux deniers, ou au plus pour deux doubles, qui ne valaient pas quatre tournois.

440. Item, en septembre, le jour Sainte-Croix, qui fut au samedi, fut la porte Saint-Martin, comme devant avait été, fermée sans murer[21], et demeura fermée jusqu'au 7e jour de décembre ensuivant, lendemain de la fête Saint-Nicolas d'hiver ; et furent les dizeniers du quartier et plusieurs autres gens d'honneur[22], à laquelle pétition et requête ladite porte avait été ouverte. Là fut le prévôt des marchands et les échevins qui à la porte ouvrir dirent : « Entre vous, bourgeois et ménagers*[23], cette porte soit ouverte et gardée à vos périls. » Et ainsi fut ouverte la porte [Saint-Martin] au samedi 7e jour de décembre.

441. Item, le dimanche 16e jour dudit mois, fut faite procession générale à Saint-Magloire [encontre] aucuns hérétiques[24] qui avaient erré contre notre foi, comme devant est dit, au mois de mai 1424[25], de leurs invocations et de ce qui fut fait[26], c'est à savoir, par maître Guillaume l'Amy[27], maître Angle du

---

19. La foire du Lendit avait lieu chaque année dans la plaine Saint-Denis au mois de juin. Cela se passait hors des murailles et nécessitait des routes calmes entre Paris et la Flandre.

20. Au lieu accoutumé où elle n'avait plus été tenue depuis 1418.

21. La porte Saint-Martin fut fermée du 14 septembre au 7 décembre.

22. Les notables et les chefs de la milice demandent sa réouverture.

23. En ce sens, simples résidents qui n'ont pas les privilèges de la bourgeoisie.

24. Contre certains hérétiques. Il s'agit de maître Guillaume Vignier et ses complices, condamnés par l'évêque de Paris et réclamés par l'Université. Nous ne savons pas trop en quoi consistait leur hérésie.

25. Il n'en a pas parlé en mai 1424. Il est possible que le passage n'ait pas été conservé.

26. Il semble s'agir de purifier la maison rue Portefoin où aurait habité Guillaume Vignier et où les hérétiques auraient fait leurs invocations (évoqué le Diable ?).

27. Probablement Guillaume Lamy, clerc de la Chambre des Comptes

Temple et plusieurs autres, en la prochaine rue d'emprès le Temple, du rang du Temple, et est nommé la rue Portefoin[28].

442. Item, y fut proposé à ladite procession que le Saint-Père voulait que l'Université en fît son devoir, et à ce faire leur ordonna trois ou quatre évêques[29] pour être avec eux, c'est à savoir, l'évêque de Thérouanne, qui pour lors était chancelier de France, et l'évêque de Beauvais.

[1427]

443. Item, le 7e jour de janvier 1427, fut crié que les doubles [du coin de France[1], les quatre] ne vaudraient qu'un blanc un denier la pièce[2], et que ceux qui [étaient] signés aux armes d'Angleterre ne se changeraient point.

444. Item, écus d'or[3], qu'on prenait pour 23 sols, furent mis à 18 sols.

445. Item, petits moutons d'or, pour ce qu'ils étaient aux armes de France[4] [comme les écus], furent mis à 12 sols parisis,

---

qui dressa en 1420 l'inventaire des châteaux de Beaugé et Vincennes et mourut en 1435. Il était peut-être chargé de la confiscation des biens de nos hérétiques.

28. Rue Portefoin, entre la rue du Temple et celle des Enfants-Rouges.

29. Les commissaires pontificaux devaient servir d'arbitres entre l'Université et l'évêque. Il s'agit de Louis de Luxembourg, évêque de Thérouanne et chancelier de France depuis février 1425, et de Pierre Cauchon, évêque de Beauvais de 1420 à 1430, puis évêque de Lisieux.

1. Monnaie frappée sous Charles VI ou depuis, mais toujours à l'écu de France, sur l'avers. Elle fut prohibée, en fait, au profit des monnaies frappées à Rouen aux armes de France et d'Angleterre, symboles de la double monarchie : l'écu aux trois léopards accolé à celui aux lys. Le nouveau règne d'Henri VI impliquait logiquement une nouvelle monnaie.

2. On aurait 1 blanc 1 denier pour 4 doubles. Les doubles anglais gardèrent leur ancienne valeur : 1 blanc pour 3 doubles. C'est une dévaluation pour la première catégorie de pièces.

3. Les monnaies d'or aux armes doubles, saluts et nobles, ne varièrent pas. Mais les écus et moutons aux armes de France furent dévalués.

4. On ne pouvait rien acheter en payant en doubles français. Les marchands n'acceptaient pas les pièces dévaluées.

qui devant en valaient 15 sols ; et vrai est que le lendemain que le cri fut fait, on n'eût eu ni pain ni vin, ni quelque nécessité des doubles français, ni les changeurs n'en voulaient donner deniers ni oboles[5], et si n'avait le peuple menu autre monnaie que cette[6], qui rien ne leur valut. Et quand ce virent aucuns que la perte leur était grande, si maudissaient Fortune en appert* et à secret[7], disant leurs volontés[8] des gouverneurs. Et vrai fut que plusieurs jetaient par-dessus les changes[9] en la rivière leur monnaie, pour ce que rien n'en pouvaient avoir, car de huit ou de dix sols parisis on n'eut que quatre blancs ou cinq au plus, et en fut jeté, cette semaine que la monnaie fut criée, en la rivière plus de cinquante florins ou la valeur en monnaie[10] par droit désespoir[11].

446. Item, en ce temps, le régent de France était toujours en Angleterre[12], ni nul seigneur n'y avait en France[13], et se partit ledit régent de Paris le jour Saint-Éloi, premier jour de décembre 1425.

447. Item, en ce temps, était le siège devant Montaimé en Champagne[14], et là était le comte de Salisbury, qui moult était chevalereux et bon homme d'armes et subtil en tous ses faits[15].

448. Item, en cette année fut faite une ordonnance de par le

---

5. Ne voulaient rien donner du tout. En fait, on organisa l'échange des doubles français contre les nouvelles pièces dans la limite de 20 sous par personne dans certaines boutiques de change, signalées par des bannières.
6. Que celle (-là) qui ne valait plus rien ou qui ne leur servait plus à rien.
7. Ouvertement et en secret.
8. Disant ce qu'ils voulaient des gouverneurs de Paris : en dire du mal.
9. Les tables de change se trouvent sur le Grand Pont, au-dessus de la Seine.
10. L'équivalent de 50 florins or.
11. Par vrai désespoir.
12. Le duc de Bedford partit en Angleterre en décembre 1425 et revint en février 1427. Il fut donc absent toute l'année 1426.
13. Bedford avait divisé le pays en trois lieutenances. Warwick était lieutenant en Ile-de-France, Vermandois, Champagne, Brie ; Salisbury en Normandie, Anjou, Maine, Chartrain ; Suffolk en Basse-Normandie.
14. Montaimé près de Vertus en Champagne était défendue par Eustache de Conflans. Elle fut prise par Salisbury en 1427 et démantelée totalement. C'est une place forte appartenant à Philippe d'Orléans, comte de Vertus, prisonnier depuis Azincourt.
15. Les jugements favorables sur les capitaines anglais sont rares.

prévôt de Paris[16] et de par les seigneurs de Parlement, que nul sergent à cheval, ni nul sergent à verge, s'il n'était marié ou s'il ne se mariait, n'officierait plus[17] ; et fut le terme d'eux marier depuis la Toussaint jusqu'à Quasimodo[18] ou après, sans passer l'Ascension de Notre Seigneur.

449. Et en cet an fut très grand hiver, car le premier jour de l'an commença à geler, et dura 36 jours sans cesser, et pour ce fut la verdure toute faillie[19], car il n'était nouvelle[20] de choux, ni de porée[21], ni de persil, ni d'herbes.

450. Item, en ce temps fut fait évêque de Paris maître Nicolle Fraillon[22], et fut reçu à Notre-Dame de Paris le [samedi] 28e jour de décembre 1426.

451. Item, il fut avant la fin de mars que verdure issit* de terre et encore n'en avait-on point pour moins de deux deniers ; car il gela très fort à glace presque tout le mois de février, pour ce fut verdure si chère.

452. Item, le 5e jour d'avril à un samedi, vigile du dimanche [ ], vint le régent à Paris[23], qui avait demeuré en Angleterre seize mois pour cuider* traiter paix[24] entre le duc de Bourgogne frère de sa femme et son frère le duc de Gloucester, mais il n'y put mettre paix à cette fois.

---

16. Simon Morhier, prévôt de Paris de 1422 à 1436.

17. Ne pourrait plus tenir son office. La mesure vise tous les sergents du Châtelet priés d'opter clairement soit pour la cléricature, soit pour le laïcat.

18. On donna à peu près six mois pour se marier à ceux qui optaient pour le laïcat.

19. Tombée (à terre à cause du gel).

20. On n'entendait plus parler : il n'y en avait plus sur le marché.

21. Poireaux ou tout légume vert.

22. Maître Nicolas Fraillon, docteur en droit, conseiller au Parlement, chanoine puis official au chapitre Notre-Dame, fut élu par ce dernier au détriment de Jacques du Châtelier soutenu par Bedford et par le duc de Bourgogne. Des bulles apostoliques imposèrent ce dernier en avril 1427. Fraillon dut se contenter de l'archidiaconé de Paris qu'il occupa jusqu'en 1441. Le texte distingue l'élection (fut fait) et la réception officielle (fut reçu) dans la cathédrale qui intronise le nouvel élu.

23. Bedford fit son entrée dans Paris le 5 avril 1427, après une absence de plus d'un an.

24. Bedford, qui avait épousé Anne de Bourgogne, était le beau-frère de Philippe le Bon et le frère d'Humphrey de Gloucester. Le différend entre les deux ducs portait sur les biens de Jacqueline de Bavière, comtesse de Hainaut, épouse en deuxièmes noces d'Humphrey mais parente de Philippe le Bon qui en était l'héritier.

453. Item, vint le cardinal de Winchester[25] le derrain* jour d'avril ensuivant 1427, lequel était oncle du régent de France et avait plus grand tinel avec lui, quand il vint, que le régent de France, [qui était gouverneur de France] et d'Angleterre[26].

454. Item, le mois d'avril et au mois de mai jusqu'environ trois ou quatre jours en la fin[27], ne cessa de faire très grand froid, et ne fut guère semaine qu'il ne gelât [ou grêlât] très fort, et toujours pleuvait. Et le lundi devant l'Ascension, la procession de Notre-Dame et sa compagnie furent à Montmartre ; et ce jour ne cessa de pleuvoir depuis environ neuf heures au matin jusqu'à trois heures après dîner, non pas qu'ils[28] se muçassent* pour la pluie, mais pour certain les chemins furent si très fort effondrés entre Montmartre et Paris que nous[29] mîmes une heure largement à venir de Montmartre à Saint-Ladre. Et de là vint la procession par Saint-Laurent, et, au départir de Saint-Laurent, il était environ une heure ou plus, la pluie s'efforça[30] plus fort que devant. Et à cette heure s'en allait le régent et sa femme par la porte Saint-Martin, et rencontrèrent[31] la procession dont ils tinrent moult* peu de compte, car ils chevauchaient moult fort, et ceux de la procession ne purent reculer, si furent moult toulliés[32] [de la boue que les pieds des chevaux jetaient] par-devant et derrière, mais oncques n'y eut

---

25. Henri Beaufort, évêque de Lincoln puis de Winchester et cardinal depuis mars 1427, était le demi-frère d'Henri IV (l'un des fils légitimés de Jean de Gand et de Catherine Swynford). Il était l'oncle du duc de Bedford et régent d'Angleterre. Il y avait une forte rivalité entre l'oncle et le neveu, Gloucester, qui s'étaient difficilement partagé la régence d'Angleterre. Tinel : train de maison, escorte.

26. En pratique non. Ce n'était qu'un titre de courtoisie. Théoriquement, Beaufort et Bedford étaient tous deux régents de France et d'Angleterre. Ils se partageaient en fait le pouvoir géographiquement. Beaufort mourut en avril 1447 et Bedford en 1435.

27. Sauf trois ou quatre jours à la fin mai.

28. Se cacher ; ici, se mettre à l'abri à cause de la pluie. « Ils » désigne les chanoines de Notre-Dame qui est repris plus loin comme « nous ».

29. C'est l'un des rares endroits du texte où le Bourgeois parle à la première personne. Il fait donc partie du chapitre Notre-Dame ou du clergé paroissial parisien.

30. Se renforça.

31. Le cortège du régent sortait de Paris ; il rencontra la procession qui, au contraire, revenait vers Paris.

32. Éclaboussés et salis.

[nul] si gentil[33] qui, pour châsse ni pour procession, se daignât un peu arrêter. Ainsi s'en vint à Paris la procession le plus tôt qu'elle put, et si fut entre deux et trois heures quand ils vinrent à Saint-Merry. À celui jour se partit le régent pour aller devers le duc de Bourgogne[34], comme devant est dit, qui fut le 26e jour de mai l'an 1427.

455. Item, le premier jour de juin audit an, fit l'évêque de Paris sa fête[35], et fut confirmé évêque; et ne fut plus parlé de l'élection qui devant avait été faite, c'est à savoir, de messire Nicolle Fraillon, lequel avait été élu de tout le chapitre de Notre-Dame, mais nonobstant l'élection du chapitre ledit Nicolle Fraillon en fut débouté et l'autre dedans bouté*, car ainsi plaisait aux gouverneurs[36]; et était nommé le grand trésorier de Reims et de son propre nom messire Jacques.

456. Item, en cet an fut la rivière de Seine si très grande[37], car à la Pentecôte, qui fut le 8e jour de juin, était ladite rivière à la Croix de Grève, et se tint en ce point jusqu'au bout des fêtes, et le jeudi elle crût de près d'un pied et demi de haut; et fut l'île Notre-Dame[38] couverte, et aux Ormeaux[39] qui sont deçà de l'autre côté de la rivière[40], devers l'église de Saint-Pol, presque toute la terre était couverte; et ce n'était mie* trop grande merveille, car depuis la moitié du mois d'avril jusqu'au lundi de la Pentecôte, qui fut le 9e jour de juin 1427 ne fina[41] de

---

33. Nul ne fut assez gentilhomme pour s'arrêter (à cause de) la châsse et de la procession.

34. Bedford se rendait à Lille pour rencontrer Philippe le Bon et apaiser la querelle entre ce dernier et Humphrey de Gloucester.

35. Le nouvel évêque de Paris, Jacques du Châtelier, d'origine bourguignonne et trésorier du chapitre de Reims, avait l'appui des deux ducs, du pape et du Parlement. Il réussit à évincer son prédécesseur pourtant régulièrement élu et intronisé.

36. Le Bourgeois est partisan d'élections régulières aux charges ecclésiastiques et critique les interventions politiques dans le jeu électoral.

37. Elle déborda et envahit plusieurs jours de suite la place de Grève.

38. L'île Notre-Dame était l'une des trois îles qui forment aujourd'hui l'île Saint-Louis. Elle était inhabitée.

39. Sur le quai des Célestins, le long de l'hôtel Saint-Pol. Charles V et Charles VI y avaient fait planter des arbres.

40. Le Bourgeois habite donc probablement l'île de la Cité, en face du quai des Célestins, puisque nous savons déjà qu'il n'habite pas la rive gauche.

41. Il ne cessa de pleuvoir.

pleuvoir, et toujours jusqu'à celui jour faisait très grand froid comme à l'entrée de mars. Et en ce temps faisait-on processions[42] moult piteuses et dedans Paris et aux villages[43] ; car, le mercredi des fériés de la sainte fête de Pentecôte, furent à la bénédiction[44] dix gros villages de devers la porte Saint-Jacques, comme Vanves, Meudon, Clamart, Issy, etc.[45], et furent jusqu'à dix paroisses, tant qu'ils furent bien de 500 à 600 personnes ou plus, femmes, enfants, vieux et jeunes, la plus grande partie nu-pieds, à croix et bannières, chantant hymnes et louanges à Dieu notre sire, pour la pitié de la grande eau et pour la pitié de la froidure qu'il faisait, car à ce jour n'eût-on point trouvé une vigne en fleur.

457. Item, en ce point vinrent à Paris, et de là à la bénédiction au Lendit, et puis à Saint-Denis en France, et là firent leurs dévotions, et puis s'en revinrent tous à jeun à Paris, et tels y eut jusqu'en leur lieu, qui sont près de dix lieues de terre[46]. Et quand ils passèrent parmi Paris au retourner, il avait bien dur cœur à qui le sang ne muât en pitié jusqu'aux larmes[47] ; car là eussiez vu tant de vieilles gens, tous nu-pieds, tant de petits enfants comme de douze ans ou de quatorze, si travaillés[48], car celui jour fit si grand chaud que merveille.

458. Item, le jeudi ensuivant[49], crût tant l'eau que l'île Notre-Dame fut couverte, et devant l'île, aux Ormeaux, était tant crue qu'on y eut bien mené bateaux ou nacelles, et toutes les maisons d'entour qui basses étaient, comme le cellier et le premier étage, étaient pleines[50] ; telles y avait dont le cellier[51]

---

42. Ces processions doivent faire cesser les inondations et améliorer le temps.

43. Aux sanctuaires à l'intérieur de la ville et à ceux des villages suburbains.

44. A la bénédiction qui marque l'ouverture de la foire du Lendit, le 11 juin, par l'évêque de Paris.

45. Dix villages de la banlieue sud. Leur dévotion est méritoire parce que pour eux, le trajet jusqu'à Saint-Denis est particulièrement long.

46. Il y en eut qui jusqu'à leur lieu (d'habitation) avaient près de 10 lieues à faire.

47. Il aurait eu bien dur cœur (celui à) qui le sang ne se muât en pitié jusqu'aux larmes (celui qui n'eût pitié à en pleurer).

48. Si épuisés.

49. Le 12 juin.

50. Sur le quai des Célestins, on pouvait mener bateau et les maisons basses étaient pleines (d'eau).

51. Le rez-de-chaussée qui servait de cellier à vin.

était plein du haut de deux hommes, et là était pitié, car les vins si étaient par-dessous l'eau[52]. Et en aucuns lieux, en étables qui étaient basses de trois ou quatre degrés[53], l'eau crût tant là entour que les chevaux, qui fort liés là étaient, ne purent tous être rescoux[54] qu'ils ne fussent noyés, les aucuns pour la grandeur de l'eau qui sourdit[55] en moins de deux heures de plus du haut d'un homme là endroit et ailleurs ; car elle crût tant le vendredi et le samedi ensuivant qu'elle s'épandit jusque devant l'hôtel de ville, et fut plus d'un haut pied largement en l'hôtel du maréchal qui demeure à l'opposite devant du côté de la Vannerie[56] et jusqu'au sixième degré de la Croix de Grève, droit devant l'hôtel de ville au droit de la Croix, et fut avant environ la Saint-Éloi qu'on put aller en la Mortellerie[57]. Et bref, elle fut plus grande près de deux pieds de haut qu'elle n'avait été en l'année de devant[58], et par tous les lieux où elle fut, comme en blés, en avoines, ès marais[59], elle dégâta tout et sécha tellement[60] que cette année ne firent oncques bien, car elle y fut bien cinq ou six semaines.

459. [Item, en ce temps fut ordonné une grosse taille[61] et cueillie sans merci].

460. Item, en ce temps, environ quinze jours en juillet, fit mettre le régent le siège devant Montargis. Et le 6e jour d'août ensuivant fut ordonné qu'on ne ferait plus pain que de deux deniers parisis et d'un denier pièce, et ainsi fut fait, et bien avait huit ou neuf ans qu'on n'en avait point [fait] à Paris, qui moins valut que deux deniers[62].

---

52. Les tonneaux étaient dans l'eau.
53. Qui n'étaient qu'à trois ou quatre marches du sol.
54. Ne purent tous être secourus avant qu'ils ne fussent noyés.
55. L'eau qui monta.
56. Il y en eut plus d'un pied de haut place de Grève, du côté de la rue de la Vannerie (qui relie la place à la rue Planche-Mibray).
57. Rue de la Martellerie. Elle est parallèle à la Seine et joint la place de Grève au carrefour de l'Ave-Maria. La Saint-Éloi est le 1er décembre.
58. Plus haute de 2 pieds que l'année précédente.
59. Cultures maraîchères.
60. La terre sécha si mal que (l'avoine, les blés, les cultures maraîchères) ne firent rien de bien.
61. La taille cueillie sans merci était destinée aux troupes anglaises qui assiégèrent Montargis de juillet à septembre. Elle était destinée à recouvrer les forteresses d'entre Seine et Loire.
62. Cette baisse du prix du pain est due à l'abondance des blés (dont il va parler) et au retour de la sécurité aux environs de Paris.

461. Item, cette dite semaine [même], fut crié et publié que les écus d'or ni les moutons d'or n'auraient plus de cours[63] pour nul prix que pour tant d'or.

462. Item, cette année, fut moult largement fruit et bon, car on avait le cent de bonnes prunes pour un denier, et nulles n'étaient véreuses, et de tout autre fruit largement, espécialment d'amandes avait tant sur les arbres qu'ils en rompirent[64] tous; et fit aussi bel août qu'il fit oncques d'âge d'homme vivant, quoique devant eût fait grande froidure et grande pluie, comme dit est, mais en peu d'heure Dieu labeure[65], comme il appert* cette année, car les blés furent bons et largement.

463. Item, le 18e jour d'août ensuivant 1427, se partit de Paris le régent[66], qui toujours enrichissait son pays d'aucune chose de ce royaume[67], et si n'y rapportait rien qu'une taille quand il revenait[68]. Et tous les jours couraient les meurtriers et larrons autour de Paris, comme toujours pillant et robant*, prenant, ni nul ne disait: *Dimitte*[69].

464. Le dimanche d'après la mi-août, qui fut le 17e jour d'août audit an 1427, vinrent à Paris douze pénanciers[70], comme ils disaient, c'est à savoir, un duc et un comte, et dix hommes tous à cheval, et lesquels se disaient très bons chrétiens, et étaient de la Basse Égypte[71] ; et encore disaient qu'ils

---

63. Ils sont démonétisés (parce qu'ils sont aux armes de France). Ils ne vaudront plus que leur poids en or.

64. Tant d'amandes que (les branches) des arbres cassèrent.

65. Proverbe: « En peu d'heures, Dieu fait son labeur. »

66. Il repartit en Angleterre.

67. C'est un jugement sévère. Certes, surtout durant la conquête (1415-1418), les Anglais ont beaucoup récolté en rançons et indemnités de tous genres. Mais ce n'est plus le cas depuis la régence de Bedford, qui est un gouvernement régulier, approvisionné par l'impôt. Seulement, notre Bourgeois est hostile à toute fiscalité, régulière ou pas.

68. Il exagère. La sécurité est bien meilleure mais l'admettre serait supposer que l'impôt a une certaine utilité. Il paie les troupes chargées de maintenir l'ordre.

69. Phrase du Notre Père: *Et dimitte nobis debita nostra, sicut et nos dimittimus debitoribus nostris.* « Pardonnez-nous nos offenses... »

70. Douze pénitents (comme le Christ eut douze apôtres).

71. Il s'agit de romanichels ou bohémiens. Le Moyen Age en fait traditionnellement des Égyptiens dispersés sur les chemins. En fait, des tribus originaires de l'Indus avaient séjourné du IXe au XVe siècle dans le Péloponnèse où la région de Modon est appelée Basse-Égypte.

avaient été chrétiens autrefois, et n'avait pas grand temps que les chrétiens les avaient subjugués et tout leur pays et tous faits christianer[72] ou mourir ceux qui ne le voulaient être ; ceux qui furent baptisés furent seigneurs[73] du pays comme devant, et promirent d'être bons et loyaux et de garder la loi de Jésus-Christ jusqu'à la mort. Et avaient roi et reine en leur pays, qui demeuraient en leur seigneurie parce qu'ils furent christianés.

465. Item, vrai est, comme ils disaient, que, après aucun temps qu'ils eurent pris la foi chrétienne, les Sarrasins[74] les vinrent assaillir ; quand ils se virent comme peu fermes en notre foi à très peu d'achoison[75], sans endurer guère la guerre et sans faire leur devoir de leur pays défendre[76] que très peu, se rendirent à leurs ennemis et devinrent Sarrasins comme devant, et renièrent Notre Seigneur.

466. Item, il advint après que les chrétiens, comme l'empereur d'Allemagne, le roi de Pologne et autres seigneurs[77], quand ils surent qu'ils eurent ainsi faussement et sans grande peine laissé notre foi et qu'ils étaient devenus sitôt Sarrasins et idolâtres, leur coururent sus et les vainquirent tantôt, comme s'ils cuidaient* qu'on (les) laissât en leur pays, comme à l'autre fois pour devenir chrétiens[78]. Mais l'empereur et les autres

---

72. Fait se convertir ou mourir s'ils refusaient. Les Byzantins qui prenaient le contrôle du Péloponnèse les avaient convertis à une date inconnue.

73. Il veut dire qu'il n'y a aucune monarchie ni aucune hiérarchie sociale légitime en dehors du christianisme. Il y avait bien des rois dans les tribus tsiganes médiévales. Au début du XVe siècle, ils se nommaient André et Michel.

74. Les Turcs s'emparèrent du Péloponnèse au cours du XIVe siècle.

75. Peu fermes en leur foi (chrétienne), avec très peu de motifs.

76. Il admet donc qu'on a le devoir de son pays défendre, et même jusqu'à la mort. C'est une idée armagnacque plus que bourguignonne (!), mais l'Église l'admettait depuis longtemps si l'ennemi était infidèle. On entrait alors dans la croisade où mourir pour Dieu vous ouvrait le paradis. En fait, les Tsiganes, s'ils ont peu résisté aux Turcs, sont partis vers l'Occident.

77. Certains partirent vers l'Europe orientale et la Bohême. L'empereur d'Allemagne, Sigismond, et le roi de Pologne leur accordèrent des sauf-conduits en 1416.

78. Ils croyaient qu'on les laisserait en leur pays une fois redevenus chrétiens, comme cela avait été le cas la première fois.

seigneurs, par grande délibération de conseil, dirent que jamais ne tiendraient terre en leur pays[79], si le pape ne le consentait[80], et qu'il convenait que là allassent au Saint-Père à Rome, et là allèrent tous, petits et grands, à moult grande peine pour les enfants. Quand là furent, ils confessèrent en général leurs péchés. Quand le pape eut ouï* leur confession, par grande délibération de conseil, leur donna en pénance[81] d'aller sept ans ensuivant parmi le monde, sans coucher en lit, et pour avoir aucun confort pour leur dépense, ordonna, comme on disait, que tout évêque et abbé portant crosse leur donnerait pour une fois dix livres tournois[82], et leur bailla* lettres faisant mention de ce aux prélats d'église et leur ordonna sa bénédiction[83], puis se départirent[84]. Et furent avant cinq ans par le monde qu'ils vinssent à Paris[85], et vinrent le 17e jour d'août l'an 1427, les douze devant dits, et le jour Saint-Jean-Decolace[86] vint le commun[87], lequel on ne laissa point entrer dedans Paris ; mais par justice[88] furent logés à la Chapelle-Saint-Denis, et n'étaient point en tout, d'hommes, de femmes et d'enfants plus de cent ou six-vingts ou environ. Et quand ils se partirent de leur pays, étaient mille ou douze cents, mais le remenant* était [mort] en

---

79. Cette histoire de l'empereur qui n'admet pas l'existence d'hérétiques en Bohême est à relier aux guerres contre les hérétiques hussites de Bohême, contemporains de notre récit.

80. Cette entente pape-empereur tient au Moyen Age plus du mythe que de la réalité. Mais les Tsiganes obtinrent bien une bulle de Martin V en 1422.

81. Leur donna comme pénitence d'aller sept ans errer parmi le monde. Le but du récit est de fournir une explication logique à la vie nomade des Bohémiens qui est devenue une anomalie dans un bas Moyen Age très majoritairement sédentaire.

82. Ils sont confiés à la charité de la hiérarchie ecclésiastique. Le soin des pèlerins appartient normalement à l'Église .

83. Avant un pèlerinage pénitentiel, on doit demander la bénédiction des autorités ecclésiastiques. On ne sait si Martin V la leur donna, l'authenticité de sa bulle étant elle-même discutée.

84. Ils partirent çà et là. Le terme sous-entend qu'ils n'ont pas de destination fixe.

85. Ils seraient donc partis de Rome en 1422. C'est parfaitement exact.

86. Le jour de la Décollation de saint Jean-Baptiste, le 29 août.

87. Le commun (des Bohémiens). Ils sont structurés en deux : une aristocratie de chefs et un commun.

88. Décision de justice. On les loge hors des remparts par méfiance.

la voie, et leur roi et leur reine[89], et ceux qui étaient en vie avaient espérance d'avoir encore des biens mondains, car le Saint-Père leur avait promis qu'il leur donnerait pays pour habiter bon et fertile[90], mais qu'ils de bon cœur achevassent leur pénitence.

467. Item, quand ils furent à la Chapelle, on ne vit oncques plus grande allée de gens à la bénédiction du Lendit[91] que là allait de Paris, de Saint-Denis et d'entour Paris pour les voir. Et vrai est que les enfants d'iceux étaient tant habiles[92] fils et filles que nuls plus, et le plus et presque tous avaient les deux oreilles percées[93], et en chacune oreille un anel d'argent ou deux en chacune, et disaient que c'était gentillesse en leur pays.

468. Item, les hommes étaient très noirs, les cheveux crépés, les plus laides femmes qu'on pût voir et les plus noires[94] ; toutes avaient le visage deplaié[95], cheveux noirs comme la queue d'un cheval, pour toute robe une vieille flaussaie[96] très grosse d'un lien de drap ou de corde liée sur l'épaule, et dessous un pauvre roquet[97] ou chemise pour tout parements. Bref, c'étaient les plus pauvres créatures qu'on vit oncques venir en France d'âge d'homme. Et néanmoins leur pauvreté[98], en la compagnie avaient sorcières qui regardaient ès mains des gens et disaient

---

89. Le reste (de ce peuple) était mort sur les chemins, y compris leur roi et leur reine. Le duc André est mort entre 1422 et 1427.

90. C'est une légende. Les Bohémiens ne souhaitent nullement devenir des sédentaires, mais les autres ne peuvent imaginer qu'il en soit autrement.

91. La bénédiction de la foire du Lendit attire les foules qui veulent voir les Bohémiens.

92. Habiles à quoi? Probablement habiles de leurs mains ou aux exercices de cirque.

93. Avoir un ou deux anneaux d'argent dans les oreilles distinguait les nobles en leur pays. Les anneaux d'oreilles ne sont pas utilisés en France au xve siècle. Les nobles s'y distinguent par l'habillement.

94. L'idéal esthétique du Bourgeois va plutôt vers les blondes. Les héroïnes des chansons de geste sont presque toujours blondes.

95. Déplaié : ridé, ou, peut-être, tatoué.

96. Flaussaie : couverture grossière. Il s'agit d'un vêtement drapé. En France, on n'utilise plus à cette date que des vêtements cousus.

97. Camisole de dessous.

98. Malgré leur pauvreté, parmi eux... Il sous-entend que les sorcières font de l'argent avec leurs prédictions. Le terme est ici pris au sens de voyante, devineresse.

ce qui advenu leur était ou à advenir, et mirent contens*[99] en plusieurs mariages, car elles disaient (au mari) : « Ta femme [t'a fait] cocu », ou à la femme : « Ton mari t'a fait coulpe[100]. » Et qui pis* était, en parlant aux créatures[101], par art magique, ou autrement, ou par l'ennemi d'enfer, ou par entregent d'habilité, faisaient vider les bourses aux gens et le mettaient en leur bourse, comme on disait. Et vraiment, j'y fus trois ou quatre fois pour parler à eux, mais oncques ne m'aperçus d'un denier de perte, ni ne les vis regarder en main[102], mais ainsi le disait le peuple partout, tant que la nouvelle en vint à l'évêque de Paris, lequel y alla et mena avec lui un frère mineur, nommé le Petit Jacobin, lequel par le commandement de l'évêque fit là une belle prédication[103], en excommuniant tous ceux et celles qui ce faisaient et qui avaient cru et montré leurs mains. Et convint qu'ils s'en allassent[104], et se partirent le jour de Notre-Dame en septembre, et s'en allèrent vers Pontoise.

469. Item, le vendredi 5e jour de septembre l'an 1427, fut levé par [les gens de] celui qui se dit dauphin[105], le siège qui était devant Montargis[106]. Et furent les Anglais moult grevés*, car trop se fiaient en leur force, et furent trouvés désarmés[107] de

---

99. Et mirent la bagarre dans plusieurs mariages.

100. Ton mari a fauté.

101. Les créatures (infernales) sont les démons. Soit par la magie, soit avec l'aide du démon, soit en usant de leur habileté... Les activités de pickpocket sont justifiées rationnellement ou non.

102. On ne l'a pas volé et on ne lui a pas prédit la bonne aventure, peut-être à cause de sa tonsure et de son habit clérical.

103. Le 14 septembre, on fit procession aux Jacobins et prédication contre ceux qui avaient montré leurs mains. La chiromancie est une pratique d'origine antique dont l'Église se défie.

104. Les Tsiganes furent envoyés en pèlerinages pénitentiels à Notre-Dame-de-Pontoise. Ils partirent le 8 septembre.

105. Charles VII, dont il ne parle jamais. Il se dit roi et non pas dauphin, mais les Bourguignons ne lui reconnaissent ni l'une ni l'autre qualité. Pour certains partisans populaires du prince comme Jeanne d'Arc, il est le dauphin jusqu'au sacre de 1429. Pour les intellectuels, il est roi depuis la mort de son père.

106. La Hire et le Bâtard d'Orléans conduisirent l'armée de secours qui fit lever le siège de Montargis. Cette place forte delphinale était assiégée depuis juillet par les troupes anglaises de Suffolk et Salisbury. Comprendre « le siège qui était... ».

107. Les Anglais furent sévèrement battus. Il le justifie ici à tort par la surprise.

leurs ennemis, qui bien en tuèrent 600 ou plus, tant marchands de vivres[108] qu'hommes d'armes, et leur convint laisser le siège au droit temps qu'on cueille les biens[109].

470. Item, en cet an faisait aussi grand froid à la Saint-Rémi ou presque qu'il avait fait à la Saint-Jean, car en cet an ne fit pas plus d'un mois d'été. Par quoi les vignes apportèrent si peu que le plus n'apportèrent qu'une caque de vin en l'arpent, et encore moins tels y avait ; moult se tenait heureux qui en avait en l'arpent un muid ou une queue[110], et tout par le long hiver qui tant dura qu'on vit oncques mais si long ; et vraiment on trouvait ès amandiers après la fête de Toussaint des amandes toutes vertes bonnes à peler comme à la mi-août, et étaient de très bon goût.

471. Item, en ce temps fut le vin très cher, car on avait très petit vin pour huit deniers parisis la pinte, et si était la monnaie très bonne[111].

472. Item, en cet an, ou peu devant, vint à Paris une femme nommée Margot, assez jeune, comme de 28 à 30 ans, qui était du pays de Hainaut, laquelle jouait le mieux à la paume[112] qu'oncques homme eût vu, et avec ce jouait devant main derrière main très puissamment, très malicieusement, très habilement, comme pouvait faire homme, et peu venait d'hommes à qui elle ne gagnât, si ce n'était les plus puissants joueurs. Et était le jeu de Paris où le mieux on jouait en la rue Garnier-Saint-Ladre[113], qui était nommé le Petit Temple.

473. Item, en ce temps, environ quinze jours devant la Saint-Rémi, chut* un mauvais air corrompu[114], dont une très mau-

---

108. Les Armagnacs, c'est bien connu, tuent n'importe qui, y compris les innocents fournisseurs des armées anglaises.

109. Cette expression « au vrai temps où l'on cueillera les biens [sur les arbres] » signifie jamais ou à la Saint-Glinglin. Le siège est différé *sine die*.

110. Un arpent de vigne rapportait au mieux un muid ou une queue, la moyenne était à une caque, soit une demi-queue.

111. Il voit bien le mécanisme de formation du prix. La quantité de vin offerte est faible et la monnaie réévaluée.

112. Le jeu de paume est en principe masculin, car il exige de la force pour expédier la balle.

113. Il se joue à couvert. Il y avait plusieurs jeux de paume à Paris au XVe siècle. Sur les cinq ou six emplacements, l'un des plus connus était rue du Grenier-Saint-Lazare.

114. C'est l'explication classique au Moyen Age de l'épidémie par la corruption de l'air. L'épidémie commença à la mi-septembre.

vaise maladie advint qu'on appelait la dando, et n'était nul ni nulle qui aucunement ne s'en sentît dedans le temps qu'elle dura[115]. Et la manière comment elle prenait : elle commençait ès reins et ès épaules, et n'était [nul] quand elle prenait qui ne cuidât* avoir la gravelle[116], tant faisait cruelle douleur, et après ce à tous venaient les assées[117] ou forts frissons, et était-on bien huit ou dix ou quinze jours qu'on ne pouvait ni boire, ni manger, ni dormir, les uns plus, les autres moins, après ce venait une toux si très mauvaise à chacun que quand on était au sermon, on ne pouvait entendre ce que le sermonneur disait, pour la grande noise[118] des tousseurs.

474. Item, elle eut très forte durée jusqu'après la Toussaint bien quinze jours ou plus. Et n'eussiez guère trouvé homme ni femme qui n'eût la bouche ou le nez tout élevé de grosse rogne[119] pour l'assée, et quand on se rencontrait[120] l'un l'autre, [on demandait : « As-tu point eu de la dando ? » S'il disait non, on lui répondait tantôt : « Or te garde bien, que vraiment tu en goûteras un morcelet[121]. » Et vraiment on ne mentait pas, que pour vrai, il fut peu, fût petit ou grand, femme ou enfants, qui n'eût en ce temps ou assées, ou frissons, ou la toux qui trop durait longuement.

475. Item, le 15e jour de décembre ensuivant, fut pris un écuyer nommé Sauvage de Frémainville[122] dedans le chastel de L'Isle-Adam, par force, lui et deux valets, car plus n'y avait de gens quand il fut pris. Assez fut[123] qui le lia, et fut mis sur un cheval, les pieds liés et les mains, sans chaperon[124], en ce point

---

115. Tous l'attrapèrent plus ou moins. C'est une sorte de grippe ou de rhume avec fièvre.

116. La gravelle est une maladie très douloureuse, proche des maux dus à des calculs rénaux.

117. Le nez qui coule, ou éternuements.

118. La grande gêne (que faisaient) les tousseurs.

119. La bouche ou le nez pris par le rhume, gonflé et rouge.

120. Se rencontrait.

121. « Garde-toi bien, sinon vraiment tu en goûteras un peu » (un petit morceau).

122. Sauvage de Frémainville est un routier. Il était bourguignon en 1419, et devint ensuite armagnac. Spécialiste des opérations risquées, il avait, en décembre 1425, tenté d'intercepter Bedford sur la route du nord. Celui-ci ne lui pardonna pas et le chevalier du guet fut chargé de le capturer à L'Isle-Adam.

123. Il y en eut (besoin) de beaucoup pour le lier...

124. C'est un signe d'humiliation.

amené à Bagnolet où le régent était, qui tantôt commanda que sans nul délai on l'allât pendre au gibet hâtivement, sans être ouï en ses défenses, car on avait grande paour* qu'il ne fût rescoux[125], car de très grand lignage[126] était. Ainsi fut amené au gibet, accompagné du prévôt de Paris et de plusieurs gens, et avec était[127] un nommé Pierre Baillet qui avait été valet cordonnier à Paris, et puis fut sergent à verge, et puis receveur de Paris, et lors était grand trésorier du Maine. Lequel Pierre Baillet ne voulut oncques, quand ledit Sauvage demanda confession, qu'il véçût si longuement[128], mais lui fit tantôt monter l'échelle, et monta après à deux ou trois échelons en lui disant grosses paroles[129]. Le Sauvage ne lui répondit pas à sa volonté[130], pour quoi ledit Pierre lui donna un grand coup de bâton, et en donna cinq ou six au bourrel* pour ce qu'il l'interrogeait[131] du sauvement de son âme. Quand le bourrel* vit que l'autre avait si malle* volonté, si eut paour* que ledit Baillet ne lui fît pis*[132], si se hâta plutôt qu'il ne devait pour la paour*[et le pendit]; mais, pour ce que trop se hâta, la corde rompit ou se dénoua, et chut* ledit jugé sur les reins, et furent tous rompus et une jambe brisée, mais en cette douleur lui convint remonter, et fut pendu et étranglé[133]. Et pour vrai dire,

---

125. On avait grand-peur qu'il ne fût secouru, car...

126. Ce grand lignage est surtout une invention de la propagande anglaise pour justifier la rapidité de l'exécution.

127. Avec (le prévôt) était un nommé... Pierre Baillet, de petite extraction, se signala par son dévouement à la cause anglaise. Il fut receveur de Paris en 1425, receveur du Maine en 1427 et trésorier du duc de Bedford. Il finit sa carrière comme trésorier de Normandie, de 1436 à 1446.

128. Il ne voulut pas qu'il vécût assez longtemps (pour se confesser).

129. En l'injuriant.

130. Ne lui répondit pas comme il voulait (l'injuria aussi, probablement).

131. Le bourreau a de la conscience professionnelle. Il ne veut pas expédier un client non confessé qui irait en enfer.

132. Le bourreau eut peur que Baillet ne lui fît pis (c'est-à-dire qu'il le tue).

133. Cette histoire est particulièrement choquante pour deux raisons : l'accusé n'a eu aucune garantie et aucun procès, en outre quand la corde se casse, on y voit la volonté de Dieu et on fait grâce habituellement.

on lui portait une très malle* grâce[134], espécialment de plusieurs meurtres très horribles[135], et disait-on qu'il avait tué de sa main au pays de Flandre ou de Hainaut un évêque[136].

[1428]

476. Item, en cet an après Pâques, qui furent le 4e jour d'avril l'an 1428, fut si grande foison de hannetons qu'on avait oncques vu, et mangèrent tellement [vignes], amandiers, noyers et autres arbres, que par les contrées où ils furent n'y avait, espécialment ès noyers, nulle feuille quinze jours devant la Saint-Jean-Baptiste.

477. Item, le duc de Bourgogne vint à Paris le 22e jour de mai à un samedi, vigile de la Pentecôte, et vint sur un petit cheval en guise d'archer[1], et n'eût point été connu[2] du peuple, si n'eût été le régent qui le compagnait* et la régente après.

478. Item, il s'en alla le 2e jour de juin ensuivant, veille du Saint Sacrement[3], qui fut le 3e jour de juin.

479. Item, en cette année, fut tant de hannetons que les anciens disaient avoir oncques vu, et durèrent jusqu'après la Saint-Jean, et gâtèrent toutes les vignes, et les noyers et les amandiers, et fut avant la Saint-Pierre[4] qu'on s'en put délivrer ;

---

134. On voulait sa mort. « On » désigne Bedford.

135. Le motif allégué (le meurtre d'un ecclésiastique dans une région très imprécise) est faux. La vraie raison était qu'il avait bien failli capturer le duc de Bedford.

136. Cette nécessité de justification religieuse prouve que les exécutions sommaires de partisans du dauphin pour des raisons uniquement politiques sont mal reçues par l'opinion publique parisienne.

1. Comme l'aurait fait un simple archer.

2. Reconnu. Le Bourgeois aime les cérémonies et que chacun tienne son rang. Un prince doit faire une entrée. On peut penser que Bedford cherche à l'éviter pour des raisons financières et parce qu'une double entrée ducale pose des problèmes de protocole. Par ailleurs, l'entrée est en Angleterre beaucoup moins utilisée et plus simple qu'en France, à l'exception de celle du sacre.

3. Veille de la Fête-Dieu.

4. On ne s'en débarrassa pas avant la Saint-Pierre, le 29 juin.

et si faisait très grand froid à la Saint-Jean, et toujours pleuvait, tonnait, espartissait*. Et advint que le 13e jour de juin le tonnerre chut* à Paris sur le clocher des Augustins[5], et foudroya ledit clocher, toute la couverture qui était d'ardoise, et le merrien[6] par-dedans, qu'on estimait le dommage qu'il fit à 800 ou mille francs.

480. Item, le 25e jour de mai, le mardi des fêtes[7] de la Pentecôte, l'an 1428, prirent par trahison les Armagnacs[8] la cité du Mans[9], et du prendre furent plusieurs de la ville consentants[10], par ainsi que lesdits Armagnacs promirent[11] qu'ils les garderaient en leur franchise et seraient avec eux comme amis, mais sitôt qu'ils eurent la seigneurie de la ville, ils pillèrent, robèrent*, efforcèrent* filles et femmes, et firent tous les maux qu'on peut faire à ses ennemis à ceux qui les cuidaient* amis.

481. Item, quand ladite cité fut prise, le capitaine[12] qui y était de par le régent ordonné était allé en une sienne affaire environ vingt lieues loin de la cité, quand il sut la chose comment elle était, s'il fut moult courcé* nul ne demande[13]. Il fit finance[14] de trois cents hommes d'armes, et s'en vint le vendredi ensuivant environ minuit, et fit tant qu'il regagna la cité avant qu'il fût guère grand jour ; car quand la commune[15]

---

5. Le couvent des frères augustins se trouvait sur la rive droite, près des quais.

6. Le bois de la charpente.

7. Chaque grande fête religieuse comprend une vigile préparatoire, la fête elle-même et les trois jours suivant les fêtes ou les fériés.

8. L'armée des Armagnacs était conduite par La Hire, Jean de Bueil et le sire d'Orval.

9. Le Mans, capitale du Maine, était une place forte stratégique importante entre les terres angevines et la Normandie anglaise.

10. L'évêque Adam Chatelain, le clergé et un certain nombre de bourgeois avaient négocié l'arrivée des Armagnacs, consentie à la prise de la cité.

11. On signa probablement une composition qui prévoyait la bonne tenue des troupes armagnacques. Il n'en fut rien, car une résistance épisodique se manifesta dans la ville et la garnison anglaise eut le temps de se replier dans la tour Ribendelle près de la porte Saint-Vincent, que le Bourgeois appelle le château.

12. John Talbot, capitaine du Mans, était à Alençon.

13. Il fut très courroucé, cela va de soi...

14. Il engagea moyennant finances...

15. La communauté des bourgeois du Mans.

vit la grande cruauté des Armagnacs, ils les prirent en si grande haine qu'ils laissèrent entrer dedans ledit capitaine, ou au moins ne se défendirent-ils que bien peu[16]. Quand ils furent dedans, ils commencèrent à crier : « Ville gagnée ! » et le cri du capitaine ......[17] dedans la forteresse[18], où une quantité de ses gens s'étaient retraits*, quand la cité fut trahie premier[19]. Quand ils ouïrent le cri de leur capitaine ou bannière[20], si se mirent à lancer et jeter et à laisser choir* grosses pierres sur les Armagnacs qui les avaient assiégés, et leur capitaine leur vint par-derrière[21], qui avait avec lui trois cents hommes, comme devant est dit, de bonne étoffe[22], si comprirent[23] toute la place tellement que les Armagnacs ne purent reculer ni entrer au chastel. Si se combattirent main à main moult longuement, mais en la fin furent déconfits les Armagnacs car la commune les avait en si grande haine pour leur mauvaiseté que, par les fenêtres, ils leur jetaient grosses pierres[24] dont ils tuaient eux et leurs chevaux, et quand aucun des Armagnacs échappait par bon cheval ou autrement, tantôt était tué du commun[25]. Et tant firent, c'est à savoir, le capitaine, nommé messire Talbot[26], et ceux du chastel et la commune, que douze [cents] Armagnacs demeurèrent en la place[27], sans* ceux qui furent décollés*, qui avaient été consentants de l'entrée des Armagnacs par trahison, et sans les prisonniers qui furent très grand nombre ; car il

---

16. En fait, certains bourgeois étaient pro-anglais, d'autres non.
17. (Fut entendu.)
18. La tour Ribendelle.
19. Quand la cité avait été trahie au début.
20. Ou (virent) sa bannière.
21. Prit les Armagnacs à revers.
22. Capables.
23. S'installèrent tout autour de l'armée des Armagnacs prisonnière, entre les gens du château et l'armée de Talbot.
24. Des stocks de grosses pierres sont peu probables dans les maisons particulières ! Par contre, au château il y a des réserves de ce genre.
25. Le Bourgeois tient à ce que le commun soit toujours anti-armagnac. La vérité est loin d'être aussi simple.
26. John Talbot, comte de Shrewsbury, est l'un des plus célèbres chefs de guerre anglais. Il devint sire de Furnival et comte de Clermont. Il se vit confier la défense de la Normandie et fut tué à Castillon en 1453. Le Bourgeois l'estime fort et en parle toujours favorablement.
27. Furent tués, sans compter ceux qui furent décapités.

y avait vingt-deux ou vingt-trois capitaines[28] d'Armagnacs qui étaient accompagnés de 3000 hommes d'armes et plus, dont il appert* [bien] clairement qu'ils sont bien malheureux quand 300 hommes les déconfirent* si laidement, et pour leur péché[29], car, s'ils se fussent bien portés[30] vers ceux de la ville, selon (ce) qu'ils avaient juré, ils eussent fait que sages[31].

482. Item, fut l'année froide si longuement que [tout] le Lendit ni à la Saint-Jean[32] (n'y) avait encore nulles bonnes cerises, et bien peu encore de fèves nouvelles, ni blé, ni vigne en fleur.

483. Item, le jour Saint-Leuffroy, qui fut au lundi 26e jour de juin, fut la plus somptueuse fête[33] faite au Palais à Paris qu'homme qui pour lors vécût eût oncques vue; car toute personne, de quelque état qu'il fût, était reçue à dîner selon son état[34]; car le régent de France et sa femme, et la chevalerie furent servis en lieu et de viande selon leur état[35], le clergé premier, comme évêques, prélats, abbés, prieurs; après, docteurs de toutes sciences, le Parlement; après, le prévôt de Paris et ceux du Châtelet; après, le prévôt des marchands [et les échevins et bourgeois et marchands] ensemble; [et après le commun de tous états[36]]. Et furent bien à celui dîner tant uns

---

28. Ils étaient trois!

29. S'ils furent si malheureux d'être vaincus honteusement par seulement trois cents hommes, c'est à cause de leur péché. L'Armagnac est pécheur par nature et, qui plus est, il s'était mal conduit au Mans.

30. Bien comportés envers.

31. Ils eussent agi comme des sages.

32. La foire du Lendit commence le 12 juin, la Saint-Jean est le 24. Il veut dire pendant tout le mois de juin.

33. Le 26 juin 1428 (Saint-Leuffroi), Bedford offrit un dîner d'apparat auquel on convia 5000 à 6000 invités à l'occasion de la réception par l'Université de quatre nouveaux docteurs: deux Français et deux Anglais. L'Université était un des principaux soutiens du régime, son indifférence aux nationalités était fort ancienne. L'enseignement en latin attirait des étudiants d'un peu partout. Il n'est donc pas étonnant d'y voir des Anglais, une fois résorbées les conséquences du Grand Schisme. Après 1450, elle deviendra nationale.

34. Le menu est adapté à la condition sociale de l'invité.

35. Ils avaient des tables à part, probablement sur une estrade.

36. Sa hiérarchie sociale est intéressante et reflète la distribution des tables: le prince et ses nobles, le clergé, l'Université, les gens de justice (Parlement, Châtelet, prévôté de Paris), l'administration de la ville (prévôté des marchands, échevinage) et les bourgeois, puis les autres.

que autres plus de huit milliers[37] séants à table, car il y eut de pain distribué[38] d'environ trois deniers la pièce, qui pour lors était moult grand, car on avait un setier de très bon froment pour douze sols parisis, si y en eut bien 700 douzaines[39].

484. Item, on y but de vin bien quarante muids.

485. Item, y eut bien 800 plats de viande[40], sans* le bœuf et le mouton qui fut sans nombre[41].

486. Item, environ le mois d'août, l'an 1428, le comte de Salisbury avec sa compagnie prit la ville de Nogent-le-Roi[42], prit Janville en Beauce[43], prit Rochefort[44] et de là alla à Châteaudun et à Orléans boire devant la ville[45]. Et fut faite une grosse taille aussi bien aux villages comme ès cités ; et si leur convint faire finance[46] de bien 200 voitures, chacune à trois ou à quatre chevaux, pour mener vivres et artillerie ou pour mener bien 200 queues de vin ou plus, qui furent prises dedans Paris ; et si était le vin si cher que nuls ou peu des ménagers* n'en buvaient, car la pinte de moyen vin au mois de septembre coûtait douze deniers, très forte monnaie.

487. Item, en ce temps, pour la charté* du vin, plusieurs se mirent à brasser cervoise[47], et avant que la Toussaint vînt, [il y] en eut bien[48] à Paris trente brasseurs, et si l'amenait-on tous les

---

37. 8 000 assis à table. Clément de Fauquembergue parle de 5 000.

38. Le pain de 3 deniers coûte toujours 3 deniers, mais sa taille varie avec le prix du blé.

39. Il compte les convives d'après le nombre des petits pains distribués.

40. Il y eut bien 800 plats de viande, sans compter... Il distingue ici la viande de luxe (gibier, veau, agneau) de la viande bon marché.

41. Si abondants qu'on n'en compta pas les plats.

42. Salisbury prit Nogent-le-Roi près de Dreux (Eure-et-Loir).

43. Janville, près de Chartres (Eure-et-Loir).

44. Rochefort-en-Yvelines.

45. Assiéger la ville. Le siège d'Orléans commença au début de l'automne. La ville contrôlait les ponts de la Loire et sa perte aurait été catastrophique pour le dauphin. Elle avait aussi valeur de symbole à cause de son nom. Par ailleurs, attaquer les biens d'un prisonnier (Charles d'Orléans était en Angleterre) ne se faisait pas selon les lois de la guerre. Tout ceci explique le retentissement du siège. Il utilise le mot « boire », parce que les réquisitions de vin à Paris furent importantes et impopulaires !

46. Financer (le coût) de.

47. Faire de la bière.

48. Il y eut bien.

jours à charretées de Saint-Denis[49] et d'ailleurs, et qu'on la criait[50] parmi Paris, comme on a accoutumé à crier le vin, et si n'était celle de Paris qu'à deux doubles, et celle de Saint-Denis à trois doubles, qui valaient quatre deniers parisis pièce.

488. Item, en ce temps, on avait bons pois pour dix deniers le boissel*, bonnes fèves pour dix deniers, le quarteron d'œufs pour douze deniers parisis.

489. Item, en celui mois de septembre 1428, à la Sainte-Croix[51], n'avait encore nuls raisins dont on eût pu dire : « Voyez ci une grappe noire entièrement », tant fut l'année froide longuement et tardive.

490. Item, en celui temps, au mois d'août, fut faite une ordonnance sur les rentes[52], que chacun qui aurait puissance pouvait avoir la livre pour quinze livres tournois, pour tant qu'elles fussent ou eussent été grand temps cueillies[53] ; et aussi en furent mis hors de ladite ordonnance enfants mineurs d'ans, femmes veuves, églises[54]. Et plusieurs autres ordonnances furent faites sur lesdites rentes, lesquelles on peut savoir au Châtelet qui veut[55].

491. Item, ladite ordonnance fut publiée le darrain* jour de juillet l'an 1428.

492. Item, le vendredi 10e jour de septembre 1428, fut dépendu[56] du gibet de Paris un nommé Sauvage de Frémainville, à qui Pierre Baillet fit tant de déplaisir quand on le

---

49. D'autres brasseurs, installés à Saint-Denis, fournissaient une bière plus chère.

50. Le marchand attire le client en criant sa marchandise. Il vante sa qualité et son prix.

51. La Sainte-Croix est le 14 septembre.

52. L'ordonnance relative au rachat des rentes constituées sur les maisons de Paris date du 31 juillet 1428. Le propriétaire d'une maison obérée de rentes perpétuelles pouvait racheter une rente annuelle de une livre pour 15 livres (l'ordonnance dit 12) versées en une fois. Le versement de ce capital annulait alors la rente. Cela n'était valable que pour les rentes anciennes.

53. Si les rentes ont été versées depuis longtemps, le capital prêté à l'origine est de fait remboursé.

54. L'ordonnance ne s'applique pas aux... Cela pour ne pas les léser de leurs droits.

55. Elles sont affichés au Châtelet qui surveille leur application.

56. Il avait été pendu le 15 décembre 1427 et fut donc dépendu neuf mois après.

pendait, car il le frappa en l'échelle[57] moult cruellement, et si battit le bourrel* d'un gros bâton qu'il tenait ; et était pour lors ledit Pierre receveur de Paris.

493. Item, en celui temps, était toujours le comte de Salisbury sur la rivière de Loire, et prenait châteaux et villes à son vouloir, car moult était expert en armes ; si s'en vint devant Orléans et l'assist[58] de toute part, mais Fortune, qui n'est à nul sûre amie[59], lui montra de son métier dont elle sert ses aimés sans défier[60], car plus cuide* être plus sûrement comme à siège[61], une pierre de canon[62] lui fut présentée qui lui donna le coup de la mort ; dont moult grand dommage eurent les Anglais, espécialment le régent de France, car il se reposait[63] ès cités de France à son aise lui et sa femme qui partout où il allait le suivait ; et quand l'autre fut mort, il lui convint maintenir la guerre, et partit de Paris pour y aller le mercredi, veille Saint-Martin[64] d'hiver 1428, et le comte de Salisbury était mort la semaine devant.

---

57. Sur l'escalier du gibet. Il a déjà fait ce récit à l'année 1427. Il devrait écrire « comme dit est plus haut ». Peut-être n'a-t-il pas rédigé dans l'ordre chronologique.

58. Il l'assiégea de tous les côtés (pour affamer la ville).

59. Qui n'est une amie sûre pour personne.

60. Lui montra comment elle sert ses amis, même s'ils ne la défient pas.

61. Alors qu'on croit être plus en sûreté lors d'un siège.

62. Le comte de Salisbury fut frappé par un boulet de canon devant Orléans, le 29 octobre 1428. Il mourut à Meung huit jours plus tard. Les Armagnacs présentèrent cette mort comme une vengeance de la Vierge contre les Anglais qui avaient pillé le sanctuaire de Cléry.

63. Le Bourgeois accuse Bedford d'inaction, ce qui est faux. Le duc n'est pas un chef de guerre mais il est un administrateur habile et un homme politique doué. Il a réussi à s'imposer dans des circonstances difficiles. Quant à promener sa femme partout, outre qu'il en était amoureux, il y avait un intérêt politique évident. Anne de Bourgogne était le symbole de l'alliance franco-anglaise.

64. Veille de la Saint-Martin (le 11 novembre), donc le 10 novembre. Il se dirige vers Mantes, puis Chartres.

[1429]

494. Item, en ce temps, était le quatrième[1] de la cervoise à Paris à 6600 francs, et celui du vin n'était mie* à la tierce partie, car le vin nouvel de ladite année était si petit et si faible[2] qu'on n'en tenait compte, car tout le meilleur ou la plus grande partie se sentait plus de verjus[3] que de vin, et si était si cher qu'on faisait la caque [devin], qui était un peu plus fort que dépense*, quatre [livres][4] parisis, et n'eussiez eu nulle à moins de 4 francs[5].

495. En icelui temps convint faire par les bourgeois de Paris finance[6] de farine pour mener en l'ost* devant Orléans, et en firent finance de plus de trois cents chariots chargés, [lesquels chariots et chevaux et toutes choses] appartenant à charroi ceux du plat pays d'entour Paris payèrent, sinon qu'ils furent, quand ils vinrent à Paris, assignés de leurs dépens[7] jusqu'à neuf jours ensuivant, et n'y devaient plus demeurer, mais ils y furent, après les neuf jours, autres neuf à leurs dépens, et leurs chevaux, qui moult les greva*[8]. Et le 12e jour de février, se partirent[9] à grande compagnie de gens d'armes et allèrent jusqu'à Étampes sans danger. Quand ils furent [un peu] par-delà entre Janville en Beauce et un village nommé Rouvray-Saint-Denis[10], il leur vint bien 7000 Armagnacs[11] qui les

---

1. Il s'agit de la taxe sur la vente du vin du même nom. Le quart de la cervoise rapportait 6600 francs et celui du vin 2200 francs au plus pour toute la ville de Paris. Ces taxes étaient affermées aux enchères.

2. Faible (en degré).

3. La plus grande partie avec plus le goût de vinaigre que...

4. Le texte est incomplet. Il faut lire la caque de vin pas plus fort que s'il était mélangé d'eau valait 4 (livres) tournois ou 5 (livres) parisis. Le tournois et le parisis sont deux monnaies différentes, toutes deux utilisées à Paris.

5. Et ne eussiez nulle (caque) à moins de 4 francs.

6. Faire finance : fournir et acheminer.

7. Sauf qu'on leur remboursait neuf jours de frais (pour ce charroi) mais ils y furent neuf jours (de plus)...

8. Ce qui leur coûta très cher (pour eux et les chevaux).

9. Sujet : les chariots et leurs conducteurs.

10. Janville-en-Beauce (Eure-et-Loir), et Rouvray-Saint-Denis (Eure-et-Loir).

11. Probablement beaucoup moins. John Falstaff et le prévôt de Paris,

amenèrent comme un danel[12] fait un tas de petits enfants. Quand nos gens virent ce, ils [s']ordonnèrent au mieux qu'ils purent et ne se hobèrent[13], ils avaient foison de grands pieux, aigus à un bout et ferrés à l'autre[14], qu'ils fichèrent en terre en penchant devers leurs ennemis, et furent mis les archers et arbalétriers de Paris à un côté, auxquels fut ordonné une aile de nos gens et l'autre aile fut des archers anglais[15], et au milieu fut ce qu'ils pouvaient avoir de grosse bataille*[16], car ils n'étaient en tout pas plus de 1 500 contre 7 000, qui étaient treize Armagnacs[17] contre deux de nos gens. Quand les Armagnacs eurent bien tournoié de loin autour de nos gens, si s'en revinrent et se mirent en ordonnance en la manière comme nos gens [lesquels] mandèrent qu'ils voulussent que, s'ils prenaient aucun des nôtres il fût mis à fin, c'est à savoir, à rançon[18], auxquels ils répondirent, [espécialment] le sire de Bourbon[19], que jamais Dieu ne lui aidât[20], se jà [aucun] en échappait, que tout ne fût mis à l'épée et, que si les hérauts y revenaient plus[21], ils fussent morts. Quand les hérauts eurent ce dit à nos gens, ils se hourdèrent par-derrière de leur charroi[22] et se recommandèrent à Notre Seigneur, et prièrent l'un l'autre de bien faire, et

---

Simon Morhier, avaient 2 000 Anglais. La garnison d'Orléans envoya 1 500 hommes sans compter les hommes du comte de Clermont. Cette déroute du 12 février 1429 est connue sous le nom de « journée des harengs » car les chariots étaient principalement chargés de vivres de Carême et on commençait à être affamé à Orléans.

12. « Danel ? » C'est un terme qui n'existe pas. Joueur de flûte ?

13. Ne bougèrent pas.

14. Cet armement était destiné aux assiégeants d'Orléans. Ces pieux sont plantés en avant des troupes anglaises.

15. La milice parisienne sur une aile, les archers anglais sur l'autre.

16. Les gens d'armes au centre, formant une bataille, c'est-à-dire un corps d'armée.

17. Même en comptant comme lui, cela fait 14 contre 3. Il y a sûrement erreur, peut-être du copiste.

18. Il y a des échanges de hérauts avant la bataille où l'on convient souvent de faire guerre guerrable (normale avec rançon) ou guerre mortelle (sans rançon).

19. Le jeune Charles de Bourbon, comte de Clermont. Son père le duc, prisonnier depuis Azincourt, mourut en 1434 en Angleterre.

20. Que Dieu ne vienne pas à son aide s'il laissait échapper quelqu'un.

21. Si les hérauts revenaient le trouver, il les ferait tuer.

22. Se mirent à l'abri derrière les chariots.

puis ordonnèrent bonne garde[23] pour le charroi avec les charretiers pour le grand péril [eschiver*] qui pouvait advenir, et comme il advint ; car aucuns et grande quantité des Armagnacs vinrent par-derrière, cuidant* piller les biens de nos gens. Et aucuns des voituriers les virent venir, ils dételèrent leurs chevaux et s'en voulurent fuir, mais les Armagnacs leur furent au-devant, qui moult les dommagèrent du corps et aucuns de la vie, et après cuidèrent* venir au pillage, mais ils furent si bien reçus que moult fut joyeux qui se put sauver. En tant que les larrons furent ainsi gardés de piller, les Armagnacs approchèrent nos gens, et furent les Gascons[24] qui étaient bien montés, et la greigneure* partie de leur gent, ordonnés encontre les arbalétriers et archers et compagnons de Paris, et les Écossais contre les Anglais, la grosse bataille* contre la grosse bataille*[25]. Quand ceux de Paris virent que ceux à cheval venaient vers eux, ils commencèrent à traire[26] d'arcs et d'arbalètes moult âprement ; quand Gascons virent ce, ils baissèrent la chère[27] et tournoyèrent leurs lances devant eux pour garder leurs chevaux du trait, et les poignèrent[28] de l'éperon moult fort, comme cils qui avaient espérance de les mettre tous à mort, mais qu'ils fussent près[29] ; mais les malheureux, les méchants, les maudits[30] ne voyaient pas le mal qui était devant leurs yeux ; car comme ils approchèrent de nos gens à pointe d'éperon, leurs chevaux entrèrent dedans les pieux fichés, et les pieux dedans leurs poitrines, et en ventres et en jambes, si ne purent aller en avant, mais churent* les aucuns tous morts[31] et

---

23. Ce sont des combattants modèles, pieux et prudents !

24. Les mercenaires gascons.

25. L'armée des Armagnacs est disposée symétriquement. Les mercenaires gascons contre la milice, les archers écossais contre les Anglais et les gens d'armes au centre.

26. Tirer avec leurs arcs.

27. La chère est une visière.

28. Ils les éperonnaient très fort.

29. Ils prenaient le risque de faire tuer leur cheval pour se rapprocher (de la milice). Comprendre « les mettre à mort pourvu qu'ils fussent assez près ».

30. Cette gradation est intéressante. Malheureux : condamné par la fortune. Méchant : moralement condamnable. Maudit : voué au Diable.

31. Les chevaux tombèrent tous morts et leurs maîtres aussi, après eux. Ce stratagème des pieux plantés pour arrêter la cavalerie avait déjà été utilisé plusieurs fois par les armées anglaises, en particulier à Poitiers.

leurs maîtres après. Ceux qui furent atterrés[32], criaient aux autres : « Viras ! viras ! » c'est-à-dire : « Retournez ! retournez ! » Si s'en cuidèrent* tantôt fuir, mais leurs chevaux, qui navrés* étaient des pieux devantdits, cheaient* tous morts sous eux, qui en abattaient deux ou trois et faisaient trébucher leurs gens qui après venaient. Quand les Écossais et les autres virent ce, moult furent ébahis et eux prirent à fuir comme bêtes qu'un loup espart[33] çà et là, et nos gens à les suivre de près, et à occire* et abattre ceux qu'ils purent atteindre, et en demeura en la place de morts 400 et plus, et de pris grande quantité. Et, comme les méchants eux cuidèrent* sauver à entrer à Orléans[34], ils furent aperçus de ceux du siège[35], qui leur allèrent au-devant et en tuèrent autant ou plus qu'on avait fait en la bataille devant dite. Ainsi leur advint pour leur péché[36] qu'ils avaient eu pensée que tout fût mis à l'épée, mais tout bel leur fut[37] quand ils se purent garder que l'épée de leurs ennemis ne les tuât. Quand nos gens eurent mené leurs vivres en l'ost*, ils s'en revinrent à Paris le 19e jour de février, l'an 1429, et fut trouvé que de ceux de Paris n'étaient morts en la bataille que quatre hommes et des voituriers qui s'en cuidèrent* fuir, plus et moult de navrés*. Dont c'est grande pitié et d'une part et d'autre, que faut que chrétienté tue ainsi l'un l'autre[38] sans savoir cause pourquoi, car l'un sera de cent lieues loin de l'autre[39], qui se viendront entre-tuer, pour gagner un peu d'argent ou le gibet au corps ou enfer à la pauvre âme[40].

496. Item, en ce temps furent commencées à Saint-Jacques de la Boucherie à dire les heures canoniales comme à Notre-

---

32. Au sens premier : mis à terre.
33. Poursuit.
34. Ils cherchèrent à rentrer dans Orléans d'où ils venaient.
35. Des Anglais qui assiégeaient la ville.
36. Leur péché était d'avoir prévu de faire guerre mortelle.
37. Au mieux, ils purent sauver leur vie (mais non avoir la victoire).
38. Qu'il faille qu'un chrétien en tue un autre.
39. Le Bourgeois trouve la guerre pire quand elle met aux prises de parfaits étrangers.
40. Pour lui, le métier militaire n'a aucun avenir. On gagne peu, on risque les exécutions sommaires et votre âme va en enfer. C'est une conception assez dépassée, à une époque où va naître l'armée permanente et où l'Église va admettre au paradis ceux qui meurent au combat pour leur pays.

Dame[41], le 16e jour de janvier l'an 1429, jour de dimanche qui était par cinq[42].

497. Item, le duc de Bourgogne revint à Paris le 4e jour d'avril, jour Saint-Ambroise, à moult belle compagnie de chevaliers et d'écuyers[43] ; et après, environ huit jours, vint à Paris un cordelier[44] nommé frère Richard, homme de très grande prudence, savant à oraison, semeur de bonne doctrine pour édifier son proisme[45]. Et tant y labourait fort que envis[46] le croirait qui ne l'aurait vu, car tant comme il fut à Paris il ne fut qu'une journée sans faire prédication. Et commença [le] samedi 16e jour d'avril 1429 à Sainte-Geneviève, et le dimanche ensuivant, et la semaine ensuivant, c'est à savoir, le lundi, le mardi, le mercredi, le jeudi, le vendredi, le samedi, le dimanche aux Innocents[47], et commençait son sermon environ cinq heures au matin, et durait jusqu'entre dix et onze heures, et y avait toujours quelque cinq ou six mille personnes à son sermon. Et était monté quand il prêchait sur un haut échafaud[48] qui était près d'une toise et demie de haut, le dos tourné vers les Charniers encontre la Charonnerie[49], à l'endroit de la Danse Macabre[50].

498. Item, le jour de l'Invention Saint-Denis, s'en retourna le duc de Bourgogne en son pays de Flandre ; et toujours était le siège devant Orléans, dont les vivres enchérirent fort à Paris,

---

41. Les heures canoniales comme à la cathédrale. Elles se disent rarement dans une simple paroisse qui n'a pas le personnel nécessaire pour cette prière continue.

42. Pour 1429, le chiffre de l'épacte est 5. Voir Annexes I.

43. Il approuve. C'est cette fois un voyage officiel. Il resta du 4 avril au 20 avril.

44. Frère Richard était un mendiant et un prédicateur à succès. Il avait prêché l'Avent à Troyes en 1428 et prêcha à Paris en avril 1429. Il avait des sympathies pour les Armagnacs, fut le confesseur de Jeanne d'Arc et l'accompagna dans le voyage de Reims.

45. Proximus : prochain.

46. Envis : difficilement.

47. Dans le cimetière. C'est un des lieux de prédication préférés des mendiants qui se prête bien aux appels à la pénitence.

48. Une estrade.

49. Le dos tourné aux charniers, face à la rue de la Charronnerie (actuelle Ferronnerie).

50. La célèbre fresque, peinte en 1424-1425.

car par contrainte[51] il y convenait souvent mener grande foison de farines et d'autres vivres et choses qui sont nécessaires pour guerre de siège; bref, on en mena tant que le blé enchérit à Paris, d'un samedi à autre, de 20 sols parisis à 40 sols parisis, et toutes choses dont homme pouvait vivre par cas pareil[52]. Ainsi, comme devant est dit, se départit le duc de Bourgogne, sans qu'il fît aucun bien au regard de la paix ou du pauvre peuple[53], et disait-on qu'il allait combattre les Liégeois[54].

499. Item, le cordelier devantdit prêcha le jour Saint-Marc[55] ensuivant à Boulogne-la-Petite[56], et là eut tant de peuple, comme devant est dit. Et pour [vrai] cette journée, au revenir dudit sermon, furent les gens de Paris tellement tournés en dévotion et émus qu'en moins de trois heures ou de quatre eussiez vu plus de cent feux, en quoi les hommes ardaient* tables[57] et tabliers, dés, cartes, billes, billards, nurelis[58] et toutes choses à quoi on se pouvait courcer* à maugréer à jeu convoiteux[59].

500. Item, les femmes, celui jour et le lendemain, ardaient* devant tous les atours[60] de leurs têtes, comme bourreaux[61], truffaux[62], pièces de cuir ou de baleine[63] qu'elles mettaient en leurs chaperons pour être plus raides ou rebras[64] devant, [les demoiselles laissèrent leurs cornes[65]] et leurs queues[66] et grande

51. Il s'agit de réquisitions pour l'armée.

52. Toutes choses (provisions) dont on pouvait vivre (renchérit) dans les mêmes proportions.

53. Sans qu'il eût apporté au pauvre peuple la paix ou l'abondance. Le Bourgeois est enfin sceptique sur la propagande bourguignonne.

54. Il se rend enfin compte que le duc Philippe se soucie peu de ce qui se passe à Paris et ne s'intéresse qu'à la Bourgogne et à la Flandre.

55. La Saint-Marc est le 25 avril.

56. Notre-Dame-de-Boulogne, dans la banlieue de Paris, est un sanctuaire à pèlerinage important.

57. Tables de jeux (échiquiers, damiers...).

58. Nurelis : osselets.

59. Se mettre en colère ou blasphémer en jouant pour de l'argent (?).

60. Les atours sont des coiffes, bonnets, chapeaux...

61. Pièces rembourrées.

62. Truffaux : sorte d'atours.

63. Certains chapeaux sont baleinés pour mieux tenir.

64. Se rabattre.

65. Hennins doubles.

66. Hennin simple pointu, ou traîne d'une robe.

foison de leurs pompes[67]. Et vraiment dix sermons qu'il fit à Paris et un à Boulogne tournèrent plus le peuple à dévotion que tous les sermonneurs qui puis cent ans avaient prêché à Paris.

501. Item, il disait pour vrai que depuis un peu il était venu de Syrie, comme de Jérusalem[68], et là encontra plusieurs tourbes[69] de Juifs qu'il interrogea, et ils lui dirent pour vrai que Messias[70] était né, lequel Messias leur devait rendre leur héritage, c'est à savoir la Terre de Promission, et s'en allaient vers Babylone à tourbes, et selon la Sainte-Écriture ce Messias est l'Antéchrist, lequel doit naître en la cité de Babylone, qui jadis fut chef des royaumes des Persans[71], et doit[72] être nourri en Bethsaida et converser en Coronaym en sa jouvence[73], desquelles Notre Seigneur dit[74] : « Veh ! veh ! vibi Bethsaida ! Veh ! veh ! Coronaym ! »

502. Item, ledit frère Richard prêcha le darrain* sermon à Paris le mardi lendemain Saint-Marc, 26e jour d'avril 1429, et dit au départir que l'an qui serait après, c'est à savoir, l'an 1430 on verrait les plus grandes merveilles[75] qu'on eût oncques vues, et que son maître frère Vincent[76] le témoigne selon l'Apoca-

---

67. Accessoires superflus, vêtements.

68. Que depuis peu il était revenu de Syrie, c'est-à-dire de Jérusalem. Sa géographie est imprécise !

69. Troupes. Les Juifs d'Europe croyaient aussi au xve siècle à l'arrivée prochaine de leur Messie.

70. Le Messie que les Juifs attendent naîtrait à Babylone et leur rendrait la Palestine (Terre Promise). Mais pour les chrétiens, ce Messie (qui fait la victoire des Juifs) est l'Antéchrist. Il est parfaitement exact que les Juifs du xve siècle étaient agités d'espérances messianiques. Il y eut même un mouvement de retour en Palestine (et non à Babylone).

71. Qui fut la capitale des Perses.

72. Sujet : l'Antéchrist. Il naîtra à Bethsaida et sera élevé à Coronaïm. Ces deux villes seront donc maudites.

73. Jeunesse.

74. Matthieu, XI, 21, et Luc, X, 13 « Malheur à toi, Bethsaida, malheur à toi, Coronaïm... » *Veh tibi Corozaim, veh tibi Bethsaida, quia si in Tyro et Sidone factae essent virtutes quae factae sunt in vobis, olim in cilicio et cinere penitentiam egissent.* « Malheur à toi, Bethsaida, malheur à toi, Coronaïm. »

75. Les événements les plus étonnants qu'on ait jamais vus se produiraient en 1430 (la fin du monde ?).

76. Vincent Ferrier, prédicateur dominicain, né à Valence en 1357 et mort à Vannes le 5 avril 1429, annonça la fin du monde en Espagne et en France avec un énorme succès. Il fut canonisé dès 1458. Il ne peut être « son maître » que parce qu'il l'a écouté prêcher.

lypse[77] et l'Écriture monseigneur saint Paul[78], et ainsi le témoigne frère Bernard[79], un des bons prêcheurs du monde, si comme disait cestui frère Richard. Et en celui temps était celui frère Bernard en prédication par-delà les Alpes en Italie[80], où il avait plus converti de peuple à dévotion que tous les prêcheurs qui depuis deux cents ans devant y avaient prêché. Et pour vrai, le mardi que cestui frère Richard se partit de son sermon[81], le dixième, que plus n'avait congé d'en faire à Paris[82], quand il commanda sa bonne recommandation et qu'il recommanda à Dieu le peuple de Paris, et qu'ils priassent pour lui et il prierait Dieu pour eux, les gens grands et petits pleuraient si piteusement et si profondément[83], comme s'ils vissent porter en terre leurs meilleurs amis, et lui aussi. Et atant*, celui jour ou lendemain, se cuidait* départir le prudhomme et s'en aller vers les parties de Bourgogne, mais ses frères firent tant par prière qu'encore demeura-t-il à Paris pour confirmer par prédication le bon édifiement[84] qu'il avait commencé. Et en ce temps fit ardre* plusieurs mandragores[85] que maintes sottes [gens] gardaient en lieux repos[86], et avaient si grande foi en cette ordure que pour vrai ils croyaient fermement que tant comme ils

---

77. L'Apocalypse que Saint-Jean avait écrite à Patmos fournissait le récit le plus connu de la fin des temps.

78. Les seuls textes messianiques de saint Paul sont les deux Épîtres aux Thessaloniciens.

79. Bernardin de Sienne, ministre général des franciscains de 1442 à 1444. Il fut canonisé en 1450. Il n'y a rien d'étonnant à voir frère Richard, lui aussi franciscain, le citer. C'est plus un paravent qu'autre chose. Bernardin n'est pas un fanatique de la fin des temps.

80. Bernardin de Sienne n'a guère prêché qu'en Italie. Il appelait à la réforme des mœurs et à la pénitence.

81. Termina son sermon.

82. On termine en général une série de sermons, ici une dizaine, par une recommandation : on demande à ses auditeurs de prier pour vous et on promet de prier pour eux.

83. Le Moyen Age n'a aucun scrupule à pleurer. Même les hommes pleurent en public.

84. Confirmer l'édification (des foules) qu'il avait commencée.

85. La racine de mandragore a des vertus magiques. Ici elle assure la prospérité, chez Machiavel, dans la pièce du même nom, elle assure la fertilité des épouses.

86. En lieux cachés.

l'avaient, mais qu'elle fût bien nettement en beaux drapeaux[87] de soie ou de lin enveloppée, que jamais jour de leur vie ne seraient pauvres ; et pour certain tels y avait qui les baillèrent* de leur gré, quand ils eurent ouï comment le prudhomme blâmait tous ceux qui ainsi follement croyaient, ils jurèrent qu'oncques, puis qu'ils les gardèrent, ils ne se virent un jour qu'ils ne dussent toujours (avoir) plus que vaillant ils n'avaient, mais très grande espérance avaient[88] qu'elles les eussent faits moult riches au temps avenir, par le mauvais conseil d'aucunes vieilles femmes[89] qui trop cuident* savoir, quand elles se boutent en telles méchancetés, qui sont droites sorcelleries et hérésies.

503. Item, en celui temps avait une Pucelle[90], comme on disait, sur la rivière de Loire, qui se disait prophète[91], et disait : « Telle chose adviendra pour vrai. » Et était du tout contraire au régent de France et à ses aidants. Et disait-on que malgré tous ceux qui tenaient le siège devant Orléans, elle entra en la cité à toute grande foison d'Armagnacs et grande quantité de vivres, qu'oncques ceux de l'ost* ne s'en murent[92], et si les voyaient passer à un trait ou deux d'arc près d'eux, et si avaient[93] si grande nécessité de vivres qu'un homme eût bien mangé pour trois blancs de pain à son dîner. Et plusieurs autres choses d'elle racontaient ceux qui mieux aimaient les Armagnacs que les Bourguignons ni que le régent de France ; ils affirmaient, que quand elle était bien petite, qu'elle gardait les brebis, que les oiseaux des bois et des champs, quand elle les appelait, venaient manger son pain en son giron comme privés[94]. *In veritate appocrisium est*[95].

---

87. Linges. Pour être efficace, la mandragore doit être bien traitée et enveloppée de soie.

88. Depuis qu'ils les avaient, ils n'étaient pas plus riches mais ils l'espéraient !

89. Ce sont toujours de vieilles femmes qui sont suspectes de sorcellerie : ici de vendre des mandragores et de répandre cette croyance.

90. Il s'agit de Jeanne d'Arc dont c'est le seul nom utilisé à cette époque.

91. Au sens qu'il lui arrivait de prédire l'avenir, c'est exact.

92. Sans que les Anglais bougent.

93. L'armée assiégeante manque moins de pain que les assiégés pour lesquels la situation était désespérée.

94. Comme apprivoisés. Ceci vient des *Fioretti* de saint François d'Assise. C'est un signe d'élection, ici donné dans l'enfance.

95. *In veritate apocrisium est* : « En vérité, ceci est faux. »

504. Item, en celui temps levèrent le siège les Armagnacs et firent partir les Anglais par force de devant Orléans[96], mais ils allèrent devant Vendôme et la prirent, comme on disait. Et partout allait cette Pucelle armée avec les Armagnacs et portait son étendard, où était [tant] seulement [en] écrit Jésus[97], et disait-on qu'elle avait dit à un capitaine anglais[98] qu'il se départît du siège avec sa compagnie, ou mal leur viendrait et honte à trétous, lequel la diffama moult de langage, comme (la) clamer ribaude et putain[99] ; et elle lui dit que malgré eux tous, ils partiraient bien bref, mais il ne le verrait jà, et si seraient grande partie de ses gens tués[100]. Et ainsi en advint-il, car il se noya le jour devant que l'occision fut faite, et depuis fut pêché et [fut] dépecé [par quartiers, et bouilli et embaumé[101], et apporté] à Saint-Merry, et fut huit ou dix jours en la chapelle devant le cellier, et nuit et jour ardaient* devant son corps quatre cierges ou torches, et après fut emporté en son pays pour enterrer.

505. Item, en ce temps s'en alla frère Richard, et le dimanche devant qu'il s'en devait aller, fut dit parmi Paris qu'il devait prêcher au lieu[102] ou bien près où monseigneur saint Denis avait été décollé* et maint* autre martyr. Si y alla plus de 6 000 personnes de Paris, et partirent la plus grande partie le samedi au soir à grandes tourbes, pour avoir meilleure place le dimanche au matin, et couchèrent aux champs en vieilles masures et où ils purent mieux, mais son fait fut empêché[103],

---

96. Le 8 mai 1429.

97. Jésus-Maria plus exactement.

98. William Glasdale, qui avait succédé au comte de Salisbury, en novembre 1428, à la direction du siège. Il fut noyé lors de l'assaut donné à la bastide des Tournelles, le pont sur lequel il se trouvait ayant été incendié par les Orléanais.

99. Comme de l'appeler... C'était une opinion assez générale dans l'armée anglaise où l'on hésitait entre sorcière et putain. Une ribaude est une fille à soldats.

100. Mais qu'il ne le verrait pas, (car lui) et une grande partie de ses gens seraient tués.

101. Bouilli et embaumé. Il faut rapporter les corps en Angleterre.

102. Sur la butte Montmartre. Les autres martyrs sont saint Rustique et saint Éleuthère, ses compagnons.

103. Mais son prêche fut interdit, pourquoi, je me tais là-dessus. Il prêchait en sous main pour les Armagnacs et on le pria de partir. Il n'est pas sûr que le Bourgeois s'en soit aperçu.

comment ce fut, atant* m'en tais, mais il ne prêcha point, dont les bonnes gens furent moult troublés, ni plus ne prêcha pour cette saison à Paris, et lui convint partir.

506. Item, en celui temps tenaient les Armagnacs les champs, qui tout détruisaient, si y furent commis Anglais environ huit mille. Mais quand ce vint au jour que les Anglais trouvèrent les Armagnacs[104], ils n'étaient pas plus de six mille, et les Armagnacs étaient dix mille[105]. Si coururent sus aux Anglais moult âprement et les Anglais ne le refusèrent mie* ; là eut grande déconfiture d'un lé et d'autre[106], mais en la fin ne purent les Anglais souffrir, car les Armagnacs, qui plus étaient de la moitié que n'étaient les Anglais, les encloyèrent[107] de toute part. Là furent Anglais déconfits*, et furent bien, comme on disait, trouvés morts des Anglais 4 000 ou plus, des autres ne sut-on le nombre à Paris[108].

507. Item, le dimanche 19e jour de juin l'an 1429, fut dédiée l'église de Saint-Laurent[109] dehors Paris par révérend père en Dieu, l'évêque de Paris[110], et autres prélats.

508. Item, le 6e jour du mois de juin audit an 1429, furent nées à Aubervilliers deux enfants qui étaient proprement, ainsi comme cette figure est[111], car pour vrai je les vis et les tins entre mes mains, et avaient, comme vous voyez, deux têtes, quatre bras, deux cous, quatre jambes, quatre pieds, et n'avaient qu'un ventre et qu'un nombril, deux têtes, deux dos. Et furent christianées[112], et furent trois jours sur terre pour voir la grande

---

104. A Patay, en Beauce, le 18 juin 1429. C'était la première victoire en rase campagne d'une armée française sur les Anglais.

105. Toute défaite de son côté s'explique par la supériorité numérique de l'adversaire ! Les forces semblent avoir été équilibrées à Patay.

106. D'un côté comme de l'autre. Il y eut 2 000 morts côté anglais et beaucoup de chefs de tout rang prisonniers, comme John Talbot et Lord Scales.

107. Verbe enclore : entourer.

108. On ne sut pas le nombre des morts armagnacs, soit parce qu'on ne s'y intéressait pas, soit plutôt parce que ceux-ci avaient gardé le contrôle du champ de bataille et relevé leurs morts. Il semble y en avoir eu beaucoup moins.

109. Saint-Laurent hors les murs.

110. L'évêque est Jacques du Châtelier.

111. Ce sont des sœurs siamoises. Le manuscrit original comportait un dessin à cet endroit.

112. Baptisées.

merveille[113] au peuple de Paris ; et pour vrai, du peuple de Paris y fut les voir plus de dix mille personnes, hommes que femmes, et par la grâce de Notre Seigneur la mère en délivra[114] saine et sauve. Elles furent nées environ sept heures au matin, et furent christianées en la paroisse Saint-Christophe, et la dextre fut nommée Agnès, la senestre Jeanne, leur père Jean Discret, la mère Gillette, et vécurent après le baptême une heure.

509. Item, en cette propre semaine, le dimanche ensuivant, fut né en la Chanvrerie, derrière Saint-Jean[115], un veau qui avait deux têtes, huit pieds et deux queues ; et la semaine ensuivant fut né vers Saint-Eustache[116] un porcelet qui avait deux têtes, mais il n'avait que quatre pieds[117].

510. Item, le mardi devant la Saint-Jean, fut grande émeute que les Armagnacs devaient entrer cette nuit à Paris[118], mais il n'en fut rien.

511. Item, depuis, sans cesser jour ni nuit, ceux de Paris enforcèrent le guet et firent fortifier les murs, et y mirent foison canons et autre artillerie ; et changèrent le prévôt des marchands et les échevins, [et firent un nommé Guillaume Sanguin[119] prévôt des marchands. Et les échevins] furent, c'est à savoir, Imbert des Champs[120], mercier et tapissier, Colin de

---

113. Elles ne vécurent que trois jours pour (faire) voir...

114. En accoucha.

115. Rue de la Chanvrerie, derrière l'église Saint-Eustache et non derrière Saint-Jean-en-Grève.

116. Dans le quartier Saint-Eustache (aux Halles).

117. Pourquoi raconte-t-il ces histoires de monstres humains et animaux ? Il croit que ce dérèglement de la nature annonce un dérèglement social et politique, concrètement des catastrophes pour son camp (où se produisent ces apparitions monstrueuses).

118. C'est la première fois depuis près de dix années que de telles rumeurs courent et que les Armagnacs paraissent assez puissants pour attaquer Paris.

119. Changeur parisien extrêmement riche, Sanguin était maître d'hôtel du duc de Bourgogne et garde des joyaux de Bedford. Il fut prévôt de 1429 à 1432 et mourut en 1441.

120. Antoine Ymbert des Champs, mercier et marchand de toile était gouverneur de la confrérie du Saint-Sépulcre. Il fut échevin de septembre 1419 à décembre 1420, puis de 1429 à 1431. Il se rallia ensuite à Charles VII et mourut en 1464.

Neuville[121], poissonnier, Jean de Dampierre[122], mercier, Remon Marc[123], drapier, et furent faits et institués la première semaine de juillet.

512. Et le dixième jour dudit mois[124] vint le duc de Bourgogne à Paris, à un jour de dimanche, environ six heures après dîner, et n'y demeura que cinq jours, èsquels cinq jours y eut moult grand conseil[125], et fut faite procession générale[126], et fut fait un moult bel sermon à Notre-Dame de Paris. Et au Palais fut publiée la charte ou lettre comment les Armagnacs traitèrent jadis la paix[127] en la main du légat du pape, et en outre que tout était pardonné d'un côté et d'autre, et comment ils firent les grands serments, c'est à savoir, le dauphin et le duc de Bourgogne, et comment ils reçurent le précieux corps Notre Seigneur ensemble[128], et le nombre de chevaliers [de nom] d'un lé et d'autre[129]. En ladite lettre ou charte mirent tous leurs signets et sceaux, et après comme le duc de Bourgogne voulant

---

121. Nicolas de Neuville, vendeur de poissons de mer aux Halles, était le gendre de Jean de Troyes. Banni avec les Cabochiens en 1413, il revint à Paris en 1418 et fut plusieurs fois échevin en 1429 et 1436.

122. On ne sait pas grand-chose de lui. Il avait été impliqué en 1427 dans un procès pour fraude.

123. Raymond Marc, changeur et bourgeois de Paris, afferma la monnaie de Paris en 1427. Il fut ensuite échevin, puis maître de l'artillerie jusqu'à sa mort en 1432.

124. Le 12 juillet 1429.

125. Anglais et Bourguignons ne savaient pas trop comment réagir devant les victoires des Armagnacs qui semblaient prouver que Dieu mettait le bon droit et la victoire du côté du dauphin.

126. A Saint-Magloire pour remercier Dieu de l'heureuse arrivée du duc de Bourgogne.

127. Ce texte pose de très gros problèmes. Contrairement à ce que pense Tuetey, il ne s'agit pas du traité de Troyes en 1420, que les Armagnacs n'ont évidemment pas signé, mais d'un traité antérieur au meurtre de Montereau entre Charles VII déjà dauphin (donc après le printemps de 1417), et Jean sans Peur (avant 1419). En pratique, il ne peut guère s'agir que d'une convention signée entre l'arrivée des Bourguignons dans Paris et la mort de Jean sans Peur, probablement le traité du Ponceau, en 1418, ou celui de Saint-Maur.

128. Serment et eucharistie pris en commun marquent tous les traités. C'est leur fournir la garantie divine. Mais souvent seuls les procureurs de chacun s'engagent.

129. De renom d'un côté et de l'autre. Il s'agit de ceux qui ont juré le traité.

et désirant la paix dudit royaume, et voulant accomplir la promesse qu'il avait faite, se soumit à aller en quelque lieu que le dauphin et son conseil voudraient ordonner ; si fut ordonné par ledit dauphin ou ses complices[130] la place, en laquelle place le duc de Bourgogne se comparut, lui dixième[131] des plus privés chevaliers qu'il eût, lequel duc de Bourgogne, lui étant à genoux devant le dauphin, fut ainsi traîtreusement meurtri[132], comme chacun sait. Après la conclusion de ladite lettre, grand murmure[133] commença, et tels avaient grande alliance aux Armagnacs[134] qui les prirent en très grande haine. Après le murmure, le régent de France et duc de Bedford fit faire silence, et le duc de Bourgogne se plaignit de la paix ainsi enfreinte, et en après de la mort de son père[135], et adonq on fit lever les mains au peuple que tous seraient bons et loyaux au régent et au duc de Bourgogne. Et lesdits seigneurs leur promirent par leur foi garder la bonne ville de Paris.

513. Et le samedi ensuivant le duc de Bourgogne se partit de Paris et emmena sa sœur la femme du régent avec lui[136], [et le régent s'en alla d'autre part à Pontoise, lui] et ses gens, et fut ordonné capitaine de Paris le seigneur de L'Isle-Adam[137]. Et les Armagnacs entrèrent cette semaine en la cité d'Auxerre, et puis vinrent à Troyes[138], et entrèrent dedans, sans qu'on leur

---

130. Le lieu de Montereau aurait été choisi par le dauphin ou ses complices, ou bien par le dauphin et ses complices. Il préfère ici être évasif.

131. Lui étant le dixième accompagné de ses chevaliers les plus proches.

132. La présentation sous-entend mais n'affirme pas la responsabilité du dauphin.

133. Un mouvement de foule pas entièrement spontané.

134. Il y avait donc déjà à Paris des partisans du dauphin. Il le nie d'habitude. Il ne s'y résout que pour leur faire tourner casaque.

135. L'argumentation est très intéressante, justement parce qu'elle n'est que bourguignonne et ne tient pas compte du traité de Troyes fortement attaqué par les juristes du dauphin.

136. Comme Bedford partait pour l'Angleterre recruter des troupes et que la capitale était peu sûre, la duchesse resta en Bourgogne de juillet à septembre 1429.

137. Jean Villiers de L'Isle-Adam fut capitaine de Paris de 1429 à 1433.

138. Le 11 juillet. Il s'agit de la chevauchée du sacre Auxerre-Troyes-Reims-Compiègne-Saint-Denis. Comme d'habitude, notre auteur pratique un silence sélectif. Il est invraisemblable qu'il n'ait pas entendu parler du sacre, dont la nouvelle fut largement diffusée. Mais en parler l'amènerait à prendre position, ce qu'il veut éviter.

défendît. Et quand ceux des villages de Paris à l'entour surent comment ils conquéraient ainsi pays, ils laissèrent leurs maisons et apportèrent leurs biens ès bonnes villes, et soyèrent* leurs blés avant qu'ils fussent mûrs et apportèrent à la bonne ville de Paris. Après tantôt après, entrèrent en Compiègne[139] et gagnèrent les châtellenies[140] d'entour sans nulle défense, et entour Paris prirent-ils Luzarches et Dammartin et plusieurs autres fortes villes. Et ceux de Paris moult avaient grande paour*, car nul seigneur n'y avait[141], mais le jour Saint-Jacques[142], en juillet, furent un peu réconfortés, car ce jour vint à Paris le cardinal de Winchester[143] et le régent de France, et avaient en leur compagnie foison de gens d'armes et archers, bien environ quatre mille, et le sire de L'Isle-Adam, qui en avait de Picards bien environ sept cents, sans* la commune de Paris.

514. Item, pour vrai, le cordelier qui prêcha aux Innocents, qui tant assemblait de peuple à son sermon, comme devant est dit, pour vrai chevauchait avec eux[144], et aussitôt que ceux de Paris furent certains qu'il chevauchait ainsi et que par son langage il faisait ainsi tourner les cités qui avaient fait serment au régent de France ou à ses commis[145], ils le maudissaient de Dieu et de ses saints, et qui pis est, les jeux, comme des tables, des boules, [des] dés, bref, tous autres jeux qu'il avait défendus, recommencèrent en dépit de lui, et même un mériau[146] d'étain où était empreint le nom de Jésus, qu'il

---

139. Le sujet est : « les Armagnacs. »

140. Forteresses. Charles VII entra à Dammartin le 14 août et à Compiègne le 18.

141. Bedford était en Angleterre.

142. Le 25 juillet (Saint-Jacques).

143. Henri Beaufort, cardinal de Winchester et régent d'Angleterre. C'est l'oncle de Bedford. Ils avaient ramené 5 000 hommes d'armes et archers. Beaufort repartit pour Rouen dès le 3 août et revint en Angleterre. Bedford garda l'armée. Ces troupes auraient dû théoriquement être envoyées contre les Hussites, mais nécessité fit loi.

144. Avec les Armagnacs. Frère Richard accompagnait la chevauchée du sacre.

145. Son intervention fut, en effet, décisive pour convaincre la ville de Troyes d'ouvrir ses portes sans combat, en laissant partir sa garnison anglaise. L'exemple de Troyes fit ensuite tache d'huile. *A ses commis* : à ses lieutenants.

146. Une médaille. La dévotion au nom de Jésus est caractéristique de la

leur avait fait prendre, laissèrent-ils, et prirent trétous* la croix Saint-André[147].

515. Item, environ la fin, se rendit aux Armagnacs la cité de Beauvais[148] et la cité de Senlis.

516. Item, le 25e jour d'août, fut prise par eux la ville de Saint-Denis[149], et le lendemain, couraient jusqu'aux portes de Paris, et n'osait homme issir* pour vendanger vigne ou verjus[150], ni aller aux marais[151] rien cueillir, dont tout enchérit bientôt.

517. Item, la vigile Saint-Laurent[152], fut fermée la porte Saint-Martin, et fut crié que nul ne fût si osé d'aller à Saint-Laurent[153] par dévotion ni pour nulle marchandise, sur la hart*, aussi ne fit-on; et la fête Saint-Laurent fut en la grande cour Saint-Martin[154], et là fut grande foison de peuple, mais nulle marchandise ne s'y vendait, sinon des fromages et œufs, et des fruits de toutes manières, selon la saison.

518. Item, la première semaine de septembre l'an 1429, les quarteniers, chacun en son endroit, commencèrent à fortifier Paris, aux portes de boulevards[155], ès maisons[156] qui étaient sur les murs affûter[157] canons et queues pleines de pierres[158] sur les murs, redresser les fossés dehors la ville [et faire barrières

---

spiritualité franciscaine du xve siècle. Elle fut répandue par Bernardin de Sienne et partagée par Jeanne d'Arc.

147. L'emblème bourguignon. La médaille au nom de Jésus leur semble donc un emblème politique armagnac.

148. Le 22 août.

149. La prise de Saint-Denis était importante. Charles VII put faire célébrer un service à la mémoire de son père et récupérer grande partie des regalia (couronnes, sceptres, reliques).

150. Verjus: raisin aigre dont on fait le verjus.

151. Cultures maraîchères où l'on ne va plus rien cueillir (récolter).

152. La Saint-Laurent est le 10 août.

153. La fête de saint Laurent se célèbre habituellement à l'église Saint-Laurent hors les murs dans la banlieue nord de Paris, sur la route de Saint-Denis.

154. (Célébrée en l'église du Sépulcre), rue Saint-Denis, dans la grande cour Saint-Martin. Fête religieuse et foire sont liées au Moyen Age.

155. Les boulevards sont des ouvrages avancés qui protègent une porte.

156. Il s'agit de guérites pour le guet ou pour protéger les arbalétriers.

157. Mettre sur affût les canons.

158. Ces réserves de pierres sont des stocks de projectiles pour les canons. Les boulets sont encore en pierre. Une queue est un grand tonneau.

dehors la ville] et dedans. Et en icelui temps les Armagnacs firent écrire lettres scellées du scel du comte d'Alençon[159], et les lettres disaient : « À vous, prévôt de Paris et prévôt des marchands et échevins », et les nommaient par leurs noms, et leur mandaient des saluts par bel langage largement pour cuider* émouvoir le peuple l'un contre l'autre et contre eux[160], mais on aperçut bien leur malice, et leur fut mandé que plus ne gâtassent leur papier pour ce faire, et n'en tint [on] oncques compte[161].

519. Item, la vigile de la Nativité Notre-Dame en septembre[162] vinrent assaillir aux murs de Paris les Armagnacs et la cuidaient* prendre d'assaut mais peu y conquêtèrent, si ne fût douleur, honte et méchef*[163], car plusieurs d'eux furent navrés* pour toute leur vie, qui par avant l'assaut étaient tous sains[164], mais fol* ne croit jà tant qu'il prend[165], pour eux le dis, qui étaient pleins de si grand malheur et de si malle* créance que pour le dit d'une créature qui était en forme de femme[166] avec eux, qu'on nommait la Pucelle, qui c'était, Dieu le sait[167], le jour de la Sainte Nativité Notre-Dame firent conjuration[168],

---

159. Le jeune duc d'Alençon, Jean II, était le chef de l'armée qui se trouvait sous les murs de Paris, en compagnie de Jeanne d'Arc. Il s'agit de convaincre la population parisienne d'ouvrir les portes sans combattre.

160. Ne peut que désigner la garnison anglaise de Paris et les prévôts.

161. (On) n'en tint pas compte. Le Bourgeois s'est bien gardé de donner les arguments des Armagnacs, ce serait les admettre dans une certaine mesure (et parler du sacre !).

162. Le 7 et le 8 septembre. Le roi et une grande partie du conseil ne voulaient pas d'un assaut contre Paris. Ils espéraient plus de la négociation. Celui-ci ne fut donc tenté que par des troupes peu nombreuses. La ville était bien fortifiée et difficile à prendre.

163. Ils n'y acquirent pas grand-chose, si ce n'est douleur, honte et malheur.

164. Cette réflexion est digne de Lapalisse !

165. Mais les fous ne croient rien tant que ce n'est pas arrivé, je le dis pour eux...

166. Merveilleuse expression. Ce serait un diable qui aurait pris la forme humaine ou la fille d'un diable et d'une femme. Le Moyen Age croyait sérieusement à cette possibilité de créatures diaboliques.

167. Qui était-elle ? Dieu seul le sait.

168. S'entendre en prêtant serment. Il est très frappé du choix de la date qui est sûrement volontaire. Jeanne d'Arc avait déjà tenté l'assaut d'Orléans le 8 mai, fête de saint Michel. Sa dévotion à l'Archange et à la Vierge ne fait pas de doute. Pour le Bourgeois, par contre, c'est un péché que de se battre

tous d'un accord, de celui jour assaillir Paris. Et s'assemblèrent bien douze mille ou plus, et vinrent [environ] heure de grand-messe, entre 11 et 12[169], leur Pucelle avec eux et très grande foison chariots, charettes et chevaux, tous chargés de grandes bourrées à trois hars[170] pour emplir les fossés de Paris ; et commencèrent à assaillir entre la porte Saint-Honoré et la porte Saint-Denis, et fut l'assaut très cruel, et en assaillant disaient moult de vilaines paroles à ceux de Paris. Et là était leur Pucelle, à tout son étendard sur le condos[171] des fossés, qui disait à ceux de Paris : « Rendez-vous, de par Jésus, à nous tôt, car si vous ne vous rendez avant qu'il soit [la] nuit, nous y entrerons par force, veuillez ou non, et tous serez mis à mort sans merci. » « Voire, dit un, paillarde, ribaude ! » Et trait[172] de son arbalète droit à elle et lui perce la jambe[173] tout outre, et elle de s'enfuir, un autre perça le pied tout outre à celui qui portait son étendard[174] ; quand il se sentit navré*, il leva sa visière pour voir à ôter le vireton[175] de son pied, et un autre lui trait[176], et le saigne entre les deux yeux et le navre* à mort, dont la Pucelle et le duc d'Alençon jurèrent depuis que mieux ils aimassent[177] avoir perdu quarante des meilleurs hommes d'armes de leur compagnie. L'assaut fut moult cruel d'une part et d'autre, et dura bien jusqu'à quatre heures après dîner, sans qu'on sût qui eut le meilleur[178]. Un peu après quatre heures ceux de Paris prirent cœur[179] en eux, et tellement les versèrent de canons[180] et d'autre trait qu'il leur convint par force reculer

---

le jour d'une grande fête religieuse. Il partage l'attitude traditionnelle de l'Église.

169. Le choix de l'heure lui paraît inadmissible.

170. Des fagots de bois pour combler les fossés. Les « hars » sont des liens d'osier. Ils attaquèrent la muraille nord.

171. Le rebord extérieur du fossé.

172. Et il tira droit sur elle.

173. Jeanne d'Arc fut effectivement blessée à la jambe lors de cet assaut.

174. Perça le pied du porte-étendard.

175. Flèche d'arbalète courte et massive.

176. Lui tire dessus.

177. Ils auraient préféré avoir perdu quarante hommes que leur porte-étendard.

178. Qui l'emportait.

179. Prirent en eux-mêmes le courage...

180. Les renversèrent à coups de canon...

et laisser leur assaut, et s'en aller; qui mieux s'en pouvait aller était le plus heureux car ceux de Paris avaient de grands canons qui jetaient de la porte Saint-Denis jusque par-delà Saint-Ladre[181] largement, qu'ils leur jetaient au dos, dont moult furent épouvantés; ainsi furent mis à la fuite, mais homme n'issit de Paris pour les suivre, par paour* de leurs embûches. En eux en allant ils boutèrent le feu en la grange des Mathurins, emprès* les Porcherons, et mirent de leurs gens qui morts étaient à l'assaut, qu'ils avaient troussés*[182] sur leurs chevaux, dedans celui feu à grande foison, comme faisaient les païens à Rome jadis[183]. Et maudissaient moult leur Pucelle, qui leur avait promis que sans nulle faute ils gagneraient à celui assaut la ville de Paris par force, et qu'elle y gerrait*[184] cette nuit, et eux tous, et qu'ils seraient tous enrichis des biens de la cité, et que seraient mis, tous ceux qui y mettraient aucune défense[185], à l'épée ou ars* en sa maison; mais Dieu qui mua la grande entreprise d'Holoferne[186] par une femme nommée Judith ordonna par sa pitié autrement qu'ils ne pensaient. Car lendemain y vinrent quérir* par sauf-conduit leurs morts[187], et le héraut qui vint avec eux fut sermenté[188] du capitaine de Paris combien il y avait eu de navrés* de leurs gens, lequel jura qu'ils étaient bien quinze cents, dont bien cinq cents ou plus étaient morts ou navrés* à mort. Et vrai est qu'en celui assaut n'avait

---

181. Les boulets des canons de la porte Saint-Denis atteignaient Saint-Lazare et au-delà.

182. Mis sur leurs chevaux et attachés dessus (puisqu'ils étaient morts).

183. Ils firent brûler les morts au combat à cheval. Cette incinération des guerriers se fait bien dans certaines civilisations antiques (en Perse), mais pas à Rome. Il y a deux solutions: des cavaliers ont été surpris par le feu, c'est le plus probable; ou ils ont incinéré leurs morts pour éviter le pillage et la profanation des cadavres. C'est peu probable, le Moyen Age répugne à l'incinération qui lui paraît incompatible avec la résurrection des corps.

184. C'est le verbe « gésir » mal lu. Elle y coucherait...

185. Tous ceux qui s'y opposeraient seraient tués ou brûlés en leurs maisons.

186. Son exemple est particulièrement mal choisi! Dans un cas, l'instrument de Dieu est une femme (Judith), dans l'autre, Jeanne est l'instrument du Diable et joue le rôle d'Holopherne.

187. Chercher leurs morts pour les enterrer.

188. Assermenté. C'est le rôle normal d'un héraut que de reconnaître les morts (à leurs armoiries) et d'en faire la liste. Il dépose ensuite sous serment. Ici, il fait aussi le compte des blessés.

aussi comme nuls hommes d'armes[189] qu'environ 40 ou 50 Anglais qui moult y firent bien leur devoir ; car la plus grande partie de leur charroi, en quoi ils[190] avaient amené leurs bourrées, ceux de Paris leur ôtèrent, car bien ne leur devait pas venir de vouloir faire telle occision[191] le jour de la Sainte Nativité Notre-Dame.

520. Item, environ trois ou quatre jours après, vint le régent à Paris[192] et envoya de ses gens à Saint-Denis, mais les Armagnacs s'en étaient partis sans rien payer de leurs dépens[193], car ils promettaient à ceux de Saint-Denis de les payer des biens de Paris, quand ils seraient entrés dedans, mais ils faillirent à leur intention[194], pour quoi ils trompèrent leurs hôtes de Saint-Denis et d'ailleurs. Et qui pis* fut pour eux, le régent et les prévôts de Paris et des marchands et échevins de Paris les eurent en grande indignation, pour ce que sitôt se rendirent[195] aux Armagnacs sans coup férir*, et en furent condamnés en très grandes amendes, comme vous ouïrez*[196] ci-après déclarer pour vrai.

521. Item, le vendredi derrain* jour de septembre l'an 1429, vint à Paris le duc de Bourgogne, à moult belle compagnie[197] et tant grande qu'il convint qu'on les logeât ès maisons des ménagers* et en maisons vides, dont moult [y] avait à Paris, et avec porcs et vaches couchaient leurs chevaux[198]. Et vint par la porte Saint-Martin et amena avec lui sa sœur, femme du duc de

---

189. Les gens d'armes n'avaient joué presque aucun rôle dans cet assaut, repoussé par l'artillerie et les arbalétriers. Ces Anglais appartenaient à la garnison de Paris.

190. Les Armagnacs.

191. Tuerie. Toute bataille fait des victimes. Il ne faut donc pas livrer bataille lors des temps sacrés. C'est le vieux principe des trêves de Dieu et paix de Dieu.

192. Il arriva le 18 septembre et il fit alors ses dévotions à Notre-Dame.

193. Sans rien payer de leurs frais (de nourriture et de logement).

194. Ils manquèrent à leur intention (puisque Paris ne fut pas prise).

195. Sujet : les gens de Saint-Denis. Ils avaient ouvert la ville à Charles VII.

196. En fait, il n'en parlera plus. Toutefois notre texte présente des coupures.

197. C'est une entrée solennelle avant des négociations importantes qui devaient changer l'équilibre des relations anglo-bourguignonnes.

198. Quand l'entrée est discrète, il se plaint. Quand elle est fastueuse, il critique !

Bedford, régent de France, qui avec lui était, et avait devant lui dix hérauts, tous vêtus de cottes d'armes du seigneur à qui chacun était, et autant de trompettes; et en cette pompe ou vaine gloire, allèrent par la rue Maubué à madame Sainte-Avoye[199], faire leurs oblations, et de là allèrent à Saint-Pol[200].

522. Environ huit jours [après], vint le cardinal de Winchester[201] à belle compagnie et puis firent plusieurs conseils, tant qu'enfin, à la requête de l'Université, du Parlement et de la bourgeoisie de Paris, fut ordonné que le duc anglais de Bedford serait gouverneur de Normandie, et le duc de Bourgogne serait régent de France[202]. Ainsi fut fait, mais moult laissait envis[203] le duc de Bedford ledit gouvernement, si faisait sa femme, mais à faire leur convint. Et quand les Anglais furent partis, qui partirent à un samedi au soir, et allèrent à Saint-Denis, faisant du mal assez, le duc de Bourgogne se partit après, et prit trêves[204] aux Armagnacs jusqu'à Noël ensuivant, c'est à savoir, pour la ville de Paris et pour les faubourgs d'autour tant seulement; et tous les villages d'entour Paris étaient à pâtis[205] aux Armagnacs, ni homme de Paris n'osait mettre le pied hors des faubourgs qu'il ne fût mort, ou perdu, ou rançonné de plus

199. Au couvent Sainte-Avoye, dans le quartier des Halles.

200. L'ancienne résidence de Charles VI était alors occupée par la reine Isabeau. Ni Bedford ni Bourgogne n'y résidaient.

201. Le régent d'Angleterre, Henri Beaufort. Il ne s'entendait guère avec Bedford et fit pression sur ce dernier pour qu'il accepte d'échanger Paris contre Rouen. Gloucester ayant abandonné sa femme, le renouvellement de l'alliance entre Anglais et Bourguignons était possible.

202. Cette solution est populaire dans les milieux traditionnellement bourguignons. Philippe avait déjà espéré la régence en 1422 et Bedford la lui avait soufflée. Mais le siège de Paris a mis ce dernier dans une situation difficile et le sacre rend délicate la justification de la présence anglaise à Paris. Par contre, la Normandie est pays de conquête administré depuis 1417 par les Anglais. C'était une mauvaise solution. On échangeait un prince étranger mais compétent et présent contre un prince toujours absent et guère moins étranger.

203. Malgré lui. Ni lui ni sa femme ne souhaitaient ce changement. Ils quittèrent Paris le 17 octobre.

204. Il négociait avec Charles VII depuis juillet. C'est pourquoi celui-ci ne désirait pas réellement assaillir la ville. Ces trêves de trois mois étaient très locales.

205. Un « pâtis » est une sorte de rançon collective versée par une ville ou un village pour ne pas être pillé.

qu'il n'avait vaillant[206], ni s'osait revancher* ; et si ne venait rien à Paris pour vie de corps d'homme[207], qui ne fût rançonné deux ou trois fois plus qu'elle ne valait. Le cent de petits costerets valait 24 sols parisis ; le mole, 7 sols ou 8 sols ; deux œufs, 4 deniers parisis ; un petit fromage tout nouvel fait, 4 blancs ; le boissel* de pois, 14 ou 15 blancs ; et si courait très forte monnaie, et il n'était nouvelle, ni pour Toussaint, ni pour autre fête en celui temps, de hareng frais, ni de quelque marée à Paris.

523. Item, le duc de Bourgogne, quand il eut été environ quinze jours à Paris, il se départit la vigile Saint-Luc[208] et emmena avec lui ses Picards qu'il avait amenés, environ 6 000, aussi forts larrons qu'il avait entré à Paris[209], puis que la malheureuse guerre était commencée, et comme il parut bien en toutes les maisons où ils furent logés. Et aussitôt qu'ils furent partis hors des portes de Paris, ils n'encontraient* homme qu'ils ne dérobassent* ou battissent. Quand l'avant-garde fut partie, le duc de Bourgogne fit crier, comme une manière d'apaiser gens simples, que si on voyait que les Armagnacs venaient assaillir Paris, qu'on se défendît le mieux qu'on pourrait, et laissa sans garnison ainsi la ville de Paris[210]. Voyez là tout le bien qu'il y fit pour la ville ; or n'étaient point les Anglais nos amis, pour ce qu'on les mit hors du gouvernement[211].

524. Item, avant que Noël fût et que les trêves faillissent*[212], firent tant de maux les Armagnacs entour Paris, qu'oncques les tyrans de Rome, ni larrons de bois, ni meurtriers, ne firent oncques plus grandes tyrannies souffrir à chrétiens qu'ils

206. Rançonné de tout ce qu'il possédait ou plus.

207. Il ne venait à Paris (aucune marchandise utile) à la vie quotidienne qui ne fût...

208. Il regagna la Flandre le 18 octobre (Saint-Luc) et ne laissa aucune garnison.

209. (Il n'y avait pas eu) d'aussi forts larrons entrés dans Paris depuis le début de la guerre.

210. Philippe n'avait pas l'intention de se battre pour Paris, la désillusion fut rapide. En principe, les trêves protégeaient la ville mais non ses approvisionnements.

211. Il s'explique mal l'exclusion de Bedford et regrette en fait la sécurité de l'administration anglaise.

212. Ne fussent terminées.

faisaient et avec la tyrannie prenaient quanque[213] avaient ceux qui cheaient* en leurs mains, jusqu'à vendre femme et enfants, si on les eût pu vendre : et personne nulle ne leur contredisait, car le régent de France, duc de Bedford, n'avait cause de s'en mêler, pour ce qu'on avait fait le duc de Bourgogne régent, lequel eut en icelui terme[214] grande tribulation. Car, comme il eut fait tout bien et bel ordonner et appareiller tout quanque peut et doit appartenir à noces[215] de si grand prince, et comme tout fut apprêté, qu'il n'attendait de jour en jour que la dame qu'il devait prendre à femme, qui était fille du roi de Portugal[216], laquelle s'était mise en mer, et quand elle fut et sa mesnie près de l'Écluse, aussi comme à une vue[217], et qu'on commençait ja la fête de sa venue, il vint un vent qui lui fut si contraire qu'elle fut éloignée en peu d'heure en un lointain pays[218], qu'il fut plus de quarante jours avant qu'on sût la certaineté en quel pays elle était arrivée, et lui convint par force en la terre son père arriver en Aragon[219], et après fut-elle ramenée au duc de Bourgogne[220] saine et sauve. Et ce était la cause pourquoi il entrelaissa[221] ainsi Paris celui temps.

---

213. Tout ce qu'avaient ceux qui tombaient dans leurs mains.

214. A cette époque. Il cherche à excuser l'absentéisme du duc de Bourgogne.

215. Tout ce qui était nécessaire et possible pour les noces.

216. Isabelle de Portugal, fille de Jean Ier d'Aviz et de Philippa de Lancastre, devait arriver à l'Écluse en décembre 1429.

217. Quand elle fut, elle et sa maison, en vue du port de l'Écluse.

218. Elle débarqua en Angleterre. Elle était à demi anglaise.

219. Sa géographie est farfelue. Isabelle ne retourna pas chez son père et le Portugal n'est pas l'Aragon. Philippe épousa Isabelle à Bruges le 10 janvier 1430. Elle fut la mère de Charles le Téméraire.

220. Elle est la première duchesse bourguignonne dont il nous parle. Il a réussi à ne pas parler de Michelle de France, sœur de Charles VII, la malheureuse première épouse de Philippe.

221. Laissa pour quelque temps.

[1430]

525. Et par cette faute [et] que nul gouverneur n'avait à Paris, ni [personne] qui obviât*[1] à l'encontre des ennemis, et que rien ne venait à Paris qui ne fût rançonné deux ou trois fois[2] et qu'il le convenait vendre, quand il était arrivé, si cher que pauvres gens n'en pouvaient avoir, si en advint une grande douleur, car grande foison de pauvres ménagers*, dont les aucuns avaient femmes et enfants, les autres non, s'en issirent (à) grande foison de Paris, comme par manière d'aller ébattre ou gagner, et se désespérèrent pour la grande pauvreté qu'ils souffraient, et s'accompagnèrent avec autres qu'ils trouvèrent, et commencèrent par l'ennortement* de l'ennemi[3] à faire tous les maux que peuvent faire chrétiens, dont il convint par force qu'on s'assemblât pour les prendre. Et en prit-on à la première fois quatre-vingt-dix-sept, et un peu de jours après on en pendit douze au gibet de Paris le 2e jour de janvier, et le 10e [jour] ensuivant on en mena onze ès Halles de Paris, et leur coupa-t-on les têtes à tous dix. Le onzième était un très bel jeune fils d'environ 24 ans, il fut dépouillé et prêt pour bander ses yeux, quand une jeune fille née des Halles le vint hardiment demander[4] et tant fit par son bon pourchas* qu'il fut ramené au Châtelet, et depuis furent épousés ensemble !

526. Item, en celui temps fut la Pâques le 17e jour d'avril, et fut si très cher et très froid ; valait le mole de bûches neuf sols parisis, et lc costeret et le charbon aussi cher ou plus, et toutes choses dont on pouvait vivre, sinon pommes[5], dont les pauvres gens avaient tant seulement amendement ; et pour la défaute

1. Aller (militairement) contre.
2. Par les Armagnacs peut-être, par les garnisons anglaises de Normandie aussi, et, éventuellement, par les Bourguignons.
3. Par l'inspiration du Diable, les pauvres deviennent brigands.
4. Le vint demander (pour époux). Tout condamné qu'une jeune fille ou une femme non mariée se déclarait prête à épouser était gracié, à condition que le mariage ait lieu. Cela lui fournissait en principe un établissement stable qui le remettait dans le droit chemin.
5. Sauf les pommes.

d'huile[6] on mangeait du beurre en celui Carême, ès Halles, comme en charnage[7].

527. Item, le 21e jour de mars, vinrent les Armagnacs proier[8] gens et bétail, et firent celui jour moult de maux. Si le vint-on dire à Paris au sire de Saveuse[9], lequel s'arma lui et sa gent, et avec lui plusieurs de Paris, avec lesquels avait [un quartenier], un échevin de Paris et receveur des aides, nommé Colinet de Neuville, le bâtard de Saint-Pol[10], le bâtard de Saveuse, [lesquels], aussitôt qu'ils furent aux champs, se desréèrent[11] sans eux tenir ensemble, et tous furent pris en moins d'une heure, dont les Armagnacs eurent très grande finance.

528. Item, quand les Armagnacs virent que leurs choses de toute part leur venaient[12] si bien à point, si s'enhardirent et vinrent le vendredi ensuivant, 23e jour de mars, environ minuit, à tout échelles devant Saint-Denis, et l'échelèrent[13] et entrèrent dedans, et tuèrent les bonnes gens qui faisaient cette nuit le guet sans merci; et après allèrent parmi la ville tuant et occiant* quanque*[14] ils encontraient*, et pillèrent cette nuit la ville et tuèrent grande foison des Picards qui y étaient en garnison, emmenèrent presque tous leurs chevaux, et quand ils furent bien troussés[15], laissèrent la ville et s'en allèrent à tout leur pillage qui moult grand était et trop.

529. Item, en celui temps furent aucuns des grands de Paris[16], comme du Parlement et du Châtelet, et des marchands

---

6. Comme il n'y avait pas d'huile.

7. En principe, on mange du beurre seulement en période où la viande est autorisée (charnage) et de l'huile pendant le Carême.

8. Faire leur proie de: piller.

9. Philippe de Saveuse, un des seigneurs du parti anglo-bourguignon. Il emmena sa gent, c'est-à-dire ses serviteurs.

10. Le fils bâtard de Jean de Luxembourg. Il avait assisté aux noces de Philippe le Bon, il deviendra maître d'hôtel d'Henri VI et assista au sacre de celui-ci, en décembre 1431.

11. Se dispersèrent.

12. Tournaient si bien pour eux.

13. Franchirent les murailles avec des échelles.

14. Tuant tous ceux qu'ils rencontraient probablement avec une préférence pour la garnison bourguignonne.

15. Bien montés et chargés.

16. Les Armagnacs appartiennent toujours, pour lui, aux classes dirigeantes, ce qui n'est pas exact. Il reconnaît d'ailleurs la présence de gens de métier dans le complot qui fut dénoncé par Jean de Calais.

et gens de métier, qui firent ensemble conjuration de mettre les Armagnacs dedans Paris, à quelque dommage que ce fût, et devaient être signés de certains signes[17] quand les Armagnacs entreraient à Paris, et qui n'aurait ce signe était en péril de mort. Et y avait un carme nommé frère Pierre d'Allée[18], qui était porteur et rapporteur des lettres d'un lè et d'autre, mais Dieu ne voulut pas souffrir que si grand homicide fut fait en la bonne cité de Paris, car le carme fut pris, qui moult en encusa[19] par géhenne qu'on lui fit. Et vrai fut que la semaine de la Passion, entre Pâques fleuries et le dimanche devant, on en prit plus de cent cinquante, et la vigile de Pâques fleuries, on en coupa à six[20] la tête ès Halles ; on en noya, aucuns moururent par force de géhenne, aucuns finèrent[21] par chevance*, aucuns s'enfuirent sans revenir. Quand les Armagnacs virent qu'ils eurent failli à leur entreprise, ils furent tous désespérés, et n'épargnaient ni femme ni enfant qu'ils prissent, [et] venaient jusqu'aux portes de Paris sans contredit de nul, mais on attendait de jour en jour le duc de Bourgogne, qui n'alla ne vint, passa janvier, février, mars et avril.

530. Le 21e jour d'avril, allèrent bien 300 Anglais ou environ pour cuider* prendre un chastel nommé la Chasse[22], mais [par] leur convoitise ils se transportèrent à Chelles[-Sainte-Baudour[23]] et pillèrent la ville et puis l'abbaye, et s'en vinrent devant ledit chastel ainsi troussés* des biens de l'église et des laboureurs, dont il leur méchut[24] très grièvement ; car cepen-

---

17. C'est une légende qui a la vie dure. Il l'a déjà utilisée en 1418. Cela prouve l'affolement de la population parisienne très compromise avec les Bourguignons.

18. Il faisait le courrier entre un côté (un lé) et l'autre. Utiliser des frères mendiants était astucieux, ils étaient toujours sur les routes.

19. Il en dénonça beaucoup sous la torture.

20. Jean de la Chapelle, clerc des Comptes, décapité et écartelé, Renaud Savin et Pierre Morand, procureurs au Châtelet, décapités, de même que Jean le Rigeux, boulanger, Guillaume Perdrian et Jean le François dont nous ignorons la profession.

21. Achetèrent leur rémission.

22. La forteresse de La Chasse, près de Montmorency, fut assiégée par les troupes du comte de Norfolk.

23. L'abbaye de Chelles, près de Lagny, fut fondée par sainte Bathilde, épouse de Clovis II.

24. Il leur arriva malheur.

dant qu'ils pillèrent ladite abbaye, les Armagnacs eux assemblèrent des garnisons d'entour et les encloyrent[25] entre le chastel et eux. Si ne surent oncques les attendre, car ceux de dedans les grevèrent* moult de trait, et ceux de derrière les assaillirent si âprement qu'en bien peu d'heure furent tous morts ou pris ; et ainsi donc les Armagnacs furent moult enrichis, car ils eurent tous leurs chevaux et tout ce qu'ils avaient pillé à Chelles, et les rançons des vivants et la dépouille des morts[26].

531. Item, le 25e jour dudit mois, lendemain de Saint-Marc, firent tant les Armagnacs, par leur force ou par trahison, qu'ils gagnèrent l'abbaye de Saint-Maur-des-Fossés ; et partout leur venait bien, ni oncques puis que le comte de Salisbury fut tué devant Orléans[27], ne furent les Anglais en place dont il ne leur convînt partir à très grand dommage ou à très grande honte pour eux.

532. Item, cette année, [y] avait foison de roses blanches au jour de Pâques fleuries, qui furent le 8e jour d'avril l'an 1430, tant était l'année hâtive.

533. Item, le 26e jour dudit mois, l'an 1430, firent faire les gouverneurs de Paris [grands] feux, comme on fait à la Saint-Jean d'été, pour ce que le peuple s'ébahissait de ce que les Armagnacs avaient le meilleur[28] partout où ils venaient, et firent entendre au peuple que c'était pour le jeune roi Henry qui se tenait roi de France et d'Angleterre, qui était arrivé à Boulogne[29], lui et grande foison de soudoyers, pour combattre les Armagnacs, dont il n'était rien, ni du duc de Bourgogne nouvelle nulle n'était. Si était le monde ainsi comme au désespoir de ce qu'on ne gagnait rien, et que les gouverneurs leur faisaient ainsi entendant que bref[30] ils auraient secours,

---

25. Verbe enclore.

26. Les Armagnacs héritèrent du fruit de leur pillage ainsi que des rançons des vivants et des dépouilles des morts.

27. Et depuis que le comte de Salisbury avait été tué à Orléans (octobre 1428) jamais les Anglais ne détruisirent forteresses dont ils ne furent chassés à grand dommage et honte. Il a raison de placer le tournant de la guerre en 1429.

28. L'emportaient toujours partout.

29. L'arrivée du jeune Henri VI pour le sacre fut plusieurs fois reportée, ce qui explique le scepticisme du Bourgeois. « Il se tenait » veut dire qu'il s'intitulait ainsi, à tort ou à raison. L'auteur évite de se prononcer.

30. Rapidement.

dont quelque seigneur ne faisait nul semblant de secours[31], ni d'aucun traité[32], pour quoi [moult] des ménagers* de Paris se départaient, de quoi Paris (s')affaiblissait moult[33].

534. Item, le nombre de la semaine [ ] de mai, avait à la porte Saint-Antoine prisonniers, dont l'un avait payé sa rançon[34], et était élargi et allait avec les gens du castel à son plaisir. Si trouva un jour que celui qui gardait les prisons s'endormit après dîner sur un banc, comme on fait en été, si lui ôta[35] les clefs ainsi comme il dormait et ouvrit la prison, et en délia trois[36] avec lui, et vinrent où cil dormait encore, et autres l'un ça, l'autre là, et frappèrent sur eux pour les tuer, et en navrèrent* à mort deux ou trois, avant que les gens qui étaient du chastel en pussent rien ouïr*. Quand ils surent comment lesdits prisonniers avaient ouvré*[37], si accoururent à l'aide de leurs compagnons hâtivement, et le seigneur de L'Isle-Adam qui léans était[38], qui en était capitaine et de la ville de Paris, vint tôt où cils étaient. Si les escrie[39], et fiert*[40] d'une hache qu'il tenait le premier qu'il trouve, si l'abat mort ; les autres ne purent fuir, si furent trétous* pris, et reconnurent qu'ils avaient en pensée de tuer tous ceux qui étaient dedans le chastel et de livrer le chastel aux Armagnacs pour prendre Paris par trahison ou autrement. Et tantôt qu'ils eurent ce dit, si les fit le capitaine tous tuer et traîner en la rivière[41].

535. Item, en cette année, le 12e et [le] 13e jour de mai, gelèrent avec[42] toutes les vignes, qui étaient les plus belles par apparence de foison de grappes [et grosses] qu'homme eût vues puis trente ans devant. Ainsi plut à Dieu qu'il advienne, pour

---

31. Mais nul seigneur ne faisait semblant de les secourir.
32. Il n'y avait aucun traité en vue.
33. Paris s'affaiblissait par le départ de ses habitants.
34. Il était resté volontairement à la Bastille Saint-Antoine, il était donc libre.
35. Sujet : le prisonnier libéré.
36. Ce sont probablement tous des Armagnacs prisonniers qui attendent leur rançon.
37. Ce que les prisonniers avaient fait.
38. Qui se trouvait là.
39. Escrier : provoquer.
40. Frappe.
41. Traîner leurs corps jusqu'à la rivière.
42. En même temps.

nous donner exemple qu'en ce monde (il n'y) a rien sûr[43], comme il appert* de jour en jour.

536. Item, le 23e jour de mai, fut prise devant Compiègne[44] dame Jeanne, la Pucelle aux Armagnacs, par messire Jean de Luxembourg et ses gens, et [par] bien mille Anglais qui venaient à Paris, et furent bien quatre cents des hommes à la Pucelle tant tués que noyés[45]. Après ce, le dimanche ensuivant, vinrent les mille Anglais à Paris et allèrent assiéger les Armagnacs qui étaient dedans l'abbaye de Saint-Maur-[des-Fossés], si ne se tinrent point et rendirent ladite abbaye, sauve leur vie, sans rien emporter qu'un bâton en leur poing, et étaient bien cent ; et fut le 2e jour de juin 1430.

537. Item, en celui temps, la livre de beurre salé valait 3 sols parisis de très forte monnaie, et la pinte d'huile de noix, 6 sols parisis. Et pour certain, aussitôt que les Armagnacs furent départis, les Anglais, bon gré ou mal gré de leurs capitaines[46], pillèrent toute l'abbaye et la ville[47] si au net qu'ils n'y laissèrent pas les cuillères au pot qu'ils n'emportassent[48], et ceux de devant à leur entrée avaient bien pillé[49], et les derrains* encore rien n'y laissèrent ; quelle pitié !

538. Item, en celui mois de juin, n'était encore aucune nouvelle du roi Henry d'Angleterre, qu'il fût point passé la mer, et les gouverneurs de Paris firent entendre au peuple dès le jour Saint-Georges[50], qu'il avait passé la mer par-deçà, dont ils firent faire les feux parmi Paris ; dont le menu peuple n'était pas bien content pour la bûche qui tant était chère[51], et que bien savaient les aucuns qu'il n'était point passé deçà la mer.

---

43. En ce monde, il n'y a rien de sûr, comme il apparaît de jour en jour.

44. Jeanne d'Arc fut faite prisonnière devant Compiègne, le 24 mai 1430, par Jean de Luxembourg, comte de Ligny.

45. L'opération qui consistait à porter secours aux assiégés de Compiègne était très aventureuse. Jeanne se trouva prise entre la muraille et les assiégeants.

46. Il dégage la responsabilité des capitaines anglais en général très attentifs à éviter les pillages.

47. La ville de Saint-Maur et son abbaye.

48. Si bien qu'ils ne laissèrent ni les cuillers des pots, ni les pots !

49. Les Armagnacs étaient arrivés dans une ville qui leur était très favorable. Ils n'avaient rien pillé du tout, probablement.

50. Saint Georges, le 23 avril. C'est le saint protecteur de l'Angleterre.

51. Les feux de joie sont hors de prix ! Et surtout ce n'est pas l'enthousiasme.

539. Item, du duc de Bourgogne n'était nulle nouvelle qu'il dût venir, et si n'était-il semaine qu'on ne l'attendît depuis janvier, et c'était près de la Saint-Jean[52], mais aussi le donnaient à entendre les gouverneurs au peuple pour les apaiser, mais ils disaient, quand on parlait de son venir, les aucuns et le plus : *Patrem sequitur sua proles*[53] ; « vraiment les enfants ensuivent volontiers leur père », et plus n'en disaient. Et vraiment encore passa juillet que de lui n'était nouvelle, fors* qu'il avait grande foison (de) Picards, qui dès le mois d'avril avaient mis le siège devant Compiègne, mais encore n'y avaient rien fait au mois d'août. Et vraiment trois cents Anglais faisaient [plus] en armes que cinq cents Picards[54], et si n'étaient[55] nuls plus forts larrons et moqueurs de gens ; et les Anglais gagnèrent bien douze forteresses entour Paris en un mois, et après allèrent à Corbeil la 2e semaine de juillet.

540. Item, le 17e jour de juillet, à un lundi, vigile Saint-Arnoul, fut la cloche de Notre-Dame fondue[56] et nommée Jacqueline, et fut faite par un fondeur nommé Guillaume Sifflet[57], et pesait quinze mille livres ou environ[58].

541. Item, le sire de Ros[59], un chevalier anglais, vint à Paris le mercredi 16e jour d'août l'an 1430, le plus pompeusement qu'on vit oncques chevalier, s'il n'était roi ou duc, ou comte ; car il avait devant lui quatre ménestrels jouant trompes, clairons, tous jouant de leurs instruments ; mais le vendredi ensuivant, Fortune lui fut trop contraire, car les Armagnacs vinrent prendre la proie[60] devers la porte Saint-Antoine,

---

52. Ils disaient que Philippe n'allait pas tarder. Ils le disaient depuis janvier et on était le 24 juin.

53. Le proverbe est très énigmatique. Il veut probalement dire que Philippe le Bon suivra les traces de son père (en protégeant Paris).

54. Finalement, les soldats anglais sont plus efficaces et moins pillards que les Bourguignons !

55. Sujet : les Picards. L'allusion aux moqueries se réfère probablement aux différences de langage entre Picards et Parisiens.

56. Refondue, plus exactement. Cette Jacqueline, une des deux grosses cloches de la cathédrale, avait été offerte par Jean de Montaigu et sa femme, Jacqueline de la Grange.

57. Guillaume Sifflet, fondeur, avait un hôtel rue des Étuves. C'est un métier technique et de haut rapport. On fond en général aussi des canons.

58. 16 192 livres exactement.

59. Lord Thomas Manners baron de Roos.

60. Piller.

et prirent bœufs, vaches, brebis et autre bétail, et s'en tournèrent atout. Quand le sire de Ros le sut, il alla à toutes ses gens après et poursuivit fort, et un autre chevalier anglais qui était capitaine du Bois de Vincennes[61], qui le suivit de près, et autres, et virent les Armagnacs qui passaient Marne[62] par-delà Saint-Maur ; si les suivirent, et aucuns se mirent en la rivière, qui bien virent le gué par où les Armagnacs passèrent, et allèrent outre. Le sire de Ros faillit[63] à trouver le gué et se bouta* en la rivière trop hardiment, et le capitaine du Bois de Vincennes qui aussi faillit, et un autre chevalier nommé monseigneur de Mouchy[64], et plusieurs autres qui tous furent noyés, et grande foison d'Armagnacs aussi le furent ; mais ceux qui passèrent besognèrent si bien qu'ils rescouirent[65] tous les prisonniers et la proie, et avec ce prirent le capitaine de Lagny messire Jean Foucault[66], et plusieurs autres tuèrent, et plusieurs d'eux furent tués. Et n'était guère quinze jours qu'il ne vint[67] à Paris trois ou quatre cents ou plus ou moins d'Anglais, mais aussitôt qu'ils allaient sur les Armagnacs, toujours perdaient[68] aussitôt qu'ils frappaient ensemble, et les Armagnacs les mettaient tous à mort, et disait que c'était pour ce, que puis le siège fut mis devant Orléans[69], que le comte de Salisbury pilla et fit piller l'église Notre-Dame-de-Cléry[70], lequel mourut tantôt après par

---

61. Peut-être Jean de Honneford, qui, en 1426, était capitaine de Vincennes.
62. Passèrent de l'autre côté.
63. Ne réussit pas.
64. Pierre de Trie, seigneur de Mouchy le Chatel et Grigny, était partisan du duc de Bourgogne. Il mourut dans cette opération.
65. Ceux qui réussirent à passer furent si efficaces qu'ils récupérèrent prisonniers et butin.
66. Originaire du Limousin, ce chevalier armagnac commandait la garnison de Lagny pour Charles VII. Il conduisait probablement l'expédition de pillage. On le retrouve, en 1436, chef pour le roi de la garnison de Saint-Denis.
67. Il ne s'écoulait guère quinze jours sans qu'il ne vienne.
68. Ce n'est pas très exact. Il a signalé en juin-juillet 1430 des succès anglais. Mais il est certain que les Anglais ont perdu leur absolue supériorité militaire.
69. Que, lorsque le siège fut mis, le comte de Salisbury...
70. En septembre 1428, les Anglais pillèrent Cléry. L'échec du siège d'Orléans et la mort de Salisbury furent présentés par les Armagnacs comme la conséquence de ce sacrilège.

cas de méchef d'une pièce de canon qui rompit[71].

542. Item, après fut levé le siège[72] qui tant avait coûté, et tant de leurs gens pris et morts.

543. Item, depuis que ce qu'ils firent[73] fit à Luzarches en l'église de Saint-Cosme et puis à Chelles-Sainte-Baudour, et tantôt après furent presque tous pris et tués ; et puis qu'ont-ils[74] fait à Saint-Maur-des-Fossés en l'église, et partout où ils peuvent avoir le dessus ? Les églises sont pillées, qui n'y demeure ni livres, ni la bouette[75] ou coupe où le corps de Notre Seigneur repose, ni reliques, pour tant qu'il y ait or ou argent, ou aucun métal, qu'ils ne jettent[76] soit le corps Notre Seigneur, soient reliques. Tout ne leur chaut*, ou des corporaux[77], n'y laissent-ils nuls qu'ils puissent[78], et n'y a aucun qui soit maintenant aux armes, de quel côté qu'il soit, Français ou Anglais, Armagnac ou Bourguignon ou Picard[79], à qui il échappe rien qu'ils puissent, s'il n'est trop chaud ou trop pesant, dont c'est grande pitié et dommage que les seigneurs ne sont d'accord[80]. Mais, si Dieu n'en a pitié, toute France est en grand danger d'être perdue, car de toute part on y gâte les biens, on y tue les hommes, on y boute feux*, et n'est étranger ni privé[81] qui point en dise : *Dimitte*[82], mais toujours va de mal en pis, comme il appert*.

---

71. Pas exactement. Il fut frappé à la tête par un boulet de canon.
72. Celui de Compiègne.
73. Ce « il » désigne les Anglais. Ils ont pillé deux sanctuaires nouveaux et ont été tués : Saint-Côme-de-Luzarches et Sainte-Bathilde-de-Chelles.
74. Les Armagnacs ou les Anglais ont tous deux pillé Saint-Maur.
75. Boîte à hosties. Nous dirions ciboire.
76. Pour peu que les reliquaires ou les ciboires soient en or ou en argent, ils ne se font pas scrupule de jeter les osties ou les reliques qu'ils contiennent.
77. Ils ne se soucient point des corporaux (linges liturgiques).
78. Ils n'y laissent rien qu'ils ne puissent (emporter).
79. A qui il n'échappe rien qu'ils puissent (piller), sauf si cela... Il englobe ici les deux partis dans la même réprobation qui s'étend aussi aux troupes de Philippe le Bon.
80. Il réduit le conflit à une guerre civile entre princes. Le caractère national du conflit (avec les Anglais) lui échappe.
81. Il n'y a étranger ou proche pour dire... : « Personne ne dit... »
82. *Dimitte nobis debita nostra... :* « Pardonnez-nous nos fautes comme nous pardonnons à ceux qui nous ont offensés... »

544. Vrai est que le jour Saint-Augustin[83], en août 1430, cinquante ou soixante voituriers ou environ, tant de Paris que d'entour, allèrent quérir* des blés qui près du Bourget étaient nouveaux soyés*, et étaient aux bourgeois de Paris. Les Armagnacs le surent par leurs espies*[84] dont ils avaient assez à Paris, si vinrent sur eux à grande puissance ; si se combattirent le mieux qu'ils purent nos gens de Paris. Mais rien ne leur valut, car tantôt les Armagnacs les déconfirent* [et en tuèrent moult], et tout le remenant* qu'ils ne tuèrent, mirent en leurs prisons, et par leur grande mauvaiseté mirent le feu dedans les blés qui ès chariots et charrettes étaient, et tout ardait* que rien n'en fut rescous[85] que les ferrures ; et quand ils voyaient aucuns de ceux qui était à terre navré* à mort ou moins que mort[86], qui remuaient, ils le prenaient et le jetaient dedans le feu qui moult grand était, car tout le blé et tout le charroi était en feu et en flamme.

545. Item, sans* ceux qui furent morts, ils en prirent bien cent vingt ou plus et tous les chevaux, et les rançonnèrent. Et à cette heure de malheur arriva le connétable de France[87] à Paris, nommé le seigneur de Stafford, atout[88] une très grande compagnie d'Anglais, et passa à une lieue ou environ près de la place où ils se combattaient, et si n'en sut rien, dont ce fut grande pitié et grand dommage ; car la plus grande partie de ceux qui furent pris étaient tous ménagers* ayant femmes et enfants[89], qui furent auques[90] tous à pauvreté par les rançons qu'il leur convint payer, ou être morts sans merci.

546. Item, le 3e jour de septembre, à un dimanche, furent prêchées au parvis[91] Notre-Dame deux femmes, qui environ

---

83. Le 28 août.

84. Espions. Le développement des réseaux d'espionnage est caractéristique des nouvelles formes de la guerre au XVe siècle.

85. Tout brûlait si bien que rien n'en fut sauvé que les poutres en fer (des chariots).

86. Presque mort.

87. Le connétable de France ; pour les Anglais, le comte de Stafford, Humphrey.

88. Avec.

89. Des habitants de Paris ayant femmes et enfants. Les simples résidents (ménagers) se distinguent des bourgeois de Paris plus riches et jouissant de privilèges.

90. Ils furent (réduits) presque (auques) tous à la pauvreté.

91. Devant la cathédrale. Pierrone la Bretonne était une des pénitentes

demi-an devant avaient été prises à Corbeil et amenées à Paris, dont la plus aînée Piéronne était de Bretagne bretonnant[92], elle disait et vrai propos avait que dame Jeanne, qui s'armait avec les Armagnacs, était bonne, et ce qu'elle faisait était bien fait et selon Dieu.

547. Item, elle reconnut avoir deux fois reçu[93] le précieux corps Notre Seigneur en un jour.

548. Item, elle affirmait et jurait que Dieu s'apparaissait souvent à elle en humanité[94], et parlait à elle comme ami fait à autre, et que la darraine* fois qu'elle l'avait vu, il était long vêtu de robe blanche, et avait une hucque vermeille pardessous[95], qui est aussi comme blasphème. Si ne s'en voulut oncques révoquer[96] d'affirmer en son propos qu'elle voyait Dieu souvent [vêtu] ainsi, par quoi cedit jour elle fut jugée à être arse*, et le fut, et mourut en ce propos[97] cedit jour de dimanche, et l'autre fut délivrée pour cette heure.

549. Item, le lendemain jour de lundi, 4e jour de septembre 1430, venait par la rivière vingt-trois fonces[98] chargées de vivres et d'autre marchandise; si eut grosses paroles entre les gens

---

de frère Richard et avait suivi Jeanne d'Arc. Elle fut arrêtée à Corbeil, subit à Paris un procès public, puis une admonestation solennelle à reconnaître ses fautes sur le parvis de la cathédrale avant d'être brûlée.

92. La Bretagne celtique, qui s'oppose à la Bretagne gallo de langue française.

93. L'Église est hostile à la communion trop fréquente qui aboutirait à une banalisation du sacrement. Néanmoins, dans les milieux pieux on tend à communier bien plus d'une fois l'an qui est la norme imposée depuis 1215.

94. Lui apparaissait sous forme humaine. Elle veut dire que le Christ lui apparaissait.

95. Le Christ est habituellement représenté avec un manteau rouge (symbole de sa passion) par-dessus sa robe blanche (symbole de divinité). Il semble dire que mettre la hucque par-dessous, soit nier la divinité du Christ, insister sur son caractère humain.

96. Elle ne voulut pas renoncer à affirmer... Si elle l'avait fait, elle aurait été graciée comme sa compagne. C'est l'obstination dans l'erreur qui condamne au bûcher.

97. En ce propos : sans changer d'avis. Comme pour le cas de Jeanne d'Arc, ce procès en fait politique (Pierrone est brûlée parce qu'armagnacque) est caché sous le prétexte d'hérésie, de déviance religieuse. Dans un cas comme dans l'autre, il s'agit de femmes, jugées particulièrement sensibles aux sollicitations démoniaques.

98. Péniches.

d'armes[99] et les mariniers, et à cette heure arrivèrent les Armagnacs moult cruellement sur eux, et pour le descord qui entre eux était et espécialment en treize de leurs fonces, ils eurent trop peu de défense en eux[100]; et furent pris bien cent vingt personnes et plus sans* les morts, et les dix qui n'avaient point de descord[101] firent si bien qu'ils passèrent eux et leurs dix fonces et vinrent à port sauvement[102], et pour ce descord entre gens en doute[103] est trop grand péril, comme il appert* à ce royaume de France.

550. Item, lendemain que le sire de Stafford fut arrivé à Paris[104], il fit aller assiéger la ville de Brie-Comte-Robert et la prit d'assaut au 2e jour, mais il n'eut pas sitôt le chastel[105], mais tôt après se rendirent ceux de dedans. Quant est[106] de monseigneur de Bourgogne, n'était nulle nouvelle grande pièce après la Saint-Rémi[107] ni de personne qui bien voulût à la bonne ville de Paris, et bien y apparaissait, car il n'y avait qu'un peu de ne sais[108] quels larrons à Lagny, mais nul n'y mettait remède que toutes les semaines ne prissent à quelque porte de Paris ou bien près hommes, femmes, enfants, bétail sans nombre dont ils avaient grande finance et toujours or ou argent, et ceux qui ne pouvaient payer leurs rançons étaient accouplés[109] à cordes et jetés en la rivière de Marne[110], ou pendus par les gorges, ou en

---

99. Chargés de les escorter.

100. Ils ne purent pas se défendre (trop occupés à se battre entre eux).

101. Où il n'y avait pas de bagarres.

102. Vinrent à bon port et furent sauvés.

103. Par ces différends entre des gens qui ont peur les uns des autres vient péril.

104. Humphrey de Stafford alla assiéger Brie-Comte-Robert entre le 1er septembre et le 9 octobre.

105. Il s'empara d'abord de l'enceinte urbaine, puis du château où la garnison s'était retirée.

106. Quant à ce qui est de Philippe le Bon.

107. Longtemps après le 1er novembre. Il veut dire que nul ne se soucie du sort de Paris, ni le duc ni aucun autre seigneur.

108. Un peu de je ne sais quels...

109. Liés deux par deux.

110. C'est le cas le plus invraisemblable. On n'a nul intérêt à tuer des prisonniers. Ils paient une rançon. Si celle-ci tarde trop, on les laisse languir en prison en les nourrissant très peu. Il arrive qu'ils meurent, mais s'en débarrasser immédiatement est peu pratiqué.

vieilles caves liés sans jamais leur donner à manger. Et si n'était rien qui de quelque bien pour corps humain[111], qui pût arriver à Paris sans être en leur danger, tant gardaient bien tous les passages par terre et par eau, et tellement à la Saint-Rémi 1430, la bûche était si chère que le cent de petits costerets de Bondy ou de Boulogne-la-Petite coûtait vingt-quatre sols parisis forte monnaie, qu'on soulait* avoir pour six ou pour sept sols, et le mole de bûche dix sols parisis, qu'on soulait* avoir pour huit ou pour neuf blancs.

551. Item, en celui an fut très bel août et très belles vendanges et furent les verjus hâtifs, car aussitôt qu'ils étaient entonnés[112], ils commençaient à bouillir[113] ou à jeter pour mieux dire ; et furent les vins très bons, et en avait-on assez bon compte, car on avait une pinte de bon vin pour tout homme d'honneur pour six deniers parisis la pinte, aussi c'om l'avait à Rouen[114] pour six blancs, ce témoignaient ceux qui en buvaient que très bien connaissaient qu'était bon vin[115].

[1431]

552. Item, passa septembre, octobre, novembre, [décembre], janvier jusqu'au pénultime* jour, qui était la fête Sainte-Baudour[1], que le duc de Bedford, lequel on disait le régent de France[2], vint à très belle compagnie, car il amena avec lui bien cinquante-six bateaux, et douze fonces[3], tous chargés de biens

---

111. Il n'y avait aucune marchandise utile à la vie quotidienne qui pût.
112. Mis en tonneau.
113. Fermenter.
114. Le vin coûte 6 deniers à Paris et 6 blancs à Rouen, donc beaucoup plus cher à cause du brigandage qui rendait le transport du vin du Bassin parisien vers Rouen et l'Angleterre difficile.
115. La phrase veut dire que les buveurs constataient que c'était un bon vin malgré son bas prix.

1. Le 30 janvier, fête de sainte Bathilde.
2. Il avait abandonné en principe cette fonction à Philippe le Bon fin 1429, mais celui-ci ne l'exerçait pas, d'où le retour de Bedford.
3. Péniches.

de quoi corps d'homme doit vivre, et ne les voulut oncques laisser qu'il ne les vît toujours, ou fît voir[4], tant qu'elles fussent à Paris. Et disait tout le peuple[5] que passé a quatre cents ans, ne vint si grande foison de biens pour une fois[6], et disait-on par manière d'ébatement[7] : « Le duc de Bedford a amené par le plus fort temps[8] pour être en rivière qu'on vit oncques guère faire. » Car le vent fut sans cesser bien trois semaines si très cruel qu'on le vit oncques, et toujours il pleuvait, et les eaux si très parfaitement grandes, et les Armagnacs qui de toute part mettaient grandes embûches pour le détruire et sa compagnie, mais oncques ne l'osèrent assaillir ; et si fut témoigné par les hérauts qu'ils étaient bien quatre contre un, et disait-on pour ce qu'en ce fort temps et contremont[9] l'eau, que le duc de Bourgogne en ferait venir aval eau[10] du pays d'amont dans tel temps, car il est régent de France[11], et verra-t-on bien comment il besognera[12] bien, mais ce sera avant après Pâques l'an 1431, car à présent il est trop embesogné[13] pour sa femme qui a geu[14] nouvellement d'un beau fils qui fut christiané le jour Saint-Antoine en janvier, mais il fut né[15] le..... jour du mois de..... ; et on dit communément que la première année du mariage on doit complaire à l'épousée, et que ce sont trétoutes noces[16], et pour cette cause n'a pu assez vaquer devant Compiègne[17] tant

4. Ne les quitta pas des yeux... tant qu'ils ne fussent à Paris.

5. Ce convoi de vivres normand était très attendu et donna lieu à des processions.

6. En une seule fois.

7. Plaisanterie.

8. Le duc a amené (ce convoi) par le plus mauvais temps qu'on ait jamais vu.

9. En remontant le fleuve.

10. Que le duc de Bourgogne en ferait venir (d'autres convois) en descendant le fleuve (avant Pâques).

11. Ces explications visent à dédouaner Philippe, qui n'a rien fait pour Paris.

12. Il travaillera bien.

13. Il est trop occupé.

14. Accouché.

15. Antoine de Bourgogne naquit le 30 septembre 1430, mais ne vécut qu'un an. Il fut baptisé le jour de son saint patron, le 17 janvier.

16. La première année on doit faire plaisir à sa femme, c'est ainsi dans tous les mariages.

17. Pour cette raison, il a abandonné le siège de Compiègne avant de l'avoir prise.

qu'il l'eut prise. Ainsi disait-on du duc de Bourgogne, et pis* assez[18], car ceux de Paris espécialment l'aimaient tant comme on pouvait aimer prince[19]; et en vérité, il n'en tenait compte s'ils avaient faim ou soif, car tout se perdait par sa négligence, aussi bien en son pays de Bourgogne[20] comme entour Paris; et pour ce disaient-ils ainsi, comme gens moult troublés pour ce qu'on ne gagnait rien, car marchandise ne courait point; par ce mouraient les pauvres gens de faim et de pauvreté, dont ils le maudissaient souvent et menu[21], moult douloureusement et à secret et en appert*[22], comme désespérés et non créants[23] qu'il tienne jamais nulle chose qu'il promette.

553. Item, après la venue du régent, bien peu [de temps], enchérit tant le blé à Paris que le setier [de blé], qui ne valait devant sa venue que 40 sols parisis, ou 42 ou environ, valut au mois ensuivant 72 sols ou 5 francs, tout mesalé[24], dont le pain appetissa[25] tant que le pain d'un blanc très noir et très mesalé ne pesait guère plus de douze onces, et en mangeait bien un laboureur trois ou quatre par jour; car pauvres gens n'avaient ni vin, ni pitance*, sinon un peu[26] de noix et du pain et de l'eau, car pois ni fèves ne mangeaient point, car ils coûtaient trop en achat et plus en cuire[27], et pour ce s'appetissait moult Paris de gens[28].

554. Item, en celui mars, le régent fit faire[29] aux pauvres gens de Paris certains gens d'armes dont trop furent grevés*,

---

18. On disait aussi (volontiers) pis. Il ne rapporte ici que le discours le plus gentil qui justifie le duc. L'autre, qui l'accuse de négligence et de ne pas tenir ses promesses, est rapporté ensuite.

19. Cela n'est plus si vrai qu'à la génération précédente.

20. La Bourgogne échappe en fait au pillage, sauf dans les zones frontières, mais Philippe n'a aucun intérêt à l'avouer à Paris.

21. Fréquemment, à intervalles rapprochés.

22. En secret et ouvertement.

23. Ne croyant pas qu'il tienne.

24. Mesalé: mal fabriqué.

25. Le pain de 1 blanc coûte toujours ce prix, mais en période de pénurie il est de plus en plus petit.

26. Sinon quelques noix, du pain...

27. Plus à cuire (le combustible est très cher).

28. Paris perdait ses habitants.

29. Financer les soldes et l'équipement... Cela veut dire qu'il leva un impôt.

mais à faire leur convint. Après on alla à Gournay[30] et fut pris, et après alla-t-on à la tour de Montjay[31] et fut prise par composition le dix-huitième jour de mars, et puis allèrent devant Lagny, et là firent par plusieurs fois grands assauts, [mais] en la fin n'y eurent point d'honneur, car cette malle* œuvre[32] se faisait la semaine péneuse ; mais ceux de dedans se défendirent si bien que pour certain fut jeté en la ville 412 pierres de canon[33] en un jour, qui ne firent oncques mal à personne qu'à un seul coq qui en fut tué[34], dont fut grande merveille, que bel fut[35] à ceux du régent et de Paris de laisser leur siège et de s'en venir, et s'en vinrent la veille de Pâques qui furent celui an le premier jour d'avril l'an 1431 ; et disait-on par moquerie qu'ils étaient ainsi revenus pour eux confesser et ordonner à Pâques[36] en leurs paroisses.

555. Item, environ la mi-avril pour la grande charté* de tous vivres et pour les mauvaises gagnes[37] qui pour lors à Paris étaient, à un samedi, 14e jour dudit mois d'avril, la vigile de *Misericordia Domini*[38], fut nombré[39] que [tant] par eau que par terre se partit de Paris bien douze cents personnes sans les enfants, parce qu'ils n'avaient de quoi vivre et qu'ils périssaient de faim.

556. Item, le lundi ensuivant, se partit environ cent hommes d'armes de Paris et allèrent vers Chevreuse à une [vieille] forte maison nommée Damiette[40], où (il y) avait bien quarante

---

30. Gournay fut confiée à Thomas Kyriel et ne redevint française qu'en 1449.

31. Montjay au nord-ouest de Lagny, en Seine-et-Marne.

32. Cette mauvaise besogne se faisait la Semaine sainte. On ne doit pas se battre alors, ce qui explique que leur offensive, mal vue de Dieu, tourne mal.

33. Des boulets de pierre. Lagny a une artillerie suffisante pour repousser les assauts.

34. Il rapporte ici des racontars destinés à tourner en dérision l'artillerie française, qui, en fait, s'était montrée assez efficace.

35. Il ne leur resta plus qu'à.

36. Se confesser et faire leurs Pâques (communier) en leur paroisse parisienne. Leur retour n'est évidemment pas dû à ce motif !

37. Salaires.

38. Du deuxième dimanche après Pâques.

39. On compta qu'il partît...

40. Damiette, maison forte sur la commune de Saint-Rémy-les-Chevreuses.

larrons dedans qui faisaient tous les maux qui peuvent être faits; et furent pris et amenés à Paris le jeudi ensuivant, et furent par nombre tous accouplés ensemble, 29, tous jeunes hommes qui le plus vieil n'avait point plus de 36 ans.

557. Item, le samedi ensuivant, furent pendus treize au gibet de Paris, et deux quand on les prit devant leur forteresse, et neuf qui échappèrent comme sages[41].

558. Item, le 22e jour d'avril l'an 1431, allèrent les gens du régent, qui avaient été à Damiette, à la Motte[42], et prirent cent murdriers* qui là étaient, dont on pendit six audit lieu, et en amena à Paris tous, comme devant est dit, [les] accouplés et liés de cordes, le 26e jour dudit mois, le nombre de 94.

559. Item, le lundi ensuivant, derrain* jour d'avril, on pendit au gibet de Paris des larrons qui étaient de la prise de la Motte, 32.

560. Item, le vendredi ensuivant, [4e jour de mai], des larrons qui à la Motte avaient été pris, on pendit au gibet de Paris 30; ainsi furent pendus en ce lundi et vendredi 62 de ces larrons[43].

561. Item, le 25e jour de mai, vendredi ensuivant, fut faite une procession générale à Notre-Dame de Paris, et de là on alla aux Augustins. Là fut faite une prédication, en laquelle prédication fut montré et déclaré le très haut bien spirituel[44] que le pape Martin, Ve de ce nom, avait donné et octroyé à la fête du Saint Sacrement[45] à tous loyaux chrétiens qui seraient en état d'avoir celui bien, c'est à savoir, vrai confessés et repentants[46];

---

41. Sages, c'est-à-dire jugés non coupables, ou plus rapides à se mettre à l'abri.

42. « La Motte » désigne toute colline de terre sur laquelle on érige un château. Il y a plusieurs lieux-dits La Motte dans la banlieue sud de Paris.

43. Ces exécutions massives sont dues à la présence de Bedford dont la popularité ne peut reposer que sur le maintien strict de l'ordre par opposition au laxisme bourguignon. Elles ont un évident côté démonstration de force et cherchent à impressionner. Il faut montrer que Paris a retrouvé un chef.

44. Il s'agit de l'octroi d'indulgences lors de la Fête-Dieu.

45. Fête-Dieu, ou fête du Saint Sacrement. La célébration de l'hostie est tardive en Occident, puisqu'elle ne fut généralisée que sous Urbain IV, en 1264.

46. Les indulgences n'ont pas une efficacité automatique. Elles impliquent que le fidèle soit confessé et repentant.

Vrai fut que celui 25e jour fut le vendredi devant la Fête-Dieu. Ce jour prêcha un maître en théologie et devisa au peuple comment le pape Urbain, quart de ce nom, ordonna premièrement à célébrer ladite solennité tout temps le jeudi premier après les octaves de Pentecôte[47], et les pardons[48] qu'il y donna, c'est à savoir, aux premières vêpres, à matines, à la procession, à la grand-messe, aux vêpres du jour[49], pour chacune de ces quatre, cent jours de leurs pénitences enjointes.

562. Item, à ceux qui seraient à prime, tierce, sexte, none, complie[50], ledit jour, pour chacune heure quarante jours, et pour ceux qui seront aux dites heures durant les octaves[51], pour chacun jour cent jours de pardon.

563. Item, ladite fête fut premièrement [établie] par Gilles l'Augustin[52] 1418, en celui an, l'ordonna ledit pape Urbain[53], IVe de ce nom, et le jour Saint-Urbain fut faite la prédication[54].

564. Item, vrai est que le pape Martin, le cinquième de ce nom[55], lequel trépassa l'an 1430, donna et octroya à tous ceux

---

47. La Fête-Dieu est fixée au jeudi après les octaves de la Pentecôte. Les octaves sont le dimanche qui suit la Pentecôte, celle-ci étant cinquante jours après Pâques, la Fête-Dieu est donc une fête mobile, située soixante et un jours après Pâques. Tout temps veut dire « pour toujours », à partir du pontificat d'Urbain IV (en 1264).

48. Jour de pardons ou indulgences.

49. Quatre des offices de ce jour jouissent de cent jours d'indulgence (soit autant de purgatoire en moins) pour qui y assiste.

50. Il s'agit de quatre offices secondaires de ce jour dont le nom est emprunté aux heures monastiques : les 1re, 3e, 6e, 9e heures. Complies est l'office le plus tardif de la journée, après les vêpres.

51. Pour ceux qui assisteront à tous ces offices (heures) durant les huit jours qui suivent la fête de celle-ci (les octaves), cent jours. Ils assistent à des offices plus nombreux, mais dans des jours moins sacrés.

52. Gilles de Rome, général des Augustins, précepteur de Philippe le Bel et auteur de *De regimine principum*, est mort archevêque de Bourges en 1316. 1418 est donc une fausse lecture ou une erreur du Bourgeois.

53. Il y a beaucoup d'erreurs. Urbain IV (1261-1264) institua la fête en 1264. L'année 1318 donnée par l'un des manuscrits n'est pas plus exacte que 1418 que nous avons ici. Le pontificat d'Urbain V s'étend de 1362 à 1370.

54. La Saint-Urbain est le 25 juin. Martin V choisit cette date pour entourer la nouvelle fête de plus de solennité, puisque c'était l'anniversaire de son promoteur initial.

55. Martin V fut élu au concile de Bâle. Son pontificat dura de 1417 à février 1431, soit pour le Bourgeois en 1430.

qui en état de grâce jeûneraient[56] la vigile du Saint Sacrement ou feraient autre pénitence par le conseil de leur confesseur, pour ce qu'en icelui temps il fait chaud[57] et grève* moult à jeûner à aucunes gens, il donne — à chacun qui bonnement fera celui jour ladite pénitence — cent jours de pardon ; et qui sera aux premières vêpres, à matines, à la messe, aux secondes vêpres, à chacune heure deux cents jours de pardon[58] ; et qui sera à toutes les autres heures du jour, pour chacune heure quatre-vingts jours de pardon ; pour chacune heure des octaves, c'est à savoir, matines, messe et vêpres, cent jours de pardon, et pour les autres heures, pour chacune quarante jours.

565. Item, à tous prélats qui ont dignité, qui seraient aucunement empêchés pour le bien de l'Église ou pour le bien commun, ou pour la foi, qui ne peuvent être au saint service celui jour, ou les octaves, il leur octroie un tel pardon[59], comme s'ils y étaient présents, car bonne volonté est réputée pour le fait[60].

566. Item, à tous ceux qui dévotement et à jeun sans fabler, ni sans bouter* l'un l'autre[61] cent jours de pardon, [et pour tous ceux] qui ce jour recevront Notre Seigneur[62] cent jours de pardon.

567. Item, à tous prêtres, qui dévotement celui jour et chacun jour des octaves célébreront[63] en la révérence de la fête, pour chacun jour cent jours de vrai pardon].

568. Item, si aucunes églises sont interdites[64] par cas de hâtif

---

56. Ceux qui, confessés, jeûneraient la veille de...

57. La chaleur rend le jeûne difficile pour certains.

58. Cela équivaut à doubler les indulgences dans le premier cas (offices majeurs) et dans le deuxième (offices mineurs de ce jour). Par contre, pas de modification pour les trois offices journaliers des octaves, mais les offices mineurs des octaves apportent désormais aussi des indulgences.

59. Ils ont les mêmes indulgences que s'ils avaient assisté aux offices. Cela équivaut à les pourvoir d'indulgences automatiques.

60. Joli raisonnement, qu'on pourrait étendre à tous les fidèles !

61. Sans bavarder ni se bousculer.

62. Il faut comprendre que tous ceux qui ce jour-là communieront sans bavarder ni se bousculer auront cent jours de pardon. Il est logique d'inciter à la communion massive le jour de la Fête-Dieu.

63. (Leurs offices.)

64. Soumise à l'interdit. L'interdit est une sanction ecclésiastique qui suspend toute cérémonie religieuse et tout sacrement dans une zone

méchef[65], comme aucunes fois advint en aucunes terres, il octroie que celui jour et les octaves on puisse célébrer[66] ès dites terres ou églises, à portes toutes ouvertes, saints sonnants, c'est à savoir, tous excommuniés[67] et tous ceux par qui l'interdit[68] serait seraient hors boutés* de l'église et du service.

569. Item, à tous ceux qui dévotement enverront ou porteront lumière[69] à convoyer le précieux Saint Sacrement le jour, ou quand on le porte à aucun malade[70] par la ville, ou qui le convoieront allant et venant en dévotion et révérence, pour chacune fois cent jours, et pour tous ceux qui le feraient volontiers et ne peuvent[71], cinquante jours de pardon.

570. Item, il ordonne que tous prélats ou curés, de quelque état qu'ils soient, tous les ans dorénavant, le dimanche[72] des octaves de la Pentecôte, prononcent[73] ou fassent prononcer le dessusdit pardon aux bons chrétiens, à ce que[74] par négligence ne les perdent.

571. Ainsi furent les dessusdits pardons publiés, premièrement en l'église de Saint-Augustin, à Paris, le jour Saint-Urbain pape et martyr, 25e jour de juin 1431.

572. Item, la vigile du Saint Sacrement en celui an, qui fut le 30e jour de mai audit an 1431, dame Jeanne qui avait été prise devant Compiègne, qu'on nommait la Pucelle, icelui jour fut

---

géographique donnée, jusqu'à ce que les responsables laïcs ou religieux aient demandé leur réconciliation. On en avait abusé avec le Grand Schisme et les guerres civiles, et son efficacité avait diminué.

65. De crime récent. Il veut dire que la réconciliation n'a pu avoir lieu.

66. Célébrer tous les offices durant la semaine qui suit la Fête-Dieu. Avec sonnerie de cloche.

67. L'excommunication, contrairement à l'interdit, touche les personnes, exclues de la communauté chrétienne jusqu'à réconciliation. On en avait abusé au XVe siècle en excommuniant, par exemple, tous les Armagnacs ou inversement tous les Bourguignons.

68. Les responsables de l'interdit seraient chassés...

69. Porteront des cierges à la procession de la Fête-Dieu.

70. Il s'agit du viatique porté aux mourants.

71. C'est la voie ouverte à tous les excès et cela provient du même principe que précédemment : l'intention vaut le fait. Les protestants feront de ces excès l'une de leurs principales cibles.

72. Le dimanche qui précède la Fête-Dieu (jeudi).

73. Qu'ils fassent annoncer l'étendue des indulgences.

74. De sorte que (les fidèles) par négligence ne les perdent.

fait un prêchement[75] à Rouen, elle étant en un échafaud[76] que chacun la pouvait voir bien clairement, vêtue en habit d'homme[77], et là lui fut démontré les grands maux douloureux qui par elle étaient advenus en Chrétienté, espécialment au royaume de France, comme chacun sait, et comment le jour de la Sainte Nativité Notre-Dame[78] elle était venue assaillir la ville de Paris à feu et à sang, et plusieurs grands péchés énormes qu'elle avait faits et fait faire, et comment à Senlis et ailleurs elle avait fait idolâtrer[79] le simple peuple, car par sa fausse hypocrisie ils la suivaient comme sainte pucelle, car elle leur donnait à entendre que le glorieux archange saint Michel, sainte Catherine et sainte Marguerite et plusieurs autres saints et saintes s'apparaissaient à elle souvent[80] et parlaient [à elle], comme ami fait à l'autre, et non pas comme Dieu a fait aucunes fois* à ses amis par révélations, mais corporellement[81] et bouche à bouche ou ami à autre.

573. Item, vrai est qu'elle disait être âgée environ de 17 ans[82], sans avoir honte que malgré père et mère[83] et parents et amis, que souvent allait à une belle fontaine[84] au pays de

---

75. Cette cérémonie du 30 mai à Rouen visait à impressionner Jeanne d'Arc et à obtenir la rétractation de ses erreurs. C'est une procédure normale dans un procès d'inquisition.

76. Dans l'âtre Saint-Maclou qui est un cimetière où l'on avait apprêté un bûcher (ce que, évidemment, le Bourgeois omet à ce stade du récit).

77. Il est interdit par l'Église de vêtir les habits du sexe opposé. C'est un signe d'hérésie.

78. Le 8 septembre 1429. Il n'évoque ni la libération d'Orléans ni ses victoires. Ses échecs prouvent qu'elle est abandonnée par Dieu.

79. Le peuple la révérait. Il est interdit d'adorer un être humain, seul Dieu peut être adoré.

80. Le problème des apparitions joua un rôle central lors du procès : vraies ou fausses apparitions suscitées par le démon.

81. Le Bourgeois oppose ici la vision intellectuelle que l'Église accepte et la vision des saints en chair et en os qu'elle suspecte.

82. Elle est née le 5 janvier 1412. Elle a donc dix-neuf ans en 1431.

83. Son père s'opposa à sa mission, mais non sa mère. La croyance à l'arbre aux fées est générale à Domrémy mais Jeanne elle-même n'y croyait pas.

84. Le procès ne parle que de l'arbre aux fées mais vénérer les sources et les arbres était d'origine celtique et cette vénération survivait souvent dans les campagnes. Le nom curieux qu'il donne à la fontaine marque son désir et celui de l'Église de christianiser cette pratique.

Lorraine, laquelle elle nommait Bonne Fontaine aux Fées Notre Seigneur[85], et en celui lieu tous ceux du pays, quand ils avaient fièvres, allaient pour recouvrer guérison. Et là allait souvent ladite Jeanne la Pucelle sous un grand arbre[86] qui la fontaine ombrait, et s'apparurent à elle sainte Catherine et sainte Marguerite, qui lui dirent qu'elle allât à un capitaine[87] qu'elles lui nommèrent, laquelle y alla sans prendre congé à père ni à mère[88] ; lequel capitaine la vêtit en guise d'homme, et l'arma et lui ceignit l'épée[89], et lui bailla un écuyer et quatre valets, et en ce point[90] fut montée sur un bon cheval. Et en ce point vint au roi de France et lui dit [que] du commandement de Dieu était venue à lui, et qu'elle le ferait être le plus grand seigneur du monde[91], et qu'il fût ordonné que trétous ceux qui lui désobéiraient fussent occis* sans merci[92], et que saint Michel et plusieurs anges lui avaient baillé* une couronne[93] moult riche pour lui, et si avait une épée[94] en terre aussi pour lui, mais elle ne lui baillerait* tant que sa guerre fut faillie*[95].

---

85. Les fontaines miraculeuses sont légion dans l'Occident médiéval mais, pour être acceptées par l'Église, il faut qu'elles soient liées à l'action d'un saint.

86. Il est bien question de cet arbre aux fées au pied duquel les jeunes filles vont danser, dans le procès. Il n'est nullement lié au problème des apparitions, situées dans le jardin de la maison paternelle. Ici, il suggère que ces apparitions seraient des fées ou des illusions démoniaques.

87. Robert de Baudricourt, capitaine de Vaucouleurs pour Charles VII. Elle y alla deux fois, la première fois il ne la crut pas et la renvoya.

88. Cela est exact. On le lui reprocha au procès.

89. Il la vêtit en homme et la fit escorter, mais elle fut armée plus tard à Chinon à la cour de Charles VII.

90. Dans cet attirail.

91. C'est faux. Elle lui dit en fait qu'il était vrai roi de France et qu'il aurait victoire sur ses ennemis. Le Bourgeois ne peut le dire, il est plus simple d'accuser Charles VII d'ambition et de désir de conquête.

92. C'est une présentation partiale. Il est exact que Jeanne d'Arc faisait régner une discipline stricte parmi ses troupes et qu'elle pensait que les ennemis obstinés de son roi étaient promis par Dieu à la mort.

93. Cette couronne, destinée au prince, qui symbolise la mission de Jeanne, fait l'objet d'une vision complexe qui est relatée dans le procès.

94. Elle n'en parle pas. Il y a peut-être une confusion avec l'épée miraculeuse de Fierbois, portée par Jeanne. Plus généralement, l'épée de justice est le symbole habituel du pouvoir souverain.

95. Elle ne la lui donnerait pas avant la fin de la guerre. Cela suppose qu'il pense à l'épée de Fierbois, confiée à Jeanne durant les opérations.

Et tous les jours chevauchait avec le roi[96], à grande foison de gens d'armes, sans aucune femme[97], vêtue, harnachée et armée en guise d'homme[98], un gros bâton en sa main, et quand aucun de ses gens méprenait[99], elle frappait dessus de son bâton grands coups[100], en manière de femme très cruelle.

574. Item, dit qu'elle est certaine d'être (en) paradis[101] en la fin de ses jours.

575. Item, dit qu'elle est toute certaine que c'est saint Michel et sainte Catherine et sainte Marguerite qui à elle parlent souvent, et quand elle veut[102], et que bien souvent les a vus avec couronnes d'or en leurs têtes, et que tout ce qu'elle fait est du commandement de Dieu et, plus fort, dit qu'elle sait grande partie[103] des choses à advenir.

576. Item, plusieurs fois a pris le précieux sacrement de l'autel tout armée[104], vêtue en guise d'homme, les cheveux rondis[105], chaperon déchiqueté, gipon, chausses vermeilles attachées à foison d'aiguillettes[106], dont aucuns grands seigneurs et dames lui disaient en la reprenant de la dérision[107] de sa vêture, que c'était peu priser Notre Seigneur de le recevoir en

---

96. Il ne fut présent que pour la chevauchée du sacre. Mais il insiste ici sur le lien entre la sorcière hérétique et le prétendu roi. Si Jeanne est hérétique, Charles VII n'est pas le vrai roi de France.

97. Il sous-entend que sa vertu n'est pas garantie.

98. Inverser les costumes, c'est inverser l'ordre du monde et aller contre la volonté de Dieu.

99. Se conduisait mal.

100. Il n'est pas vraiment hostile aux châtiments corporels, mais qu'une femme frappe un homme le choque.

101. Elle dit, ce qui est très différent : « Si je suis en état de grâce, Dieu m'y garde, si je n'y suis pas, Dieu veuille m'y mettre. » Être sûr de son paradis serait présomption.

102. Souvent oui, à sa volonté non. Cela supposerait l'utilisation de charmes ou de procédés magiques d'évocation.

103. Elle dit avoir eu des révélations sur l'avenir, mais ne prétend pas le connaître dans son ensemble.

104. C'est très probable. Elle communiait fréquemment.

105. Coupés en rond. C'est une pratique des tertiaires franciscains.

106. Cette description de Jeanne, vêtue non seulement en homme mais de couleur vive et de vêtement à la mode, est fausse. Le chaperon déchiqueté est une coiffure frangée, un gipon est une tunique sans manches. Il insiste sur les chausses aberrantes par leur couleur et le nombre des aiguillettes les fermant. Il veut suggérer une activité sexuelle désordonnée.

107. Du caractère risible.

tel habit, femme qu'elle était[108], laquelle leur répondit promptement, pour rien n'en ferait autrement et que mieux aimerait mourir que laisser l'habit d'homme[109] pour nulle défense, et que, si elle voulait, elle ferait tonner[110] et autres merveilles, et qu'une fois on (voulut) lui faire [de son corps] déplaisir[111], mais elle saillit* d'une haute tour en bas sans soi blesser[112] aucunement.

577. Item, en plusieurs lieux elle fit tuer hommes et femmes tant en bataille comme de vengeance volontaire[113], car qui n'obéissait aux lettres qu'elle faisait elle faisait tantôt mourir[114] sans pitié quand elle en avait pouvoir, et disait et affirmait qu'elle ne faisait nulle[115] rien que par le commandement que Dieu lui mandait[116] très souvent par l'archange saint Michel, sainte Catherine et sainte Marguerite, lesquels lui faisaient ce faire, et non pas comme Notre Seigneur faisait à Moïse au mont de Sinaï[117], mais proprement lui disaient des choses

---

108. Puisqu'elle était femme.

109. Ce n'est pas faux. Jeanne d'Arc ne voulait pas quitter son habit d'homme avant que sa mission fût terminée. Or, elle ne considérait pas l'avoir remplie puisque Paris n'était pas libéré.

110. Il invente d'après la légende traditionnelle des faiseurs de tempête. Les saints passaient pour les calmer, ceux qui avaient contracté un pacte avec le Diable pouvaient les déclencher.

111. Il fait allusion aux attentions encombrantes d'Aymar de Macy, écuyer de Jean de Luxembourg, lors du séjour de Jeanne au château de Beaurevoir, en Cambraisis.

112. Elle se blessa. Elle voulait surtout éviter d'être livrée aux Anglais auxquels Jean de Luxembourg l'avait vendue. Elle s'efforça de s'échapper.

113. Cette deuxième possibilité est peu probable.

114. Il fait allusion à la mort de William Glasdale, qu'elle prédit lors du siège d'Orléans. La lettre au duc de Bedford prédit aussi que Dieu donnera victoire à Charles VII et que beaucoup d'Anglais seront tués.

115. Nulle chose.

116. Elle se présente généralement comme inspirée, mais reconnaît que parfois les voix sont muettes, par exemple lors de l'évasion.

117. Le problème est que l'Église admet le prophétisme en théorie (la Bible en connaît de nombreux cas), mais qu'elle s'en défie en pratique. Les révélations sont des pouvoirs informels qui échappent à son cadre hiérarchique. Elles se sont multipliées à l'époque du Grand Schisme, provoquant une méfiance accrue de la part des docteurs. Il lui faut donc prouver que Jeanne et Moïse, ce n'est pas la même chose. La révélation du Sinaï eut bien lieu une fois, celle de Jeanne qui se poursuit sans limite temporelle lui paraît par différence inquiétante. Elle suppose une familiarité suspecte avec le sacré.

secrètes à advenir, et qu'ils lui avaient ordonné et ordonnaient toutes les choses qu'elle faisait, fût en son habit ou autrement.

578. Telles fausses erreurs et pires avait assez dame Jeanne, et lesquelles lui furent toutes déclarées[118] devant [tout] le peuple, dont ils eurent moult grande horreur quand ils ouïrent* raconter les grandes erreurs qu'elle avait eues contre notre foi et avait encore, car pour chose qu'on lui démontrât ses grands maléfices et erreurs, elle ne s'en effrayait ni ébahissait, ains répondait hardiment aux articles qu'on lui proposait devant elle, comme celle qui était toute pleine de l'ennemi d'enfer[119]; et bien y parut, car elle voyait les clercs[120] de l'Université de Paris qui si humblement[121] la priaient qu'elle se repentît et révoquât de cette malle* erreur, et que tout lui serait pardonné par pénitence, ou, sinon, elle serait devant tout le peuple arse* et son âme damnée au fons[122] d'enfer, et lui fut montré l'ordonnance et la place[123] où le feu devait être fait pour l'ardoir* bientôt, si elle ne se révoquait[124]. Quand elle vit que c'était à certes[125], elle cria merci et soi révoqua de bouche[126], et fut sa robe ôtée et vêtue en habit de femme, mais aussitôt qu'elle se vit en tel état, elle recommença son erreur comme devant, demandant son habit d'homme[127]. Et tantôt elle fut de tous jugée à mourir, et fut liée à une estache[128] qui était sur l'échafaud qui était fait de plâtre, et le feu sur lui, et là fut

118. Lors de la cérémonie de l'âtre Saint-Maclou, le 30 mai 1431.

119. Comme quelqu'un qui était possédé du démon.

120. Les docteurs de l'Université avaient déjà adjuré Jeanne de renoncer à ses erreurs dans une séance précédente, le 18 avril.

121. C'est une humilité de façade. Les Universitaires sont persuadés d'avoir raison, de détenir le vrai contre une révélation privée et féminine.

122. Lire (au fond) ou (au feu) de l'enfer.

123. Il s'agit du bûcher dressé le 30 mai dans l'âtre Saint-Maclou. Un nouveau discours l'appelant à se repentir fut fait à cette occasion.

124. Si elle ne reconnaissait pas ses erreurs.

125. Assurée (qu'elle allait être brûlée).

126. Elle fit semblant de reconnaître ses erreurs. « De bouche » s'oppose implicitement à « de cœur ».

127. Elle remit son habit d'homme. Il est possible qu'on ne lui ait rien laissé d'autre. Une accusée repentie ne faisait pas l'affaire des Anglais. Ils avaient besoin d'une relapse automatiquement condamnée au bûcher.

128. Un pieu.

bientôt estainte[129] et sa robe tout arse*[130], et puis fut le feu tiré arrière, et fut vue de tout le peuple toute nue et tous les secrets qui peuvent être ou doivent [être] en femme, pour ôter les doutes du peuple[131]. Et quand ils [l']eurent assez et à leur gré vue toute morte liée à l'estache, le bourrel* remit le feu grand sur sa pauvre charogne[132] qui tantôt fut toute comburée[133], et os et chair mise en cendre[134]. Assez avait là et ailleurs qui disaient [qu'elle était martyre et pour son droit seigneur[135], autres[136] disaient] que non et que mal avait fait qui[137] l'avait tant gardée. Ainsi disait le peuple, mais quelle mauvaiseté ou bonté qu'elle eût faite, elle fut arse* celui jour[138].

579. Et cette semaine fut pris le plus mauvais et le plus tyran et le moins piteux de tous les capitaines qui fussent de tous les Armagnacs, et était nommé pour sa mauvaiseté La Hire[139], et fut pris par pauvres compagnons et fut mis au chastel de Dourdan.

580. Item, le jour Saint-Martin le Bouillant[140] fut faite une procession générale à Saint-Martin-des-Champs, et fit-on une prédication, et la fit un frère[141] de l'ordre [de] saint Dominique qui était inquisiteur de la foi, maître en théologie, et prononça de rechef tous les faits de Jeanne la Pucelle. Et disait qu'elle avait dit qu'elle était fille de très pauvres[142] gens, et qu'environ

---

129. Il veut dire morte par asphyxie, étouffée.

130. Il est à peu près le seul à donner ces détails qui ne figurent évidemment jamais dans les textes favorables à Charles VII.

131. Le peuple aurait hésité sur son sexe.

132. Cadavre.

133. Brûlée entièrement.

134. Ces cendres furent dispersées pour éviter la naissance d'un culte.

135. L'opinion est très divisée. Les partisans de Charles VII considèrent qu'elle est morte pour Dieu et pour le roi.

136. Les Bourguignons ou les Anglais.

137. Mal avait fait (celui) qui l'avait tant gardée. L'accusation vise Charles VII.

138. C'est une conclusion finalement assez sceptique. Il ne s'engage pas.

139. La Ire veut dire, nous l'avons déjà vu, « la colère ». Il n'est pas sûr que cela soit l'origine exacte du surnom d'Étienne de Vignolles. Il fut fait prisonnier à Louviers en juin et libéré contre rançon peu après.

140. Saint-Martin le Bouillant : la Saint-Martin d'été, le 9 août.

141. Il s'agit de Jean Graverent, dominicain partisan acharné des Anglais et inquisiteur. Il présente donc une version officielle de l'Église sur cet événement.

142. C'était une famille de laboureurs aisés.

l'âge de quatorze ans[143] elle s'était ainsi maintenue en guise d'homme, et que son père et sa mère l'eussent volontiers faite dès lors[144] mourir, s'ils eussent pu sans blesser conscience[145], et pour ce se départit d'eux accompagnée de l'ennemi[146] d'enfer, et depuis[147] vécut homicide de chrétienté[148], pleine de feu et de sang[149], jusqu'à tant qu'elle fût arse* ; et disait[150] qu'elle se fût révoquée, et qu'on lui eût baillé* pénitence, c'est à savoir, quatre ans en prison à pain et à eau, dont elle ne fit oncques jour, mais se faisait servir en la prison comme une dame[151], et l'ennemi s'apparut à elle lui quatrième[152], c'est à savoir, saint Michel, sainte Catherine et sainte Marguerite, comme elle disait, qui moult avait [grande] paour* qu'il ne la perdît[153], c'est à savoir, iceux ennemi ou ennemis en la forme[154] de ces trois saints, et lui dit : « Méchante créature, qui pour paour* de la mort as laissé ton habit, n'aie paour*, nous te garderons

---

143. C'est l'âge du début des révélations. Elle ne se vêtit en homme que bien plus tard.

144. Alors. Il fabule à partir du mécontentement réel des parents de Jeanne qui auraient préféré la voir mariée que partir à l'aventure.

145. S'ils l'avaient pu sans blesser leur conscience.

146. Elle se sépara d'eux, accompagnée du Diable. La fille mineure qui échappe à ses parents est perdue pour la société et pour le paradis.

147. Il présente cette aventure de Jeanne comme une longue vie de turpitudes. En fait, elle ne dura pas un an et demi.

148. Elle vécut en tuant des chrétiens.

149. De colère et de sang. Le feu de la colère justifie implicitement le feu du bûcher. Le feu, le sang et la colère sont rouges ou symbolisés par cette couleur, il les associe par analogie.

150. Ceci est supposé se rapporter non au 30 mai où l'on n'eut guère le temps de lui bailler une pénitence quelconque mais à un pardon généreux (quatre ans de pain et d'eau pour hérésie, ce n'est rien), qu'elle aurait obtenu lors d'une abjuration antérieure au cours de sa période d'emprisonnement. Une telle générosité est évidemment fabulation.

151. Elle refuse l'humilité de la pénitente.

152. Lui quatrième, puisque les saints sont trois ou plus exactement il les habite tous trois.

153. Le Diable avait grand-peur de perdre son âme. Il accrédite implicitement l'idée d'un pacte entre Jeanne et le Diable : son âme immortelle contre des victoires.

154. En la forme. C'est une deuxième possibilité, le Diable prend la forme des trois saints à la fois. Il insiste ici sur la nature maléfique des apparitions de Jeanne.

moult bien de tous[155]. » Par quoi sans attendre [elle] se dépouilla et se revêtit de toutes ses robes[156] qu'elle vêtait quand elle chevauchait, que boutées* avait au feurre[157] de son lit, et se fia en l'ennemi tellement qu'elle dit qu'elle se repentait de ce qu'oncques[158] avait laissé son habit. Quand l'Université[159] ou ceux de par elle[160] virent ce[161] et qu'elle était ainsi obstinée, si fut livrée à la justice laye*[162] pour mourir. Quand elle se vit en ce point, elle appela[163] les ennemis qui se apparaissent à elle en guise de saints, mais oncques depuis qu'elle fut jugée, nul ne s'apparut à elle pour invocation qu'elle sût faire, adonq s'avisa[164], mais ce fut trop tard. Encore dit-il en son sermon qu'elles étaient quatre[165], dont trois avaient été prises, c'est à savoir, cette Pucelle, et Péronne[166] et sa compagne, et une[167] qui est avec les Armagnacs, nommée Catherine de la Rochelle, laquelle dit, que quand on sacre[168] le précieux corps Notre

---

155. C'est exact. Jeanne a toujours affirmé que les saints tenaient à ce qu'elle conserve son habit d'homme.

156. Au sens général de vêtement.

157. Qu'elle avait mises comme paillasse de son lit.

158. Au sens de « une fois ». Elle regrettait d'avoir une fois laissé son habit d'homme.

159. Le dominicain inquisiteur tient à s'associer l'autorité des théologiens de Paris.

160. Ceux qui étaient là. C'est d'une imprécision voulue. Qui a décidé du bûcher ? Tout le monde et personne.

161. Ils virent cela (qu'elle avait repris ses habits) et qu'elle...

162. Le bras séculier exécute les sentences du tribunal d'inquisition. Il est nécessaire, puisque les clercs ne peuvent donner la mort.

163. Elle évoquait les diables par des procédés maléfiques, donc elle était en quelque sorte responsable et non séduite par hasard.

164. Changea d'avis. Il fait peut-être allusion à la renonciation par Jeanne à l'authenticité de ses voix. Cette renonciation est probablement un faux.

165. A trois fausses apparitions correspondent trois sorcières ou quatre si l'on compte la compagne repentante de Pierrone.

166. Il a déjà parlé de l'exécution, en septembre 1430, de Pierrone la Bretonne qui croyait en la mission de Jeanne d'Arc.

167. Catherine de La Rochelle avait rencontré Jeanne d'Arc en Berry en décembre 1430. Jeanne avait prouvé qu'il ne s'agissait que d'une aventurière et non d'une visionnaire. Furieuse, Catherine déposa contre elle quand elle fut arrêtée à Paris au début de 1431. Elle fut relâchée début juillet et rejoignit les Armagnacs.

168. On consacre.

Seigneur, elle voyait[169] merveilles du haut secret de Notre Seigneur Dieu, et [il] disait que toutes ces quatre pauvres femmes frère Richard le cordelier[170], qui après lui avait si grande suite quand il prêcha à Paris aux Innocents et ailleurs, les avait toutes ainsi gouvernées, car il était leur beau père[171], et que le jour de Noël en la ville de Jargeau il[172] bailla* à cette dame Jeanne la Pucelle trois fois le corps Notre Seigneur, dont il était moult à reprendre, et l'avait baillé* à Péronne celui jour deux fois, par le témoin[173] de leur confession et d'aucuns qui présents furent aux heures qu'il leur bailla* le précieux sacrement.

581. Item, cette année fut la Saint-Dominique au dimanche[174], et ce jour revint le régent à Paris, lequel avait été épié des Armagnacs. Quand il cuida* passer Mantes, ils le cuidèrent* prendre, mais comme bien avisé repassa la rivière et vint jour et nuit[175], tant qu'il fut à Paris, et vint par la porte Saint-Jacques le jour Saint-Dominique, et ses gens tinrent pied[176] à leurs ennemis tant que de toute part en demeura plus que métier ne fut[177]. La nouvelle de ce courut jusqu'à ceux de l'ost* qui étaient devant Louviers[178], si laissèrent[179] deux ou trois capitaines le siège à toutes leurs gens, qui cuidaient* que le régent fut pris ; quand ils surent que non était, si s'enhardi-

---

169. Elle voyait la présence réelle du Christ : elle voyait le Christ au lieu de l'hostie. C'est un type de miracle eucharistique très fréquent. Prétendre cela n'est pas vraiment une hérésie, c'est visualiser une croyance parfaitement orthodoxe.

170. Frère Richard a été leur directeur de conscience.

171. Leur père spirituel.

172. L'hostilité des dominicains envers les franciscains est bien connue. Jean Graverent est ravi de faire endosser la responsabilité à frère Richard.

173. Par le témoignage de la confession de Pierronne et de sa compagne. Trois fois pour Jeanne d'Arc (la pire) et deux fois seulement pour ses compagnes.

174. La Saint-Dominique est le 4 août.

175. Il voyagea jour et nuit jusqu'à Paris, poursuivi par les Armagnacs. Il venait de Rouen.

176. Nous dirions tenir tête.

177. Il en demeura (à terre) des deux côtés plus qu'il n'aurait été nécessaire.

178. L'armée anglaise commandée par Warwick, Arundel et Suffolk, assiégeait Louviers.

179. Ils abandonnèrent le siège avec leurs troupes (pour venir au secours du régent). Ils laissèrent quand même l'un des leurs avec une armée réduite.

rent et allèrent jusque devant Beauvais et s'embûchèrent[180], si fut dit à ceux de la cité, si se hâtèrent d'issir* qui mieux mieux. Les gens du régent surent leur manière par leurs espies*, si en issit* une partie[181] se mirent entre la ville et les Armagnacs, et les autres vinrent par-devant et les assaillirent moult âprement, et eux se défendirent moult bien, mais quand ils virent venir par-derrière les autres[182], si cuidèrent* que plus fussent trop[183] qu'ils n'étaient. Si se déconfirent* d'eux-mêmes, et furent pris les plus gros capitaines ou tués, et entre les autres [y] avait un méchant nommé Guillaume le Berger[184] qui faisait les gens idolâtres de lui, et chevauchait de côté, et montrait de fois en autres[185] ses mains et ses pieds et son côté, et étaient tachés de sang[186] comme saint François. Et fut pris un capitaine nommé Poton de Xaintrailles[187], de moult grande renommée, et autres assez, et furent [menés] à Rouen.

582. Item, le jour de la mi-août 1431, cuisit un boulanger en la rue Saint-Honoré du pain bien largement de très belle farine[188], et quand il fut cuit bien et bel, il fut de couleur de

---

180. Se mirent en embuscade. Beauvais est tenue par les Armagnacs.

181. Ils font une sortie qui va les couper dangereusement de l'enceinte urbaine.

182. Une partie des gens du régent (les tourna par-derrière). Ils étaient alors pris entre deux feux.

183. Ils les crurent plus nombreux qu'ils n'étaient, d'où leur découragement et leur défaite.

184. Guillaume de Mende, dit le Petit Berger, est un adolescent visionnaire et simplet que Renaud de Chartres, archevêque de Reims, eut l'idée de substituer à Jeanne à la tête des troupes royales, non qu'il y crût mais il le jugeait utile pour le moral des troupes. Fait prisonnier le 12 août 1431, il fut exhibé lors de l'entrée du jeune Henri VI à Paris, puis probablement noyé dans la Seine en décembre 1431.

185. Quelquefois. Il chevauche de côté à cause de ses plaies.

186. C'est un stigmatisé réel, semble-t-il, mais un peu dérangé. Les stigmates de saint François, qui est le premier saint stigmatisé de l'Histoire, renforçaient son identification au Christ souffrant. L'idée est que Dieu est du côté de Charles VII.

187. Poton de Saintrailles, mercenaire gascon présent à Cravant et à Verneuil. Chef de la garnison de Compiègne en 1430, il participa à la prise de Paris et reconquit la Guyenne. Il fut Maréchal de France en 1454 et en 1461.

188. Le pain de froment est blanc et non gris. Les rumeurs hésitent : est-ce un miracle, un signe favorable de la Vierge de l'Assomption ou un signe de malheur? Tout dérèglement de l'ordre du monde est un signe à interpréter.

cendre, dont il fut si grand parler à Paris que le plus disaient que c'était signifiance de très grand mal à venir, les autres disaient que c'était miracle, pour ce que cuit avait été le jour de l'Assomption Notre-Dame, bref, Paris était tout ébahi de cette merveille, et n'y avait celui[189] qui n'en jugeât en aucune manière. Et fut le boulanger pris et sa farine pareillement, et en fit le prévôt de Paris cuire, et quand il fut cuit et ordonné le mieux que faire se pouvait, il fut trouvé tel que l'autre ou plus laid[190] ; si se conseilla la justice[191], et du blé voir voulurent et ne virent point au blé nul défaut, si en firent moudre et cuire de rechef, mais il fut autel comme devant est dit. Là avait aucuns marchands qui blé connaissaient, qui dirent qu'en aucun pays où ils avaient été avaient mangé de tel pain plusieurs fois, espécialment en aucunes contrées de Bourgogne[192], et est très bon et savoureux à manger, et advient par une herbe qui croît avec le blé souvent, qu'on nomme la roivolle, et vrai était[193] ; mais le peuple de Paris ne s'en pouvait apaiser, et n'était pas fils[194] de bonne mère qui n'avait un morsel de ce pain pour montrer l'un à l'autre pour la couleur[195].

583. Item, en octobre ensuivant, le 25e jour, se partirent[196] de la ville de Louviers, qui bien l'avaient tenue cinq mois ou environ contre les Anglais; et fut par composition qu'ils emportèrent tout ce qu'ils purent emporter, et si eurent grande finance[197] avec, et encore était en la composition[198] que les Anglais ne devaient à tous les habitants de la ville reprocher ne faire aucun grief* par pillage ou autrement; mais de ce se parjurèrent, car aussitôt que la garnison fut issue*, ils firent tout le contraire de ce qu'ils avaient promis, et si firent abattre

189. Tous donnaient leur avis.
190. Tel ou plus laid (plus gris).
191. La justice se consulta et voulut voir le blé.
192. C'est la référence dont on ne saurait douter, un pays fertile et allié !
193. Cette explication logique est probablement vraie, mais on a de la peine à s'en persuader. La rivolle ou roujolle est le *melampyrum arvense*, cow-wheat pourpre.
194. Les enfants.
195. Ils comparent la couleur de leurs morceaux de pain.
196. La garnison armagnacque évacua Louviers après cinq mois de siège.
197. La vente de ce qu'ils avaient emporté leur rapporta.
198. Il est sceptique sur les promesses des gens de guerre de tout poil.

les murs[199] de tout entour. Quand ils eurent fait leur volonté, qui ne fut guère à leur honneur, ils allèrent à Rouen, c'est à savoir, les plus grands pour eux aiser[200]. Et disait-on qu'il viendrait tant de bûche[201], mais que la ville de Louviers fut délivrée, que chacun en vaudrait mieux[202]; mais tantôt après, environ huit jours, elle enchérit de......[203] [ ] à Paris, ou plus. Et disaient les gouverneurs et faisaient dire de jour en jour que le duc de Bourgogne venait à Paris, et que pour vrai il amenait avec lui un légat[204] du pape, et qu'eux deux devaient mettre bonne paix entre Charles qui se disait[205] roi de France [et Henry qui se disait roi de France] et d'Angleterre, mais cela n'était que pour apaiser le peuple qui moult était en grande oppression; car, en vérité, le duc de Bourgogne ne tenait compte[206] de tous ceux de Paris, ni du royaume en rien qui soit, et pour ce vint Henry à Paris bien accompagné, et y fut sacré et couronné[207].

584. Item, le jour Saint-André[208], darrain* jour de novembre, vint gésir* Henry, âgé de neuf[209] ans ou environ, en l'abbaye de Saint-Denis en France, à un vendredi, lequel se nommait roi de France et d'Angleterre.

585. Item, le dimanche ensuivant, premier jour des

---

199. Les murs de la ville. Elle fut pillée et les remparts abattus.

200. Vivre à leur aise. Le séjour à Rouen les poches pleines n'est pas désagréable.

201. Qu'il viendrait beaucoup de bûches si la ville de Louviers était délivrée.

202. Chacun en tirerait avantage.

203. Le chiffre manque.

204. Nicolas Albergati, cardinal de Sainte-Sabine, chargé par le pape des négociations qui conduisirent indirectement au traité d'Arras de 1435 entre Charles VII et Philippe le Bon. Ils arrivèrent à Paris en janvier. Philippe ne tenait guère à assister au sacre de Henri VI.

205. Le légat médiateur utilise des expressions dubitatives symétriques qui n'engagent à rien.

206. Sa fidélité bourguignonne est bien ébranlée. Il se rallie décidément à Bedford. Le lieu qu'il crée entre l'incapacité de Philippe et le couronnement d'Henri VI suppose qu'il pense que l'inaction du duc justifie son éviction de la régence (et de tout espoir de trône à Paris).

207. Cette cérémonie bien tardive n'empêchera pas Charles VII d'être considéré de plus en plus comme le seul prince légitime depuis son sacre à Reims en juillet 1429.

208. C'est le patron des Anglo-bourguignons, fêté le 30 novembre.

209. Il était né le 15 décembre 1421. Il avait dix ans.

Advents[210], vint ledit roi à Paris par la porte Saint-Denis[211], laquelle porte devers les champs avait les armes de la ville[212], c'est à savoir, un écu si grand qu'il couvrait toute la maçonnerie de la porte, et était à moitié de rouge et le dessus d'azur semé de fleurs de lis, et au travers de l'écu avait une nef d'argent[213], grande comme pour trois hommes.

586. Item, à l'entrée de la ville par-dedans[214] était le prévôt des marchands et les échevins, tous rangés et vêtus de vermeil[215], chacun un chapel en sa tête, et aussitôt que le roi entra dedans la ville ils lui mirent un grand ciel[216] d'azur sur la tête, semé de fleurs de lis d'or, et le portèrent sur lui les quatre échevins[217] tout en la forme et manière qu'on fait à Notre Seigneur à la Fête-Dieu, et plus, car chacun criait : Noël ! par où il passait.

587. Item, devant lui avait les neuf preux et les neuf preuses dames, et après foison chevaliers et écuyers[218], et entre les

---

210. L'Avent, période de quarante jours destinés à préparer Noël.

211. C'est le trajet normal des entrées de sacre qui, en France, a lieu au retour de Reims. En Angleterre, c'est le cortège aller entre Londres et Westminster qui tient lieu d'entrée du sacre. Les deux traditions sont mélangées.

212. Les armoiries de Paris étaient peintes sur un écu de bois au-dessus de la porte, du côté extérieur.

213. Une nef. Ces armoiries sont les mêmes aujourd'hui ; de gueules à une nef d'argent au chef d'azur semé de fleurs de lis d'or. Sa lecture est assez imprécise. L'héraldique n'est pas son fort. La devise est : *Fluctuat nec mergitur*. Il s'agit à l'origine des armes de la Hanse des Marchands de l'eau qui commercent avec Rouen. Leur prévôt joue le rôle de maire.

214. Habituellement, on va chercher le roi en dehors des portes.

215. De gueules plus exactement. C'est la couleur de l'Angleterre et l'une des deux couleurs du champ des armoiries parisiennes.

216. Le dais apparaît dans les entrées royales françaises en 1389. Il est antérieur en Italie. Il est utilisé au-dessus de l'Eucharistie dans les processions de la Fête-Dieu.

217. Tous ceux en exercice : Marcel Testart, Guillaume de Troyes, Robin Clément et Henri Auffroy.

218. Le premier groupe du cortège est chevaleresque : les héros mythiques, chefs de guerre et prisonniers. Les neuf preux sont une mise en ordre effectuée vers 1340 par Jean de Vauguyon des héros de la chevalerie :
— trois païens : César, Alexandre, Hector ;
— trois chrétiens : Charlemagne, Arthur, Godefroi de Bouillon ;
— trois juifs : Judas, Macchabée, David.
Les neuf preuses furent inventées dans un souci de symétrie à la fin du XIVe siècle : Judith, Didon, Sémiramis.

autres était Guillaume qui se disait le Berger, qui avait montré ses plaies comme saint François, dont devant est parlé, mais il ne pouvait avoir joie, car il était fort lié de bonnes cordes comme un larron.

588. Item, après devant le roi avait quatre évêques, celui de Paris[219], le chancelier[220], celui de Noyon[221] et un d'Angleterre[222], et après était le cardinal de Winchester[223].

589. Item, encore devant le roi y avait 25 hérauts et 25 trompettes, et en ce point[224] vint à Paris et regarda moult les sirènes[225] du Ponceau-Saint-Denis, car là avait trois sirènes moult bien ordonnées, et au milieu avait un lis qui par ses fleurs et boutons jetait vin et lait, et là buvait qui voulait ou qui pouvait, et dessus avait un petit bois où il (y) avait hommes sauvages qui faisaient ébatements en plusieurs manières, et jouaient des écus moult joyeusement[226] (ce) que chacun voyait très volontiers. Après s'en vint devant la Trinité[227] où il (y) avait sur échafaud[228] le mystère depuis la Conception Notre-Dame[229] jusqu'à ce que Joseph l'amena en Egypte pour le roi Hérode qui fit décoller* ou tuer 560 000 enfants mâles ; tout cela était au mystère, et duraient les échafauds depuis un peu par-delà Saint-Sauveur jusqu'au bout de la rue Darnetal[230] où il (y) a une fontaine qu'on dit la Fontaine de la Reine.

---

219. Jacques du Châtelier, évêque depuis 1427.

220. Louis de Luxembourg, chancelier et évêque de Thérouanne.

221. Jean de Mailly, évêque de Noyon. C'est le seul pair de France présent, alors que les douze pairs sont utiles au sacre dans la remise des insignes.

222. Guillaume Alnewick (1426-1436), évêque de Norwich. Il était attaché à la personne du roi.

223. Henri Beaufort, cardinal de Winchester, régent d'Angleterre.

224. Dans cet équipage.

225. Elles nagent devant le Petit-Pont-Saint-Denis.

226. Ils faisaient semblant de se battre. Les hommes sauvages sont une des figures favorites de la chevalerie, dont ils constituent l'antithèse.

227. L'hôpital de la Trinité, rue Saint-Denis, en face de Saint-Sauveur.

228. Sur une estrade on jouait le Mystère de la Conception Notre-Dame. Plutôt que de donner le titre, il définit l'extension du sujet qui comprend la fuite en Égypte et le massacre des Innocents.

229. Évangiles, Matthieu, II, 13-18.

230. Les estrades étaient le long de la rue contre les maisons depuis l'église Saint-Sauveur jusqu'à la rue Greneta (ex-rue Darnetal, entre la rue Saint-Denis et la rue Saint-Martin).

590. Item, de là vint à la porte Saint-Denis où on fit la décollation du glorieux martyr monseigneur Saint Denis[231], et à l'entrée de la porte les échevins laissèrent le ciel qu'ils portaient, et le prirent les drapiers[232] et le portèrent jusqu'aux Innocents ; et là fut faite une chasse d'un cerf[233] tout vif, qui fut moult plaisante à voir.

591. Item, là laissèrent les drapiers le ciel et le prirent les épiciers jusque devant le Châtelet, où avait moult bel mystère, car là avait droit encontre le Châtelet[234] à venir de front le lit de justice. Là [il y] avait un enfant de la grandeur [du] roi et de son âge, vêtu en état royal, housse vermeille et chaperon fourré, deux couronnes pendantes[235], qui étaient très riches à voir à un chacun sur sa tête, à son côté dextre était tout le sang de France[236], c'est à savoir tous les grands seigneurs de France, comme Anjou, Berry, Bourgogne[237], etc., et un peu loin d'eux étaient les clercs et après les bourgeois[238], et à senestre étaient

---

231. Il s'agit d'une sorte de tableau vivant plus simple qu'un mystère. Saint Denis, patron de Paris, était devenu celui de la double monarchie et avait été presque totalement délaissé par les Armagnacs.

232. Échevins, drapiers, épiciers, orfèvres, merciers, pelletiers. Jusque-là tous les métiers honorifiques et de gros rapport du commerce parisien ont partagé l'honneur de porter le dais. Cela se termine curieusement par les bouchers, métier décrié s'il en fut mais de gros rapport et l'un des plus fidèles soutiens des anglo-bourguignons depuis le début du XVe siècle.

233. Le cerf est l'emblème de Charles VII. Cette capture du cerf est pleine de sous-entendus. Notre Bourgeois est peu savant en héraldique, on l'a vu, et il n'a pas compris l'allusion.

234. Dressé contre le Châtelet, en face du cortège. C'est une position symbolique pour cette figuration du lit de justice. C'est une séance solennelle du Parlement en présence de tous les pairs et des membres ordinaires de la cour. Le roi y exprime sa souveraineté législative et judiciaire. Le lit est un trône surmonté d'un dais armorié où le roi s'installe.

235. Elles étaient probablement suspendues au-dessus de sa tête à partir du dais. Normalement, le roi porte couronne dans le lit de justice, mais comment en porter deux à la fois ?

236. Des acteurs jouaient les princes du sang et les pairs de France absents. Ils en assuraient une sorte de présence fictive.

237. Pour que la liste soit celle-ci (Berry est mort en 1416, Bourgogne est Philippe le Hardi et Anjou Louis Ier), il faut revenir aux temps bénis des débuts du règne de Charles VI, grand-père d'Henri VI et, comme lui, sacré fort jeune.

238. Ce parlement français se change en un parlement anglais où sont représentés les clercs et le commun. Il va de soi que les bourgeois ne figurent

tous les grands seigneurs d'Angleterre, qui tous faisaient manière de donner conseil au jeune roi bon et loyal, et chacun avait vêtu la cotte de ses armes[239], et étaient iceux de bonnes gens[240] qui ce faisaient. Et là laissèrent les épiciers le ciel, et le prirent les changeurs et le portèrent jusqu'au palais royal[241], et là baisa les saintes reliques[242], et puis se partit ; et là prirent le ciel les orfèvres et le portèrent parmi la rue de Calande et parmi la Vieille Juiverie[243] jusque devant Saint-Denis de la Châtre, et n'alla point à Notre-Dame cette journée. Quand se vint devant Saint-Denis de la Châtre, les orfèvres laissèrent le ciel, et le prirent les merciers qui le portèrent jusqu'à l'hôtel d'Anjou[244], et là le prirent les pelletiers qui le portèrent jusque devant Saint-Antoine[245] le Petit, et après le prirent les bouchers qui le portèrent jusqu'à l'hôtel des Tournelles[246]. Quand ils furent devant l'hôtel de Saint-Pol, la reine de France, Isabeau[247], femme de feu le roi Charles VIe de ce nom, était aux fenêtres, avec elle dames et demoiselles ; quand elle vit le jeune roi Henry, fils de sa fille, à l'endroit d'elle, il ôta tantôt son chaperon et la salua, et tantôt elle s'inclina vers lui moult humblement et se tourna d'autre part pleurant. Et là prirent les sergents d'armes le ciel, car c'est leur droit[248], et fut baillé* au

---

pas au Parlement de Paris, qui n'est qu'un tribunal et non une assemblée représentative.

239. Il n'en donne pas la liste, malgré leurs habits héraldiques, parce qu'il ne sait pas les reconnaître. Il est probable que ce sont les frères de Henri IV et de Henri V.

240. Symbole fictif de l'union des deux noblesses de la double monarchie autour du prince. Ce n'est pas une institution commune aux deux royaumes (pas d'Anglais parmi les clercs ou les bourgeois), mais une institution française avec des conseillers en partie anglais.

241. Dans l'île de la Cité.

242. Les reliques de la Passion de la Sainte-Chapelle.

243. La rue de la Juiverie. Le cortège oblique ensuite vers le quartier Saint-Paul.

244. L'hôtel d'Anjou, rue du Roi-de-Sicile.

245. Cet hôpital se trouve entre la rue Saint-Antoine et celle du Roi-de-Sicile.

246. L'hôtel des Tournelles est l'une des résidences de Bedford dans la quartier Saint-Paul.

247. Isabeau de Bavière, grand-mère d'Henri VI. Elle était impotente et allait mourir en 1435.

248. Le ciel leur est attribué à la fin de la cérémonie.

prieur de Sainte-Catherine[249] dont ils sont fondateurs[250].

592. Item, le 16e jour de décembre, à un dimanche[251], vint ledit roi Henry du palais royal à Notre-Dame[252] de Paris, c'est à savoir, à pied bien matin, accompagné des processions de la bonne ville de Paris qui tous moult chantaient mélodieusement. Et en ladite église [il y] avait un échafaud[253] qui avait bien de long et de large [ ], et montait sus à bien grands degrés (si) larges que dix hommes et plus pouvaient monter de front, et quand on était dessus, on pouvait aller par-dessous le crucifix autant dedans le chœur comme on avait fait par-dehors, et était tout plein et couvert d'azur les degrés, et tout semés de fleurs de lis ; et par là monta lui et sa compagnie et descendit dedans le chœur, et là fut sacré de la main du cardinal de Winchester[254].

593. Item, après son sacre vint au Palais dîner[255] lui et sa compagnie et dîna en la grande salle à la grande table de marbre, et tout le remenant* parmi la salle çà et là, car il n'y avait nulle ordonnance[256], car le commun de Paris y était entré dès le matin, les uns pour voir, les autres pour gourmander[257], les autres pour piller ou pour dérober viandes ou autre chose ; car icelui jour à icelle assemblée furent emblés[258] en la presse

---

249. L'église Sainte-Catherine du Val-des-Ecoliers.

250. Les sergents d'armes du roi avaient, selon la légende, participé à la fondation de cette église après Bouvines. Ils y avaient leur confrérie.

251. Les sacres ont toujours lieu le dimanche.

252. Le sacre a normalement lieu dans la cathédrale de Reims à cause, entre autres, de l'obligation d'utiliser la Sainte Ampoule. Or, Reims était aux mains de Charles VII. On utilisa un chrême ordinaire et on ne respecta pas l'ordonnancement du sacre français.

253. Cette estrade, dans le chœur de la cathédrale, est nécessaire pour que les spectateurs puissent suivre la cérémonie. Le trône y est installé.

254. L'archevêque de Reims, Renaud de Chartres, qui est normalement prélat consécrateur, est l'un des conseillers de Charles VII. Le récit que fait le Bourgeois prouve qu'il a vu la cathédrale apprêtée pour la cérémonie, mais qu'il ne fait pas partie du public choisi et assez peu nombreux qui y a assisté.

255. Le festin du sacre a normalement lieu au palais du Tau, à Reims. Le roi y assiste en habit royal et les pairs le servent. Ici, on utilise le palais de la Cité.

256. Ordonnance (des tables).

257. S'empiffrer, manger gloutonnement.

258. Volés.

plus de quarante chaperons, et coupés[259] mordants de ceintures [en] grand nombre; car si grande presse y eut pour le sacre du roi, que [ni] l'Université, ni le Parlement, ni le prévôt des marchands, ni échevins n'osaient entreprendre de monter à mont[260] pour le peuple, dont il y avait très grand nombre. Et vrai est qu'ils cuidèrent* monter devant deux ou trois fois à mont, mais le commun les reboutait[261] arrière si fièrement, que par plusieurs fois leur convenait trébucher l'un sur l'autre, voire quatre-vingts ou cent à une fois, et là besognaient les larrons. Quand tout fut écoulé le commun[262], ils montèrent après, et quand ils furent en la salle, tout était si plein, qu'à peine trouvèrent-ils où ils se pussent asseoir; néanmoins s'assirent-ils aux tables qui pour eux ordonnées étaient[263], mais ce fut avec savetiers, moutardiers, lieurs[264] ou vendeurs de vin de buffet, aides à maçons, qu'on cuida* faire lever, mais quand on en faisait lever un ou deux, il s'en asseyait six ou huit d'autre côté.

594. Item, ils furent si mal servis que personne nulle ne s'en louait, car le plus de la viande, espécialment pour[265] le commun, était cuite[266] dès le jeudi de devant, qui moult semblait étrange chose aux Français, car les Anglais étaient chefs de la besogne[267], et ne leur challait* quel honneur il y eût, mais qu'ils en fussent délivrés[268], et vraiment oncques personne ne s'en loua, mêmement les malades[269] de l'Hôtel-Dieu disaient qu'oncques si pauvre ni si nu relief[270] de tout bien ils ne virent à Paris.

---

259. Coupées des boucles de ceinture (pour dérober les bourses qu'on y attache).

260. Sens contraire. Ils étaient en nombre, mais le commun plus encore, et il encombrait les escaliers.

261. Repoussait.

262. Quand le commun fut entré le premier dans la salle. Ce désordre et cette absence de hiérarchie le choquent.

263. Les tables d'honneur, réservées pour le prévôt et les échevins, étaient déjà occupées.

264. Lieurs : sauciers, marmitons.

265. La plus grande partie des viandes, surtout pour.

266. Il s'agit de viande bouillie d'avance et vaguement réchauffée.

267. Les Anglais s'étaient occupés de la cuisine et la cuisine anglaise ne fut pas appréciée.

268. Débarrassés.

269. Les malades des hôpitaux mangent les restes du festin du sacre.

270. Restes. Il ne subsistait pas grand-chose.

595. Item, le jour Saint-Thomas l'Apôtre ensuivant[271], à un vendredi, fut dite une messe solennelle en la grande salle du Palais, le roi étant en état royal, tout le Parlement en état[272], c'est à savoir, à chaperons fourrés et manteaux, et après la messe lui firent plusieurs demandes raisonnables[273], lesquelles il leur octroya, et aussi firent certains serments[274] qui leur furent demandés qui sont selon Dieu et vérité, car autrement ne voulurent-ils[275].

596. Item, vrai est que ledit roi ne fut à Paris que jusqu'au lendemain de Noël. Ils firent unes petites joutes[276] lendemain de son sacre ; mais, pour certains, maintes fois on a vu à Paris enfants de bourgeois, que quand ils se mariaient, tous métiers, comme orfèvres, orbateurs[277], bref gens de tous joyeux métiers en amendaient[278] plus qu'ils n'ont fait du sacre du roi et de ses joutes et de tous ses Anglais, mais était pour ce qu'on ne les entend point [parler et qu'ils ne nous entendent point[279]]; je m'en rapporte à ce qui en est, car pour ce qu'il faisait trop grand froid en celui temps et que les jours étaient courts, ils firent aussi peu de largesses[280].

---

271. Le 21 décembre.

272. Les gens du Parlement se distinguaient par un vêtement spécial honorifique, rouge pour les laïcs, violet pour les clercs ; celui-ci était fourré depuis la deuxième moitié du XIVe siècle. Ceci fortifiait leur esprit de corps.

273. Ils demandaient le paiement des deux ans et demi de leurs gages qui étaient en retard.

274. A chaque avènement, le roi confirme les officiers et en reçoit les serments de fidélité et de bien remplir leur charge. Ici, il n'allait pas de soi de le prêter au roi d'Angleterre. Celui-ci répondit en anglais aux demandes du Parlement, ce qui fut assez mal vu.

275. Car, autrement, ils n'auraient pas accepté de prendre ces engagements.

276. De petites joutes le lendemain. Les vainqueurs en furent le comte d'Arundel et le Bâtard de Saint-Pol. Elles eurent lieu dans l'hôtel Saint-Pol.

277. Batteurs d'or.

278. Faisaient plus et mieux. Les habitudes d'économie et de simplicité de la cour anglaise surprennent.

279. Nous ne comprenons point leur langage, et inversement. Il a, à la fois, tort et raison. Toute la noblesse anglaise parle et écrit le français et est élevée dans cette langue, mais le commun ne pratique que l'anglais.

280. Est-ce à cause du froid ou à cause de leur sens de l'épargne ? Les ressources de la monarchie anglaise ne sont pas comparables à celles de la France.

597. Item, vrai est que lendemain de Noël, jour Saint-Étienne, le roi se départit de Paris sans faire aucuns biens à quoi on s'attendait, comme délivrer prisonniers[281], de faire choir* maltôtes[282], comme impositions, gabelles, quatrièmes et telles mauvaises coutumes qui sont contre loi et droit, mais oncques personne, ni à secret, ni en appert*, on n'en ouït* louer[283]. Et si ne fit-on oncques[284] à Paris autant d'honneur à roi, comme on lui fit à sa venue et à son sacre, voire vu le peu de peuple, les malles* gagnes, le cœur d'hiver[285], la grande charté* des vivres, espécialment de bois ; car un méchant fagot de bois tout vert valait toujours quatre ou six deniers tournois ; et vrai est qu'il faisait si fort hiver qu'il n'était semaine qu'il ne gelât très fort deux ou trois jours, ou il neigeait jour et nuit, et avec toujours il pleuvait, et si commença dès la Toussaint.

[1432]

598. Et le 13e jour de janvier, après l'allée[1] du roi proprement, gela si âprement dix-sept jours ensuivants que [Seine], qui était très grande, comme jusque dedans la Mortellerie[2], fut toute prise de la gelée jusqu'à Corbeil, et si prit en une manière

---

281. Une entrée royale ouvre habituellement les prisons aux petits délinquants en vertu du droit de grâce.

282. Disparaître les mauvaises coutumes. Pour le Bourgeois, tout impôt entre dans cette catégorie. Or, Bedford s'y refusait. Sans ressource, il ne pouvait faire régner l'ordre et continuer la guerre.

283. Nul n'en fut à louer (pour cette abolition qui n'eut pas lieu). Jusqu'à la mort de Charles V (1380), il était usuel d'abolir certains impôts à la fin d'un règne ou au début d'un autre. C'est pourquoi Paris s'attendait à quelques allégements.

284. Et pourtant, jamais on n'avait fait...

285. Le manque de population, les bas salaires, le fait qu'on était au cœur de l'hiver...

1. Le départ du roi Henri VI pour l'Angleterre.

2. Il y avait de l'eau jusque dans la rue de la Mortellerie qui se trouve à côté de la place de Grève.

d'admiration[3], car le lundi dont elle prit[4], le mardi tout le jour il plut et toute nuit, et cessa un peu devant le jour et faisait chaud, et au point du jour celui mardi, aussitôt que la pluie fut cessée, cette très mauvaise [et forte] gelée commença qui dura, comme devant est dit, dix-sept jours. Et, après cette gelée que la rivière était ainsi prise, le jour Saint-Paul[5] il commença à dégeler tant doucement et de nuit et de jour, que la rivière fut toute dégelée par pièces[6], sans faire quelque mal à ponts ni à moulins, avant qu'il fût six jours après. Et si disaient les mariniers qu'elle avait plus de deux pieds[7] d'épais, et bien y apparaissait, car on allait par-dessus, on y charpentait pieux[8] pour mettre au-devant des moulins pour rompre la glace au dégel, on y levait engins pour frapper les pieux, mais oncques ne s'en démentait[9]. Et pour vrai, par la grâce de Notre Seigneur, elle fut ainsi doucement dégelée, comme est dit, mais moult grand dommage fit, car il [y] avait grande foison vins, blés, lards, œufs, fromages qui étaient arrivés à Mantes pour venir à Paris, mais tout ou bien près fut perdu pour les marchands[10], car moult avait plu devant, qui tout empira pour la longueur du temps, et si leur coûtait tant en garde qu'autres frais qu'ils perdirent presque tout.

599. Item, en celui temps, coûtait bien un méchant costeret de vieux chevrons cinq deniers ou six, car autre bois n'y avait, et pour ce le régent abandonna le bois des Bruyères[11] aux bonnes gens, qui secourut un peu Paris.

600. Item, le 20e jour de février l'an 1432, arriva le cardinal[12]

---

3. D'une manière étonnante.
4. Où elle prit : où elle gela.
5. La fête de la Conversion est le 25 janvier.
6. Par morceaux, sans abîmer les ponts et moulins.
7. La glace était épaisse de 2 pieds.
8. On mettait des pieux pour éviter que les blocs de glace n'atteignent les roues des moulins.
9. La glace ne disparaissait pas.
10. Ces denrées périssables ont été entreposées trop longtemps et se sont abîmées. Elles ne sont plus vendables.
11. La forêt de Bruyères, au sud de Paris, près d'Arpajon. C'est une solution classique. On l'a déjà vu faire avec le bois de Vincennes, sous Charles VI.
12. Nicolas Albergati, prieur des Chartreux de Florence, évêque de Bologne en 1417, légat depuis 1422 et cardinal depuis 1426. Il est chargé des négociations qui aboutirent au traité d'Arras.

de Sainte-Croix de Jérusalem, légat du pape, pour faire paix entre les deux rois, dont l'un était nommé Charles de Valois et se disait par droite ligne être roi de France, et l'autre était nommé Henry, lequel se disait roi d'Angleterre par succession de lignée, et de France par la conquête de son feu père[13], lequel légat en fit très grandement son devoir, que tous deux lui promirent qu'ils s'en soumettaient du tout[14] sur ce qui ordonné en serait au grand concile qui devait être cette année à Bâle[15] en Allemagne ; après qu'il eut ouï* leurs réponses, il s'en partit de Paris[16] et alla aux autres seigneurs chrétiens partout.

601. Item, le mois de mars ensuivant, furent les eaux si grandes, car en Grève[17] à Paris elles étaient devant l'Hôtel de Ville, en la place Maubert jusqu'à la moitié du marché au pain, et tous les marais depuis la porte Saint-Martin jusqu'à mi-voie[18] de la porte Saint-Antoine (étaient) tous pleins jusqu'à huit jours du mois d'avril. Depuis Noël jusqu'après Pâques de l'an 1432, qui furent le 20e jour d'avril, on ne mangea point de verdure, car pour faire une écuelle[19] coûtait un blanc sans l'appareil[20], et bonnes fèves coûtaient 12 blancs le boissel* ; pois 14 ou 15.

---

13. Joli résumé de la position des deux princes. Charles VII se dit roi par ligne masculine (droite ligne) qui serait seule valable en France. Henri V se dit roi d'Angleterre par succession (ce qui est d'ailleurs discutable, les Lancastre ayant évincé les héritiers de Lionel de Clarence et détrôné Richard II), et de France par conquête. Il n'est pas sûr que Henri VI ait renoncé à arguer aussi de la succession en France : n'est-il pas l'arrière-petit-fils d'Isabelle de France et le fils de Catherine de France ? En présentant les choses ainsi, le Bourgeois admet implicitement que les femmes ne succèdent pas en France.

14. Qu'ils accepteraient les décisions.

15. Le concile de Bâle s'ouvrit le 15 décembre 1431 et se termina le 16 mai 1443. Il ne prit pas parti officiellement entre la France et la Grande-Bretagne, mais s'occupa de mettre fin au Grand Schisme et de réformer l'Église.

16. Il se dirigea ensuite vers la Bourgogne et rencontra Bedford le 26 mars, à Corbeil.

17. Elles atteignaient la place de Grève où se trouvait la mairie et envahissaient, sur la rive gauche, le carrefour de la place Maubert.

18. Toutes les cultures maraîchères (irriguées) de la porte Saint-Martin à mi-chemin de...

19. Le contenu d'une écuelle. La verdure désigne de la salade, des épinards ou tout autre légume vert.

20. Sans assaisonnement.

602. Item, la première semaine de mars, vinrent les Armagnacs cuider* prendre Rouen[21] et furent bien 140 ou 160 qui firent tant, par l'aide qu'on leur fit, que par échelles ils gagnèrent la plus grosse tour du chastel ; mais ceux de la ville le surent tantôt, si gardèrent très bien le remenant* du chastel qu'il n'y en put plus entrer, ni ils n'en purent issir*. Si furent si ébahis qu'il convint qu'ils se rendissent à la volonté de ceux de la ville, et le 16e et 17e jour dudit mois de mars on en fit mourir cent quatorze, sans* ceux qui furent à rançon ou noyés.

603. Item, toujours gelait ou grêlait, ou il faisait trop grand froid outre mesure, car le samedi 5e jour d'avril l'an 1432 grêla et neigea tout (le) jour. Et le dimanche ensuivant, qu'on dit le dimanche de la Passion[22], gela si fort et si âprement qu'entre minuit et le point du jour tous les bourgeons et fleurs d'arbres qui étaient dehors issues*, et tous les noyers, tout fut ars* et brûlé de la gelée.

604. Item, le samedi ensuivant, vigile de Pâques fleuries, fut prise la ville de Chartres par grande trahison, car il y repairait[23] un homme d'Orléans qui moult semblait être bon marchand, et pour ce avait-il sauf-conduit d'aller et venir à Chartres, et ja était connu par toute la ville comme le meilleur bourgeois[24] qui y fût. En celui temps [il y] avait en la cité grande faute de sel[25], si leur dit qu'il leur en amènerait dix ou douze charretées à un jour qu'il leur dit, si s'y accordèrent ; si vint la vigile de Pâques fleuries, à toutes les charrettes, en chacune deux grandes queues[26], en chacune avait deux hommes bien armés, et à chacune deux hommes d'armes comme charretiers vêtus de roques[27], guêtres en leurs jambes, un fouet chacun en leur

---

21. Le 3 février 1432, un mercenaire béarnais, René de Bion réussit à occuper durant douze jours la grosse tour du château de Rouen, avec des complicités internes.

22. Dernier dimanche de Carême, avant celui des Rameaux.

23. Repairer : avoir son repaire, habiter ou fréquenter un lieu.

24. En fait, ce sont deux marchands de Chartres, Jean Husel (ou G. Lesueur) et Guillaume Bouffineau, qui montèrent le stratagème permettant à l'armée royale d'entrer dans la ville. Thibaud de Charmes, qui les conduisait, fut nommé bailli et capitaine de la place.

25. On manquait de sel.

26. Tonneaux de grande capacité.

27. Blouses.

main[28], et si avaient cette nuit fait bien 3000 hommes d'armes embûcher ès villages d'entour, et gardaient les chemins que[29] nul ne le pût faire savoir à ceux de la cité. Quand ils furent ainsi ordonnés, si se mirent en chemin lesdits charretiers et vinrent à la porte, le traitour[30] appela les portiers qu'ils lui ouvrissent tantôt la porte, car il leur amenait, comme il leur dit, grande foison sel et des aloses[31]. Si ils convoitèrent la vitaille* et l'allèrent dire au capitaine, lequel vint tôt et vit le traître, si ne s'en défia point, pour ce que souvent repairait[32] avec eux, et lui fit ouvrir la porte, et lui donna un panier d'aloses le traître pour [plus] l'abuser. Quand ils eurent mis deux ou trois de leurs charrettes dedans, ils en arrêtèrent une sur le pont-[levis, et tuèrent le limonnier[33], et fut le pont] arrêté, lors issirent* ceux qui étaient dedans les queues à toutes grosses haches, et tuèrent les portiers ; et tantôt l'embûche[34] vint, accourant qui mieux mieux, et entrèrent en la ville à force, et gagnèrent les portes et la ville, car si matin était que les gens étaient encore en leurs lits. L'évêque[35] s'arma quand il ouït* dire la chose, et vint contre eux atout un peu de gens, mais ce ne lui valut rien, car il fut tué, et ses gens et la plus grande partie des bourgeois pris et mis en diverses prisons ; ainsi les trahit le faux traître, et disait-on qu'il en devait avoir 4000 saluts d'or[36]. Pour cette prise de Chartres, enchérit moult le pain à Paris, car moult de biens en venait avant la prise.

605. Item, avec ce faisait si grand froid tous les jours et un vent si grand que le peu de fruit qui était demeuré sur les arbres fut [tout] abattu par le vent qui tant était fort et froid ; et avec ce gelait tous les matins très fort, et dura cette très grande

---

28. Cela fait six hommes armés par charrettes.
29. De façon que nul ne pût...
30. Le traître.
31. Alose : poisson plat de rivière. On est à la fin du Carême.
32. Il était souvent en leur compagnie.
33. Chargé de la manœuvre du pont-levis. Il se distingue des portiers chargés d'ouvrir et de fermer les portes de la ville. Le pont reste donc ouvert.
34. Aussitôt, ceux qui étaient en embuscade vinrent.
35. Jean de Fétigny, Bourguignon de cœur et d'origine, était évêque de Chartres depuis 1419. Il fut tué par Jean de Dunois.
36. Ce n'est pas du tout certain. Nos marchands peuvent avoir agi par conviction.

froidure jusqu'après la Translation de Saint-Nicolas[37] en mai. Et vraiment on n'eût pas trouvé en cent amandiers cinquante amandes, ni prunes, ni quelque fruit, que tout ne fût tout rompu du vent ou gâté, ni des noyers n'eût-on trouvé une toute seule noix de la grande froidure qu'il faisait tous les matins. Ni en celui temps n'était encore aussi comme point de verdure, et ce qui en était, si n'était ce que vieille porée qui avait rejeté[38], et vraiment deux ou trois personnes en eussent bien mangé pour un blanc, ou de choux ; et si étaient fromages tant chers qu'un bien petit qui était tout pissant[39] coûtait deux ou quatre blancs, et n'avait-on que cinq œufs pour deux blancs.

606. Item, le premier jour de mai 1432, fut fait le seigneur de L'Isle-Adam maréchal de France[40], et cette semaine on alla assiéger Lagny ; et pour ce que prévôt de Paris[41] était et sage homme, il fut ordonné à garder vers Chartres, et la cuida* reprendre par l'aide d'aucuns qui dedans étaient, mais on avisa leurs volontés[42], dont ils furent morts honteusement, et faillit le prévôt à son intention par cette cause.

607. Item, la première semaine de juin ensuivant, fut fait Gilles de Clamecy[43], chevalier garde ou commis de la prévôté de Paris, tant que l'autre fut revenu.

608. Item, cette semaine même, cuidèrent* livrer aux Armagnacs aucuns de Pontoise et aucuns Anglais[44] avec eux alliés la ville de Pontoise, mais ils furent aperçus et pris, et reconnurent que leur volonté était de tout tuer[45], hommes et femmes et enfants, pour quoi ils furent [mis à] morts honteusement[46], et

37. Translation de Saint-Nicolas, le 9 mai.
38. Vieux poireaux qui avaient fait des rejets.
39. Encore plein d'eau, non sec.
40. Jean Villiers de L'Isle-Adam fut fait maréchal de France le 2 mai 1432. Il l'avait déjà été, mais, disgracié, il avait perdu sa charge en 1421.
41. Villiers était aussi capitaine de Paris. Le prévôt est Simon Morhier.
42. On s'aperçut de leurs intentions, l'attaque échoua.
43. Gilles de Clamecy fut suppléant du prévôt de Paris en juin 1432.
44. Cela est plutôt curieux, mais il y avait de fortes tensions dans l'alliance anglo-bourguignonne en 1432. Philippe le Bon souhaitait traiter avec Charles VII.
45. C'est très peu probable, mais il faut bien justifier la sévérité de la punition.
46. Il veut dire mis au ban du roi pour haute trahison. Cela implique la mort, la confiscation des biens familiaux, la perte des titres, honneurs ou qualités nobiliaires. C'est une mesure très rare.

leur lignage [à hontage], et femmes et enfants mis à pauvreté. En celui temps n'était nouvelle du duc de Bourgogne.

609. Item, en celui an, le jour Saint-Jean-Baptiste[47], fit une fortune de temps si grande de tonnerre et de foudre, laquelle fit moult de maux en plusieurs lieux, et par espécial à Vitry[48], car le clocher qui était de pierre fut abattu et foudroyé, et au choir* rompit la couverture[49] et puis les voûtes, qui churent* dedans le moutier[50], et affolèrent moult de créatures et en tuèrent cinq tous morts, qui étaient venus pour ouïr* les vêpres du jour. Et le jour Saint-Pierre et Saint-Paul[51] ensuivant, grêla si terriblement qu'il fut trouvé grêle qui avait 16 pouces de tour, l'autre comme billes à biller[52], de plus menue et de plus grosse, et fut vers Lagny et Meaux.

610. Item, le 23e jour de juillet, fut mis hors de la prévôté des marchands Guillaume Sanguin, et y fut ordonné un seigneur de Parlement nommé maître Hugues Rapiout[53], et un peu devant on avait changé deux[54] des échevins.

611. Item, le dimanche jour Saint-Laurent[55], cuidèrent* prendre les Anglais Lagny et gagnèrent le boulevard[56], et fut mise la bannière du régent dessus[57], mais guère n'y demeura, car ceux de dedans issirent*, qui étaient reposés, et vinrent sur eux par-devant, et ceux qui venus étaient à l'aide[58] de ceux de

---

47. Le 24 juin. C'est le jour des feux de Saint-Jean. Ici, la nature y participe dans l'excès.

48. Vitry-le-François.

49. En tombant, le clocher entraîna la couverture et les voûtes.

50. Qui tombèrent dans l'église. C'est très mauvais signe, normalement une église protège ceux qui sont à l'intérieur, elle ne les tue pas.

51. Le 29 juin.

52. Comme des billes pour jouer au billard.

53. Hugues Rapiout était lieutenant du prévôt de Paris en 1418, avocat du roi au Châtelet en 1421, président de la chambre des Requêtes du Parlement en 1422. Il remplit plusieurs missions de confiance pour Bedford. Il fut prévôt des marchands de 1423 à 1434. Seigneur de Livry et Torcy-en-Brie, il mourut en 1441.

54. Marcel Testart et Guillaume de Troyes furent remplacés par Louis Gobert et Jacques de Roye.

55. Le 10 août 1432.

56. Ils s'emparent du boulevard : c'est une forteresse avancée protégeant une porte.

57. En signe de prise de possession.

58. Une armée de secours, envoyée par Charles VII, commandée par

Lagny vinrent hâtivement par-derrière. Si eurent les Anglais trop à faire, et avec ce [se] leva une si grande chaleur celui jour à l'heure qu'ils [s'entr'encontrèrent], qu'on avait — grand temps avait — ni vue ni sentie, dont les Anglais eurent pis*[59] que de leurs ennemis, et leur convint reculer par force ; et là furent bien morts, tant par leurs ennemis que par la chaleur du temps, 300 Anglais ou plus, et ce ne fut mie* grande merveille, car les Armagnacs étaient bien, si comme on témoignait, cinq contre deux[60], qui est grande chose à telle besogne. Et convint qu'ils missent leurs tentes où premier[61] s'étaient logés quand ils mirent le siège devant Lagny, et de malheur comme Fortune, quand elle commence à nuire, elle fait de mal en pis, car elle leur fut contraire en plusieurs manières, car entre le lundi et le mardi ensuivant, de nuit, la rivière de Marne se dériva[62] par telle manière qu'elle crût cette nuit de quatre pieds de haut. Et vrai fut que le mois de juillet fut si pluvieux qu'il plut bien vingt-quatre jours tout de rang[63], et puis si vint au mois d'août une chaleur trop merveilleuse plus que accoutumance[64], car elle ardait* toutes les vignes en verjus, et pour ce et pour le vin qu'on menait en l'ost* enchérit tant le vin à Paris que celui qu'on donnait pour six deniers en juillet, à la mi-août il coûtait trois blancs, et encore n'en pouvait-on finer* pour son argent, car chacun clouait sa taverne à coup[65].

612. Item, le mercredi des octaves de l'Assomption Notre-Dame[66], jour Saint-Bernard, laissa le duc de Bedford, régent, lui et sa compagnie, le siège de Lagny, et furent si près pris[67] qu'ils laissèrent leurs canons et leurs viandes toutes prêtes à manger, et grande foison de queues de vin, dont on avait si

---

Raoul de Gaucourt, Jean de Dunois et Rodrigue de Villandrando. La tactique de ce dernier, particulièrement habile, assura la défaite des Anglais.

59. (Chaleur) que les Anglais supportaient plus mal que leurs ennemis.

60. C'est ce qu'il dit toujours pour expliquer une défaite. Chaque côté avait de 10 000 à 11 000 hommes.

61. Leurs tentes où la première fois...

62. Quitta ses rives, déborda.

63. De suite.

64. Plus étonnante qu'à l'accoutumée.

65. Chacun fermait (verbe clore) vite sa taverne (avec des planches clouées en X pour marquer la fermeture de la boutique).

66. Le mercredi après l'Assomption, soit le 20 août.

67. Poursuivis de si près.

grande disette à Paris, et de pain par cas pareil, dont le blé enchérit à Paris tellement, car le setier monta le samedi ensuivant de 16 sols parisis. Voyez là comment tout en allait : quand toute la Brie fut détruite des uns[68], les autres[69] gâtaient Beauce et Gâtinais, et tout le pays, de quelque part qu'ils tournassent, était pis* que les Sarrasins, qui contre la loi de Dieu sont, ils fussent entrés, car il n'était rien [qui] tant leur plut que tyranniser les pauvres laboureurs de droite tyrannie[70]. Et pour ce que le siège fut levé si honteusement, ceux qu'on disait Armagnacs furent hardis à mal faire[71], qu'on n'osait issir* de Paris, et si était commencement de faire les vendanges, qui trop grand dommage était à Paris après le siège de Lagny, qui tant l'avait dommagé de tous biens dont on eût pu vivre, et de toutes manières de canons et d'artillerie dont on peut grever* ses ennemis ; car vraiment gens à ce connaissants[72] juraient et affirmaient que bien avait coûté plus de cent et cinquante mille saluts d'or, dont la pièce valait 22 sols parisis[73], bonne monnaie.

613. Item, il y avait en ce temps une pièce d'or qui n'était pas de fin or, et les nommait-on dourderets[74], et valaient 16 sols parisis ; tantôt après furent criées à 14 sols parisis [et moult y en avait], par quoi on perdit moult.

614. Item, en la fin d'août, fut mise en prison l'abbesse de Saint-Antoine[75] et aucunes de ses nonnains, dont on disait

---

68. Les Anglais.

69. Les Armagnacs à partir de Chartres.

70. Tyranniser les pauvres laboureurs de vraie tyrannie. Il est vrai que les campagnes souffrent plus que les villes qui, elles, sont protégées par leurs remparts.

71. (Si) hardis que.

72. Les connaisseurs affirmaient que (le siège) avait bien coûté...

73. Un salut or vaut 22 sous parisis en argent. Cela fait une somme fabuleuse. Il l'exprime en monnaie argent, la seule à servir pour les paiements courants.

74. Le dourderet (Dordrecht) est une monnaie flamande peu fréquente à Paris. Elle est ici dévaluée. Le cours des plaques fut changé en même temps. Le dourderet est une monnaie d'or beaucoup moins bonne que les monnaies anglaises.

75. Emmerance de Calonne, abbesse cistercienne de Saint-Antoine-des-Champs, avait des sympathies pour les Armagnacs. L'abbaye était par ailleurs ruinée et ne comptait plus, en 1450, que six religieuses qui avaient de la peine à subsister.

qu'elles avaient été consentantes de vouloir, à la faveur du neveu de ladite abbesse qui se faisait moult ami de la cité de Paris, trahir[76] ladite ville de Paris par la porte Saint-Antoine, et devaient[77] premier tuer les portiers, et après tout tuer sans rien épargner, comme il était après la prise d'eux commune renommée[78].

615. Item, le 11e jour de septembre, prirent les Anglais en une forte maison nommée Maurepas[79] le seigneur de Massy[80], le plus cruel tyran de sang humain qui fût en France, et bien cent larrons avec lui, entre lesquels [il y] en avait un nommé Mainguet, qui reconnut que dedans un vieux puits avait jeté en un jour sept hommes l'un après l'autre, et après les tuait de grosses pierres, sans* plusieurs autres meurtres qu'il reconnut.

616. Item, en celui an, faillirent[81] les blés, et fut si grande charté* qu'un setier de bon blé valait 7 francs, forte monnaie, et l'orge valait 4 francs ; et était à la Toussaint.

617. Item, en celui temps, était très grande mortalité sur jeunes gens et sur petits enfants, et tout[82] d'épidémie.

618. Item, le 2e jour d'octobre ensuivant, fut prise la ville de Provins[83] et le chastel par les Anglais et fut pillée et robée*, et tués gens, comme coutume est à tels gens de faire, et disent que c'est droite usance de guerre.

---

76. Le couvent était bien situé pour ouvrir les portes.

77. Sujet : les Armagnacs.

78. A chaque fois qu'ils prenaient une ville, ils tuaient tout le monde. Cette renommée commune est une rumeur répandue par les Anglo-Bourguignons. Cela ne s'est produit ni à Chartres ni à Lagny, et il ne l'ignore pas. Mais c'est ce qu'on dit.

79. Près de Chevreuse. Le donjon était un repaire de routiers.

80. Probablement Aymar de Mouchy, seigneur de Massy, fidèle aux Bourguignons en principe, et brigand en réalité. Il s'aventurait dans toute la banlieue sud.

81. Manquèrent.

82. Tout cela du fait d'une épidémie.

83. La ville de Provins fut prise par surprise par les Anglais dans la nuit du 2 au 3 octobre. Le combat fut acharné, la ville fut pillée, y compris églises, châsses et reliques et beaucoup d'inoffensifs civils, réfugiés auprès des autels de Saint-Ayoul, furent massacrés. La chose est quand même gênante. Il s'en tire en disant que c'est la guerre.

619. Item, en celui temps, fut fait à Auxerre un concile[84] pour traiter de la paix des deux rois, et plusieurs seigneurs de toutes les deux parties y furent, et de par le duc de Bourgogne plusieurs[85].

620. Item, en celui temps était toujours la mortalité à Paris, laquelle assaillit la duchesse de Bedford, femme du régent de France, sœur du duc de Bourgogne, nommée Anne[86], la plus plaisante de toutes dames qui adonq furent en France, car elle était bonne et belle, et de bel âge, car elle n'avait que 28 ans quand elle trépassa ; et certes, elle était bien aimée du peuple de Paris. Et vrai est qu'elle trépassa en l'hôtel de Bourbon[87], emprès le Louvre, le 13e jour de novembre[88], deux heures après minuit entre le jeudi et le vendredi, dont ceux de Paris perdirent moult de leur espérance, mais à souffrir leur convint.

621. Item, le samedi ensuivant, elle fut enterrée [aux Célestins[89] et son cœur fut enterré] aux Augustins, et au porter du corps en terre [il y avait] tous ceux de Saint-Germain, et les prêtres de la Confrérie des Bourgeois[90], chacun une étole noire et un cierge ardant* en leur main, et ils chantaient en allant[91],

---

84. Ce terme n'a pas forcément au Moyen Age un sens clérical. Les conférences d'Auxerre, prévues pour le 8 juillet, ne débutèrent que fin novembre.

85. Pour le duc y furent Charles de Poitiers, évêque de Langres, le chancelier Nicolas Rolin, le prince d'Orange, le maréchal de Bourgogne Antoine de Toulongeon, le sire de Jonvelle, Antoine de Vergy, l'abbé de Saint-Seine et l'évêque de Nevers.

86. La duchesse Anne, sœur de Philippe le Bon et épouse de Bedford dont elle n'avait pas d'enfant, était une princesse cultivée, diplomate. Ame de l'alliance anglo-bourguignonne, elle était très charitable et multipliait les aumônes et les visites aux malades. Elle fut très aimée. Le Bourgeois, sceptique et plutôt moqueur au début, en témoigne ici.

87. Où s'était installé Bedford.

88. On fit le 10 novembre une procession solennelle de la châsse de Sainte-Geneviève, et des messes à l'intention de la jeune duchesse, mais en vain.

89. Dans un tombeau en marbre noir, dont le gisant de marbre blanc est au Louvre. C'est l'église du quartier royal de Saint-Pol. Anne ne pouvait être enterrée ni à Westminster, ni en Bourgogne, ni à Saint-Denis. Cette solution plaisait aux Parisiens.

90. La plus grande et la plus aristocratique confrérie parisienne. Elle a son siège à Notre-Dame.

91. A l'aller seulement, entre l'hôtel de Bourbon et les Célestins.

en portant le corps en terre seulement, les Anglais en la guise du pays[92] moult piteusement.

622. Item, s'en alla la semaine d'après le régent à Mantes et y demeura environ trois semaines, et puis revint à Paris. Et en cette semaine, ceux qui étaient allés (à) Auxerre pour traiter de la paix revinrent, et ne firent rien que dépenser bien largement et gâter le temps[93] ; et quand ils furent revenus, on fit entendre au peuple que très bien besogné [ils] avaient, mais le contraire[94] était. Et quand le peuple le sut au vrai, si commencèrent à murmurer moult fort contre ceux qui y avaient été, dont plusieurs furent mis en prison, dissimulant[95] que c'était afin que le peuple ne s'émut, et quand ils avaient payé leurs dépens largement[96], on les mettait hors.

623. Item, quand les larrons qui étaient sur les champs surent de vrai qu'ils[97] n'eurent rien fait et de la mort de la régente[98], ils devinrent si enragés qu'oncques les païens, ni loups enragés, ne firent pire à chrétiens qu'ils faisaient aux bonnes gens de labour et aux bons marchands. Et pour certain il n'était semaine qu'ils ne vinssent deux ou trois fois jusqu'aux portes de Paris, et faisaient si grande cruauté qu'ils prenaient moines, nonnains, prêtres, femmes, petits enfants, hommes vieux de soixante ou quatre-vingts ans, et nul n'échappait de leurs mains sans payer grande rançon ou mourir ; et si n'était nul seigneur, quel qu'il fût, qui y mît tant soit peu de contredit.

---

92. A la manière de leur pays. L'organisation des obsèques avait été confiée à Renaud Doriac, conseiller à la cour des Comptes, et Pierre le Verrat, écuyer.

93. Perdre leur temps.

94. Qu'ils avaient... Les négociations avaient échoué, car les Français exigeaient le retour des princes du sang prisonniers en Angleterre, ce que Bedford n'était pas en mesure d'accorder.

95. Fictivement seulement, pour que le peuple ne s'émût pas.

96. C'est normal. Tout prisonnier, à cette époque, paie sa pension et sa nourriture.

97. Que les négociateurs n'avaient rien fait.

98. La mort de la régente rend les négociations plus difficiles.

[1433]

624. Item, le jeudi 8e jour de janvier[1], fit le régent l'obsèque de sa femme aux Célestins, et fit faire une donnée[2] à chacun de deux blancs, et y furent bien quatorze milliers à la donnée, et y eut bien 400 livres de cire[3].

625. Item, en celui temps gela si fort que Seine qui moult grande était, car elle passait la Mortellerie[4] en Grève, et pour certain y gela si fort qu'en deux jours et en une nuit, elle fut si fermement gelée qu'elle dura jusqu'après la Saint-Vincent[5]. Et pour ce enchérirent tous vivres, spécialement tout grain dont on pouvait faire farine, car le froment coûtait 8 francs ; petites fèves de deux ans ou de trois, qu'on soulait* donner aux pourceaux, coûtaient 5 francs le setier ; orge, 5 ou 6 francs ; vesce, nielle, tout se vendait ainsi cher à la value[6] ; et on ne mangeait à Paris que pain qu'on soulait* faire pour les chiens[7], et était si petit (celui) de quatre deniers parisis qu'il passait bien par-dessous la main d'un homme[8].

626. Item, le 4e jour de février, se partit le régent et alla en Normandie cueillir une grosse taille de deux cent mille francs qu'on lui avait octroyée, quand il fut à Mantes[9], comme dit est par-devant.

627. Item, en cette semaine fut dépointé[10] de toutes offices royales le président, c'est à savoir, Philippe de Morvilliers, et

---

1. Il y eut des vigiles le 7 janvier en présence du Parlement aux Augustins et, le 8 janvier, une grande messe de funérailles aux Célestins, suivie d'un dîner à l'hôtel des Tournelles.
2. Distribution d'aumônes aux pauvres. La « reine morte » nourrit les pauvres et les riches (dîner de funérailles).
3. 400 livres de cire pour le luminaire des cérémonies.
4. La Seine inondait jusqu'à la rue de la Mortellerie.
5. Le 22 janvier.
6. Vesce, nielle, tout se vendait cher en proportion.
7. On ne mangeait que le pain qu'on faisait d'habitude pour les chiens.
8. Si petit qu'une main d'homme le cachait.
9. Les États de Normandie avaient accordé en novembre 1432 une aide de 200 000 francs à percevoir dans le duché, pour l'entretien des forteresses et des garnisons de celui-ci.
10. On ne connaît pas le motif de la disgrâce de Philippe de Morvilliers. Il ne retrouva ses fonctions qu'en 1436 avec l'arrivée à Paris de Charles VII.

fut ordonné en son lieu comme commis, maître Robert Pied-de-Fer[11], demeurant pour lors emprès* la porte Saint-Martin.

628. Item, la darraine* semaine de mars, fut fait un concile à Corbeil[12], et là furent [ils] en celui temps tout le remenant* du Carême et plus. À ce concile était [le cardinal[13]] de la Croix et l'évêque de Paris[14], et plusieurs autres évêques et grands seigneurs, et grands clercs d'une part et d'autre ; et fut envoyé à Paris par le concile un évêque qui était venu avec le cardinal à Corbeil, lequel fit le divin office la semaine péneuse[15], comme d'absoutes, comme du chrême, prêtres, diacres, sous-diacres, acolytes couronnés[16], mais il les fit si matin[17] que très grande partie de tous ordres à ce jour faillirent, après s'en alla à Corbeil celui jour même.

629. Item, en cette année, l'an 1433, fit si grand froid que jusque bien près de Pâques, gelait tous les jours, même le jour Saint-Marc[18] fit-il si grand froid qu'on le portait[19] à grand-peine, car après dîner neigea et grêla moult terriblement.

630. Item, faisait très grand froid à la Pentecôte, qui fut cet an le derrain* jour de mai 1433.

631. Item, en ce temps, se maria notre[20] régent de France, le duc de Bedford, le 20e jour d'avril, lendemain de Quasimodo[21],

---

11. Robert Piedefer était depuis 1410 conseiller au Parlement. Il devint président de la chambre des Requêtes de 1418 à 1433, puis premier président de 1433 à sa mort en 1438. Il possédait effectivement plusieurs maisons rue Saint-Martin.

12. Ces nouvelles conférences achoppèrent pour les mêmes raisons que celles d'Auxerre.

13. Nicolas Albergati.

14. Jacques du Châtelier.

15. La Semaine sainte. Nous ne connaissons pas le nom de ce collègue d'Albergati qui fit donc fonction d'évêque de Paris durant une semaine à cause de l'absence de Du Châtelier.

16. Absoutes, bénédictions du chrême, des (nouveaux) diacres... acolytes tonsurés.

17. La plupart des clercs et des moines qui auraient dû assister à cette bénédiction étaient absents, car il était très tôt.

18. Le 25 avril.

19. Supportait.

20. C'est la première fois qu'il utilise cette expression presque affectueuse. C'est « notre régent » et le cardinal de Winchester est leur régent (celui des Anglais).

21. La Quasimodo est le dimanche d'après Pâques.

et prit par mariage la fille[22] du comte de Saint-Pol, nièce du chancelier de France.

632. Item, le 7e jour de mai, vinrent les Armagnacs à minuit en la ville de Saint-Marcel-lez-Paris, et firent moult de maux, car ils prirent hommes, femmes et enfants, dont ils eurent moult grande finance, et ainsi s'en allèrent, tuant, occiant*[23], boutant feux* en moutiers, et à cette fois cueillirent moult grande proie qui moult greva* Paris; car pour cette prise enchérit tout plus que devant, et ainsi s'en allèrent [à Chartres. Tantôt après allèrent] devant Crépy-en-Valois[24], laquelle ville les Anglais avaient prise un peu devant, mais elle fut par trahison rendue aux Armagnacs, qui fut douleur sur douleur aux bons ménagers* de la ville.

633. Item, en juin ensuivant, fut fait de rechef un conseil[25] à Corbeil, lequel devait être pour faire trêves ou paix ou abstinences de guerre entre les deux rois; mais l'évêque de Thérouanne, chancelier de par le roi Henry en France, en cet espace de temps qui fut entre le premier conseil et cestui dernier[26], alla et assembla les garnisons de Normandie, et les amena à Paris[27] la première semaine de juillet, et après alla au conseil à Corbeil. Et quand on cuida* qu'il dût sceller ledit traité[28] qui devant avait été accordé par le cardinal et par le

---

22. Il épousa à Thérouanne Jacquette de Luxembourg, âgée de dix-sept ans, fille du comte de Saint-Pol et nièce du chancelier de France, Louis de Luxembourg, évêque de Thérouanne. Il lui fallait une épouse française et s'assurer l'aide des Luxembourg dont les États avaient une grande importance stratégique.

23. Verbe occire.

24. Crépy-en-Valois fut prise par surprise (et non par trahison). La ville fut pillée, la garnison, commandée par le Bâtard de Thiau, faite prisonnière. Les autres sources ne parlent pas de massacres et, ici, il est volontairement allusif. Qu'entendre par douleur sur douleur?

25. Le problème est que si Charles VII et Philippe s'étaient à peu près mis d'accord, ce n'était guère possible avec Henri VI, à cause du problème de la Normandie et de la Guyenne. Les prisonniers français en Grande-Bretagne et les nombreux Anglais installés en France suscitaient aussi la discorde.

26. Entre mars 1432 et juin 1433. Il s'agit des troupes constituées grâce à l'aide levée en Normandie en 1432. En principe, elles n'étaient pas destinées à la région parisienne.

27. Il s'agit de montrer son opposition à la paix.

28. Alors qu'on croyait qu'il allait sceller ce traité déjà accepté par Charles VII, par le médiateur et les autres seigneurs bourguignons.

chancelier du roi Charles, évêque de Reims[29], et par les autres seigneurs, il n'en voulut rien faire; dont chacun se départit comme par mal talant[30], et s'en alla le cardinal au grand concile à Bâle, pour rapporter comme ledit conseil s'était départi, et l'archevêque de Reims se départit moult dolent*, et montrait [à] son volt[31] et sa manière qu'il fut moult courcé* de ce que la chose ainsi allait, mais autre chose n'en put faire. Cestui chancelier de par le roi Henry, après le département, mena ou envoya ces gens qu'il avait amenés droit à Milly en Gâtinais, et gagnèrent moutier et ville, et ardirent* tout et firent pis* que Sarrasins, ni que païens aux Sarrasins[32].

634. Item, en ce temps de l'an 1433, coûtait le blé[33] seigle quatre livres parisis ou plus, et l'autre[34] au cas pareil; la darraine* semaine de juin, arriva de Normandie tant grande foison blé que le premier samedi de juillet on cria parmi Paris bon blé méteil[35] à vingt-quatre sols parisis, ce qu'on n'avait oncques mais vu crier[36] le blé comme charbon; et le mercredi ensuivant fut le pain de huit deniers mis à quatre deniers, car il fut cedit an très bon blé et grande foison; et si fit moult bel août, mais très grande mortalité était en celui temps, espécialment sur petits enfants, de bosse[37] ou de vérole plate. Et [encore] en celui temps, n'était oncques puis venu le duc de Bourgogne à Paris que vous avez devant ouï*[38], ni le régent

---

29. Renaud de Chartres, archevêque de Reims, avait toujours été favorable à une réconciliation avec la Bourgogne. C'est pour cette raison qu'il avait été très réservé à l'égard de Jeanne d'Arc.

30. Il se séparèrent de mauvaise grâce (sans résultat).

31. Visage. C'est la première fois qu'il approuve la politique d'un conseiller de Charles VII. Il est vrai que la lassitude de la guerre rendait populaire la paix et les efforts de réconciliation entre les princes.

32. Firent pis que les Sarrasins ne font aux chrétiens ou les païens aux Sarrasins, c'est-à-dire qu'il admet que les Sarrasins ne sont qu'un demi-désastre et les garnisons semi-anglaises de Normandie une vraie catastrophe.

33. Le seigle, ici blé, au sens de céréale.

34. Le blé à proprement parler était cher en proportion.

35. Le méteil est du blé mélangé.

36. On vendait le blé à la criée, parce qu'il était très abondant. Le charbon est ici synonyme de denrée courante et peu chère.

37. La bosse est une sorte de peste bubonique qui atteint particulièrement les jeunes et interdit donc toute reprise démographique.

38. Philippe n'était pas venu depuis l'année 1431.

depuis qu'il fut marié n'était retourné à Paris, et laissait du tout régenter[39] le devant dit évêque de Thérouanne lui et ses alliés.

635. Item, en cet an, fit le plus bel août qu'on eût oncques vu d'âge d'homme, et furent les blés et les potages[40] très bons, mais si grande mortalité [était de bosse et d'épidémie que puis la grande mortalité] qui fut l'an 1348, ne fut vue si grande [ni si dervée*[41]]; car pour saignée ni pour cristoire[42], ni pour bonne garde, nul ni nulle qui fut frappé de la bosse qui pour lors courait n'en pouvait point échapper, sinon par la mort ; et commença dès le mois de mars l'an 1433 et dura ainsi cruellement jusqu'à bien près de l'an 1434, [car toujours jeunes gens mouraient].

636. Item, en celui temps, en la darraine* semaine de septembre[43], firent aucuns de Paris, gens qui avaient bonne chevance*[44], une conjuration ensemble bien maudite, car ils avaient ordonné qu'ils feraient entrer à Paris grande foison d'Écossais qui auraient la croix rouge[45], et seraient deux cents ou plus, et amèneraient cent des plus forts et hardis de leurs gens qui auraient la croix blanche[46] et auraient les mains liées

---

39. Bedford était en Angleterre et l'évêque de Thérouanne exerçait la régence durant son absence.

40. Légumes.

41. Jamais il n'y eut mortalité si grande ni si déchaînée depuis 1348. La Grande Peste ou Peste Noire aurait tué le tiers de la population européenne. La mortalité venue de la mer Noire aborda l'Italie et la Provence par des navires génois, remonta les routes commerciales vers le nord et toucha l'Empire en 1349.

42. Même si on faisait des saignées ou des lavements (?)... on n'en réchappait pas. La peste bubonique est mortelle à 90 pour 100. Le microbe est transporté par les puces des rats et sa diffusion liée à la chaleur et à la mauvaise hygiène.

43. Il y eut une procession solennelle à Sainte-Geneviève le 4 septembre, pour demander la fin de l'épidémie.

44. C'est assez relatif, mais pour lui, le commun est bourguignon. Certes, Gossuin de Luet était orfèvre, mais Jean Trotet boulanger, Jean Simon d'Arras cordonnier, Michel Garcise saucier. Ils avaient cinq ou six complices que nous ne connaissons pas. Le complot était prévu pour le 9 octobre.

45. Ils pouvaient passer pour des Anglais, surtout revêtus de la croix rouge.

46. L'uniforme des armées de Charles VII.

bien simplement et armés à couvert[47] ; et devaient venir par la porte Saint-Denis et par la porte Saint-Antoine, et devaient embûcher[48] autour Paris bien près trois ou quatre mille Armagnacs en carrières et ailleurs en destours*[49], dont assez et trop [y] avait entour Paris ; et puis devaient amener leurs prisonniers environ midi, que les portiers dînent, et devaient tous les portiers tuer [et] tous ceux qu'ils eussent trouvés allant ou venant, fût aux champs ou à la ville, et devaient gagner les deux bastides[50] devant dites, et envoyer tantôt quérir* leurs embûches[51], et mettre tout à l'épée. Mais Dieu qui eut pitié de la cité, donna connaissance de leur damnable conseil et leur tourna leur fait, comme dit le Psalmiste[52] ; *Lacum apperuit et fodit, et incidit in foveam quam fecit,* car les uns[53] furent décollés*, les autres bannis et perdirent leur chevance*, et mirent leurs femmes et enfants en mendicité, et en reproche eux et leurs hoirs[54], et furent en haine de toutes les deux parties[55].

637. Item, cette semaine même, avait autres[56] qui avaient vendu ladite ville pour paiement d'argent qu'ils en devaient avoir, et devaient venir la vigile Saint-Denis atout nacelles et entrer par les fossés d'entre la porte Saint-Denis et la porte Saint-Honoré, parce ce qu'il ne demeure personne là endroit, et devaient tout tuer, comme devant est dit ; et, pour vrai, ils ne savaient rien les uns des autres[57], selon leur confession et selon le cri qu'on fit ès Halles quand on les décolla*. Et iceux de ces nacelles[58] devaient entrer le jour Saint-Denis, et avaient pensée

---

47. Armés sans qu'on le voie.
48. S'installer en embuscade.
49. Dans des lieux à l'écart.
50. S'emparer des portes Saint-Martin et Saint-Antoine.
51. Ceux (des leurs) qui étaient en embuscade.
52. Psaume VII, 16 : « Il ouvrit et creusa un lac et il tomba dans la fosse qu'il avait faite. »
53. Le boulanger Jean Trotet et les cinq ou six complices dont nous ignorons les noms.
54. Et leurs héritiers.
55. C'est assez inexact. Ils obtinrent assez vite des lettres de rémission en 1434 ou au début de 1435. De toute façon, Paris allait vite passer aux mains de Charles VII.
56. Il s'agit de la même conspiration.
57. Cela paraît peu vraisemblable, mais les Anglais ont intérêt à les présenter comme de petits groupes isolés.
58. Ceux qui seraient entrés avec des barques.

moult cruelle et pleine de sang et aux champs et à la ville, et à femmes et enfants, mais le glorieux martyr monseigneur Saint Denis[59] ne voulut pas souffrir qu'ils fissent telle cruauté en la bonne cité de Paris, qu'il a autrefois gardée par sa sainte prière de tel péril et de plusieurs autres plus grands.

[1434]

638. Item, le vendredi, 29e jour de janvier 1434, venait à Paris grande foison de bétail, comme bien deux mille porcs, grande foison de [bêtes à cornes et grande foison] de brebis ; les Armagnacs, qui avaient leurs espies*[1], leur vinrent au-devant un peu par-delà Saint-Denis, dont le capitaine était un nommé La Hire[2], plus deux fois[3] que ceux qui convoyaient le bétail, qui furent tôt déconfits* ; et [ils en] tuèrent la plus grande partie, et prirent la proie et les marchands, et les mirent à très grande rançon, et quand ils eurent tout tué, ils firent chercher le champ et les prisonniers[4], et tous ceux qu'ils trouvèrent morts ou vifs qui portaient le seing d'Anglais ou parlaient anglais[5], ils leur coupèrent les gorges et aux morts et aux vifs, qui était grande inhumanité de retourner au champ et couper la gorge aux chrétiens qu'ils avaient tués[6].

---

59. Saint Denis est le premier évêque et le protecteur traditionnel de la capitale. Il n'avait guère été efficace contre les Anglais et avait même pris leur parti. C'est pourquoi le Bourgeois espère très logiquement son aide ici.

1. Espions.
2. Étienne de Vignolles, dit La Hire.
3. Deux fois plus nombreux.
4. Après une bataille, les hérauts sont chargés de dénombrer blessés, prisonniers et morts, et de les répertorier. Ils visitent donc le champ de bataille.
5. Qui portaient le seing d'Anglais (la croix rouge) ou qui parlaient anglais. L'homme d'armes anglais ou, surtout, le fantassin anglais parlaient rarement le français.
6. Puisqu'ils étaient déjà morts, il était inutile de les décapiter. Le Bourgeois peut avoir tort : comment distinguer, après coup, ceux qui ont été décapités de leur vivant et ceux qui le furent après leur mort ? Il peut avoir

639. Item, la semaine d'après, vinrent[7] à Vitry par nuit et pillèrent et ardirent* tout, si furent lendemain suivis[8] un peu de ceux de Paris; si y eut treize pauvres laboureurs qui allèrent après ceux de Paris, et laissèrent un peu la compagnie pour cuider* gagner et recouvrer[9] aucune chose du leur, si les avisèrent les Armagnacs et vinrent à eux, et tantôt les prirent et leur coupèrent les gorges.

640. En celui temps ils gagnèrent la ville et chastel de Beaumont[10], et le 27e jour de fèvrier, fut faite prise[11] de chevaux et de gens dedans Paris, le plus qu'on put, et quand ils furent là, tout bel leur fut de s'enfuir[12] bientôt, et ceux qui s'en rafuyaient ne se faignirent[13] pas de piller en revenant vaches, bœufs et tout ce qu'ils purent, non pas ce qu'ils voulurent, comme il appert* clairement que le meilleur ne vaut rien[14].

641. Item, en celui temps, il n'était nulle nouvelle du régent, ni homme ne gouvernait que l'évêque de Thérouanne, chancelier de France, lequel était moult haï du peuple, car on disait à secret et bien souvent en appert*[15] qu'il ne tenait qu'à lui que la paix ne fût[16] en France, dont il était tant maudit et tous ses complices que [fut] oncques l'empereur Néron[17], mais je ne sais s'il avait desservi[18] ou non, mais Dieu le sait bien.

---

raison et les Armagnacs veulent signifier qu'ils font guerre mortelle aux Anglais et non aux autres.

7. Sujet: les Armagnacs.

8. Poursuivis quelque peu par ceux de Paris.

9. Cette explication serait valable si les laboureurs avaient fourni le convoi de vivres, et si ceux-ci ne leur avaient pas été payés. Il est tout aussi probable qu'ils cherchent à piller plus qu'à récupérer leurs biens éventuels.

10. Beaumont-sur-Oise fut prise par Amado de Vignolles, frère de La Hire.

11. Une levée d'hommes fut faite pour aller à Beaumont.

12. Ils furent obligés de s'enfuir aussitôt.

13. En s'enfuyant, ils ne se privèrent pas...

14. « Le meilleur d'entre eux ne valait rien. »

15. Ouvertement.

16. La paix serait fatale aux intérêts des Luxembourg qui vivaient de leurs oscillations entre les deux partis. A la génération suivante, l'exécution du connétable de Luxembourg, en 1475, à la suite d'un rabibochage temporaire entre Louis XI et Charles le Téméraire, en est un autre exemple.

17. Néron est pour lui l'exemple même du mauvais gouvernement.

18. Mérité.

642. Item, en cet an 1434, furent Pâques le 27e jour de mars, et fut très fort hiver et âpre en gelée, car il commença à geler [environ] huit ou quinze jours devant Noël, et dura bien trente jours sans cesser jour qu'il ne gelât fort. Et aucuns des clercs de Paris qui étaient enflés de science affirmèrent[19] que pour certain cette grande froidure durerait jusqu'à la mi-mai ou plus, mais Dieu qui tout sait fit autrement, [car pour vrai] oncques homme n'avait vu à son vivant tel mars, car oncques ne plut tout le mois de mars, et si fit si très chaud que par maintes fois on n'avait vu faire plus chaud à la Saint-Jean d'été[20] qu'il fit tout ledit mois. Et le Carême fut si plantureux de harengs saurs et blancs[21] qu'à la mi-Carême on avait la caque de bons harengs blancs pour 24 sols ou pour 26 sols parisis; on avait le quarteron de bons harengs saurs pour 10 deniers ou pour 2 blancs, et du blanc pareillement; bons pois pour 6 blancs ou pour 7 blancs; fèves pour 4 blancs; huile pour 7 blancs la pinte, toute la meilleure qu'on pût trouver à Paris.

643. Item, tout le mois d'avril ne plut point, mais la darraine* semaine dudit mois, le 28e jour, le jour Saint-Vital, gela tant fort que toutes les vignes furent cette nuit gelées et tous les marais[22], et si y avait adonq la plus belle apparence de foison vin qu'on eût vu dix ans devant, mais bien apparut que peu sont les choses de ce monde sûres[23], car avec la gelée vint tant de hannetons et de chenilles que tout le fruit fut tout dégâté d'icelle vermine, et étaient les pommiers et les pruniers sans feuille comme à Noël.

644. Et en celui temps croissait plus et plus fort la guerre, car ceux qui se disaient Français[24], comme de Lagny et des autres forteresses d'entour Paris, couraient tous les jours

---

19. Les prédictions météorologiques annuelles, basées sur les astres, sont fréquentes au xve siècle. L'Église s'en défie et souligne traditionnellement leurs incertitudes.

20. A la fin juin.

21. Le Carême fut si abondant en harengs saurs et frais.

22. Cultures maraîchères.

23. Peu sont les choses de ce monde sûres, il le dit souvent. Cela coïncide avec sa croyance en la toute-puissance de la Fortune.

24. C'est la première fois qu'il donne aux Armagnacs le nom que ceux-ci se donnent depuis 1420-1422.

jusqu'aux portes de Paris, pillaient, tuaient hommes, pour ce qu'à nul des seigneurs ne challait[25] de mettre la guerre à fin, pour ce que leurs soudoyers point ne payaient et qu'ils n'avaient autre chose que ce qu'ils emblaient[26] en tuant, en prenant hommes de tous états, femmes, enfants.

645. Item, à l'entrée de mai, l'an 1434, vint le comte d'Arundel et un chevalier d'Angleterre nommé Talbot, et reprirent[27] par force Beaumont, et furent pendus aucuns des larrons qui dedans furent pris ; et après allèrent devant le castel de Creil en Beauvaisis[28], et puis s'en revinrent sans plus rien faire.

646. Item, en ce mois de juillet, fut déposé de la prévôté des marchands maître Hugues Rapiout[29], et changés deux des échevins[30].

647. Item, en celui temps, n'était nulle nouvelle du régent ni du duc de Bourgogne, ni[31] que si fussent morts, et donnait-on tous les jours [à] entendre au peuple qu'ils devaient venir bien bref, puis l'un, puis l'autre, et les ennemis venaient tous les jours au plus près de Paris prendre les proies[32], car nul n'y remédiait, ni Anglais, ni Français, ni quelque chevalier ou seigneur ; et si était toujours le conseil à Bâle[33] en Allemagne, dont on n'oyait* aussi nulles nouvelles.

648. Item, en ce temps, à la Saint-Rémi[34], on avait bon blé froment pour 24 sols parisis.

---

25. Ne se souciait... L'accusation vise Bourgogne, Bedford et surtout Louis de Luxembourg.

26. Enlevaient. C'est la première fois qu'il perçoit officiellement qu'un soldat non payé est une catastrophe. Il faut donc se résigner à l'impôt.

27. John Talbot et Villiers de L'Isle-Adam prirent Beaumont sans trop de résistance. Amado de Vignolles et la garnison s'étaient retirés à Creil.

28. Creil-en-Beauvaisis. En fait, Vignolles fut tué et la ville finit par capituler par composition le 20 juin 1434.

29. Hugues Rapiout fut remplacé par un autre parlementaire, Hugues Le Coq.

30. Louis Galet et Luc du Plei remplacèrent Jacques de Roye et Louis Gobert.

31. Pas plus de nouvelle... que s'ils avaient été morts.

32. Les animaux ou gens à rançonner.

33. Le concile de Bâle.

34. Le 7 juillet.

649. Item, au mois d'août, le 2e jour[35], se troublèrent en la Normandie les Anglais[36] à aucunes communes de Normands, et en mirent bien à l'épée douze cents, et [ce] fut emprès* Saint-Sauveur-sur-Dive[37].

650. Item, le 7e jour d'octobre, qui fut au jeudi, commença le plus terrible vent[38] de quoi en eût point vu puis cinquante ans devant, et était environ deux heures après dîner, et dura jusqu'entre dix et onze de nuit ; et en ce peu de temps fit choir* à Paris maisons et cheminées sans nombre, et aux champs abattit noyers, pommiers sans nombre. Et pour certain il fit choir* une vieille salle près de ma maison, où il [y] avait de grosses pierres de taille, mais le vent en jeta[39] trois pesant comme une caque d'eau ou de vin plus de quatorze pieds loin en un autre jardin. Et vraiment il leva une poutre[40] de ladite salle, toute en l'air et fut[41] assise sur les murs du jardin, chacun bout portant sur l'un des murs, sans aucunement grever* les murs, comme si vingt hommes l'eussent assise le plus doucement que faire se peut, et si [elle] avait bien quatre toises de longueur, et si fut bien portée du vent, comme dit est, cinq ou six toises[42] loin de là où elle fut levée du vent, et je vous jure que ce vis-je de mes yeux[43] aussi bien qu'oncques je vis rien de ce monde, ni je n'en crusse [homme], si vu ne l'eusse[44].

651. Item, dedans le bois de Vincennes y fit si grande tempête que, en moins de cinq heures, abattit ledit vent plus de 360 des plus gros arbres qui y fussent, les racines contre mont[45], sans* les petits arbres dont on ne parle point ; bref, il fit tant de

35. La date est fausse, puisque les coupables furent décapités à Rouen le 22 juin.
36. Des routiers anglais s'en prirent aux milices urbaines normandes pour des raisons obscures, peut-être pour piller.
37. Saint-Pierre-sur-Dives. L'histoire était gênante puisque les soldats anglais s'en étaient pris à leurs propres partisans.
38. L'ouragan du 7 octobre 1433 nous est décrit aussi par Clément de Fauquembergue.
39. En projeta trois pesant comme une caque (100 kg ?).
40. De la toiture probablement.
41. Sujet : la poutre.
42. Elle fut déplacée de cinq à six toises.
43. Je vis cela de mes yeux.
44. Et je n'en aurai pas cru quelqu'un (qui me l'aurait raconté) si je ne l'eusse pas vu moi-même.
45. A l'envers : déracinés.

maux en bien peu d'heure que c'est une grande admiration[46].

652. Item, le vin fut si cher qu'on ne buvait point à moins de trois blancs vin qui valût rien ; mais on avait à la Saint-André[47] le meilleur froment pour 22 sols parisis et autre grain à bon marché au cas pareil.

653. Item, le régent revint de Normandie à Paris, et amena sa femme[48] le samedi 18e jour de décembre, l'an 1434, environ entre une et deux heures après dîner, et fit-on aller au-devant de lui[49] aux champs les processions des mendiants et des paroisses, revêtus et portant croix et encensoirs, comme on ferait à Dieu[50] ; et à la bastide Saint-Denis étaient les enfants de chœur de Notre-Dame qui moult chantaient mélodieusement, quand il entra à la porte Saint-Denis avec sa femme, et criait le peuple abusé à haute voix : Noël ! bref, on lui faisait tel honneur comme on doit faire à Dieu.

654. Item, des dites communes qui furent tuées emprès* Saint-Sauveur-sur-Dive par les Anglais, n'était plus parlé[51], fors* que quand on parlait à Paris que c'était pitié, aucuns[52] disaient que bien l'avaient desservi, aucuns Anglais[53] disaient, quand on en parlait, que c'avait été à bonne cause et que les vilains voulaient destourber aux gentilshommes à faire leur volonté, et que ce avait été à bon droit.

---

46. Une chose très étonnante (et non admirable). *Mirari* a toujours, au xve siècle, son sens latin.

47. Le 30 novembre.

48. Il s'agit de la première entrée officielle de la nouvelle régente, et Bedford est absent depuis le printemps de 1433 (depuis un an et demi). On organise donc une cérémonie très solennelle où l'enthousiasme est en partie de commande.

49. C'est la procédure normale d'une entrée royale française, or Bedford n'est pas roi.

50. Ce n'est pas en elle-même que la cérémonie le gêne. Il l'a décrite pour Charles VI avec faveur. Mais la jeune duchesse est impopulaire et Bedford a lui-même perdu en popularité.

51. C'était un sujet brûlant à éviter.

52. Quand on disait à Paris que c'était un événement pitoyable, certains répondaient qu'ils (les Anglais ou les milices) l'avaient bien mérité.

53. Les Anglais accusaient les milices roturières (vilains) d'avoir voulu donner des ordres aux gentilshommes anglais. Destourber : forcer.

655. Item, en celui temps, n'était nouvelle du conseil de Bâle, ni en sermon[54], ni autre part à Paris, ne que s'ils fussent tous en Jérusalem[55].

[1435]

656. Item, en celui an, fit moult doux temps jusqu'à la Saint-André[1], et celui jour commença à geler si fort que merveilles, et dura un quart d'an — neuf jours moins[2] — sans point dégeler; et si neigea bien quarante jours sans cesser ou de jour ou de nuit. Et fut abandonnée la place de Grève[3] pour la porter à tombereaux, car il fut commandé de par le roi qu'on l'ôtât hors des rues, mais on n'en savait tant ôter que lendemain il n'y en eût comme devant, et la convint mettre aval[4] les rues en grands tas [comme meules de foin, tout] parmi Paris, car oncques tant comme il gela et neigea si fort, ne plut ni ne dégela. Et pour vrai la glace, avant qu'elle fût toute fondue, il fut l'Annonciation Notre-Dame en mars, qui est sept jours à l'issue[5].

657. Item, le régent se partit de Paris, lui et sa femme, le 10e jour de février.

658. Item, le duc de Bourgogne ne vint, ni alla à Paris depuis que devant est dit[6].

---

54. Le sermon est habituellement le messager des nouvelles ecclésiastiques.

55. Pas plus de nouvelles que si ces participants avaient été tous à Jérusalem. En fait, au concile, conciliaristes et partisans de la suprématie pontificale eurent bien de la peine à se mettre d'accord, même sur un ordre du jour. Les décisions y furent très tardives et tous les pays ne les acceptèrent pas. Néanmoins, il y avait des ambassades fréquentes entre Paris et Bâle. Seuls les gens d'importance suivaient de près les travaux. Il n'en fait pas partie.

1. Le 30 novembre.
2. Un trimestre moins 9 jours.
3. La place fut utilisée à stocker la neige.
4. Dans les rues en aval (c'est une précaution en cas de fonte).
5. L'Annonciation est le 25 mars, sept jours avant la fin (l'issue) du mois (il compte du 25 au 31).
6. Il n'est pas venu depuis 1431, selon lui.

659. Item, le vin fut si cher cette année que du plus petit[7] on n'avait point la pinte à moins de trois blancs, et si ne pouvait-on finer* point de cervoise qui valût pour les maudits subsides qui furent dessus mis, ni vendait[8] cervoise qui ne payât sept blancs pour chacune semaine, et sans* le quatrième et l'imposition.

660. Item, le fruit fut tant cher qu'on vendait un cent de bonnes pommes de Capendu un peu grosses 16 sols parisis.

661. Item, il recommença à geler en la fin de mars, et ne fut jour qu'il ne gelât jusqu'après Pâques, qui furent le 17e jour d'avril, et furent les vignes qui étaient en vallées[9] et marais[10] toutes gelées, et tous les bourdelais[11] qui ès treilles des jardins étaient, et tous les figuiers [furent] morts, et tous les lauriers grands et petits, et le bel pin de Saint-Victor[12] qui était le plus bel qu'on sût en France, et la plus grande partie des cerisiers aussi moururent cette année pour la grande froidure qui dura sans pleuvoir ni sans dégeler que trop peu plus d'un quart d'an.

662. Item, en cette année, eût-on trouvé en cours ombragées dessous fiens[13] de grands glaçons, et en vérité j'en vis le jour Saint-Yves[14], et furent trouvés en un arbre creux en cet an, par compte fait, cent quarante oiseaux morts de froid et plus.

663. Item, en cette année, les amandiers ne fleurirent point que peu, ou néant pour vrai[15].

664. Item, le jeudi absolu[16] qu'on vend le lard, qui fut le

---

7. Du plus petit en qualité. Le plus mauvais vin.

8. Les cervoisiers avaient espéré échapper à la fiscalité particulièrement lourde qui touchait le vin : une patente par semaine, le quart sur la vente en gros, sans compter l'imposition sur la vente au détail (le cinquième). Comme le vin était très cher, les Parisiens s'étaient convertis à la cervoise et le fisc avait très logiquement étendu ses tarifs à cette nouvelle boisson.

9. Les creux mal exposés.

10. Dans les zones inondables.

11. Les bourdelais sont de grosses pommes cultivées en espalier, ou un cépage donnant le verjus.

12. Probablement un arbre planté dans l'enceinte de l'abbaye de Saint-Victor.

13. Sous le fumier.

14. Le 19 mai.

15. Ou pas du tout, à dire vrai.

16. Jeudi saint, où l'on absout et réconcilie, et où l'on n'est pas obligé de jeûner ou de manger maigre. On y vend donc du lard (symbole des jours

14e [jour] du mois d'avril, vint à Paris le duc de Bourgogne, à moult noble compagnie de seigneurs et de dames, et amena avec lui sa femme[17] la duchesse et un bel fils qu'elle avait eu de lui en mariage, et avec ce amena trois jeunes jouvenceaux qui moult beaux étaient, qui n'étaient pas de mariage[18], et une belle pucelle[19], et le plus vieux n'avait pas plus de dix ans ou environ. Et [il] avait en sa compagnie trois chariots tous couverts de draps d'or, et une litière pour son fils de mariage[20], car les autres chevauchaient très bien ; et pour la gouvernance[21] de lui et ses gens [y] avait bien cent chariots et quelque vingt charrettes, qui sont cent vingt, tous chargés d'armures*, d'artillerie, de chair salée, de poisson salé, de fromages, de vins de Bourgogne. Bref, il avait toute pourveance[22] qu'on peut ou doit avoir en temps de guerre ou de paix, car aussi il avait foison pavillons[23] pour loger aux champs, si métier eût été[24], et chacun chariot avait[25] tous les jours onze sols parisis, et les charrettes deux francs.

665. Item, il fit sa Pâques[26] à Paris et tint cour pleinière à tous venants, et lendemain l'Université proposa devant lui sur le fait de la paix. Et le mardi ensuivant, il fit faire un moult bel obsèque[27] aux Célestins pour feue la duchesse de Bedford, sa

---

gras) avec la permission (absolution) de l'Église, qui célèbre ce jour-là l'institution de la Cène. Par contre, le Vendredi saint on recommence maigre jusqu'à Pâques.

17. La duchesse Isabelle du Portugal. Son fils, le futur Charles le Téméraire, était né le 10 novembre 1433. Il avait donc deux ans.

18. Philippe le Bon eut huit fils bâtards. Il doit s'agir de Corneille, grand Bâtard de Bourgogne, Jean-Antoine, seigneur de Berres, ou David, futur évêque de Thérouanne et Utrecht.

19. Il eut sept filles bâtardes. L'aînée, Marie, est la future épouse de Pierre de Bauffrémont, comte de Charny.

20. Son fils légitime.

21. L'entretien.

22. Ravitaillement et toute autre chose utile.

23. Tentes.

24. S'il eût été nécessaire.

25. Comme solde ou frais de déplacement et logement.

26. Pâques était le 17 avril. Tenir une cour plénière à Paris à Pâques est habituellement le fait du roi de France. Elle est ouverte à tous, car le principe subsiste que chacun peut demander justice à un prince souverain, même contre sa propre administration.

27. Une messe de Requiem.

sœur, qui là était enterrée, et là fit moult riche offrande[28] d'argent et de luminaire, et tous prêtres, qui là voulurent aller, orent[29] messe.

666. Item, le mercredi ensuivant, les demoiselles et les bourgeoises[30] de Paris allèrent prier moult piteusement à la duchesse qu'elle eût la paix du royaume pour recommandée[31], laquelle leur fit réponse moult douce et moult bénigne en disant : « Mes bonnes amies, c'est une des choses de ce monde dont j'ai plus grand désir, et dont je prie plus mon seigneur et jour et nuit, pour le très grand besoin que je vois qu'il en est, et pour certain je sais bien que mon seigneur en a très grande volonté d'y exposer corps et chevance*. » Si la remercièrent moult, et prirent congé et se départirent.

667. Item, le jeudi ensuivant, 21e jour d'avril, se départit de Paris le duc et sa femme pour être le premier jour de juillet à Arras, au conseil[32].

668. Et la première semaine de mai, fut déconfit* et pris le comte d'Arundel[33], et ses gens morts de par les Armagnacs, et fut navré*, et fut devant Gerberoy[34].

669. Item, de nuit, entre le darrain* jour de mai et le premier

---

28. Lors des messes solennelles, en particulier des funérailles, il est d'usage que la famille fasse des offrandes très élevées sous forme de pièces d'or ou de cire.

29. Verbe ouïr. Entendirent messe et en furent payés.

30. Les filles de la noblesse et la bourgeoisie parisienne, par opposition aux filles des simples résidents ou ménagers.

31. Qu'elle intervienne en faveur de la paix. Les femmes sont normalement messagères et garantes de paix, de la Vierge aux épouses des princes.

32. Il s'agit de ce que nous appelons le Congrès d'Arras, où la paix fut signée entre Charles VII et le duc Philippe le 21 septembre. Philippe obtenait des satisfactions morales pour le meurtre de Montereau, il gardait tous les territoires acquis durant les guerres civiles et était dispensé d'hommage. En contrepartie, il abandonnait l'alliance anglaise et reconnaissait Charles VII comme roi de France. La transaction ne lui était pas défavorable et Charles VII y gagnait d'avoir les mains libres contre les Anglais. Le traité d'Arras assura, à terme, leur défaite et leur expulsion.

33. John Fitz Alan, comte d'Arundel, seigneur de Mautravers, lieutenant sur le fait de la guerre entre Seine et Loire, avait mission de récupérer les places tombées aux mains de Charles VII. Depuis septembre 1434, il était nominalement duc de Touraine et pourvu de 2000 livres de rente. En fait, il mourut de ses blessures à Beauvais la semaine suivante.

34. Gerberoy, dont La Hire et Saintrailles commandaient la garnison.

jour de juin après minuit, fut prise la ville de Saint-Denis[35] par les Armagnacs, dont tant de mal s'ensuivit que la ville de Paris fut si assiégée que de nulle part n'y pouvait venir nuls biens par rivière ni par autre part. Et venaient[36] tous les jours jusqu'aux portes de Paris, et à tous ceux qu'ils trouvaient en allant ou en venant qui étaient de Paris, ils les tuaient, et femmes et filles prenaient à force, et faisaient soyer* les blés auprès de Paris, ni nul n'y mettait contredit, et après s'accoutumèrent[37] que tous ceux qu'ils prenaient ils leur coupaient les gorges, fussent laboureurs ou autres, et les mettaient en mi les chemins[38], et à femmes aussi bien.

670. Après, vers la fin d'août, vint grande foison d'Anglais, c'est à savoir, le sire de Huillebit[39], le sire d'Escalle[40], le sire de Stafford[41] et son neveu, le bâtard de Saint-Pol[42], et plusieurs autres seigneurs d'Angleterre. Et la darraine* semaine d'août, assiégèrent ceux qui dedans Saint-Denis étaient et leur ôtèrent la rivière qu'on nomme Croult[43], et à faire leurs logis dépecèrent les maisons de Saint-Ouen, d'Aubervilliers, de la Chapelle, bref de tous les villages d'entour, qu'il n'y demeura ni huis ni fenêtre, ni treillis de fer, ni quelque chose qu'on pût emporter ; ni n'y demeura aux champs, depuis qu'ils furent logés, fèves ni pois, ni quelque autre chose, et s'il avait encore des biens sur terre[44], mais nulle chose n'y demeura, et coupaient les vignes

---

35. Cette opération, dirigée par le capitaine de Lagny, Jean Foucaut, et par Dunois à la tête de 400 hommes, permit aux Armagnacs d'intercepter tous les convois de vivres à destination de la capitale.

36. Sujet : les Armagnacs.

37. Ils prirent l'habitude de... Les Armagnacs ont toutes raisons de se défier des Parisiens qui préparaient une expédition à Saint-Denis.

38. Au milieu. Ils abandonnaient les corps au milieu des chemins (pour faire peur ?).

39. Robert de Willoughby, illustre capitaine anglais, que Bedford avait fait comte de Vendôme (1424) et comte de Beaumont-sur-Oise (1431). Il était gouverneur de Pontoise avant d'être chargé de la défense de Paris.

40. Thomas Lord Scales, voir Index.

41. Humphrey, comte de Stafford, voir Index.

42. Jean de Luxembourg, Bâtard de Saint-Pol et seigneur de Haubourdin, participa effectivement à la reprise de Saint-Denis par les Anglais.

43. Le Croult, petit affluent de la Seine, est utilisé pour amener de l'eau dans les fossés de l'enceinte urbaine.

44. Il y avait encore des récoltes dans les champs, mais il n'en demeura rien.

atout le grain[45] et en couvraient leurs logis, et quand ils étaient un peu à séjour, ils allaient piller tous les villages d'entour Saint-Denis. Quand ceux qui dedans Saint-Denis étaient se virent ainsi enclos, si issaient* souvent sur eux et en tuaient très grande foison, et quand dedans étaient, ils les tuaient par canons grands et petits, et espécialment par petits longs canons qu'ils appelaient couleuvres[46], et qui en était frappé à peine pouvait-il échapper sans mort.

671. Item, lendemain de la Nativité Notre-Dame, levèrent[47] un assaut à ceux de Saint-Denis, mais tant bien se défendirent[48] qu'ils tuèrent grande foison d'Anglais et de bien gros chevaliers et autres ; et fut tué le neveu du sire de Facetost[49], et après fut dépecé par pièces et cuit en une chaudière[50] au cimetière de Saint-Nicolas tant et [si] largement que les os laissèrent la chair, et puis furent très bien nettoyés, ils furent mis en un coffre pour porter en Angleterre, et les tripes et la chair et l'eau furent enfouis en une grande fosse[51] audit cimetière de Saint-Nicolas.

672. Item, cette année, fit le plus bel août, et bon blé et foison.

673. Item, cette année, les mûriers ne portèrent nulles mûres, mais il fut tant de pêches qu'on n'en vit oncques mais tant, car on avait le cent de très belles pour deux deniers parisis ou deux tournois, ou pour moins.

674. Item, il ne fut nulles amandes.

---

45. Avec les raisins.

46. Couleuvrine. Ce sont des pièces d'artillerie légères et mobiles. Les dernières batailles de la guerre de Cent Ans utilisèrent massivement l'artillerie.

47. Le 9 septembre, les Anglais firent un assaut.

48. Sujet : les Armagnacs.

49. Le neveu de Sir John Falstaff, immortalisé par Shakespeare ; Sir John Harling, fils de Cecily, demi-sœur de Falstaff. Il est inhumé à East Harling (Norfolk).

50. Ce procédé de faire bouillir le corps pour en séparer les os est extrêmement rare et n'est utilisé que pour ramener les os dans la nécropole familiale en Angleterre. Peu de chefs anglais tués au combat furent enterrés sur le continent, et cela se fit moins souvent encore quand les défaites firent prévoir qu'il faudrait abandonner les sépultures continentales.

51. Cela fait donc un double tombeau. Seuls les princes en possédaient trois (corps, cœur, entrailles). Dans ce cas, le tombeau d'entrailles était le moins soigné.

675. Item, encore était[52] le conseil à Arras, et on n'en oyait*[53] aucunes nouvelles à Paris en celui temps.

676. Item, le duc de Bedford qui avait été régent de France depuis la mort du roi d'Angleterre Henry, était trépassé[54] à Rouen le 14e jour de septembre, jour Sainte-Croix.

677. Item, les Armagnacs de Saint-Denis prirent le dimanche 24e jour de septembre l'an 1435 trêves[55], et cette propre nuit[56], ceux de leur parti prirent le pont de Meulan[57], dont ceux qui étaient dedans Saint-Denis, quand on cuida* traiter avec eux, furent pires que devant; et convint à eux traiter, par ainsi qu'ils s'en iraient à tout ce qu'ils voudraient ou pourraient emporter sans quelque contredit de nullui, et ainsi leur fut accordé par les seigneurs qui tenaient le siège. Et se partirent le jour Sainte-Aure[58], 4e jour d'octobre, tout moquant des Anglais, en disant: « Recommandez-nous aux rois[59] qui sont enterrés en l'abbaye de Saint-Denis et à tous nos compagnons, capitaines[60], et autres qui là dedans sont enter-

---

52. Le congrès. Le traité d'Arras fut signé le 21 septembre.

53. Verbe ouïr.

54. Jean de Bedford vit le traité d'Arras, qui annonçait l'écroulement de la domination anglaise. Il ne vit pas celui-ci et fut inhumé dans le chœur de la cathédrale de Rouen, aux pieds d'Henry Court Mantel, son lointain ancêtre. On lui éleva un splendide tombeau de marbre noir. Le Bourgeois évite soigneusement tout jugement sur l'action de Bedford, à laquelle il n'a pas toujours été hostile.

55. En général, on promet de se rendre à une date fixée d'avance si l'on n'est pas secouru entre-temps.

56. La nuit même.

57. Le pont de Meulan fut pris le 24 septembre par le Sire de Rambouillet contre la garnison anglaise, commandée par Richard Merbury qui dut évacuer la place. L'écuyer René Jaillet en fut nommé capitaine pour les Armagnacs. La prise de Meulan fit espérer du secours à la garnison trop peu nombreuse de Saint-Denis.

58. C'était la fin du délai convenu. Ils n'avaient pas été secourus.

59. C'est une plaisanterie. Si les capitaines armagnacs sont recommandés par les prières des Anglais aux morts de l'abbaye, ceux-ci ne les oublieront pas. Cela veut dire : nous reviendrons, ce sont nos tombes et non les vôtres. La fonction de Saint-Denis comme lieu de mémoire et comme lieu sacré est ici revendiquée par les Armagnacs qui disent que les Anglais n'y ont aucun droit.

60. Depuis Duguesclin, en 1380, les chefs de guerre tués au combat

rés. » Et étaient bien de quatorze à quinze cents, très bien montés et habillés, et aux escarmouches et assauts en mourut bien environ quatre cents, et ce n'eût été qu'ils avaient très grande faute d'eau douce[61] et de vin et de sel, et si n'avaient amené nuls mires[62] avec eux, par quoi plusieurs navrés* moururent par défaute d'appareil[63], et si leur avait-on ôté leur rivière, si n'eût été ce[64], on n'eût pas eu si bon marché de leur départie.

678. Item, deux jours après vinrent devant Paris, pillant, robant*, prenant hommes, femmes et enfants, car il n'était personne qui aux champs osât issir*, et les Anglais étaient dedans Saint-Denis qui pillaient la ville[65] sans rien y laisser à leur pouvoir ; ainsi fut la ville de Saint-Denis détruite, et quand ils eurent tout pillé [à leur pouvoir], si firent abattre les portes et les murs, et en firent ville champêtre[66], et tant comme le siège dura, il n'était semaine que l'évêque[67] de Thérouanne, qui était chancelier, ne couchât en l'ost* une fois ou deux, et fit faire en l'île de Saint-Denis une petite forteresse[68] tout environnée de grands fossés très profonds.

679. Item, la reine de France, Isabeau, femme de feu Charles le VIe, trépassa en l'hôtel de Saint-Pol le samedi 24e jour de septembre l'an 1435, et fut trois jours que chacun la voyait[69]

---

contre les ennemis du roi, ont droit à la nécropole royale qui joue le rôle de Panthéon des héros. Bureau de la Rivière et Louis de Sancerre y furent, par exemple, enterrés au début du XVe siècle.

61. Puisque la rivière avait été détournée.
62. Médecins.
63. Faute de soins.
64. Sans cela, on n'eut pas obtenu si facilement leur départ.
65. Ils étaient donc très occupés et ne se souciaient guère des murs de la capitale.
66. C'est une ville ouverte, sans muraille.
67. La guerre n'est pas une occupation convenable pour un évêque, surtout si elle s'accompagne du pillage des abbayes.
68. Celle-ci se trouve au nord-ouest de la ville, entre les deux bras de la Seine, en face du confluent de celle-ci avec le Rouillon et le Croult.
69. Il s'agit de l'exposition du corps habituelle pour une personne de haut rang. Au bout de quelques jours, l'exposition du corps est remplacée par celle d'un mannequin (la représentation). Ici elle dure au total quinze jours. Isabeau est morte le 29 septembre.

qui voulait ; et après fut ordonnée[70] comme il appartenait à telle dame, et fut gardée jusqu'au 13e jour [jeudi] d'octobre qu'elle fut apportée à Notre-Dame, à quatre heures après dîner ; et y avait quatorze sonneurs[71] devant le corps et cent torches, et n'y avait compagnie de femmes d'état que la dame de Bavière[72], et ne sais quantes demoiselles[73] après le corps, qui était en haut levé sur les épaules de seize hommes[74] vêtus de noir, et était sa représentation[75] moult bien faite, car elle était couchée si proprement qu'il semblait qu'elle dormît, et tenait un sceptre royal en sa main dextre. Cette journée, furent dites ses vigiles moult solennellement, et fut prélat l'abbé de Sainte-Geneviève[76] et là furent toutes les processions de Paris.

680. Item, le lendemain, fut mise en la rivière de Seine après sa messe[77] en un batel*[78], et fut portée enterrer à Saint-Denis[79] en France, car on ne l'osa porter par terre pour les Armagnacs dont les champs étaient toujours pleins, et tous les villages d'entour Paris.

681. Item, aussitôt que le pont de Meulan fut pris, tout enchérit à Paris, sinon le vin, mais le blé qu'on avait pour vingt sols parisis monta tantôt après à deux francs ; fromage, beurre, huile, pain, tout enchérit ainsi de près de la moitié ou du tiers ;

---

70. Elle fut embaumée, mise dans un cercueil, et on fabriqua la représentation.

71. Des crieurs des morts avec des clochettes.

72. Comme femme de son rang, il n'y avait que la dame de Bavière. Il s'agit de Catherine d'Alençon, sa belle-sœur.

73. Combien de nobles demoiselles... L'entourage d'Isabeau était fort peu nombreux. Le chapitre Notre-Dame avait prêté tout le décor du chœur, le sceptre et la couronne.

74. Les parlementaires tenaient les coins du poêle.

75. Les mannequins funéraires sont en bois, mais têtes et mains sont en cire peinte. Ils sont habillés comme du vivant de l'intéressé.

76. Pierre Caillou, abbé de Sainte-Geneviève de 1433 à 1466. Assistèrent à ces vigiles l'évêque de Thérouanne, l'évêque de Paris, les seigneurs de Scales et de Willoughby. Le Bourgeois est muet là-dessus.

77. Un service funéraire comprend des vigiles dont il vient de parler et la messe de funérailles à proprement parler.

78. Ce bateau partit du port Saint-Landry jusqu'à l'abbaye de Saint-Denis. Seuls le confesseur et le chancelier de la reine accompagnèrent le corps. Cette disparition à la sauvette clôt tristement une vie ratée.

79. Elle fut enterrée dans la chapelle Saint-Jean-Baptiste, au côté de Charles VI, et son cœur fut mis aux Célestins.

et la chair, et saindoux[80] quatre blancs la chopine.

682. Item, en celui temps, n'était nulle nouvelle du conseil d'Arras, ni que[81] s'ils fussent à deux cents lieues de Paris.

683. Item, en celui conseil ne firent rien qui profitât à Paris, car chacun voulait tenir le parti[82] dont le profit lui venait.

[1436]

684. Item, quand les Français ou Armagnacs[1] virent qu'ils ne purent trouver autre accord[2], ils se mirent sus plus fort que devant, et se mirent en Normandie à puissance, et en peu de temps gagnèrent les meilleurs ports de mer qui y soient, comme Montivilliers, Dieppe, Harfleur[3] et autres bonnes villes et châtellenies assez, et après vinrent plus près de Paris, et gagnèrent Corbeil, le Bois de Vincennes[4], Beauté, Pontoise, Saint-Germain-en-Laye[5], et autres villes et châteaux assis autour de Paris, par quoi nul bien ne pouvait venir en la ville de Paris de Normandie ni d'ailleurs, ni pour monter ni pour avaler[6]. Et pour ce, tous biens furent très chers en Carême, et

---

80. Le saindoux, qui est une denrée très molle, se vend à la chopine. Il sert à faire la cuisine.

81. Pas plus de nouvelles du congrès d'Arras que s'ils avaient été...

82. Chacun voulait soutenir les intérêts du parti qui le payait. Son pessimisme est excessif. Certes, on n'aboutit pas à un accord avec les Anglais, mais celui avec les Bourguignons fut signé.

1. Il commence à admettre, à contrecœur, cette équivalence flatteuse pour ses ennemis de toujours. C'est d'ailleurs la dernière fois qu'il utilise Armagnacs. Avec la victoire, ils deviennent sans conteste les Français.

2. Un autre accord avec les Anglais.

3. Ces villes furent prises pendant l'hiver 1435-1436. Corbeil fut prise par le duc de Bourbon en janvier 1436.

4. Le bois de Vincennes fut pris par trahison par Guillaume de la Barre le 19 février 1436. Un Écossais en ouvrit les portes.

5. La plupart des châteaux situés au nord et à l'ouest de Paris furent pris cet hiver-là. Il fallait empêcher d'éventuels secours anglais de venir de Normandie ou de Calais.

6. Ni pour faire venir aucune provision d'amont ou d'aval. Les communications étaient quasi interrompues et la situation de la capitale intenable.

espécialment harengs caqués, car pour certain le caqué coûtait 14 francs, et le saur aussi cher à la value[7], et n'amenda de rien tout le Carême; et environ Pâques tant enchérit le blé qu'il valait 4 francs, qui ne valait à la Chandeleur que 20 sols parisis le meilleur.

685. Item, en ce temps que chacun avait appris[8] à gagner, étaient les gagnes[9] si mauvaises que les bonnes femmes qui avaient appris à gagner 5 ou 6 blancs par jour se donnaient[10] volontiers pour 2 blancs et se vivaient dessus[11].

686. Item, le vendredi de la 3e semaine de Carême, furent envoyés les Anglais en tous les villages d'entour Pontoise pour bouter le feu[12] partout, et en blés et en avoines, et en pois et en fèves qui dedans les maisons étaient, et après pillèrent tout ce qu'ils purent trouver, et qui pis* est, trétous ceux à qui les biens étaient emmenèrent prisonniers[13], dont ils eurent moult grande finance. Et pour vrai fut dit en la ville de Paris par gens dignes de foi [que] de bons blés tous ordonnés pour moudre[14] avaient ars* pour vivre 6000 personnes demi-an, et ceux de Paris en avaient très grande nécessité, comme devant est dit. Et toute cette maléfique et diabolique guerre soutenaient et maintenaient trois évêques[15]; c'est à savoir: le chancelier[16], homme très cruel, qui était évêque de Thérouanne, l'évêque qui fut de Beauvais[17], qui pour lors était évêque de Lisieux, et l'évêque de

---

7. Toutes ces variétés de hareng, nourriture de base en Carême, arrivent normalement par Rouen ou par les routes qui relient Paris à la mer du Nord.

8. Il veut dire que nul ne pouvait plus vivre de ses rentes, mais que chacun devait travailler pour un salaire.

9. Salaires.

10. Recouraient à la prostitution pour gagner leur vie, car les salaires étaient très bas ou elles se trouvaient sans travail. Il ne les blâme nullement.

11. Vivaient ainsi (avec cette seule ressource).

12. On s'attend à un siège de Paris. La tactique de la terre brûlée est donc nécessaire pour intimider les attaquants.

13. Il n'y a pas de petits profits.

14. Ils avaient fait brûler une quantité de blé à moudre suffisante pour nourrir 6000 personnes durant six mois.

15. Les évêques sont supposés œuvrer en permanence pour la paix, et non prolonger la guerre pour sauver leur situation personnelle ou celle de leur famille.

16. Louis de Luxembourg, oncle de la duchesse de Bedford.

17. Pierre Cauchon. Il s'était fort compromis dans la condamnation

Paris[18]. Et, pour certain, par leur fureur, sans pitié on faisait à secret et en appert* moult [mourir] de peuple, ou par noyer ou autrement, sans*[19] ceux qui mouraient par bataille.

687. Item, la semaine devant Pâques fleuries, l'an 1436, on fit aller commissaires[20] par tout Paris pour savoir combien de blé ou de farine[21] chacun avait, ou d'avoine, ou de fèves, ou de pois.

688. Item, les devantdits gouverneurs firent faire en celui Carême à tous ceux de Paris le serment[22], sous peine de damnation de l'âme, sans épargner prêtre ni religieux[23], qu'ils seraient bons et loyaux au roi Henry d'Angleterre, et qui[24] ne [le] voulait faire, il perdait ses biens et était banni, ou il avait pis*, et n'était nul homme qui parler en[25] osât ni faire semblant; et si faillirent[26] les harengs quinze jours devant Pâques et les oignons, car six oignons un peu gros coûtaient

---

de Jeanne d'Arc. Il avait par ailleurs été toute sa vie un Bourguignon fervent. Il mourut en 1443.

18. Jacques du Châtelier avait été élu sous la pression des Anglais et il leur restait fidèle.

19. Sans compter... On multipliait les exécutions de partisans de Charles VII pour paralyser les complots visant à livrer la ville au roi qui se refusait à la prendre d'assaut.

20. Un commissaire est un officier nommé temporairement pour une mission précise.

21. Ces enquêtes sur les stocks de vivres prouvent que les autorités ont peur d'un siège et pensent à organiser un rationnement de la nourriture.

22. Ces serments de fidélité prêtés par toute la classe politique ou même par tous les chefs de famille sont fréquents au Moyen Age. Ils accompagnent les traités, les successions. C'est le cas ici, puisque Bedford est mort et qu'Henri VI est maintenant majeur, ayant atteint ses quatorze ans, âge de la majorité royale en France depuis l'ordonnance de 1374. Le serment est un engagement pris devant Dieu en touchant reliques ou Bible de la main droite.

23. Ceux-ci ne doivent pas en principe le serment. La simple promesse d'un clerc devrait suffire. Jurent les évêques de Paris, Lisieux et Meaux, les abbés des grandes abbayes parisiennes, les prévôts et échevins et quantité de bourgeois, dont le registre du Parlement nous a conservé la liste.

24. Celui qui s'y refusait.

25. Qui osait parler de résistance par peur d'être banni ou tué (alors pis)... Il ne se fait donc guère d'illusion sur la spontanéité de ces serments forcés ni sur leur efficacité.

26. Manquèrent. Or, le Carême n'était pas terminé puisqu'il couvre les quarante jours avant Pâques.

quatre deniers parisis, et tout était tant cher, pour ce que nul n'osait rien apporter à Paris qu'il ne fût en péril d'être tué.

689. Item, il convint par la force[27] des devantdits gouverneurs que chacun portât[28] la croix rouge, sous peine de la vie et de perdre le sien[29]; et tous les gouverneurs portaient une grande bande blanche[30] toute pleine de croisettes rouges.

690. Item, le mercredi de la semaine péneuse[31], se départirent de Paris environ quatre cents Anglais, pour ce qu'on ne les payait point de leurs gages, et le jeudi absolu[32] ensuivant [ils] étaient encore à Notre-Dame-des-Champs, et là firent du pis* qu'ils purent, et mangèrent celui jour tous les œufs et fromages[33] qu'ils purent [trouver] là et ailleurs par où ils tinrent le chemin, et robèrent* et pillèrent les églises, de croix, de calices et de nappes[34], et toutes les maisons des bonnes gens; bref, après eux, ne demeurait rien[35] de plus qu'après feu, mais environ trois ou quatre jours après ils furent rencontrés[36] tellement qu'ils furent presque tous mis à mort.

691. Item, le mardi des fêtes de Pâques[37], les gouverneurs de Paris firent partir de Paris, environ minuit, bien six ou sept

---

27. Au sens de pression. Il s'agit de l'ordonnance du 16 mars 1436. Le port de la croix rouge anglaise était obligatoire pour tous les gens de guerre anglais ou non. Les milices parisiennes durent la porter, de même que ceux qui assuraient le guet et la garde des portes. Il s'agit de la croix droite de Saint-Georges spécifique de l'Angleterre, et non de la croix en X de Saint-André, rouge elle aussi, qui est bourguignonne. En face, les soldats de Charles VII portent la croix blanche droite.

28. Ce n'est pas tout à fait exact.

29. Sous peine de mort et de perdre ses biens.

30. Ces écharpes blanches sont des insignes de commandement en chef.

31. La Semaine sainte.

32. Le Jeudi saint. C'est un jour gras, ce qui explique qu'on y vende ouvertement œufs, fromage, beurre.

33. Sous-entendu : ils ne les ont pas payés et si le Jeudi saint est gras, ce n'est pas non plus une raison pour s'empiffrer, en prévision du lendemain !

34. Nappes d'autel. Ils enlèvent tout ce qui a de la valeur.

35. Tout était désert comme après un incendie.

36. Rencontrés : battus et capturés. Le brigandage est en général sévèrement réprimé dans les armées anglaises si l'on pille les siens. Si l'on pille les autres, il est toléré suivant la philosophie de toutes les armées du temps.

37. Mardi après Pâques. Il s'agit de continuer la pratique de la terre brûlée. Mais celle-ci s'applique aux récoltes et aux villages non fortifiés. Les villes closes servent en principe, dans ce cas, de refuge. L'attaque de Saint-Denis est donc absurde, mais les soldats décidèrent de se payer eux-mêmes.

cents Anglais pour aller bouter* le feu en tous les petits villages et grands qui sont entre Paris et Pontoise sur la rivière de Seine, et quand ils furent à Saint-Denis, ils pillèrent l'abbaye[38]. Et vrai est qu'en l'abbaye aucuns prenaient les reliques pour l'argent avoir qui autour était[39], et de fait l'un regarda le prêtre qui chantait la messe[40], et pour ce qu'elle lui semblait trop longue, quand le prêtre eut dit *Agnus Dei*[41] et qu'il usait le précieux sacrement[42], aussitôt qu'il eut pris le précieux sang[43], un grand ribaud[44] sauta avant, et tantôt prit calice[45] et les corporaux[46], et s'en va ; les autres prirent les nappes de tous les autels[47] et tout ce qu'ils purent trouver en l'église de Saint-Denis, et s'en allaient atout faire les douleurs que nos évêques et les gouverneurs leur avaient ordonné[48] de faire. Mais le seigneur de L'Isle-Adam[49], qui était issu de Pontoise et était sur les champs, vint contre eux et les mit presque tous à mort, et les chassa tuant et occiant* depuis par-delà Épinay[50] jusqu'aux portes de Paris, c'est à savoir, la bastide Saint-Denis. Mais celui jour, environ deux cents [qui] s'étaient épartis ès villages, quand ils surent la chose comment elle allait, ils se mirent dedans Saint-Denis en une tour qu'on nomme la tour du

---

38. Ville et abbaye étaient en principe fortement closes, mais, en septembre 1435, une partie de la muraille avait été démantelée pour éviter le retour des Armagnacs.

39. L'argent des reliquaires à l'intérieur desquels les reliques étaient enchâssées.

40. C'est une grand-messe chantée.

41. *Agnus Dei qui tollis peccata mundi, miserere nobis.* Cette prière se dit avant la consécration du pain et du vin.

42. Il prononçait les paroles de la consécration.

43. Puis le prêtre communie sous les deux espèces : pain et vin. L'histoire est drôle. Les soldats ont peur et attendent que la partie essentielle de la messe soit terminée pour tout rafler.

44. Un grand truand sauta avant...

45. Que le prêtre venait de vider.

46. Linge d'autel.

47. Il y en a un dans chaque chapelle de l'édifice.

48. Cela est parfaitement exclu, mais prouve que l'opinion du Bourgeois leur est désormais hostile.

49. Villiers de L'Isle-Adam avait rallié Charles VII en 1435. Il connaissait bien Paris pour en avoir été longtemps prévôt. Il était à cette date capitaine de Pontoise.

50. Épinay-sur-Seine (canton de Saint-Denis).

Vélin[51]. Quand le sire de L'Isle-Adam vit qu'ils furent là, si dit qu'il n'en partirait point tant qu'il les eut morts ou vifs[52] ; si laissa de ses gens, et firent tant qu'ils les prirent, et tantôt furent tous mis à mort sans rançon, et fut le vendredi des fêtes de Pâques[53], l'an 1 436, et furent cet an Pâques le 8e jour d'avril, et fut cette année bissextile, dimanche courant par G[54].

692. Item, en celui vendredi d'après Pâques, vinrent devant Paris les seigneurs de la bande[55] devantdite, c'est à savoir, le comte de Richemont qui était connétable de France[56] de par le roi Charles[57], le bâtard d'Orléans[58], le seigneur de L'Isle-Adam et plusieurs autres seigneurs droit à la porte Saint-Jacques[59], et parlèrent aux portiers, disant : « Laissez-nous entrer dedans Paris paisiblement, ou vous serez tous morts par famine, par cher temps ou autrement. » Les gardes de la porte regardèrent

---

51. Les deux cents rescapés se réfugièrent dans la tour du Velin attenante à l'abbaye. Ils y restèrent jusqu'au lendemain de l'entrée de Richemont dans Paris (le 13 avril). Ils tentèrent alors une sortie qui se termina mal.

52. Comme sacrilèges, il n'avait aucune raison de les ménager.

53. Le 13 avril, puisque Pâques était le 8.

54. La date d'entrée des Français dans Paris lui apparaît comme un événement historique dont il faut conserver la mémoire. Il la donne donc en plusieurs systèmes chronologiques. Il suit normalement le style de Pâques. On était donc dans la première semaine de 1436, l'année était bissextile, c'est-à-dire qu'elle comprenait 52 semaines et 2 jours. Elle se terminait donc, contrairement aux années normales (qui commencent et se terminent par le même jour), par le jour de la semaine qui suit celui par laquelle elle avait commencé. La lettre dominicale (G ici) permet de savoir quand se trouvait le premier dimanche de janvier. Le 1er janvier est A, le 2 est B, etc. G correspond donc au 7 janvier. Une année G veut dire que le premier dimanche de cette année-là était le 7 janvier. Cela permet de déduire assez facilement la date de Pâques : 7 avril + 1 jour, à cause de l'intercalation d'un jour en février pour l'année bissextile, soit le 8 avril. Ce genre de calcul était usuel chez les clercs pour lesquels la détermination de la date de Pâques était très importante, puisqu'elle entraînait les autres fêtes mobiles de l'année liturgique.

55. L'expression est intéressante. Elle désigne l'armée d'un parti plus que l'armée royale.

56. Arthur de Richemont, frère du duc de Bretagne, était connétable de France depuis 1425.

57. C'est la première fois qu'il lui reconnaît implicitement ce titre.

58. Jean de Dunois, fils de Louis d'Orléans et Mariette d'Enghien. Ses demi-frères étaient toujours prisonniers en Grande-Bretagne.

59. Venant de Pontoise et Saint-Denis, on ne les attendait pas aux portes sud de Paris.

par-dessus les murs et virent tant de peuple armé qu'ils ne cuidaient* mie* que toute la puissance du roi Charles pût finer*[60] de la moitié d'autant de gens d'armes comme ils pouvaient voir. Si eurent paour*, et doutèrent* moult la fureur, si se consentirent à les bouter* dedans la ville.

693. L'entrée des Français dans Paris en l'an 1436. Et entra le premier le seigneur de L'Isle-Adam par une grande échelle[61] qu'on lui avala, et mit la bannière de France dessus la porte[62], criant: « Ville gagnée ! » Le peuple en sut parmi Paris la nouvelle, si prirent tantôt la croix blanche droite, ou la croix Saint-André[63]. L'évêque de Thérouanne, chancelier de France, quand il vit la besogne ainsi tournée, si manda le prévôt[64] et le seigneur de Huillebit[65] et tous les Anglais, furent tous armés au mieux qu'ils purent. D'autre part, ceux de Paris prirent cœur[66] par un bon bourgeois nommé Michel de Lallier[67], et autres plusieurs[68] qui étaient cause de la dite entrée ; si firent armer le peuple et allèrent droit à la porte Saint-Denis, et furent tantôt [quelque] trois ou quatre mille hommes, tant de Paris que des villages[69], qui tant avaient grande haine aux Anglais et aux gouverneurs, qu'autre chose ne désiraient que les détruire.

---

60. Ils ne croyaient pas que l'on pût trouver, en la puissance du roi, la moitié des gens d'armes... Il veut dire qu'il y en a plus du double que ce à quoi les portiers s'attendaient.

61. Qu'on lui fit passer. Les portes n'ont pas été ouvertes, dans un premier temps.

62. Signe de prise de possession.

63. France ou Bourgogne. Nul ne prend la croix anglaise, sauf les Anglais.

64. Le prévôt de Paris était Simon Morhier.

65. Robert Willoughby, capitaine de la garnison anglaise.

66. Les partisans parisiens de Charles VI furent encouragés (à ouvrir les portes) par...

67. Michel de Lallier était maître des comptes sous Charles VI et l'était resté. Il devint par la suite prévôt des marchands.

68. Il y avait eu un complot dont faisaient partie tous les bourgeois qui devinrent échevins à la suite de l'entrée des Français : Jean de Belloy, Colin de Neuville, Jean de Grandrue... Il s'agissait d'ouvrir les portes du nord de Paris, tandis que Villiers de L'Isle-Adam faisait diversion au sud.

69. Il appelle village tous les quartiers de Paris qui ne sont pas dans l'ancienne enceinte de Philippe Auguste, mais qui sont enclos dans celle de Charles V.

Comme ils[70] étaient à garder ladite porte, et les gouverneurs devantdits eurent assemblé leurs[71] Anglais, si firent trois batailles*[72], en l'une le sire de Huillebit, en l'autre le chancelier et le prévôt, et en l'autre Jean l'Archer[73], un des plus cruels chrétiens du monde, et était lieutenant du prévôt un gros vilain comme un cagot[74]. Et pour ce qu'ils craignaient moult le quartier des Halles[75], y fut envoyé le prévôt atoute son armée, et en allant trouva un sien compère[76], un très bon marchand nommé Le Vavasseur[77], qui lui dit : « Monsieur mon compère, ayez pitié de vous, car je vous promets qu'il convient à cette fois faire la paix, ou nous sommes tous détruits. — Comment, dit-il, traître ! es-tu tourné[78] », et sans plus dire, le fiert* de son épée par le travers du visage, dont il chut*, et après le fit tuer par ses gens. Le chancelier et ses gens allait par la grande rue Saint-Denis[79], Jean l'Archer allait par la rue Saint-Martin, lui et sa compagnie, et n'avait celui qui n'eût bien[80] en sa compagnie deux ou trois cents hommes tous armés ou archers,

---

70. Ce « ils » n'est pas clair. Il s'agit probablement des milices parisiennes qui hésitent sur la conduite à tenir.

71. Et non « nos Anglais ». Les voilà devenus étrangers ; jusque-là, cela ne l'avait pas gêné.

72. Corps d'armée commandé par...

73. Jean L'Archer fut examinateur au Châtelet au début du XVe siècle, lieutenant criminel du prévôt de Paris depuis 1418. Chargé du maintien musclé de l'ordre, il n'était guère populaire et jugea préférable de suivre la retraite anglaise dès le 17 avril. Il fut remplacé par Jean Truquan et ses biens furent attribués à Ambroise de Loré, le nouveau prévôt de Paris.

74. C'était un vilain gros comme un cagot : faux dévot, hypocrite. (Ms Rome), ou comme une caque : un baril (Ms. de Paris).

75. C'est le quartier le plus remuant de la capitale qui avait joué un grand rôle, en particulier durant les émeutes cabochiennes et lors de l'entrée des Bourguignons dans Paris. Ce quartier restait probablement probourguignon, mais Philippe était en paix avec Charles VII depuis le traité d'Arras.

76. Une de ses connaissances. Au sens strict, les compères sont les parrains du même enfant.

77. Ce Levavasseur était un gros boulanger meunier qui s'était enrichi par des spéculations sur les grains et farines, où il avait entraîné plusieurs de ses confrères. Il fut condamné en 1420 à de grosses amendes.

78. « Tu es tourné » : tu as retourné (ta veste).

79. Ils partent du centre de Paris vers les portes Saint-Denis et Saint-Martin, au nord.

80. Tous deux avaient en leur compagnie...

et criaient le plus horriblement qu'oncques on vit crier gens : « Saint Georges ! saint Georges[81] ! traîtres Français[82], vous serez tous morts ! » Et ce traître l'Archer criait qu'on tuât tout, mais ils ne trouvèrent homme parmi les rues, ce ne fût en la rue Saint-Martin qu'ils trouvèrent devant Saint-Merry un nommé Jean le Prêtre et un autre nommé Jean des Croutés, lesquels étaient très bons ménagers* et hommes d'honneur, qu'ils tuèrent[83] plus de dix fois. En après allèrent criant, comme devant est dit, et tirant aux fenêtres, espécialment au bout des rues, de leurs flèches, mais les chaînes[84] qui étaient tendues parmi Paris leur firent perdre toute leur force. Ainsi allèrent à la porte Saint-Denis où ils furent bien reçus car quand [ils] virent tant de peuple et qu'on leur jeta[85] quatre ou cinq canons, si furent moult ébahis, et au plus tôt qu'ils purent s'enfuirent tous vers la porte Saint-Antoine et se boutèrent* tous dedans la forteresse. Tantôt après vinrent parmi Paris[86] le connétable devantdit et les autres seigneurs, aussi doucement comme si toute leur vie ne se fussent point mus hors de Paris[87], qui était un bien grand miracle, car deux heures devant qu'ils entrassent, leur intention était et à ceux de leur compagnie de piller[88] Paris et de mettre tous ceux qui les contrediraient à mort, et, par le record d'eux[89], bien cent charretiers et plus qui venaient après l'ost*[90] amenèrent blés et autres vitailles*, disant : « On

---

81. Jurer par saint Georges, c'est être partisan de l'Angleterre, dont ce saint est le protecteur.

82. Ces « Français » sont les partisans de Charles VII.

83. Frappèrent à mort. C'étaient des partisans royaux, qu'il décrit favorablement, car le vent tourne.

84. Les chaînes de Paris sont en principe tendues la nuit, ou lors d'un assaut. Elles ralentissent la progression des troupes dans des rues étroites.

85. On leur tira dessus. La porte était déjà occupée par les assaillants.

86. Les portes étaient ouvertes et il n'y avait aucune résistance. L'armée entra en bon ordre.

87. Aussi doucement que s'ils avaient été parisiens. Or, ils ont passé (se mouvoir) toute leur vie ailleurs qu'à Paris. Richemont est Breton, Dunois a été élevé dans la vallée de la Loire, mais Villiers de L'Isle-Adam est parisien. Ce ne sont pas de vrais étrangers mais les Parisiens avaient peur.

88. C'est peu probable. Ils voulaient s'emparer de la capitale avec le moins de dégâts possible, pour se rallier l'opinion. Certes, si l'opération s'était mal passée, il y aurait peut-être eu des bavures.

89. A leur demande.

90. Il rapporte ici des rumeurs alarmistes. Ce convoi de vivres pouvait

pillera Paris, et quand nous aurons vendu notre vitaille* à ces vilains de Paris, nous chargerons nos charrettes[91] du pillage de Paris et remporterons or et argent et ménage[92], dont nous serons tous riches toutes nos vies. » Mais les gens de Paris, aucuns bons chrétiens et chrétiennes, se mirent dedans les églises[93] et appelaient la glorieuse Vierge Marie et monsieur saint Denis[94], qui apporta la foi en France, qu'ils veuillent déprier à Notre Seigneur qu'il ôtât toute la fureur des princes[95] devant nommés, et de leur compagnie. Et vraiment bien fut apparent que monseigneur saint Denis avait été avocat [de la cité par-devers la glorieuse Vierge Marie, et] la glorieuse Vierge Marie par-devers Notre Seigneur Jésus-Christ[96], car quand ils furent entrés dedans et qu'ils virent qu'on avait rompu à force la porte Saint-Jacques pour leur donner entrée, ils furent si émus de pitié et de joie qu'ils ne se purent [oncques] tenir de larmoyer. Et disait le connétable, aussitôt qu'il se vit dedans la ville, aux bons habitants de Paris : « Mes [bons] amis, le bon roi Charles vous remercie cent mille fois, et moi de par lui, de ce que si doucement vous lui avez rendu sa maîtresse cité de son royaume[97], et si aucun, de quelque état qu'il soit, a mépris[98] par-devers monseigneur le roi, soit absent ou autrement, il lui est tout pardonné. » Et tantôt sans descendre fit crier à son de trompe que nul ne fût si hardi, sous peine d'être pendu par la

---

servir à ravitailler l'armée ou la population. Il n'est pas inhabituel qu'une armée se fasse suivre de ses approvisionnements.

91. Les charrettes seront alors vides, il leur restera à les remplir.

92. Objets de ménage.

93. Par foi religieuse et par peur, car les églises jouissent du droit d'asile.

94. Patrons traditionnels de Paris avec sainte Geneviève.

95. Il reprend le vocabulaire du début du XVe siècle où la faction Orléans était celle des princes. Ici, seul Richemont mérite cette dénomination et il suit les instructions royales.

96. C'est une médiation à étages où Marie joue l'avocate universelle, au sommet de la hiérarchie des intercesseurs. Cité céleste comme cité terrestre sont hiérarchiques.

97. La capitale.

98. Mal agi. A chaque ville prise, Charles VII multipliait les lettres d'amnistie générale. Celles pour Paris étaient toutes prêtes et furent solennellement publiées à Notre-Dame et à l'Hôtel de Ville, le soir du 14 avril. Le roi les avait signées à Poitiers le 28 février. Les Parisiens s'étaient inquiétés pour rien. Évidemment, les plus compromis avaient intérêt à s'enfuir et on leur en laissa le temps.

gorge, de soi loger en hôtel de bourgeois ou de ménager* outre sa volonté[99], ni de reprocher, ni de faire quelque déplaisir, ou piller personne de quelque état, non[100] s'il n'était natif d'Angleterre et soudoyer; dont le peuple de Paris les prit en si grand amour que, avant qu'il fût lendemain, n'y avait celui qui n'eût mis[101] son corps et sa chevance* pour détruire les Anglais. Après ce cri furent cherchées[102] les hôtelleries pour trouver les Anglais, et tous ceux qui furent trouvés furent mis à rançon et pillés, et plusieurs ménagers* et bourgeois[103] qui s'enfuirent avec le chancelier dedans la porte Saint-Antoine, ceux-là furent pillés, mais oncques personne, de quelque état[104] qu'il fût ni de quelque langue[105], ni tant eût mal fait contre le roi[106], n'en fut tué.

694. Item, lendemain de l'entrée, jour de samedi, vint tant de biens à Paris qu'on avait le blé pour 20 sols parisis, [qui le mercredi devant coûtait 48 ou 50 sols]; et fut le vieux marché de devant la Madeleine ouvert, et y vendit-on le blé, qui plus de dix-huit ou vingt ans avait été fermé, et on eut celui jour sept œufs pour un blanc, et le jour de devant on n'en avait que cinq pour deux blancs, et autres vitailles* au cas pareil.

695. Item, ceux qui se boutèrent* en la porte Saint-Antoine se trouvèrent moult ébahis quand ils se virent enfermés là-dedans, car ils étaient tant[107] que tout était plein, et eussent été tantôt affamés. Si parlèrent au connétable et finèrent* avec lui par grande finance[108] qu'ils s'en iraient sains et saufs par sauf-conduit; et ainsi vidèrent la place le mardi 17e jour d'avril l'an 1436; et pour certain oncques gens ne furent autant moqués, ni

---

99. Héberger des soldats est la hantise des bourgeois et autres résidents. Ici, ils pourront loger chez l'habitant si celui-ci l'accepte (et perçoit des indemnités).

100. Sauf s'il...

101. Tous auraient risqué leur vie et leurs biens pour...

102. Visitées. Les Anglais payèrent rançon, sauf cas particulier.

103. Les plus compromis avec le gouvernement anglo-bourguignon.

104. Condition sociale.

105. Nationalité.

106. Quels que soient ses méfaits...

107. Si nombreux.

108. Ils négocièrent une capitulation qu'on leur fit payer fort cher. Le connétable évita ainsi de se battre dans les rues.

hués[109] comme ils [le] furent, espécialment le chancelier, le lieutenant du prévôt, le maître des bouchers[110] et tous ceux qui avaient été coupables de l'oppression qu'on faisait au pauvre commun, car en vérité oncques les Juifs qui furent menés en Chaldée en chétivaison[111] ne furent pis* menés qu'était le pauvre peuple de Paris; car nulle personne n'osait issir* hors de Paris sans congé, ni rien porter[112] sans passe porte[113], tant fût peu de chose, et disait-on: « Vous allez en tel lieu, revenez à telle heure ou ne revenez plus. »

696. Item, nul n'osait aller sur les murs sur peine de la hart*[114] et si ne gagnait le peuple, de quelque labour[115] qu'il fût, denier; car, pour vrai, les Anglais furent moult longtemps gouverneurs de Paris, mais je cuide*[116] en ma conscience qu'oncques nul ne fit semer ni blé ni avoine, ni faire[117] une cheminée en hôtel qui y fût, ce ne fut le régent duc de Bedford, lequel faisait toujours maçonner[118], en quelque pays qu'il fût, et était sa nature toute contraire aux Anglais, car il ne voulait avoir guerre[119] à quelque personne, et les Anglais, de leur

---

109. On leur criait: « A la queue ! » ou « Au renard ! » La queue de renard était l'emblème d'Henri V et d'Henri VI.

110. Jean de Saint-Yon, maître des bouchers de la Grande Boucherie, était un Bourguignon actif qui avait participé à la révolte cabochienne. Il remplit plusieurs missions pour le duc de Bourgogne, fut maire de Bordeaux en 1421. Conseiller de Bedford et trésorier de ses finances, il avait amassé une énorme fortune qui fut confisquée.

111. Captivité. La captivité des Juifs à Babylone est pour lui le symbole du malheur absolu.

112. Transporter.

113. Passeport ou sauf-conduit. Les allées et venues étaient très surveillées.

114. Sous peine d'être pendu. Les civils n'avaient pas accès aux remparts réservés aux guetteurs et à la garnison anglaise. Le paragraphe vise la situation avant l'entrée des Français dans Paris.

115. Profession.

116. Je crois... que nul (Anglais) ne fit semer... Il veut dire que les Anglais ne furent pas productifs, n'apportèrent rien au royaume. En fait, en Normandie, un certain nombre de colons anglais s'installèrent bien à la campagne et s'intégrèrent plus ou moins.

117. Ne firent construire. Il envisage cette fois leur activité urbaine, en fait, il a tort comme il s'en aperçoit immédiatement.

118. Bedford fit remanier toutes ses résidences et fut un commanditaire actif d'œuvres d'art. Il l'inscrit donc en exception.

119. La nature pacifique et le sens diplomatique de Bedford l'a énervé

droite nature[120], veulent toujours guerroyer leurs voisins[121] sans cause[122], par quoi ils meurent tous mauvaisement, car adonq en était mort en France plus de soixante-seize mille[123].

697. Item, le vendredi ensuivant, pour la grâce[124] que Dieu avait faite à la ville de Paris, fut faite la plus solennelle procession qui fut faite, passé avait cent ans, car toute l'Université petits et grands, furent à Sainte-Catherine-du-Val-des-Écoliers[125], chacun un cierge ardant* en sa main, et étaient plus de quatre mille, sans autres personnes que prêtres ou écoliers; et pour certain oncques on ne vit cierge qui destaignît[126] depuis les lieux[127] dont ils partirent jusqu'à ladite église, [ce] qu'on tenait à droit miracle, car il faisait un temps pluvieux et venteux. Et ces choses doivent bien donner à tout bon chrétien volonté et dévotion de remercier notre Créateur, et espécialment de l'entrée[128] qui fut si bénignement et si doucement faite, comme vous avez ouï devant, et en devrait-on faire tous les ans[129] louange à Notre Seigneur, car, comme ce fut droite prophétie[130], l'offertoire de la sainte messe de celui jour en

---

en d'autres temps où il lui a reproché de laisser les champs de bataille aux autres.

120. De leur vraie nature.

121. Combattre leurs voisins. C'est un stéréotype constant dans la France des XIVe et XVe siècles: l'Anglais est belliqueux. A cause de la guerre de Cent Ans, il y avait des raisons de le penser.

122. « Avec cause », penseraient plutôt les Anglais qui réclamaient le trône de France et leurs fiefs continentaux.

123. Il veut dire « beaucoup ». Il n'y a probablement aucun calcul à la base de ce chiffre.

124. Sa libération.

125. Protectrice des docteurs de l'Université et des enfants. Il s'agit là d'une procession réservée aux membres de l'Université. Celle-ci ayant été un des piliers de l'obédience anglaise, il convenait qu'elle fasse du zèle pour se dédouaner.

126. S'éteignit. Un cierge qui s'éteint est un mauvais présage.

127. Ces processions partent des locaux universitaires de la rive gauche.

128. Des troupes royales.

129. Une procession commémorative fut effectivement organisée à Paris, le 14 avril, jusqu'à la Révolution. D'autres villes (Orléans, Montargis) célébrèrent de même leur libération et Charles VII organisa une fête nationale commémorant le recouvrement de la Normandie (1450) à la mi-août, célébrée dans tous les diocèses du royaume.

130. Chercher une prophétie en ouvrant au hasard le Livre saint est une forme de divination fréquente au Moyen Age. Ici la Bible s'ouvre toute seule sur l'offertoire du Vendredi de Pâques qui contient ces phrases.

parle assez de ce faire, car il dit : *Erit vobis hic dies memorialis, et diem festum celebrabitis solemnem Domino in progenies vestras legitimum sempiternum*[131]. *Alleluya, Alleluya, Alleluya !*

698. Item, le dimanche ensuivant[132], fut faite procession générale très solennellement, et ce jour plut tant fort que la pluie ne cessa tant que la procession dura, qui dura bien quatre heures tant aller que venir ; et furent les seigneurs[133] de Sainte-Geneviève moult agrevés[134] de la pluie, car ils étaient tous nu-pieds, mais espécialment ceux qui portaient le précieux corps de madame sainte Geneviève et [de] saint Marcel eurent moult de peine, car à grande peine se soutenaient sur les carreaux[135], et vraiment ils[136] étaient si trempés de la pluie comme s'ils eussent été jetés dedans Seine ; et pour certain ils suaient si fort qu'ils dégouttaient tous par le visage de sueur, tant étaient vains et travaillés[137] ; et pour certain oncques nul de tous ceux n'en fut oncques maumis[138], ni malade, ni découragé, qui me semble droit miracle de madame sainte Geneviève qui peut bien faire par ses mérites par-devers Notre Seigneur, et plus que tant, comme il appert* par-devers Notre Seigneur, en sa sainte légende[139], comment par plusieurs fois elle a sauvé la bonne ville de Paris[140], l'une fois de cher temps, l'autre fois des grandes eaux et de plusieurs autres périls[141].

---

131. Exode, XII, 14. « Vous rappellerez ce jour dans vos mémoires, vous y célébrerez solennellement le Seigneur d'âge en âge et votre progéniture légitime à jamais. Alleluia. » Il s'agit du jour où les Hébreux sortirent d'Égypte pour gagner la Terre promise. Or, la France est une autre terre promise, l'Israël de la nouvelle alliance, et les Français sont peuple élu. Il n'y a donc rien d'anormal à voir ici un parallèle entre Juifs de l'ancienne alliance et Français.

132. Le 22 avril, le chapitre Notre-Dame organisa une procession générale d'actions de grâces autour de la châsse de sainte Geneviève.

133. Les moines.

134. Gênés par...

135. Les pavés. Ils étaient glissants et la châsse lourde.

136. Désigne les moines.

137. Sans force, épuisés.

138. Incommodé.

139. Une légende est une vie de saint. Celle de sainte Geneviève nous est conservée entre autres par la *Légende dorée* de Jacques de Voragine, qui est un texte extrêmement populaire.

140. Elle persuade Attila de ne pas attaquer la ville.

141. On l'invoque traditionnellement pour mettre fin aux calamités

699. Après ce, fit-on un prévôt des marchands[142] du devant-dit Michel de Lallier, après fit-on échevins nouveaux, dont l'un fut Colinet de Neuville, Jean de Grantrue[143], Jean de Belloy[144], Pierre de Langres[145], tous quatre natifs de la bonne ville de Paris ; et fut fait prévôt de Paris un chevalier nommé messire Philippe de Ternant, chevalier, seigneur de Ternant[146], de Thoisy et de la Motte, conseiller du roi notre sire et garde de la prévôté de Paris.

700. Item, la darraine* semaine de mai, furent pris les os du comte d'Armagnac et du chancelier de France, sire Henri de Marle, et de son fils l'évêque de Coutances[147], et un nommé maître Jean Paris, et un autre nommé Raymonnet de la Guerre[148], qui étaient enterrés en la grande cour de derrière Saint-Martin-des-Champs, en un grand fumier[149] qui là est ; et furent enterrés leurs os en l'église de Saint-Martin-des-Champs, c'est à savoir, le comte d'Armagnac dedans le chœur[150], à dextre du grand autel.

---

naturelles (pluies, inondations de la Seine) ou pour les épidémies et crises de subsistance.

142. Michel de Lallier fut prévôt des marchands du 14 avril 1435 au 23 juillet 1438. Sa prise de fonction officielle date du 23 juillet 1436, jour de sa prestation de serment.

143. Jean de Grandrue était bourgeois de Paris et clerc des comptes.

144. Jean de Belloy, écuyer, était le fils d'un échevin exécuté en 1416 comme Bourguignon. Il fut échevin dès 1422 puis en 1436. Il fut ensuite grenetier de Paris mais mourut peu après la fin de 1437.

145. Pierre des Landes, changeur, appartenait à une riche famille. En 1421 il était maître de la monnaie de Paris. Il avait joué un rôle actif dans l'entrée des troupes royales et Charles VII en fit un général maître des monnaies plusieurs fois renouvelé. Il fut aussi prévôt des marchands de 1438 à 1444.

146. Philippe de Ternant, seigneur de la Motte de Thoisy, était chambellan du duc de Bourgogne. Il ne resta prévôt qu'un an avant de céder sa charge à Ambroise de Loré. Cette nomination était un gage de réconciliation donné à Philippe le Bon.

147. Assassinés lors de l'entrée des Bourguignons dans Paris, en 1418, comme il l'a raconté lui-même.

148. Exécutés sommairement en 1418.

149. Place pitoyable s'il en fut. On poursuit le souvenir de ses adversaires en ne leur accordant pas une sépulture conforme à leur rang, ni même une sépulture correcte tout simplement.

150. C'est un prince du sang par alliance, et il a été connétable de France. Il mérite une place d'honneur à l'intérieur d'une église.

701. Item, quand les Français[151] furent affermés[152] avec le Parlement et les grands bourgeois et le conseil, ils se plaignirent que le roi était très pauvre, et toute sa gent, et qu'il convenait avoir de l'argent, où qu'il fût pris. Si leur fut dit : « Il faut faire un emprunt[153]. » Et ainsi fut fait, espécialment très grief[154] sur ceux qu'on cuidait* qu'ils aimassent mieux les Anglais que les Français. Et fut l'emprunt très grand, et se monta à très grosse somme d'argent et d'or, car ils furent peu à Paris de ménagers* qui n'en payassent peu ou grand. Quand ils eurent cette grande somme d'argent, ils s'appointèrent[155] pour aller devant Creil[156], et y furent environ trois semaines ou un mois tant à aller, qu'à venir, qu'à mener vitaille* et artillerie, et quand tout fut prêt et qu'on y eut moult dépensé sans coup frapper, si bien peu non[157], ils levèrent le siège et s'en revinrent trétous sans savoir pourquoi, comme on disait, sinon qu'on leur fit entendant[158] que grande foison d'Anglais venaient pour lever[159] le siège. Ainsi fut là dépensé mauvaisement grande partie de l'emprunt.

702. Quand ils furent revenus à Paris, si leur convint faire nouvelle finance. Si leur fut donné en conseil qu'il convenait faire choir*[160] la monnaie, mais pour ce qu'ils n'avaient point

---

151. Les chefs de l'armée. Il n'est pas sûr qu'il pense appartenir à cette catégorie. Les Français sont encore les autres, mais plus pour longtemps.

152. Ils réunirent les autorités parisiennes quand ils furent sûrs de les contrôler.

153. Les Parisiens sont allergiques à l'impôt. Ils préfèrent prêter de l'argent au roi et percevoir des intérêts. Le capital n'est pas toujours remboursé. Pour le roi, ce système a ses inconvénients comme ses avantages. L'argent rentre vite, on ne touche que les riches qui protestent moins. Au total pourtant, c'est évidemment moins rentable qu'une imposition générale.

154. Très lourd sur ceux dont on croyait... Ils n'ont par ailleurs pas été inquiétés et pourront difficilement protester.

155. S'appointer : se disposer à.

156. Creil fut assiégée par le connétable Arthur de Richemont. Celui-ci revint assez vite à Paris, laissant la conduite du siège au Bâtard d'Orléans qui ne réussit pas à prendre la ville.

157. Pas du tout, ou bien peu.

158. On leur fit entendre.

159. Faire lever le siège. Il court le bruit de l'arrivée d'une armée de secours anglaise.

160. Dévaluer.

assez de monnaie forgée au coin du roi Charles[161], ils firent crier le mercredi 26e [jour] de mai l'an 1436, les blancs de huit deniers qui étaient au coin d'Henry, qui se disait roi d'Angleterre et de France, ils les mirent à sept deniers, si valaient mieux plus de six blancs par franc[162] que ceux qu'ils forgèrent au coin du roi Charles[163], si comme en disaient ceux à ce connaissant.

703. Item, le jeudi 12e jour de juillet ensuivant[164], firent de tous points choir* les blancs que devant avaient mis à sept deniers, et les saluts d'or[165], qui pour le temps qu'ils mirent les blancs à 7 deniers valaient 24 sols parisis, [ils les mirent à 20 sols parisis]. Et la semaine de devant s'étaient les Anglais ralliés[166] et couraient à une lieue près de Paris, et boutaient feux*, et tuaient femmes et enfants, et détruisaient quanque[167] ils encontraient.

704. Item, en celui temps, en la fin de juin, un caïman[168] férit* l'enfant d'une caïmande[169] dedans l'église des Innocents, celle leva sa quenouille et le cuida* frapper sur la tête. Si recula, elle l'assena[170] un bien peu au visage, si lui fit une très petite égratignure, dont un bien peu de sang issit*, mais pour certain ils en furent 22 jours en prison; et en ces 22 jours oncques l'évêque de Paris ne voulut réconcilier l'église[171], s'il

---

161. Il s'agit de blancs à l'effigie de Charles VII, qui restent à l'ancien cours. Seuls les blancs franco-anglais sont dévalués, le 25 juin 1436. En fait, cette mesure transitoire prépare l'interdiction de circulation des monnaies franco-anglaises le 7 juillet. C'est un acte politique plus qu'un moyen de remplir les caisses.

162. 6 blancs argent = 1 franc or.

163. Les nouveaux blancs à l'effigie de Charles VII valaient moins que les anciens dans la proportion de 6 blancs par franc.

164. L'ordonnance est du 7 juillet. Elle démonétise les blancs anglais.

165. Le salut or est une monnaie franco-anglaise où est représentée l'Annonciation avec la légende *Ave Maria*. Elle fut dévaluée de 24 à 20 sous argent parisis.

166. Ralliés (en bande) et ils pillaient jusqu'à...

167. Tous ceux qu'ils rencontraient.

168. Mendiant.

169. Mendiante. La mendicité avait augmenté avec les difficultés économiques. Autrefois confinés aux portes des églises, les mendiants colonisaient pourtant les nefs et même le chœur des églises, malgré les interdictions des autorités ecclésiastiques.

170. Elle l'atteignit (avec la pointe de la quenouille) au visage.

171. Une église où le sang a coulé est considérée comme souillée. Aucun

n'avait.....[172], et les deux pauvres gens n'avaient pas tant vaillant en toutes choses comme la somme qu'il demandait. Et pour ce que ledit évêque ne le voulut faire, s'il n'était payé à sa guise, en tous les 22 jours oncques messe[173], matines, ni vêpres, ni corps en terre[174] au cimetière ne fut, ni le saint service fait de nulle heure, ni l'eau bénite, et les confréries[175] qui avaient en ladite église leurs journées assignées, allaient faire leur service à Saint-Josse[176] en la rue Aubry-le-Boucher.

705. Item, en cette année fut tant de cerises qu'on avait la livre pour un denier tournois, voire telle fois fut six livres[177] pour un blanc de quatre deniers parisis, et durèrent jusqu'à la Notre-Dame mi-août[178].

706. Item, cette année fut la Saint-Laurent au vendredi[179], et fit-on la foire comme autrefois de toutes marchandises accoutumées à ladite journée.

707. Item au mois de septembre ensuivant, on commença à vendanger, mais oncques mais les vendanges ne coûtèrent autant comme elles firent cette année, et si ne furent oncques [mais] vendangeurs ne vendangeresses[180] à si grand marché[181], car on avait au commencement 4 femmes tout le jour pour 2 blancs et tel jour fut on en avait 5 pour 2 blancs et les hotteurs

---

office ne peut y avoir lieu tant que l'évêque n'a pas procédé à une messe de réconciliation solennelle. Mais ici, l'évêque exagère, puisque le Bourgeois sous-entend que ce n'était qu'une écorchure. Or, le droit canon vise les meurtres dans les églises.

172. Il manque le chiffre de l'amende à payer à l'évêque. Or, nos mendiants n'ont rien.

173. Aucun office.

174. Aucun sacrement. Si les noces peuvent attendre, les baptêmes et les obsèques sont difficiles à différer !

175. Les confréries qui avaient leur siège dans l'église des Innocents ne purent fêter leurs saints patrons aux dates prévues, ou plus exactement durent aller le faire ailleurs.

176. La chapelle Saint-Josse dépend de la paroisse Saint-Laurent et se trouve au coin de la rue Aubry-le-Boucher et de la rue Quincampoix.

177. Et même parfois on eut 6 livres (de cerises) pour 4 deniers.

178. La fête de l'Assomption, le 15 août.

179. La Saint-Laurent est, nous l'avons déjà vu, le 10 août. La foire doit se tenir autour de l'église du même nom, hors les murs.

180. Vendangeuses.

181. Payées si cher.

pour 2 blancs[182] ou pour trois, et si avait-on très grand marché de vivres[183], et si ne furent aussi chères, passé à cinquante ans; car en toutes les portes de Paris [il y] avait deux ou trois sergents de par les gouverneurs de Paris, qui sans loi et sans droit[184] et par force faisaient payer à chacun hotteur[185] 2 doubles, à chacune charrette qui amenait cuves où il (y) eut vendange 8 blancs, 16 de 2[186], 8 sols parisis de 3[187], et ceux des garnisons d'entour Paris[188], comme le Bois de Vincennes, comme Saint-Cloud, le Pont de Charenton, avaient de chacun village 8 ou 10 queues de vin de rançon, et autant ou plus qu'ils en pillaient de nuit et de jour, sans* les grands pâtis qu'ils avaient; et témoignaient les gens dignes de foi qu'au Bois de Vincennes tant seulement en eut[189] bien cette année trois cents queues, et les autres ainsi ce qu'ils purent, non pas tant qu'ils voulurent[190].

708. Et en celui temps n'était nouvelle du roi nullement[191], ni que s'il fut à Rome ou en Jérusalem. Et pour certain, oncques puis l'entrée de Paris[192] nul des capitaines français ne fit quelque bien dont on doive aucunement parler, sinon rober* et piller par nuit et par jour; et les Anglais menaient guerre en Flandre, en Normandie, devant Paris, ni nul ne les contredisait, et si gagnaient toujours quelque forte place; et le jour Saint-

---

182. Un porteur de hotte est payé comme quatre vendangeuses.

183. La hausse du coût de la main-d'œuvre ne s'explique pas par celle de la nourriture qui leur est fournie.

184. Il s'agit de taxes sur la circulation des personnes et des charrettes. Il est probable qu'elles furent autorisées par Richemont, mais elles sont inhabituelles et le Bourgeois considère qu'elles sont inadmissibles.

185. S'il était payé 3 doubles, il lui en restait un.

186. 16 blancs pour deux charrettes.

187. 18 sous pour trois charrettes.

188. Les garnisons de Saint-Cloud, Corbeil, Vincennes n'étaient pas payées, les caisses royales étant vides. Pour éviter un pillage désordonné, les villages alentour versaient des forfaits (pâtis) en argent ou en nature (queues de vin). Elles obtinrent d'ailleurs des lettres de rémission en 1438.

189. Sujet: la garnison de Vincennes.

190. Autant qu'ils purent, mais moins qu'ils ne le voulaient. Il sous-entend que les villageois réussirent à sauver une partie de leur production moyennant paiement des pâtis.

191. Pas plus de nouvelle que s'il avait été... Pour le Bourgeois, le roi doit résider à Paris ou dans la région parisienne en permanence.

192. Jamais depuis l'entrée à Paris, aucun des capitaines...

Cosme et Saint-Damien[193] vinrent-ils jusqu'à Saint-Germain-des-Prés, ni oncques nuls des gens d'armes de Paris ne s'en voulurent mouvoir, et [ils] disaient qu'on ne les payait[194] point. Et en vérité quanque[195] pauvres gens de bonne ville en leur obéissance pouvaient gagner était pour eux, et à ceux des villages[196] ce qu'ils avaient gagné ou à gagner leur ôtaient-ils, et nulle chose ne leur demeurait ni que après feu[197], et pour certain[198] ils disaient qu'ils avaient aussi cher, ou mieux, choir* ès mains des Anglais comme ès mains des Français[199].

709. Item, en ce temps, les bouchers de Saint-Germain-des-Prés firent une boucherie au bout du pont Saint-Michel[200], comme on tourne à aller aux Augustins, et commencèrent à vendre la vigile de Toussaint[201], jour Saint-Quentin.

710. Item, le jour Saint-Clément ensuivant[202], vint le connétable à Paris et amena sa femme, sœur du duc de Bourgogne[203], et avait été femme au duc de Guyenne, fils du roi de France, et vint avec lui l'archevêque de Reims[204], chancelier de France, et le Parlement[205] du roi, et entrèrent par la porte de Bordelles qui nouvellement avait été démurée.

---

193. Le 26 septembre.

194. Cela est parfaitement exact. Richemont, qui manquait d'argent, ne payait que les plus remuants. Les arriérés étaient fort élevés et l'armée comprenait mal que la chute de Paris n'amenât pas le paiement des soldes.

195. Tout ce que les.

196. Il oppose ici les habitants des villes auxquels on prend leurs salaires et ceux des campagnes auxquels on enlève leurs salaires et biens et leurs récoltes futures (ce qu'ils avaient à gagner).

197. Il ne leur restait rien comme après un incendie.

198. Assurément ils disaient...

199. Il ne prend pas la responsabilité de ces propos si peu patriotiques ! En fait, il n'est pas loin de partager cette opinion. Il est pour celui qui assure la paix et la prospérité, quel qu'il soit.

200. Au bout du pont Saint-Michel, du côté du quai des Augustins.

201. Le 31 octobre.

202. Le 23 novembre.

203. Marguerite de Bourgogne, fille de Jean sans Peur, était veuve de Louis de Guyenne depuis la fin de 1415. Elle s'était remariée en 1422 à Arthur de Richemont, frère cadet du duc de Bretagne, Jean V, devenu connétable de France en 1425. Elle mourut en 1442 sans laisser d'enfants.

204. Renaud de Chartres, archevêque de Reims et chancelier de Charles VII.

205. Les parlementaires qui siégeaient à Poitiers.

711. Item, le jeudi ensuivant, vigile Saint-André[206], fut crié à son de trompe que le Parlement du roi [Charles], qui depuis sa départie de Paris avait été tenu à Poitiers, et sa Chambre des comptes à Bourges en Berry, se tiendraient[207] désormais au Palais Royal à Paris, en la forme et manière que ses prédécesseurs rois de France l'avaient accoutumé à faire, et commencèrent le jour Saint-Éloi, premier jour de décembre l'an 1436. Et ainsi fut fait, et furent rappelés aucuns bourgeois[208] par douceur, qu'on avait mis hors après la départie des Anglais, pour ce que moult étaient favorables aux Anglais pour leurs offices ou autres causes, et leur fut pardonné très doucement, sans reproche, ni sans malmettre[209] eux ni leurs biens.

712. Item, cette année, fut tant de navets qu'on avait cette année le boissel* pour deux doubles, et tant de poireaux qu'on avait une grosse botte pour un denier, qui l'année devant coûtait quatre doubles et davantage.

713. Item, pois, fèves furent à si grand marché qu'on avait fèves pour dix deniers le boissel* belles et grosses, et pour quatorze deniers bons pois ; et très bon vin partout Paris pour deux doubles, blanc et vermeil.

714. Item, en la fin de novembre, la vigile Saint-André commença à geler si fort qu'elle dura jusqu'à Carême-prenant[210], qui fut le 12e jour de février, et en celui temps ne plut point, mais moult neigea fort.

---

206. La veille de Saint-André le 29 novembre.

207. Le Parlement de Paris et la Chambre des Comptes furent réorganisés en leur adjoignant le personnel du parlement de Poitiers et celui de la Chambre des Comptes de Bourges. Les vides dus aux fuites des partisans des Anglais furent ainsi comblés et on amnistia tous les neutres. Ces mesures ramenèrent le calme dans la fonction publique.

208. Les bourgeois de Paris jouirent de la même amnistie. Tous les exilés purent rentrer et récupérer leurs biens moyennant un simple serment de fidélité au roi.

209. Les malmener.

210. Jusqu'au début du Carême.

[1437]

715. Item, cette nuit de Carême-prenant, à heure de minuit ou environ, prirent les Anglais la ville de Pontoise[1] par la grande négligence du capitaine qui était seigneur de L'Isle-Adam, qui n'était pas si sage comme métier eût été[2], car il était très convoiteux, et bien y parut ; car on disait qu'au jour que la ville fut prise il y[3] avait plus de blé qu'il n'en fallait pour deux ans tout entiers pour fournir ladite ville[4], et il en avait[5] très peu à Paris ; mais oncques, pour prière que ceux de Paris pussent faire, il n'en voulut oncques laisser venir[6] grain à la ville de Paris, et lui voulaient donner les marchands de Pontoise de chacun setier quatre sols parisis. Or perdit tout, premièrement honneur, car il s'enfuit honteusement sans défendre ni lui ni la ville ; ainsi par lui furent les bonnes gens tués et leurs biens perdus, et ceux qui ne furent tués furent mis en divers lieux en prisons, et mis à si grande finance qu'ils ne purent payer, pourquoi plusieurs moururent dedans les prisons. Ainsi fut tout ce mal par lui[7], et enforça les ennemis, et greva* tant par sa mauvaise garde Paris et le pays d'entour qu'à peine le pourrait-on raconter, car aussitôt que la ville fut prise, trois ou quatre jours après le blé enchérit à Paris à la moitié[8], et tout potage de grain[9], car nul n'osait venir à Paris pour les Anglais qui partout couraient autour de Paris. Et fut la veille du premier dimanche de Carême, [qu'ils] vinrent à douze heures de nuit ou environ assaillir Paris, pour ce que les fossés étaient gelés, mais ils furent si bien reboutés par canons ou autrement

---

1. Pontoise fut enlevée par les Anglais le 12 février.
2. Pas aussi sage qu'il aurait fallu.
3. A Pontoise.
4. Il avait des stocks de blé pour deux ans. Il n'est pas illogique d'en avoir dans une ville menacée de siège comme Pontoise.
5. Il y en avait.
6. Les marchands voulaient lui racheter les stocks de blé pour les vendre cher à Paris. Contrairement à ce que pense le Bourgeois, il était normal qu'il refusât.
7. (Fait) par lui et renforça...
8. De la moitié.
9. Et toute espèce de céréales.

qu'ils y gagnèrent peu et que tout bel[10] leur fut de leur éloigner.

716. Item, la première semaine de Carême, fut crié à son de trompe que nul boulanger ne fît plus de pain blanc, ni gâteaux, n'échaudés[11], afin que les bourgeois qui avaient du blé cuisissent[12].

717. Item, la gelée avait tellement fait mourir toute la verdure qu'à la fin de mars on n'en trouvait que peu, sinon un peu de poireaux, qui coûtaient une petite botte quatre deniers qu'on avait eue en janvier pour un denier; et oignons très chers, et pommes très chères, car le quarteron de Capendu [un] peu grosses coûtait 7 blancs. Et si ne vint nulles figues, mais il fut le meilleur miel qu'on eût vu grand temps avait[13], et à bon marché, car la pinte ne coûtait que deux blancs; et si avait-on le mole de bûche en Grève pour dix blancs.

718. Item, le pain fut moult cher, car le setier de très petit[14] seigle coûtait 44 sols ou 3 francs, et le froment 4 francs.

719. Item, la semaine péneuse, le mercredi 26e jour de mars [de] l'an 1437, furent décollés* trois hommes, l'un avocat en parlement, nommé maître Jacques [de] Luvay[15], et un autre de la Chambre des comptes, nommé maître Jacques Rousseau[16], et un valet boucher, qui était devenu poursuivant[17], qui portait aux ennemis anciens de France[18] tous les secrets qu'on faisait à

10. Ils furent obligés de s'en éloigner.

11. Échaudés : beignets (?).

12. Les bourgeois stockent du blé chez eux, parce qu'ils spéculent sur la montée de son prix. En attendant, ils se fournissent à la boulangerie où le prix du pain taxé est maintenu artificiellement bas.

13. Depuis longtemps.

14. Très petit (en qualité): très mauvais.

15. Probablement Jacques de Louvain, notaire de la chancellerie et partisan d'Henri VI.

16. Jacques Roussel, clerc du roi à la Chambre des Comptes depuis 1422. Il figure parmi ceux qui prêtèrent serment à Henri VI, le 15 mars 1436. Il fut exécuté, mais sa famille garda ses biens.

17. Poursuivant (d'armes). On devient ensuite héraut, puis roi d'armes. Les poursuivants étaient traditionnellement utilisés comme messagers et leurs déplacements n'attiraient pas l'attention. Certains traités d'héraldique réclament pour eux une sorte d'immunité diplomatique.

18. Aux Anglais, toutes les choses secrètes. C'est la première fois qu'il utilise l'expression armagnacque « ennemis anciens de France ». Il est probable que ce sont les termes de l'acte d'accusation.

Paris, et l'envoyaient les deux devantdits, et un autre nommé maître Jean le Clerc[19], lequel fut mené en un tombereau à boue la journée que les deux dessusdits furent décollés*, et après [il fut] condamné perpétuellement aux oubliettes, pour ce que clerc était, et les deux étaient bigames[20]; lesquels reconnurent, espécialment maître Jacques Rousseau, que quand aucunes bonnes villes que les Anglais tenaient se voulaient mettre en l'obéissance du roi de France, et que les bourgeois le mandaient au connétable et au chancelier qu'on fût prêt de ce faire à tel jour, les faux traîtres devant dits le mandaient[21] aux Anglais qui tantôt faisaient grandes garnisons de gens d'armes, et faisaient couper têtes à desroi[22], et bannissaient gens, et prenaient le leur sans merci, et tuaient et boutaient feux* ès villages d'entour et menaient tous leurs biens en leurs garnisons.

720. Item, la semaine de Pâques l'an 1437, fut pris à Beauvoir-en-Brie[23] un nommé maître Miles de Saux[24], lequel était procureur du Parlement, qui avait autrefois été pris[25] et avait promis d'être loyal et avait baillé* sa foi, et mis sa femme et deux fils qu'il avait en otages ; mais de tout ce ne tint compte, ni de foi, ni de femme, ni d'enfants, mais devint le plus fort larron, bouteur de feux* et de tout autre maléfice qui fût en

---

19. Jean Le Clerc était avocat au Parlement au moment de l'expulsion des Anglais. Il était clerc et possesseur de prébendes. On ne pouvait donc le décapiter.

20. C'étaient des clercs de principe, mais mariés et ne bénéficiant donc pas de la protection de la cléricature, puisqu'ils ne menaient pas la vie de célibat. Ils sont bigames puisque mariés à l'Église et à une femme, ce qui est condamnable. Charles VII se soucie de la légalité au moins apparente de ces exécutions.

21. Prévenaient les Anglais de leurs intentions, qui, aussitôt, envoyaient des renforts.

22. A desroi : hâtivement et en quantité.

23. Beauvoir-en-Brie, à 25 kilomètres de Melun, possède encore un château entouré de fossés.

24. Miles de Saulx, d'une famille parlementaire bien connue, était capitaine de Beauvoir pour les Anglais.

25. Ce sont les conditions normales d'une capitulation par composition. Surtout si on ne paie pas de rançon, on promet de ne plus participer aux opérations et de rester loyal (ici à Charles VII). Il semble ici qu'il y ait eu rançon, car son paiement intervient souvent moyennant la libération des otages (le ou les fils du prisonnier habituellement).

France ni en Normandie ; et si était-il du maudit conseil[26] des trois devantdits, et pour ce eut-il la tête coupée, et son valet, le 10e jour d'avril l'an 1438 ; et cestui Miles enseigna plusieurs grandes caves et anciennes, touchant aux carrières[27], desquelles on ne savait rien, par lesquelles on devait bouter* les Anglais dedans Paris, mais Dieu qui tout sait ne le voulut consentir. Un peu après, [en celui mois], prirent les Anglais le chastel nommé Orville[28], qui était au Gallois d'Aunay[29], lequel chastel il perdit par sa mauvaiseté, car les soudoyers qui le devaient garder, il ne voulait payer[30] de leurs gages, par quoi ils furent cause de la prise du chastel ; et fut sa femme prise et fut amenée à Meaux qui était en celui temps en l'obéissance des Anglais. Comment elle fut demenée[31] des Anglais, on s'en tait.

721. Item, il perdit toute sa chevance*[32], et si fit la prise de cestui chastel tant de mal à Paris qu'homme ne le pourrait nombrer, car il[33] était sur les chemins de Flandre et de Picardie et de Brie, et bref sur tous les chemins dont il pouvait venir biens à Paris. Bref, il fit tant de mal à Paris, car il fut pris à l'entrée de juillet qu'on devait cueillir les blés, si convint mettre grande garnison à Saint-Denis pour garder les laboureurs[34] ; mais pour certain, on ne savait duquel on avait le meilleur

---

26. Il faisait partie des conseillers des trois évêques (Cauchon, Luxembourg, Châtelier) qui avaient succédé à Bedford à la tête du gouvernement pro-anglais.

27. Le sous-sol parisien est déjà plein de carrières et de passages utilisables éventuellement par une armée.

28. Orville, près de Luzarches, fut prise par Guillaume Chambrelan, capitaine anglais de la garnison de Meaux.

29. Jean d'Aulnay, seigneur d'Orville, dit le Gallois d'Aulnay.

30. Le pouvait-il ? Le Bourgeois voit de la corruption partout, mais il est fort probable que le Gallois n'avait pas reçu les sommes prévues. Pourquoi aurait-il risqué son château et sa famille ?

31. Comment elle fut traitée par les Anglais, on n'en dit rien. Isabelle d'Aulnay fut violée et dut payer une rançon de 1 400 écus, selon Guillaume Gruel. Comme c'est une noble dame, il évite le sujet. Il a fait de même lors des émeutes cabochiennes. Seules les roturières peuvent être violées !

32. Il était capitaine pour le roi d'Orville, mais le château et le fief lui appartenaient. La thèse de la mauvaiseté est donc peu probable.

33. Le château d'Orville.

34. Les moissonneurs, plus exactement. Cette garnison fut payée par une aide de 1 000 livres qui fut levée à Paris avec de grosses difficultés.

marché[35], ou des Anglais ou des Français ; car les Français prenaient pâtis[36] et tailles de trois mois en trois mois, et si les pauvres laboureurs n'avaient de quoi payer, les gouverneurs les abandonnaient aux gens d'armes[37], les Anglais les délivraient quand ils les pouvaient prendre par rançon[38].

722. En celui temps fut mis le siège devant Montereau, le jour Saint-Barthélemy en août[39], dont il convint[40] que ceux de Paris payassent une trop grosse taille qui moult les greva* ; car il n'était nul qui gagnât[41], sinon ceux qui avaient blé ou orge à vendre, et si était le blé tant cher au droit cœur d'août[42], à l'entrée de septembre, que le plus petit blé valait quatre francs, le froment six francs, l'orge quarante sols parisis, et si ne mangeait-on point de pain blanc.

723. Item, le jour de la mi-août, chanta-t-on en la chapelle Saint-François aux Pelletiers[43] en l'église des Innocents la première messe de la glorieuse Assomption[44] de la glorieuse Vierge Marie Notre-Dame.

724. Item, en celui mois de septembre 1437, on fit de rechef à Paris la plus étrange taille[45] qui oncques mais eût été faite, car

---

35. Lesquelles coûtaient le moins cher (à la population civile) des troupes anglaises ou françaises.

36. Les pâtis sont illégaux (mais se font quand la solde se fait attendre). La taille est en principe destinée principalement à payer les soldes. La réinstallation d'une fiscalité royale en période de crise économique est difficile à faire passer.

37. Qui les menaient en prison jusqu'à paiement de l'impôt.

38. Les Anglais les délivraient pourvu qu'ils leur payassent une rançon. Vaut-il mieux payer taille ou rançon ? Cela revient un peu au même.

39. Le 24 août.

40. L'impôt est encore justifié par les nécessités militaires et varie en fonction des nécessités des opérations.

41. Avoir des fonds.

42. En plein milieu du mois d'août.

43. C'est la chapelle de la confrérie des Pelletiers. La plupart des confréries artisanales dédient leur chapelle à un saint issu des ordres mendiants.

44. Ou la confrérie des pelletiers a changé de siège et elle célèbre pour la première fois en cet endroit la fête de l'Assomption, ou elle vient d'être créée. Il ne peut s'agir de la première fête de l'Assomption de l'église paroissiale des Innocents, puisque cette fête est généralement célébrée depuis le VIIe siècle.

45. Au sens d'extraordinaire. On leva 36 000 livres en tout pour le siège de Montereau, qui fut difficile et long. Le roi assiégeait lui-même la ville qui fut prise d'assaut le 10 octobre 1437.

nul en tout Paris n'en fut excepté, de quelque état qu'il fût[46], ni évêque, abbé, prieur, moine, nonnain, chanoine, prêtre, bénéficié [ou sans bénéfice], ni sergents, ménétriers, ni les clercs des paroisses, ni aucune personne de quelque état qu'il fût[47]. Et fut premièrement faite une grosse taille sur les gens de l'église[48], et après sur les gros marchands et marchandes, et payaient l'un 4000 francs, l'autre 3000 ou 2000 francs, 800, 600, chacun selon son état[49]; après aux autres moins riches, à l'un 100 ou 60, 50 ou 40, trétout le moindre paya 20 francs ou au-dessus, les autres plus petits au-dessous de 20 francs et au-dessus de 10 francs, nul ne passait 20 francs et nul ne payait moins de 10 francs, uns et autres plus petits nul ne passait 100 sols, ni moins de 40 sols parisis. Après cette douloureuse taille [ils en] firent une autre très déshonnête, car les gouverneurs prirent ès églises[50] les joyaux d'argent, comme encensoirs, plats, burettes, chandeliers, paix[51], bref de toute vaisselle d'église qui d'argent était ils prenaient sans demander[52], et en après ils prirent la

---

46. Ce n'est pas le montant qui le choque, mais le fait que l'impôt touche les clercs et les nobles. A vrai dire, il est surtout furieux pour les clercs.

47. Cette imposition générale rencontre l'hostilité de l'opinion publique. Elle répartissait néanmoins mieux le fardeau fiscal en augmentant le nombre des contribuables et surtout des contribuables riches.

48. En principe le roi n'a pas le droit de le faire, mais depuis le conflit entre Philippe IV et Boniface VIII, au début du XIVe siècle, la papauté a été obligée d'admettre que s'il y avait urgente nécessité le roi pouvait imposer le clergé.

49. Il s'agit d'une levée où les contribuables sont répartis en classes, selon leur fortune, et paient proportionnellement à celle-ci. Il y a quatre catégories : ceux qui paient de 4000 francs à 600 francs, qu'il appelle les gros ; les moins riches entre 100 francs et 20 francs ; les petits entre 20 francs et 10 francs et les plus petits de 100 sous à 40 sous. Mais il ne nous donne que le versement et non la base d'imposition. Un tel système, plus juste, rendait la levée beaucoup plus longue.

50. C'est une vision assez partiale des choses. La taille de 36000 livres sur les Parisiens était longue à lever et le roi avait besoin de 12000 francs tout de suite. Il demanda une avance au chapitre Notre-Dame, qui la lui versa sous forme de 27 marcs d'argent en deux plats et quatre candélabres d'argent. Il est possible que les autres églises de la capitale aient été priées de faire de même.

51. La paix est une plaquette d'argent ornée de scènes pieuses, sur laquelle les fidèles donnent le baiser de paix à la fin de la messe.

52. Il y eut au contraire consultation et remise de reconnaissances de dettes.

greigneure* partie de tout l'argent monnayé qui était au trésor des confréries[53]. Bref, ils prirent tant de finance à Paris qu'à peine en serait homme cru[54], et [le] tout sous l'ombre* de prendre le chastel de Montereau et la ville. Et furent devant sans rien faire depuis la mi-août jusqu'au jeudi 11e jour d'octobre[55] ensuivant, lendemain de Saint-Denis, qu'ils prirent la ville par assaut, et les gens d'armes se mirent dedans le castel à garant[56]; après, plusieurs fois parlementèrent[57] ensemble, mais ils ne purent (s')accorder, si assaillirent[58] le chastel par plusieurs fois et jetèrent de leurs canons et d'autre trait[59] tant et si souvent que grandement grevèrent* le chastel et ceux de dedans. Et aussi tiraient ceux de dedans sur ceux de dehors, mais peu leur valut, car ils virent bien que longuement ne pouvaient tenir le chastel qu'ils ne fussent détruits, si parlementèrent au roi, et à ce s'accordèrent que les Anglais[60] s'en iraient sauves leur vies, comme étrangers conquérant terres, car ils n'étaient pas venus en France de leur autorité[61], et tous ceux qui avec eux étaient de la langue de France[62] se rendirent à la volonté du roi[63]; et ainsi fut fait, dont la plus grande partie

---

53. Les confréries qui siègent dans une église paroissiale y ont une caisse, alimentée par les cotisations et les donations de leurs membres, dont le produit sert à assurer la fête de leur saint patron. Cet argent entre et sort et reste donc en liquide. Cela ne représente des capitaux importants que pour les grandes confréries mais leurs fonds sont censés être d'Église et comme tels protégés.

54. A peine en serait cru homme (qui dirait combien)...

55. Cela fait un siège de moins de deux mois, ce qui est peu.

56. A l'abri. La garnison chassée de l'enceinte urbaine se retire dans la forteresse qui sert de réduit ultime de défense. C'est le scénario normal de la prise d'une ville.

57. Assiégés et assiégeants.

58. Sujet : les troupes royales.

59. (Des boulets) et d'autres traits (carreaux d'arbalète).

60. Les Anglais ne sont pas sujets de Charles VII, ce sont des ennemis extérieurs.

61. Ils étaient venus sur l'ordre d'une puissance souveraine extérieure, en obéissant à des ordres légitimes de leur propre roi. Il n'y avait donc rien à leur reprocher.

62. Il qualifie ainsi tous ceux qui, nés dans le royaume, étaient sujets de Charles VII. Ils ne parlaient pas forcément tous le français, mais ceux de Pontoise étaient probablement originaires du nord de la Loire et on pouvait donc admettre l'équivalence langue de France et langue française dans ce cas précis.

63. Se rendre sans condition.

d'iceux Français reniés[64] furent pendus par les gorges, et aucuns autres allèrent en longs pèlerinages[65], une corde au col[66]. Cet appointement (fut) fait le samedi 19e jour d'octobre l'an 1437; et le mardi ensuivant rendirent le chastel et s'en allèrent. Et ceux de Paris s'en tinrent bien mal contents, et ne firent pour la prise du chastel ni joie, ni feux n'allumèrent, ni n'en tinrent compte, comme ils firent[67] pour la prise de la ville, car on sonna par tous les moutiers de Paris, et fit-on partout joie et liesse toute nuit et feux et danses, et tout ce fut délaissé, parce qu'on avait ainsi délivré les Anglais[68] et qui étaient trois cents, tous murdriers* et larrons[69]. La plus grande partie d'eux se mit à la rivière pour plus emporter de leurs bagages[70], et quand ils passèrent par-devant Paris, il fut crié, sous peine de la hart*, que nul ni nulle ne fût si osé, ni si hardi de leur dire pis* que leur nom[71], dont le peuple de Paris fut moult mal content, mais à souffrir le convint pour cette fois, car de rien ils n'osaient parler qui touchât le bien public[72], car ils avaient tant

---

64. Intéressante expression. Les Français de naissance avaient renié quoi? Leur serment de fidélité au roi, probablement, l'amour de leur pays, éventuellement. Un Français renié est donc un traître coupable de lèse-majesté. Il mérite la mort.

65. On imposa aux graciés de longs pèlerinages pénitentiels. Cela se fait en matière civile comme ecclésiastique. Il est probable que cette différence nette de traitement s'explique par les régions de naissance: les Français nés dans le royaume, mais dans des régions bourguignonnes, ne peuvent être exécutés. Le roi a promis l'amnistie et cela le brouillerait avec Philippe de Bourgogne. Il est possible aussi qu'on distingue les chefs mis à mort des simples exécutants graciés.

66. Signe d'humiliation et rappel du châtiment qu'ils auraient mérité.

67. Comme ils avaient fait pour la prise de la ville où ils avaient sonné... danses. Toutes ces manifestations n'eurent pas lieu pour la prise du château.

68. La population parisienne les aurait vus pendus. Charles VII les considère comme des soldats réguliers et il espère toujours signer une paix avec l'Angleterre.

69. Pas plus que tout autre soldat.

70. S'embarqua avec les bagages sur la Seine. C'est le moyen le plus commode pour gagner Rouen et la Normandie anglaise.

71. De les traiter d'autre chose que d'Anglais, c'est-à-dire de ne pas les traiter de voleurs, meurtriers ou autres injures... Le roi veut éviter tout incident et la foule est furieuse de ne pas pouvoir se défouler.

72. Ces choses qui touchent le bien public seraient la suppression des impôts. Il est fort probable, en effet, que le nouveau pouvoir qui a besoin de ressources régulières pour assurer l'ordre n'admettrait guère une propagande antifiscale qui lui rappelle de mauvais souvenirs.

d'oppressions, tant des tailles devant dites, tant de malles* gagnes[73], tant de grande charté* de pain et de tous autres vivres qu'oncques on eût vu puis cent ans. Mais l'espérance de la venue du roi confortait, laquelle fut bien en vain, car quand il vint à Paris, lequel y vint lendemain de la fête Saint-Martin d'hiver[74] l'an 1437, dont on fit aussi grande fête comme on pourrait faire à Dieu, car à l'entrée de la bastide Saint-Denis[75] par où il entra, tout armé au cler[76], et le dauphin, jeune d'environ dix ans[77], tout armé comme son père le roi ; et à l'entrée, les bourgeois lui mirent un ciel[78] sur sa tête comme on a à la Saint-Sauveur à porter Notre Seigneur[79], ainsi le portèrent jusqu'à la porte aux Peintres[80] dedans la ville. Et entre la dite porte et la bastide[81] [y] avait plusieurs beaux mystères[82], comme à la porte des Champs avait anges chantants, à la fontaine du Ponceau-Saint-Denis moult de belles choses qui moult longues seraient à raconter, devant la Trinité[83] la manière de la Passion, comme on fit pour le petit roi Henry, quand il fut sacré à Paris, comme devant est dit.

725. Item, à la porte aux Peintres aussi, et devant Châtelet et devant le Palais, sinon que depuis ladite porte aux Peintres tout fut tendu[84] à ciel jusqu'à Notre-Dame de Paris, sinon le Grand

---

73. Mauvais salaires.

74. Le 12 novembre 1437. Charles VII ne s'était nullement pressé de venir à Paris, ville dont il conservait de mauvais souvenirs.

75. C'est le chemin normal de la première entrée royale dans la capitale : de Saint-Denis à Notre-Dame.

76. Ce n'est pas habituel pour une entrée, sauf dans une ville conquise. Le roi porte habituellement un habit héraldique et non une tenue militaire.

77. Il en avait plus de quatorze. Le futur Louis XI était né en juillet 1423, mais il était fort malingre.

78. Un dais de drap d'or. Cela se fait depuis 1389. Il est porté par les échevins.

79. Pour la Fête-Dieu au-dessus de l'hostie.

80. C'est le nom d'une des portes nord de l'enceinte de Philippe Auguste qui ne sert plus depuis qu'elle a été doublée par l'enceinte plus grande de Charles V. Elle se trouvait à l'intersection de la rue Aux-Ours et de la rue de Turbigo.

81. C'est-à-dire entre les deux enceintes.

82. Tableaux vivants ou spectacles.

83. Devant l'église de la Trinité, un tableau vivant de la Passion du Christ. C'était un sujet passe-partout et sans implication politique.

84. Avec des tapisseries ou des tentures.

Pont. Et quand il fut devant l'Hôtel-Dieu ou environ, on ferma les portes de ladite église de Notre-Dame, et vint l'évêque[85] de Paris, lequel apporta un livre[86] sur lequel le roi jura, comme roi, qu'il tiendrait loyalement et bonnement tout ce que bon roi faire devait[87]. Après furent les portes ouvertes, et entra dedans l'église[88] et se vint loger au Palais pour cette nuit ; [et fit-on moult grande joie cette nuit] comme de bassiner* ; de faire feux en mi les rues, danser, manger, et boire et de sonner plusieurs instruments. Ainsi vint le roi à Paris comme devant est dit.

726. Item, le jour Sainte-Catherine[89] ensuivant, fut fait un moult solennel service à Saint-Martin-des-Champs pour feu le comte d'Armagnac qui fut tué, comme devant est dit, environ dix-neuf ans[90] devant dedans le Palais ; et y eut bien ce jour 1 700 cierges allumés et de torches à la value, et tous prêtres qui voulurent dire messe furent payés ; mais on n'y fit point de donnée[91], dont on s'ébahit moult, car tels 4 000 personnes y allèrent, qui n'y fussent ja entrés[92], s'ils n'eussent cuidé* qu'on y eût fait donnée, et le maudirent[93] qui avant prièrent pour lui. Et tout ce service fit faire le comte de Pardiac[94] ou de la Marche, le maîné fils du comte d'Armagnac devant dit, et y fut

85. Jacques du Châtelier.

86. Il s'agit des Évangiles. Il faut les toucher de la main droite pour prêter serment.

87. La formule est dite par l'évêque et elle est floue. Le roi répond : « Ainsi comme mes prédécesseurs l'ont juré, je le jure. » C'est un rappel des devoirs royaux formulés plus explicitement dans le serment du sacre.

88. Il y assista à la messe et baisa les reliques.

89. Le 25 novembre.

90. Il y avait exactement dix-neuf ans. C'était le 12 juin 1418. Bernard d'Armagnac n'avait pas précisément été assassiné au palais où il avait été emprisonné, mais pas très loin de là.

91. De distributions d'aumônes. Elle incombe à la famille en principe, mais le comte d'Armagnac est absent et il n'est pas sûr que la maison d'Armagnac n'ait pas gardé quelque rancune contre la populace parisienne qui avait assassiné le connétable.

92. Qui n'y seraient pas allés s'ils n'avaient cru...

93. Ils avaient rempli leur contrat en priant pour lui, ils voulaient être payés.

94. Bernard d'Armagnac, comte de Pardiac et La Marche, vicomte de Murat et Carlat, deuxième fils du connétable et de Bonne de Berry.

le roi[95] et Charles d'Anjou et tous ceux de Notre-Dame et des collèges de Paris, tous revêtus[96].

727. Item, après dit le service, furent portés les os dudit comte à Notre-Dame-des-Champs, accompagné de grand luminaire et de gens vêtus tous de noir, et là fut laissé jusqu'au mercredi suivant; et ce jour dîna le roi à Saint-Martin-des-Champs, et le mercredi furent emportés les os dudit comte en son pays d'Armagnac[97].

728. Et en ce temps avait à Paris foison gens d'armes, et environ 40 ou 50 larrons qui s'étaient boutés* dedans Chevreuse[98] couraient tous les jours jusqu'aux portes de Paris et prenaient hommes, bêtes, voitures; et devers la porte Saint-Denis (je) ne sais quels larrons qui étaient à Orville[99] venaient prendre les hommes et les proies[100] jusqu'emprès* des portes de Paris, et par ce point venaient toutes les semaines, et quand ils étaient trois ou quatre lieues loin, les gens d'armes qui à Paris étaient s'armaient tout à loisir et se partaient sans conroi[101], et tantôt s'en revenaient puis qu'ils avaient fait manière[102]. Et pour ce enchérit tout grain, car blé valait cinq francs et demi, qui n'était que méteil[103], orge soixante sols, fèves menues cinq sols parisis le boissel*, pois au prix, huile cinq sols parisis la pinte, la livre de beurre [salé] six blancs, et tout à forte monnaie. Et depuis que le roi était entré à Paris, tout enchérit comme dit est, pour ces larrons qui toujours étaient en embûchés emprès* Paris. Ni roi, ni duc, ni comte, ni prévôt, ni capitaine n'en tenait compte[104], ne que s'ils fussent à cent lieues loin de Paris.

---

95. Charles VII est l'époux de Marie d'Anjou. Il y a beaucoup d'Angevins dans son entourage et Charles d'Anjou, comte du Maine, est le chef du conseil. Il est parent du connétable. Il faut peut-être lire: Charles d'Anjou plutôt que chevaliers d'Anjou.
96. (De leurs habits sacerdotaux.)
97. Bernard d'Armagnac fut enterré à Ternes.
98. Chevreuse tomba par surprise aux mains des Anglais en 1437 pour quelque semaines.
99. Orville, près de Luzarches, prise par les Anglais au printemps de 1437.
100. Le butin.
101. Conroi: bon ordre.
102. Ils avaient fait semblant (de les poursuivre).
103. Blé mélangé à d'autres céréales.
104. Ne s'en préoccupaient pas plus que s'ils avaient été...

729. Item, il fut cet an grande année de choux à Paris et de navets, car le boissel* ne coûtait que six deniers parisis, par quoi les gens apaisaient leur faim et à leurs enfants[105].

730. Item, le fruit faillit partout, sinon de nèfles et de pommes de bois[106], et si ne fut nulles noix ni nulles amandes.

731. Item, le roi se départit de Paris le 3e jour de décembre l'an 1437, sans que nul bien fît à la ville de Paris pour lors, et semblait qu'il ne fût venu seulement que pour voir la ville, et vraiment sa prise de Montereau et sa venue coûta plus de 60 000 francs à la ville de Paris, où qu'ils[107] fussent pris.

[1438]

732. Item, le jour de la Thiphaine*[1], les larrons de Chevreuse, environ vingt ou trente, vinrent à la porte Saint-Jacques et entrèrent dedans Paris, et tuèrent un sergent à verge nommé......, qui était assis à un huis, et s'en rallèrent franchement[2], et prirent trois des portiers gardant la porte et plusieurs autres pauvres gens, sans* la proie qui ne fut pas petite, et si n'était que douze heures de jour ou environ, et disaient : « Où est votre roi ! Hé ! est-il mucé*[3] ? » Et pour les courses que lesdits larrons faisaient, enchérit tant pain et vin que peu de gens mangeaient de pain leur saoul, ni pauvres gens ne buvaient point de vin, ne mangeaient point de chair qui[4] ne leur donnait, ils ne mangeaient que navets ou trognons de choux mis à la braise sans pain, et toute nuit et tout jour criaient petits enfants et femmes et hommes : « Je meurs ! Hélas ! las doux Dieu ! je meurs de faim et de froid ! » et toutes fois qu'il venait

---

105. Celle de leurs enfants.
106. Pommes sauvages.
107. Ce « ils » désigne les 60 000 francs.

1. Épiphanie, le jour des Rois, le 5 janvier.
2. En toute liberté, sans qu'on les inquiétât.
3. Est-il caché ? Le roi est supposé défendre la ville et non l'abandonner au brigandage.
4. Sauf si quelqu'un leur en donnait...

à Paris gens d'armes pour acconvoyer aucuns biens qu'on y amenait, ils emmenaient[5] avec eux deux ou trois cents ménagers*, des pauvres gens qui cuidaient* mieux avoir ailleurs et quand lesdits gens darmes s'en allaient, il s'en allait de Paris cinq ou six cents ménagers, pour ce qu'ils mouraient de faim à Paris.

733. Item, la vigile Saint-Marc[6], en avril, qui fut à un jeudi fit un si grand vent qu'il arracha les plus gros ormes[7] de ceux qui étaient devant l'île Notre-Dame, et le samedi de devant chut* devant la chambre maître Hugues[8] un mur devant soudainement emmi la rue, lequel tua trois hommes qui par là passaient et en blessa quatre qui moururent, et ainsi furent sept hommes morts par ledit mur. En celui temps faillit[9] le pain à Paris, car le blé valait sept francs ; fèves, pois, six blancs le setier ; et pour certain le pain de deux blancs ne pesait que onze onces[10].

734. Item, en cette année 1438, fut si grande foison de chenilles qu'elles dégâtèrent tous les arbres et les fruits, et le vent devant dit qui fut la vigile Saint-Marc abattit tant de fruit comme de cerises, de noix ; bref, il fit moult de dommage par tous lieux, et abattit plusieurs maisons, cheminées sans nombre, et tant d'arbres portant fruit, que ce fut une très grande merveille[11], et ébahissement du grand dommage qu'il fit en plusieurs lieux et presque partout, et si[12] ne dura que six heures ou environ.

735. Item, il fut tant grande charté* de verdure cette année qu'à l'entrée de mai on vendait — par faute de porée — choux, des mauves, des sauves[13], de la pareille[14], des orties, et les

---

5. Mauvaise lecture : ils emmenaient avec eux à leur retour. Les Parisiens quittent la ville.

6. Le 24 avril.

7. Ces ormes étaient plantés sur le quai aux Ormeaux, sur la rive nord de la Seine, face à l'île Notre-Dame.

8. Peut-être un clerc du chapitre.

9. Manqua.

10. Il s'allège quand le prix du blé monte. C'est un phénomène qu'il a déjà signalé. Le pain de 2 blancs pèse normalement 15 onces.

11. Étonnement.

12. Et pourtant, il...

13. Sauges (?) du latin *salvia*.

14. Salsepareille.

cuisaient les pauvres gens sans graisse, sinon sel et eau, et [les] mangeaient sans pain, et dura jusqu'après la Saint-Jean[15], mais par force de pluie dont grande abondance fut en celui temps, vint la verdure environ huit jours devant la Saint-Jean à marché[16], mais tout grain enchérit toujours, que bon blé valait 8 francs le setier, forte monnaie, et petites fèves noires qu'on soulait* donner aux porcs dix sols pour le boissel*.

736. Item, Seine fut si grande à la Saint-Jean qu'elle passait assez la Croix de Grève[17].

737. Item, il faisait si grand froid à la Saint-Jean comme il devrait faire en février ou en mars.

738. Item, la première semaine de mai audit an 1438, (à) chacune des quatre portes de Paris, deux à la porte et une dessus les barrières[18] encontre le mur, on attacha trois pièces de toile très bien peintes de très laides histoires ; car en chacune [y] avait peint un chevalier des grands seigneurs d'Angleterre[19], icelui chevalier était pendu par les pieds à un gibet, les éperons[20] chaussés, tout armé sinon la tête[21], et à chacun côté un diable qui l'enchaînait, et deux corbeaux laids et hideux qui étaient en bas en son visage, qui lui arrachaient les yeux de la tête[22] par semblant.

739. Item, il y avait écrit au premier : GUILLAUME DE LA POULLE[23], CHEVALIER ANGLAIS, COMTE DE SUFFOLK ET GRAND MAÎTRE D'HÔTEL DU ROI D'ANGLETERRE, CHEVALIER DE LA JAR-

---

15. Le 24 juin.

16. Sur le marché ou en abondance.

17. L'inondation dépassait la Croix de la place de Grève, située du côté du quai, au milieu de la place.

18. Il y a trois toiles peintes : une sur chacun des vantaux de la porte visibles quand celle-ci est fermée et une au-dessus de la porte. Quand la porte est ouverte, il y a des barrières en chicane pour filtrer les entrées et faire payer les octrois, s'il y a lieu.

19. Il s'agit d'une procédure de décision par contumace, puisque les trois Anglais sont absents et on ne s'en prend qu'à leur réputation.

20. Signe de la qualité chevaleresque.

21. Pour qu'on puisse les reconnaître.

22. Les corbeaux leur picorent les yeux. Villon utilise aussi cette image dans la « Ballade des pendus ». Les diables les attendent pour avoir les âmes de ces parjures promis à l'enfer.

23. William de la Pole, comte de Suffolk.

RETIÈRE[24], FAUX PARJURE DE LA FOI MENTIE, DEUX FOIS[25], ET DE SON SCEL[26] A NOBLE CHEVALIER, TANGUY DU CHASTEL, CHEVALIER FRANÇAIS.

740. Item, l'autre était : ROBERT, COMTE DE HUILLEBIT[27], PARJURE UNE FOIS DE SA FOI MENTIE ET DE SON SCEL AUDIT TANGUY DU CHASTEL, CHEVALIER DEVANT DIT.

741. Item, l'autre était nommé THOMAS BLOND[28], CHEVALIER, non pas comte, ni chevalier de la Jarretière, comme les deux autres, mais PARJURE DE SA FOI MENTIE ET DE SON SCEL A TRÈS NOBLE CHEVALIER FRANÇAIS, MONSIEUR TANGUY DU CHASTEL. Ainsi était cette très laide[29] (histoire) encontre l'entrée de chacune porte de la ville de Paris.

742. Item, la nuit de la Saint-Jean, fut fait un grand feu devant la maison de la ville[30], et ne fut point allumé le droit feu qui était en la place accoutumée, pour ce que l'eau y était trop grande, car elle passait la Croix, comme devant est dit.

743. Item, la fille du roi nommée Marie[31], qui était religieuse à Poissy, alluma le feu d'un côté et le connétable[32] de l'autre, lequel on disait être favorable aux Anglais plus qu'au roi ni qu'aux Français[33], et disaient les Anglais qu'ils n'avaient point

---

24. L'ordre de chevalerie de la Jarretière a été créé par Édouard III en 1349, pour récompenser les héros de la conquête du continent. C'est à la fois une sorte de décoration et un indice de rang social.

25. Il avait deux fois été fait prisonnier par une troupe conduite par Tanguy du Châtel, et avait juré contre sa libération moyennant finances, de ne plus faire la guerre à Charles VII. Il avait prêté serment sur l'Évangile et donné sa foi.

26. Il avait aussi fait cette promesse par écrit et scellé de son sceau.

27. Robert Willoughby.

28. Thomas Blount est un simple chevalier.

29. (Du point de vue moral.) Renier sa foi est contraire à l'éthique chevaleresque et aux lois de la guerre. Charles VII fait ostensiblement remarquer que lui les observe.

30. L'Hôtel de Ville au fond de la place de Grève, le quai est inondé. Les feux de la Saint-Jean font partie de la culture populaire. Le principal feu de Paris allumé par les autorités se fait toujours sur la place de Grève.

31. Marie de France, religieuse à Poissy et fille de Charles VI, était née en 1393.

32. Arthur de Richemont. Le feu est allumé par une femme et un homme. Elle est de sang royal et il est gouverneur de Paris. C'est donner la présidence royale à la cérémonie.

33. Le connétable était d'origine bretonne et les Montfort étaient de traditionnels alliés de l'Angleterre. Par ailleurs, les rapports entre

paour* de guerre, ni de perdre, tant comme il serait connétable de France ; [ce] qu'il en était, je n'en sais rien, mais Dieu le sait bien. Et pour vrai, il se montrait très mauvais ou très couard en toutes ses besognes, car il alla la semaine d'après la Saint-Jean devant Pontoise et, tantôt, les menues gens qui avec lui étaient gagnèrent l'une des plus fortes tours qui fût en la ville, et quand il vit que l'on besognait si âprement, il fit tout laisser, et s'en refuit à Paris, et dit qu'il ne voulait pas faire tuer[34] ni les bonnes gens ; et pour certain le peuple qui avec lui était jurait, que s'il ne les eût point laissés[35], à très peu de temps ils eussent gagné la ville et chastel. Hélas ! l'emprise fut[36] si mal laissée, car il était l'entrée d'août, et on les laissa en ce point[37], par quoi ils firent si grand dommage des blés qui étaient entour Paris et entour Saint-Denis que nul n'osait aller cueillir ses grains aux champs ; et si ordonna ce noble connétable[38] que chacun arpent, de quelque gagnage[39] que ce fût, ou blé ou potage, ou de quelque semence[40] que ce fût, lui payât 4 sols parisis, sans les pâtis, sans les courses[41].

744. Item, de chacune queue de vin, 4 sols parisis ; de chacun muid, 8 blancs.

745. Item, parce qu'il[42] s'en revint ainsi, plusieurs de la ville eurent moult à souffrir des Anglais, car les uns furent décapités, les autres boutés* hors, les autres s'enfuirent et perdirent tous leurs biens.

746. Item, le mardi 19e jour d'août, trépassa madame Marie de Poissy au Palais, et mourut d'épidémie, dont elle fut moult

---

Charles VII soumis aux influences contradictoires de son conseil et son connétable avaient parfois été houleux. Mais il n'y a aucune raison de douter de sa fidélité à cette date.

34. Se faire tuer lui ni ses gens.

35. S'il ne les eût point abandonnés, en très peu de temps...

36. L'entreprise fut mal conduite.

37. A ce stade des opérations.

38. Expression moqueuse. Il n'est pas noble de piller les pauvres. Le Bourgeois ne se rend guère compte que Richemont doit payer ses troupes.

39. Quelque culture qu'il portât...

40. Il s'agit d'une levée d'impôt : des directs sur les terres possédées par les bourgeois de Paris et des aides accrues sur le vin.

41. Les contribuables sont peu enthousiastes, ils ont déjà dû payer des pâtis (pour éviter les dévastations des routiers) ou leurs terres ont été dévastées (les courses).

42. Le connétable.

merveilleusement éprise[43], comme il apparut, car les mires[44] qui son corps ouvrirent pour l'ordonner, comme à telle dame appartenait[45], furent tantôt frappés de ladite épidémie, et tous en moururent bien tôt après.

747. Item, elle fut portée en l'abbaye de Poissy, et là fut-elle enterrée très honorablement, comme à telle dame appartenait.

748. Item, cette dame était une moult grande dame, car elle était fille de roi, sœur de roi, bel'ante de roi[46], dame des religieuses de Poissy[47].

749. Item, le roi, ni nul des seigneurs ne venait à Paris, ni entour, ne que[48] s'ils fussent en Jérusalem, et pour ce y avait si grande charté* à Paris, car on n'y pouvait rien apporter qui ne fût rançonné ou tout robé* des larrons qui étaient ès garnisons[49] d'entour Paris ; car environ la Saint-Martin d'hiver[50] qu'on a semé, bon blé valait 7 francs et demi et plus, orge 6 francs le setier, pois et fèves 6 francs, une petit caque de petit vin vermeil 4 ou 5 francs, la livre de beurre salé 4 sols parisis, huile de noix 16 blancs, celle de chènevis[51] autant ; et il était nuls pourceaux à la Saint-Clément, par défaute du roi[52] qui ne

---

43. Frappée.

44. Médecins.

45. Elle fut embaumée avant d'être ensevelie dans le chœur de l'abbatiale de Poissy.

46. Fille de Charles VI, sœur de Charles VII, tante d'Henri VI d'Angleterre.

47. Elle n'en était pas abbesse. C'est Yolande de Norry qui était abbesse du couvent dominicain Saint-Louis-de-Poissy de 1423 à 1453. L'abbaye était de fondation royale et de nombreuses princesses y furent religieuses. Marie, vouée au couvent dès son plus jeune âge, avait refusé d'en sortir en 1407 pour épouser Édouard de Bar, et avait fait profession définitive en 1408. Elle était restée cloîtrée durant le gouvernement anglo-bourguignon et semble avoir été toujours favorable à Charles VII.

48. Pas plus que s'ils avaient été... D'un autre côté, la guerre continue et le roi est à l'armée, de l'autre l'épidémie de peste qui règne à Paris n'incite guère à la visiter.

49. Garnisons françaises ou anglaises. Elles sont aussi mal payées les unes que les autres.

50. Le 11 novembre. Les semailles sont déjà faites. Le prélèvement indispensable aux semences fait monter le prix du blé.

51. Le chènevis est une plante qui fournit de l'huile bon marché.

52. Le roi avait passé tout l'été au siège de Montereau et n'était retourné

tenait compte du pays de France, et se tenait toujours en Berry par les mauvais conseils qu'il avait.

750. Item, cet an, fut moult de noix, si vendait-on le setier 4 blancs, parce que les marchands de Paris[53] mettaient toutes choses qui garder se pouvaient en leurs greniers.

751. Item[54], en ce temps, les capitaines de Dreux, de Chevreuse[55] et aucuns de leurs gens vinrent faire le serment au connétable à Paris, et ceux qui ne le voulurent faire s'en allèrent à Rouen.

752. Item, ceux de Montargis firent semblablement, et rendirent ces trois places.

753. Item, Montargis s'était autrefois rendue par ainsi qu'on devait donner grande finance, laquelle un grand seigneur[56] qui la devait porter la joua aux dés. Ainsi était tout gouverné[57], et se rendirent la darraine* semaine, l'an 1438, au mois d'octobre.

754. Item, la mortalité[58] fut si grande, espécialment à Paris, car il mourut bien à l'Hôtel-Dieu en cette année cinq mille

---

en Berry qu'en décembre 1437. Le début de l'année 1438 fut occupé par la préparation des états qui aboutirent à la pragmatique sanction de Bourges. Le terme « France » signifie ici Île-de-France, par opposition au Berry.

53. En période de pénurie, il y a toujours spéculation à la hausse. Ceux qui le peuvent stockent pour vendre plus cher.

54. Toute l'année 1438 jusqu'à cet article 751 manque dans le manuscrit de Rome.

55. Les places de Montargis, Dreux et Chevreuse furent rachetées par le roi aux capitaines anglais de leurs garnisons. Dreux coûta 60 000 écus. Tout ceci fin octobre, début novembre. Les capitaines font ensuite serment de fidélité. Dans l'ensemble, ce procédé est moins coûteux qu'un siège. Ceux qui refusent le serment regagnent librement la Normandie anglaise.

56. Le capitaine de Montargis était François de Surienne, dit l'Aragonais, un routier célèbre. Il reçut 10 000 écus. Le Bâtard d'Orléans fut nommé capitaine à sa place. C'est probablement lui qui est visé.

57. Le Bâtard d'Orléans fut responsable de tous ses rachats. On ne l'accusa jamais d'en avoir profité. Cette rumeur prouve que la population parisienne trouve cette campagne de négociations et de rachats coûteuse. Il est possible aussi qu'il y ait là un vague souvenir de l'année 1432 où La Trémoille ne fit rien pour empêcher la ville de tomber aux mains des Anglais et fut suspecté de trahison.

58. C'est une épidémie de peste bubonique (la bosse). Elle fut surtout virulente durant l'été et l'automne 1438. Elle s'en prenait à une population vulnérable et mal nourrie. La mortalité fut très élevée. Jean Chartier parle de 50 000 morts, ce qui ferait le quart de la population parisienne à son maximum.

personnes, [et parmi la cité plus de quarante-cinq mille], tant hommes, que femmes, et enfants; car quand la mort se boutait* en une maison, elle en emportait la plus grande partie des gens, et espécialment des plus forts et des plus jeunes.

755. Item, de cette mort trépassa l'évêque de Paris[59], nommé sire Jacques, un homme très pompeux, convoiteux, plus mondain[60] que son état ne requérait, et trépassa le 2e jour du mois de novembre, l'an 1438.

756. Item, en ce temps venaient les loups dedans Paris par la rivière et prenaient les chiens, et si mangèrent un enfant de nuit en la place aux Chats[61] derrière les Innocents.

[1439]

757. Item, le jour Sainte-Geneviève et lendemain, et le 3e jour ensuivant[1], tonna, espartit*, grêla aussi fort comme on vit oncques faire en été tant au matin qu'après dîner; et était [tout] ainsi cher comme devant est dit.

758. Item, au mois de janvier, fut pris par les Anglais le chastel de Saint-Germain-en-Laye[2], et fut par un faux religieux de Sainte-Geneviève, nommé Carbonnet, lequel était prieur de Nanterre[3], et se fit privé[4] du capitaine dudit chastel, et tant fit

---

59. Jacques du Châtelier, évêque de Paris, mourut en novembre ou décembre 1438. Il avait de nombreuses dettes et s'était montré un pasteur avide et fastueux. Il était peu populaire dans le clergé parisien. Il fut enterré à Notre-Dame, dans le chœur, devant la stalle du pénitencier.

60. Attaché au monde. Un bon évêque méprise le monde.

61. La place aux Chats ou aux Chaps se trouve à la jonction des rues des Déchargeurs, de la Lingerie, et de la Ferronnerie. Elle sert alors de marché aux fripiers.

1. Sainte-Geneviève le 3 janvier, donc les 3, 4, 5 janvier 1439.

2. Saint-Germain-en-Laye, récupérée par Richemont en 1436, fut perdue en janvier 1439.

3. Les Génovéfins possédaient de grands biens à Nanterre. Ils en géraient la paroisse en y nommant un prieur. Lieu de naissance de sainte Geneviève, Nanterre avait un pèlerinage important autour du puits et de la grotte de la sainte.

4. Ami intime, favori.

qu'il y entrait à quelque heure qu'il voulait, et savait toujours où les clefs étaient, qu'on ne se défiait point de lui[5]; et le mauvais homme alla à Rouen et promit au comte de Warwick[6], que s'il lui voulait donner trois cents saluts d'or, il lui rendrait le chastel, et on les lui bailla*, et le faux traître leur livra le chastel au jour qu'il avait promis. Et environ douze ou quinze jours après [il] fut[7] pris et reconnut toute la trahison, et fut jugé à prison perpétuelle[8], chargé de gros fers, jambes et bras, et ne manger jamais que pain et eau, et très peu.

759. Item, fut la ville de Paris sans évêque jusqu'au 21e jour de février ensuivant, la vigile de la Chaire Saint-Pierre[9], qu'on[10] fit évêque de Paris l'archevêque de Toulouse. Pour ce qu'il était du conseil du roi[11], il eut l'un et l'autre[12], et aussitôt qu'il fut confirmé[13], il se transporta à son archevêché et laissa Paris[14], [si bien] qu'à Pâques et aux Quatre Temps de la première semaine

5. Il fut acheté pour 300 saluts d'or par les Anglais.

6. Richard Beauchamp, comte de Warwick, était lieutenant du roi d'Angleterre en France depuis le 16 juillet 1437. Il avait succédé au duc d'York, lui-même successeur de Bedford. Il n'était plus question de régence puisque Henri VI était majeur.

7. On comprend assez mal comment il avait eu l'inconscience de refaire surface à Nanterre ou à Paris.

8. C'est un clerc majeur. On ne peut donc le faire exécuter en vertu de son statut.

9. La chaire de Saint-Pierre est conservée dans la basilique Saint-Pierre de Rome. C'est l'un des symboles du pouvoir pontifical.

10. La Pragmatique permettait au roi d'intervenir dans les élections épiscopales, sous prétexte de protéger les libertés de l'Église de France des interventions pontificales. Ce « on » désigne le roi.

11. Denis du Moulin, originaire de Meaux, était docteur en droit. Chanoine de nombreux chapitres du sud de la France, il devint archevêque de Toulouse de 1423 à 1439. Il participait au conseil du roi et remplit de nombreuses missions diplomatiques. Charles VII avait besoin d'un homme sûr à Paris. Denis eut pour successeur à Toulouse son frère Pierre et vint s'installer à Paris en août. En prestige, il était moins honorable d'être évêque qu'archevêque, mais Paris était une beaucoup plus grande ville.

12. La présentation est telle qu'on pourrait croire qu'il cumulait les deux postes, ce qui n'est pas vrai. Notre Bourgeois n'était manifestement pas favorable à la Pragmatique.

13. Que son élection fut confirmée par le roi.

14. La période avant Pâques est marquée par de nombreuses obligations sacramentelles, auxquelles l'évêque est seul à pouvoir procéder : ordinations, confirmations, bénédiction du chrême...

de Carême, il convint prendre et prier autre prélat pour faire les ordres et le divin service appartenant à soi[15] de faire.

760. Et en celui temps, il n'avait ni roi ni évêque qui tînt compte de la cité de Paris, et se tenait le roi toujours en Berry[16], et il ne tenait compte de l'Île-de-France, ni de la guerre, ni de son peuple, ne que s'il fût prisonnier aux Sarrasins. Et dit-on par commun langage[17] : Selon seigneur, mesnie duite. Car en vérité les Anglais couraient toutes les semaines deux ou trois fois [autour de Paris], et pillaient, tuaient et rançonnaient, et pour certain le connétable, et les capitaines, ne s'en avançaient de leur défendre aucunement, ni que s'ils[18] fussent de leur parti.

761. Item, en celui temps, avait si cher temps à Rouen que le setier de bien pauvre blé coûtait 10 francs, et tous vivres au prix; et trouvait-on tous les jours en mi les rues des petits enfants morts que les chiens mangeaient ou les porcs, et tout [cela] par la cruauté de l'archevêque[19], qui était homme plein de sang, et avec lui le prévôt[20] qui avait été de Paris, messire Simon Morhier, qui élevé avait tant de maltôtes[21], que nul ne pouvait vivre en la cité de Rouen, s'il n'était à eux[22], où s'il n'était moult riche par avant; ainsi était tout gouverné.

762. Item, en celui an, l'an 1439, fut si largement verdure, comme porée, choux, poireaux, navets, persil, cerfeuil, et toute autre verdure appartenant à corps d'homme nourrir; car au mois de janvier jusqu'à la Saint-Jean, on avait plus de verdure pour un tournois à la Chandeleur et devant et après, qu'on avait eu l'année de devant en avril, ou en mai pour deux blancs ou trois.

---

15. Lui appartenant.

16. Charles VII résidait en Berry. Le problème était que les caisses royales manquaient d'argent pour expulser les Anglais.

17. Proverbe : « La maison est conduite comme le seigneur se conduit. »

18. Comme s'ils avaient été...

19. Louis de Luxembourg, ex-chancelier de France et évêque de Thérouanne, se fit prudemment transférer à Rouen le 24 octobre 1436. Il mourut en Angleterre en 1443 et il est enterré dans la cathédrale d'Ely.

20. Trésorier général de Normandie. Il avait effectué le même repli stratégique que l'archevêque.

21. Maltôtes. La pression fiscale augmente à cause de la guerre du côté français comme du côté anglais.

22. Les garnisons anglaises ne payaient pas l'impôt, elles n'étaient pas résidentes.

763. Item, environ huit jours après la Saint-Pierre, fut le persil et le cerfeuil tant cher qu'on n'en pouvait finer* ; pour vrai, on vendait 4 doubles ou 6 deniers autant de persil ou de cerfeuil qu'on avait eu quinze jours devant pour un noiret[23].

764. Item, à la Saint-Jean ou environ, enchérit tant le blé que pour vrai un setier de bon méteil valait 8 francs, et un setier de seigle valait 6 francs ; et la mesure de suif[24] 6 sols parisis ; la pinte d'huile de noix, 6 sols ; la livre de chandelle, 4 blancs.

765. Item, en celui temps, vint le connétable à Paris[25] et amena avec lui un grand tas de larrons, et fit entendant[26] qu'il était venu pour prendre Pontoise[27], et les mena environ la ville, et la regarda tant seulement de loin, et dit qu'elle était moult forte à prendre, et qu'il n'avait pas assez gens, et s'en retourna sans autre chose faire, lui et ses larrons[28], tout gâtant les blés, les gagnages[29] et les héritages des bonnes gens, avant qu'ils fussent bons[30], espécialment les cerises qui commençaient à rougir, et ce qu'ils ne pouvaient manger comme fèves nouvelles et pois, emportaient-ils à grands sachets[31].

766. Item, la darraine* semaine de juin, vint un autre aussi mauvais ou pire, nommé le comte de Pardiac[32], qui fut fils du comte d'Armagnac qui fut tué pour ses démérites[33], et amena une autre grande compagnie de larrons et de meurtriers qui pour leur mauvaise vie et détestable gouvernement furent nommés les Écorcheurs[34], et pour vrai ils n'étaient pas mal

23. Pièce noire sans valeur.
24. Graisse de porc utilisée pour la cuisine.
25. Il avait conduit durant l'hiver une expédition en Lorraine, au secours de René d'Anjou.
26. Fit croire.
27. Creil, Meaux et Pontoise restaient aux mains des Anglais et entretenaient l'insécurité. A la même date, Warwick envoie des renforts à Pontoise.
28. C'était probablement vrai. Le Bourgeois se défie des troupes de Richemont, composées de Bretons ou d'hommes du sud de la France, mal vus des Parisiens.
29. Terres labourables ou biens en général.
30. Avant la récolte.
31. Dans de grands sacs. Cela se mange une fois séché.
32. Bernard VII d'Armagnac, comte de la Marche et de Pardiac. Il amenait les renforts nécessaires pour prendre Meaux. Ses hommes n'étaient évidemment pas des enfants de chœur.
33. Ses convictions bourguignonnes ressortent. Bernard VII d'Armagnac fut assassiné pour des raisons politiques et non morales.
34. Nom donné à tous les routiers non payés qui dans les périodes de

nommés, car aussitôt qu'ils venaient en quelque ville ou village, il convenait se rançonner à eux à grande finance, ou ils degâtaient tous les blés qui y étaient, qui encore étaient tous verts. Et firent[35] entendant qu'ils devaient prendre Meaux d'assaut, ou par gens qui leur devaient livrer, ou par composition ou autrement, et firent charger canons et prendre tout le pain qu'on trouvait, et eurent de l'argent largement, car on cuidait* qu'ils dussent trop bien faire la besogne, mais ils ne passèrent guère par-delà le castel de Dammartin, et là pillaient, tuaient, rançonnaient les blés et tous autres gagnages, sans autre bien faire. Ainsi besognait le noble connétable de France[36], nommé Artus, comte de Richemont. Et pour vrai les prisonniers des Anglais[37] disaient à Paris et ailleurs, quand ils avaient payé leur rançon et qu'ils étaient en leurs lieux[38], que les Anglais disaient [pleinement] : « Par saint Georges ! vous pouvez bien crier et braire à votre connétable [qu'il vous secoure, car par saint Édouard[39] ! tant qu'il sera connétable], nous n'avons point paour* que nous soyons combattus qu'il puisse, car quand il veut faire une armée pour faire le bon valet[40] et pour avoir de votre argent, nous le savons[41] de par lui ou de par autre toujours trois ou quatre jours devant, car par saint Georges ! lui bon Anglais[42], et à secret et en appert*[43]. » Mais aucuns tenaient qu'ils[44] le disaient pour le mettre en haine

---

trêve vivent sur le pays. Ce phénomène courant dès le milieu du XIVe siècle s'était aggravé en 1438-1439. De nombreux « Anglais » n'avaient plus d'employeurs et le roi n'avait guère les moyens encore de créer une armée régulière et disciplinée. L'ordonnance de 1439 fut un échec, et il fallut attendre 1445 pour que l'écorcherie soit résorbée.

35. Sujet : Richemont et Pardiac.

36. La phrase est moqueuse. Le peuple trouve le temps long et voudrait des victoires immédiates et qui ne coûteraient rien.

37. Ceux qui avaient été faits prisonniers par les Anglais, puis qui avaient été libérés disaient (à leur retour).

38. Retournés chez eux.

39. Saint Georges et saint Édouard le Confesseur sont les patrons de l'Angleterre. Seul un Anglais peut jurer ainsi.

40. Jouer les bons apôtres. Il fait semblant de faire la guerre pour percevoir les taxes.

41. Il nous avertit.

42. Il est bon Anglais.

43. Ces accusations sont absolument fausses.

44. Les colporteurs de rumeurs.

du roi[45] et du commun, mais la plus saine partie[46] le tenait pour très mauvais homme et très couard. Bref, il ne lui challait*[47] [ni de roi], ni de prince, ni du commun, ni de ville, ni de castel que les Anglais prissent, mais[48] qu'il eût de l'argent, ni lui challait*] du demeurant, ni de quel part[49]. Bref, il n'était à rien bon au regard de la guerre, et laissait et souffrait aux gros qui avaient de grands greniers pleins de blés et d'autres grains, vendre aux pauvres gens tout comme ils voulaient, mais qu'il en eût aucun émolument ou profit[50], il ne lui challait* comment ils le vendissent ; et tant les laissa faire à leur guise[51], que la première semaine de juillet, qui voulait avoir un setier de bon blé, il coûtait 9 francs très bonne monnaie ; et les fèves pour faire moudre, 6 francs. Et pour ce que le peuple ne se pouvait taire, il fit le bon valet, et fit mettre le siège devant la cité de Meaux, mais ce fut quand ils[52] eurent tous cueillis leurs seigles et leurs potages. Et ne faisait mie* en deux mois ce qu'il dût avoir fait en huit jours, car il commença dès le mois de mai à dire à ses gens qu'il se convenait ordonner pour y aller[53], et si fut avant le 19e jour de juillet que lui et ses gens y mirent le siège ; lesquelles gens étaient les plus mauvaises gens[54] qu'on eût oncques vues au royaume de France, et se faisaient appeler[55]

---

45. Pour brouiller Richemont avec le roi ou le commun. Il n'avait pas que des amis au conseil où d'autres préféraient négocier avec les Anglais.

46. La majorité. Le Bourgeois en fait partie manifestement !

47. Peu lui importaient le roi, les princes...

48. Pourvu qu'il.

49. Il se moquait de tous et de tous lieux.

50. Pourvu qu'il participât aux bénéfices. Il accuse Richemont de protéger les spéculateurs. Il est plus facile d'en accuser un étranger que d'admettre qu'une partie des bourgeois de Paris affame l'autre.

51. Il aurait dû fixer des prix maximaux par denrée. Étant donné son impopularité, cela aurait été difficile et le connétable s'intéressait prioritairement au siège de Meaux.

52. La garnison de Meaux. Il eût été plus efficace, selon le Bourgeois, de mettre le siège avant la récolte de céréales et de légumes qui fournit aux assiégés des réserves.

53. Richemont manquait dramatiquement d'hommes et d'argent. Le roi fit voter en mars de l'argent aux États de Languedoc et envoya des renforts vers Paris en juin. Richemont était découragé et songeait à abandonner sa charge de lieutenant général.

54. Il y avait des Bretons (Rostreven, de Kermoisan). Le prévôt de Paris était Ambroise de Loré et Jean Bureau était à la tête de l'artillerie.

55. Sûrement pas. C'étaient en principe des troupes royales régulières.

les Écorcheurs, car tels les devait-on appeler et tenir partout où ils passaient, car après eux ne demeurait rien, ne qu'après feu[56].

767. Item, ils assaillirent la ville[57] le 12e jour d'août ensuivant, et la prirent par force, et y eut aucuns pris à qui on coupa les têtes[58].

768. Item, le Marché ne put être pris[59], et se mirent bien six cents Anglais dedans, qui le tinrent moult bien, jusqu'à ce que le roi vînt à Paris la deuxième fois puis l'entrée des Français, et y entra par la porte Saint-Antoine[60], le 9e jour de septembre, lendemain de la Nativité Notre-Dame ; et le jeudi ensuivant alla à Saint-Denis faire chanter[61] pour sa sœur dame Marie de Poissy.

769. Item, le dimanche ensuivant, rendirent les Anglais le Marché de Meaux[62], leurs vies sauves et leurs biens, et furent amenés par eau à Paris, et y furent deux jours sur la rivière, ès bateaux.

770. Item, le darrain* jour de septembre, se partit le roi de Paris et alla à Orléans[63], et lendemain, entre le jeudi et le

---

56. Comme après un incendie.

57. Le capitaine en était un Anglais, Thomas Abrigent, le bailli le bâtard de Thian. La garnison fit appel à Warwick, lequel dépêcha des secours dont l'approche le 11 août, décida Richemont à précipiter l'assaut.

58. Le Bâtard de Thian et les autres Français reniés.

59. L'armée de secours, dirigée par Somerset, Talbot, Scales avec 5 000 hommes, réussit à entrer dans le Marché. Ils cherchaient la bataille rangée où ils auraient probablement gagné. Richemont cantonna ses troupes à l'intérieur des ouvrages fortifiés. Pendant ce temps, les troupes de Charles VII bloquaient rivières et routes. Faute de vivres et voyant l'ennemi se dérober, les Anglais revinrent à Rouen, laissant des troupes fraîches dans le Marché.

60. Il venait assister à des états convoqués pour la fin septembre.

61. Des messes. Marie de France avait élu sépulture à Poissy et non à Saint-Denis, auquel elle avait droit. Des offices y sont célébrés à sa mémoire en présence du roi.

62. Quinze jours plus tard, Guillaume Chambrelain, nouveau capitaine de Meaux, rendit le Marché par composition. Les Anglais regagnèrent la Normandie avec leurs biens. C'était en fait une grande victoire. Mais le Bourgeois n'aime pas Richemont ! Il oublie aussi la réception solennelle qui fut organisée en son honneur à son retour.

63. Les États étaient transférés à Orléans. En même temps des conférences avaient lieu à Gravelines avec les Anglais en juillet, août, septembre. Les États se prononcèrent pour la paix et adoptèrent une ordonnance de réforme de l'armée.

vendredi, vinrent les Anglais environ minuit en la ville de Notre-Dame-des-Champs, et boutèrent feux*, et prirent hommes et biens ce qu'ils purent.

771. Item, le 23e jour d'août, l'an 1439, fut pris en la rivière de Seine, devant les Bernardins[64] ou environ, un poisson qui avait entre queue et tête 7 pieds et demi au pied du roi [du Châtelet] largement.

772. Item, en celui temps, espécialment tant comme [le] roi fut à Paris[65], furent les loups si enragés de manger chair d'homme, de femme ou d'enfant, qu'en la darraine* semaine de septembre [ils] étranglèrent et mangèrent 14 personnes, tant grands que petits, entre Montmartre et la porte Saint-Antoine, tant dedans les vignes que dedans les marais ; et s'ils trouvaient un troupeau de bêtes, ils assaillaient le berger[66] et laissaient les bêtes. La vigile Saint-Martin[67] fut tant chassé un loup terrible et horrible qu'on disait que lui tout seul avait fait plus des douleurs devant dites que tous les autres ; celui jour fut pris et n'avait point de queue, et pour ce fut nommé Courtaut, et [on] parlait autant de lui comme [on fait] d'un larron de bois ou d'un cruel capitaine, et disait-on aux gens qui allaient aux champs : « Gardez-vous de Courtaut. » Icelui jour fut mis en une brouette[68], la gueule ouverte, et mené parmi Paris, et laissaient les gens toutes choses à faire, fût boire, fût manger[69], ou autre chose nécessaire que ce fût[70], pour aller voir Courtaut, et pour vrai, il leur[71] valut plus de dix francs la cueillette[72].

---

64. Le couvent des Bernardins avaient d'immenses jardins qui aboutissaient à la Seine, le long du quai des Tournelles.

65. Il y a un parallèle implicite. Le roi, par l'intermédiaire de ses percepteurs, mange aussi le pauvre contribuable.

66. Ces loups cannibales et amateurs de chair humaine sont diabolisés. C'est un très vieux fantasme qui resurgit à cause des circonstances où il y a effectivement multiplication des loups.

67. Le 10 novembre. Il y a dans la légende de saint Martin un loup qui mange l'âne du saint, puis devient son serviteur et porte ses bagages.

68. Il fallait ramener le cadavre du loup pris au piège pour percevoir les primes données par les autorités (20 sols parisis par loup). De plus, on les exposait aux passants qui donnaient ce qu'ils voulaient pour le spectacle.

69. Fût-ce boire, fût-ce manger.

70. Fût-ce leur travail.

71. A ceux qui l'avaient pris.

72. La quête.

773. Item, en cette année fut tant de glands de chêne qu'on les vendait à la halle au blé emprès* l'avoine, à aussi grands sachets[73] comme blé.

774. Item, le 16e jour de décembre, vinrent les loups soudainement et étranglèrent quatre femmes ménagères*, et le vendredi ensuivant ils en affolèrent[74] dix-sept entour Paris, dont il en mourut onze de leur morsure.

775. Et faisaient en ce temps ceux qui gouvernaient de par le roi nouveaux subsides[75], car ils ordonnèrent que quelque bête à corne, comme bœufs ou vaches, qui serait vendue au marché paierait 4 sols parisis ; le pourcel 8 blancs ; le mouton ou brebis 4 blancs. Et avec ce firent une très grosse taille et très grevable, car qui n'avait payé devant que 40 sols, il payait 6 livres, car elle doubla deux fois ; et aussitôt comme ils[76] venaient [pour être] payés et [si] on[77] ne les payait, on avait tantôt après sergents en garnison[78] qui moult grevaient* le pauvre commun, car quand ils étaient dedans les maisons, il les convenait gouverner de grands dépens[79], car c'étaient les valets du diable[80], ils faisaient du mal trop plus qu'on ne leur commandait.

---

73. Sacs. C'est la nourriture des porcs.

74. Rendirent folles par leur morsure.

75. Ce sont les impôts décidés au printemps. Ils mélangent les aides (taxes sur les ventes variables à la valeur de l'objet vendu), et une taille, un impôt direct qui varie avec la fortune du contribuable. Elle était destinée aux dépenses militaires.

76. Les receveurs de la taille.

77. Si on ne les payait point.

78. C'est un procédé très impopulaire de logement de la garnison de Paris.

79. Ils coûtaient cher à entretenir.

80. C'étaient les valets du Diable. Théoriquement, ils obéissaient à Richemont et c'était à peu près vrai quand il pouvait les payer.

[1440]

776. Item, en celui an, en janvier et février[1], vint moult grande foison de porcs, mais les faux gouverneurs, quand ils virent la grande abondance, ils firent tant enchérir le sel que le boisseau de sel[2] coûtait 22 sols parisis, et encore on n'en pouvait finer* pour son argent; et furent à Paris perdus très grande foison de porcs qu'on avait tués, par défaut de sel, car les gouverneurs ne voulaient qu'on l'amenât que par chevallées[3], pour vendre plus à leur volonté; et disait-on tout pour vrai que tout ce faux gouvernement ne procédait que de la fausse malice de l'abbé de Saint-Maur-des-Fossés[4].

777. Item, en cette année fut tant de taupes que tous les jardins en étaient gâtés.

778. Item, en cette année furent les Écorcheurs en Bourgogne[5], et en grande cour du pays[6] mirent toutes les bêtes à corne, comme vaches [et] bœufs qui labouraient aux champs qu'ils purent trouver, sans* les bêtes à laine et pourceaux et autre bétail[7], et tous firent mourir de faim, parce que [les bêtes] furent trop sans manger là-dedans; et fut pour ce que les gens du pays ne purent payer si grande rançon qu'ils demandaient.

779. Item, en cette année furent les Écorcheurs devant

---

1. C'est l'hiver et jours gras. Le porc est la principale denrée consommée sous forme de lard ou de viande salée.

2. Le sel est un monopole royal, vendu dans les greniers à sel moyennant une taxe qui va au roi (la gabelle). Le commerce n'en est donc pas libre, ni le prix qui est fonction de la fiscalité autant que de l'offre et de la demande.

3. Ce que transporte un petit cheval: par petites quantités.

4. Jean le Maunier, abbé de Saint-Maur-des-Fossés, était général sur le fait de la justice des aides depuis 1436. Il siégeait à la cour des Aides qui arbitrait les conflits en matière de gabelle. Ce n'était évidemment pas une fonction populaire.

5. L'écorcherie est un phénomène très général dans tous les États du temps. Même la Bourgogne de Philippe le Bon, qui est en paix, connaît ce phénomène par incursions de bandes qui viennent du royaume.

6. C'est une rumeur fort imprécise. Faire payer des rançons pour le bétail est fréquent.

7. On ne voit pas pourquoi. Les auraient-ils mangés? Cette histoire a pour but de prouver que les destructions des écorcheurs sont gratuites et stupides.

Avranches[8] et y mirent le siège, et en était chef le connétable le comte de Richemont ; et étaient bien quarante mille contre huit mille Anglais, et firent lever le siège à grand déshonneur, qu'ils le voulussent ou non[9].

780. Item, en celui temps, le roi et son fils furent à descort[10] par le conseil d'aucuns des seigneurs de France, comme le duc d'Anjou, le connétable, lesquels[11] furent avec le roi, et le duc de Bourbon avec le dauphin, et un grand nombre qu'on nommait les plus larrons qui fussent au remenant* du monde, et étaient nommés les Écorcheurs[12] ; et faisaient guerre au pauvre peuple, si forte qu'on n'osait issir* hors des bonnes villes, et quelque personne qu'ils encontrassent, ils lui demandaient : « Qui vive ! » S'il était de leur parti, il n'était seulement que dérobé* de quanqu'il avait, et s'il était d'autre parti, il était tué et dérobé*, ou mené en prison, dont jamais il n'issait*, tant était tiré[13], géhenné* et mis à grande rançon, que jamais ne la pouvait payer, et par cette cause mourait en leurs prisons.

781. Item, ils mangeaient chair en Carême, fromage, lait et

---

8. L'idée, astucieuse, était d'éloigner ces braves gens de la région parisienne qui n'en pouvait plus. Prendre Avranches n'était pas vraiment le but de cette action.

9. L'opération ne fut pas ratée car elle permit de casser et de renvoyer dans leurs foyers, pour indiscipline, nombre d'écorcheurs. Les 6 000 routiers qui, à Noël 1439, assiégèrent temporairement Avranches, ne revinrent pas.

10. Eurent des différends. Il s'agit de la Praguerie qui avait regroupé contre le roi une série de grands seigneurs autour du duc Charles de Bourbon et du dauphin. Le futur Louis XI voulait jouer un rôle, Charles de Bourbon était furieux de l'influence du conseil de son ennemi Charles, comte du Maine, frère cadet de René, duc d'Anjou, et de celle du connétable de Richemont. L'opinion publique soutenait le roi et ne voyait dans les princes révoltés que des factieux.

11. Il est assez injuste de leur reprocher leur fidélité. Ce sont les autres qui se sont révoltés avec le soutien du dauphin. Mais le Bourgeois n'aime ni Richemont ni les Angevins.

12. La guerre civile fut une aubaine pour les écorcheurs, à nouveau pourvus d'emploi et de prétextes pour agir. Elle sonna temporairement le glas des efforts du roi pour s'en débarrasser et l'ordonnance de 1439 sur l'armée permanente fut vouée à l'échec. Il fallut tout recommencer en 1445.

13. Malmené. De toute manière, qui les rencontre perd son avoir. S'il est d'un autre parti, il risque sa vie. Les écorcheurs se remplissent les poches plus qu'ils ne font la guerre.

œufs comme en autre temps[14]. En celui temps se boutèrent*[15] dedans Corbeil, et dedans le Bois de Vincennes et à Beauté.

782. Item, le premier dimanche de mai, l'an 1440, environ une douzaine de ces Écorcheurs vinrent à Paris, et après dîner allèrent jouer en l'île Notre-Dame avec autres gens, et regardèrent les toiles des bourgeois de Paris qu'on blanchissait, et très bien les avisèrent, et quand ce vint sur le soir ils firent semblant s'en venir[16], et se mucèrent[17] en lieu qu'ils avaient épié, et à minuit ou près vinrent en ladite île et prirent toutes les toiles de lin sans prendre une toute seule de chanvre[18], et navrèrent* les gardes de plusieurs plaies, et dit-on qu'elles valaient bien 400 livres parisis, et s'en allèrent[19] droit à Corbeil, et un vieil chevalier nommé messire Jean Foucault, et le capitaine du Bois de Vincennes[20] qui les dussent avoir rescoussés, s'en allèrent partir[21] à butin à Corbeil.

783. Item, cette année 1440, fut tant de hannetons et si largement qu'on ne les avait oncques mais vu venir à si grande abondance, mais il fit si très grand froid la première semaine de juin et si grand vent et pluie qu'ils n'eurent point de longue durée.

784. Item, il fut tant de taupes partout qu'on n'avait oncques mais vu, car pour vrai elles gâtaient toutes les semences qu'on mettait en terre; et si avait tant de lors[22] qu'il ne

---

14. Ils n'appliquaient pas les prescriptions de l'Église, qui sont de faire maigre en Carême. Ils étaient de mauvais chrétiens.

15. Les écorcheurs. Ce sujet unique est intéressant car il renvoie à la fois aux deux camps. Les gens du duc de Bourbon occupèrent Corbeil et ceux du roi Vincennes et Beauté-sur-Marne. Il confond volontairement leurs actions en principe opposées.

16. S'en retourner.

17. Se cacher.

18. Les toiles de lin sont coûteuses et les toiles de chanvre bon marché. Ce sont des connaisseurs. Les toiles sont blanchies avec de l'eau de la Seine, puis on les fait sécher. Ils s'en emparèrent sur les séchoirs.

19. Il s'agit de troupes du duc de Bourbon, Paris est au roi. Olivier de Coetivy y maintient l'ordre pour Richemont qui participe à la répression de la Praguerie.

20. Jacques de Chabannes. Il aurait dû secourir les Parisiens et poursuivre les voleurs.

21. Répartir le butin: se le partager. Corbeil est, en principe, encore royale à cette date.

22. Loches, limaces.

demeurait rien en arbre qui fruit portât, ni cosses de pois ou de fèves.

785. Item, en ce temps, avait moult cruelle guerre entre le roi et son fils, et était le duc de Bourbon[23] à l'aide du fils contre le père, et se tenait en fortes villes au pays de Bourbonnais, accompagné de foison de gens d'armes qui tout détruisaient son pays[24]. Et d'autre part le roi était au pays de Berry, car pour certain on allait bien dix ou douze lieues[25] qu'on n'eût trouvé que boire, ni que manger, ni fruit, ni autre chose, et si était-on au droit cœur d'août ; et tuaient et coupaient les gorges les uns aux autres, fût prêtre, ou clerc, ou moine, nonnain, ménestrel ou héraut[26], femmes ou enfants ; bref il n'était homme ni femme qui n'osât (se) mettre en chemin pour chose qu'il eût à faire, et prenaient les villes les uns aux autres. Corbeil fut pris au nom du duc de Bourbon ; Beauté et le Bois et les autres étaient[27] de par le roi. Et ceux de Corbeil allèrent faire une course pour piller sur les champs, et aussitôt qu'ils furent un peu éloignés de Corbeil, ceux de la ville leur fermèrent les portes, et leur capitaine[28] qu'on nommait messire Jean Foucault, chevalier, se bouta* dedans le chastel, lui et ceux qui étaient demeurés pour garder la ville. Et tantôt ceux de la ville, quand ils virent qu'il s'enfermait au chastel, l'assiégèrent ; et quand ils se virent ainsi assiégés, si jouèrent atout, car ils[29] avaient assez de canons et d'artillerie, dont ils

---

23. Il simplifie le tableau : le duc de Bourbon avait l'aide de Dunois, La Trémoille, du comte de Vendôme, du duc d'Alençon. Les premières opérations eurent lieu autour de Marmoutier contre le duc d'Alençon, puis autour de Saint-Maixent dont le roi s'empara. Le Bourgeois ne s'intéresse qu'à la phase finale de la lutte en Auvergne et en Bourbonnais.

24. Cette vision est tout à fait fausse. Charles VII dirigea en personne la prise des différentes villes contrôlées par les seigneurs révoltés, mais il est exact qu'il ne vint pas à Paris qui n'était pas menacée.

25. La phrase vise, en fait, le Bassin parisien.

26. Ils étaient protégés par un statut particulier, tout comme le clergé. Les femmes et les enfants l'étaient en principe aussi. Leur faiblesse même les situait en dehors de la guerre.

27. (Prises ou possédées.)

28. Il s'agit de l'ex-capitaine de Corbeil pour le roi. Il avait donc eu une attitude peu nette pour garder sa place. Il profite de l'absence de la garnison bourbonnaise pour récupérer le château d'où il peut résister longtemps.

29. La garnison royale récupère l'enceinte urbaine. Il y a donc un duel d'artillerie interne à la cité.

dommagèrent moult ceux de la ville, [de sorte que nul homme de la ville] n'était tant hardi d'approcher vers eux. En ce temps le roi et son fils furent accordés[30], et par ainsi toutes les places que le duc de Bourbon avait prises la guerre durant, furent rendues[31] au roi par le traité fait entre les seigneurs ; et par ce point fut le chastel délivré de Foucault et d'un grand tas de larrons qui avec lui étaient[32]. Et fut ladite paix criée parmi Paris du roi et de son fils le jour madame Sainte-Anne, 28e jour de juillet, et fit-on les feux parmi Paris.

786. Et cette année 1440 fut très fructueuse de tous biens, très bons et à bon marché, car on avait aussi bon blé pour 16 sols parisis [comme l'année de devant pour 5 francs ; aussi bonnes fèves pour 4 blancs, comme l'année devant pour 7 ou pour 8 sols parisis], très bons pois pour 6 blancs, et si grand marché de tout fruit, comme on voulait demander, car on avait le cent de grosses pêches pour 2 deniers parisis, poires d'Angoisse ou de Calliau-pépin très grosses pour 4 deniers le quarteron, le cent de prunes de Damas[33] pour 7 deniers, le cent de [très] bonnes noix pour 4 tournois.

787. Item, en ce temps, la ville de Harfleur était assiégée[34] des Anglais, pour quoi le roi fit une grande assemblée de gens d'armes[35] pour qui il convint faire une grosse taille et lever subsides plus grands qu'autrefois ; car une queue de vin[36]

---

30. Plus exactement, Charles VII avait écrasé les révoltés et il leur accorda pardon et amnistie.

31. C'est l'une des clauses principales du traité du 28 juillet 1440. Les révoltés promettaient obéissance et licenciement de leurs troupes.

32. Corbeil resta encore un certain temps au duc de Bourbon. Richemont n'en reprit possession que quelques mois plus tard.

33. Ce sont des sortes de pruneaux qu'on peut faire sécher.

34. Malgré la poursuite de négociations qui aboutirent à la libération de Charles d'Orléans, la guerre avait repris. Le duc d'York était lieutenant général et il avait chargé Talbot et Dorset de prendre Harfleur, seule place française dont la situation, à l'embouchure de la Seine, gênait beaucoup les Anglais.

35. L'armée de secours était conduite par le comte d'Eu, Dunois et La Hire. Elle arriva devant Harfleur le 14 octobre, mais elle fut battue et la ville capitula quelques jours après.

36. Il s'agit d'une augmentation des aides sur le vin, des taxes sur le transport ou la vente du vin. C'est en 1440 que pour la première fois Charles VII fut en mesure de lever l'impôt sans recourir aux États qui n'avaient pu se réunir à cause de la Praguerie. Cette nouveauté capitale passe totalement inaperçue ici.

payait aux portes de Paris 20 blancs, qui ne payait l'année devant que 8 blancs.

788. Item, quand l'assemblée des gens d'armes fut faite, ils prirent leur chemin à venir parmi Paris pour quérir* leurs nécessités[37], et y furent bien quatre ou cinq jours ; et étaient répartis ès villages d'entour Paris, et tout à leur pouvoir gâtèrent, car c'était le droit cœur de vendange.

789. Item, en ce temps était très grande nouvelle de la Pucelle[38], dont devant a été faite mention, laquelle fut arse* à Rouen pour ses démérites[39], et y avait adonq maintes personnes qui étaient moult abusés d'elle, qui croyaient fermement que par sa sainteté elle se fût échappée du feu et qu'on eût arse* une autre, cuidant* que ce fût elle ; mais elle fut bien véritablement arse* et toute la cendre de son corps fut vrai jetée en la rivière pour les sorcelleries[40] qui s'en fussent pu ensuivre.

790. Item, en celui temps, en amenèrent les gens d'armes une[41], laquelle fut à Orléans très honorablement reçue[42], et quand elle fut près de Paris, la grande erreur recommença de croire fermement que c'était la Pucelle ; et pour cette cause l'Université et le Parlement la firent venir à Paris bon gré mal gré, et fut montrée au peuple au Palais sur la pierre de marbre en la grande cour, et là fut prêchée et traitée sa vie et tout son

---

37. L'armée, rassemblée dans la vallée de la Loire, forme à Paris ses convois de ravitaillement pour le siège.

38. Claude des Armoises est une aventurière qui avait épousé un chevalier lorrain dont elle avait eu deux fils. Elle avait mené une existence fort agitée que nous ne connaissons guère qu'entre 1436 et 1440. En 1436, la famille de Jeanne d'Arc la reconnut comme telle et les bourgeois d'Orléans la reçurent solennellement en 1439. Le roi, qui n'y croyait pas, lui fit faire un procès.

39. Il n'a donc pas changé d'avis. C'était une hérétique ou une sorcière. Le procès de réhabilitation est de 1456. Le Bourgeois ne l'a donc pas connu.

40. Le gouvernement anglais craignait un culte sur sa tombe beaucoup plus que des pratiques magiques. Il fallait donc qu'elle n'eût pas de tombeau.

41. Entre 1436 et 1439, elle vécut à Metz et à Cologne, protégée par la dame de Luxembourg et le comte de Wurtemberg. Elle avait eu de gros ennuis avec l'inquisition de Cologne, pour sorcellerie et port d'habit d'homme.

42. En juillet 1439. On lui fit de somptueux cadeaux.

état, et dit qu'elle n'était pas pucelle[43], et qu'elle avait été mariée à un chevalier dont elle avait eu deux fils. Et avec ce disait qu'elle avait fait aucune chose, dont il convint qu'elle allât au Saint-Père[44], comme de main mise sur père [ou] mère, prêtre ou clerc, violemment, et [seulement] pour garder son honneur ; car, comme elle disait, elle avait frappé sa mère par mésaventure, comme elle cuidait* férir* une autre, et pour ce qu'elle eut bien eschevé[45] sa mère, si n'eût été la grande ire où elle était, car sa mère la tenait pour ce qu'elle voulait battre une sienne commère. Et pour cette cause lui convenait aller à Rome ; et pour ce elle y alla vêtue comme un homme, et fut comme soudoyer en la guerre du Saint Père Eugène[46], et [fit] homicide en ladite guerre par deux fois, et quand elle fut à Paris, encore retourna en la guerre, et fut en garnison et puis s'en alla.

791. Item, le 9e jour d'octobre, fut reçu à Notre-Dame de Paris, c'est à savoir, le jour de monseigneur Saint-Denis, l'évêque de Paris, lequel était archevêque de Toulouse, ainsi fut-il archevêque et évêque de Paris, et fut nommé Denis du Moulin[47].

792. Item, en celui mois, fut faite une grosse taille pour aller secourir Harfleur que les Anglais avaient assiégé, et fut cueillie, et puis n'en firent autre chose Français ; et ceux de Harfleur par force de famine se rendirent aux Anglais[48], et si étaient bien les Français vingt mille, comme on disait, ou plus, et les Anglais

---

43. Elle semble s'être mariée en 1436 dans l'entourage de la dame de Luxembourg.

44. Le procès de Paris conclut à l'imposture. Il était donc prudent de prévoir un pèlerinage à Rome pour obtenir un pardon du Saint-Père. Aucun autre texte ne donne ces précisions.

45. Évité (de frapper).

46. Eugène IV, pape de 1431 à 1447. Il eut de nombreux ennemis, les Colonna, la ville de Bologne et surtout le roi Alphonse V, qu'il se refusait à reconnaître à Naples. Ce pape avait été contesté par le concile de Bâle qui lui avait élu un rival, Félix V, mais le roi de France n'avait toujours reconnu qu'Eugène IV comme vrai pape.

47. Il s'agit de la réception officielle par le chapitre de l'évêque élu l'année précédente. La présentation du Bourgeois est partiale car il résigna l'archevêché de Toulouse le 10 juin 1439. Il est logique de choisir la fête du premier évêque de Paris comme date pour ce genre de cérémonie.

48. Après l'échec de l'armée de secours.

n'étaient pas [plus de] huit mille[49] qui toujours gagnaient pays. Et vraiment il semblait que les seigneurs de France fuissent toujours devant [eux], espécialment le roi[50], qui avait avec lui tant de larrons[51], car les rois étrangers disaient aux marchands du pays de France, quand ils allaient en leur pays, que le roi de France était le droit orme[52] aux larrons de chrétienté. Et pour certain ils ne mentaient mie*, car tant y en avait en Île-de-France qu'elle était toute peuplée de gens pires que ne furent oncques Sarrasins, comme il apparaît par les grands énormes péchés et tyrannies qu'ils faisaient au pauvre peuple de tout le pays où le roi les menait[53], mais la plus grande tyrannie qu'on eût oncques [bien] vue, comme des enfants nouveaux, car ils les ôtaient aussitôt qu'ils étaient nés de leur mère et les eussent plutôt laissés mourir sans baptême[54] que jamais père ni mère les eussent eus sans grande rançon[55].

793. Item, ils prenaient les petits enfants qu'ils trouvaient parmi les chemins aux villages ou ailleurs, et les enfermaient en huches[56], et là mouraient de faim et d'autre mesaise, qui ne les rançonnait de grande rançon.

794. Item, quand un prudhomme avait une jeune femme et ils le pouvaient prendre, et il ne pouvait payer la rançon qu'on lui demandait, ils le tourmentaient et tyrannisaient moult gravement ; et les mettaient en grandes huches, et puis prenaient leurs femmes et les mettaient par force sur le couvercle de la huche où le bon homme était, et criaient : « Vilain, en

---

49. Ces chiffres sont très probablement faux. L'armée française était beaucoup moins nombreuse qu'il ne le dit.

50. Il n'avait nullement participé à l'affaire d'Harfleur. Le Bourgeois pratique l'amalgame.

51. Il n'a pas une haute opinion des troupes royales.

52. Sens probable : protecteur, abri. Il s'agit de l'arbre du même nom.

53. Il tient absolument à le rendre directement responsable des méfaits des écorcheurs.

54. La mort sans baptême, c'est l'impossibilité d'avoir accès au paradis. Pour cette raison, on baptisait les enfants dans les trois jours suivant la naissance. L'enlèvement d'enfants non baptisés est donc presque impossible. De toute façon, si un enfant non baptisé est en danger de mort, tout chrétien a l'obligation et la possibilité de lui administrer ce sacrement.

55. Le passage est intéressant, car il prouve l'attachement aux tout-petits dont nous avons généralement peu de preuves au Moyen Age. Les parents paient rançon.

56. Qui ont la forme d'un cercueil.

dépit de toi, ta femme sera chevauchée[57] ci endroit. » Et ainsi le faisaient, et quand ils avaient fait leur malle* œuvre, ils laissaient le pauvre homme périr là-dedans, s'il ne payait la rançon qu'ils lui demandaient. Et si n'était roi ni nul prince qui pour ce s'avançât de faire aucune aide au pauvre peuple, mais disaient à ceux qui s'en plaignaient : « Il faut qu'ils vivent[58], si ce fussent les Anglais, vous n'en parleriez pas, vous avez trop de bien. »

[1441]

795. Item, le samedi, 14e jour de janvier l'an 1441, entra le duc d'Orléans[1] à Paris, qui avait été prisonnier aux Anglais au pays d'Angleterre par l'espace de vingt-cinq ans et plus. Quand il eut été environ huit jours à Paris, il se départit de Paris, lui et sa femme[2] qu'il avait amenée avec lui, et se partit de Paris le jeudi ensuivant qu'il fut venu à Paris, et alla voir son pays d'Orléanais. Et ceux de Paris lui donnèrent de beaux dons à sa départie, et il les prit très volontiers, et encore convint-il faire une taille pour l'aider, dont le clergé paya la moitié[3], pour ce qu'il promit par la foi de son corps de faire paix entre le roi de France et d'Angleterre[4] ; pour ce le clergé fut plus incliné à lui

---

57. La femme violée sur le couvercle de la huche où le mari est prisonnier est un vieux fantasme des récits de guerre médiévaux que l'on trouve dès le début du XIVe siècle.

58. Même les Écorcheurs doivent vivre ; or ils ne sont pas payés.

1. Charles d'Orléans, prisonnier depuis Azincourt, avait été libéré le 12 novembre 1440 à Gravelines. Il devait payer une grosse rançon de 400 000 écus qu'il emprunta pour une bonne part. Il reçut des cautions de nombreux princes et le roi lui permit de lever des dons gratuits.

2. Sa troisième femme, Marie de Clèves, nièce de Philippe le Bon, qu'il avait épousée à Saint-Omer le 26 novembre 1440. Ce mariage marquait la réconciliation Orléans-Bourgogne. La duchesse est la mère du futur Louis XII.

3. Le clergé lui accorda 500 francs sous forme de don gratuit pour payer sa rançon et pour ses frais lors des négociations de paix avec l'Angleterre.

4. Ces négociations aboutirent aux trêves de Tours en 1441.

aider à ladite taille, car tout se perdait par la maudite guerre. Il est vrai qu'on pendit un larron, lequel était coutumier quand il voyait un petit enfant, en maillot ou autrement, il l'ôtait à la mère et tantôt le jetait au feu sans pitié, qui tantôt ne le rançonnait, et en fit mourir aucuns par sa cruauté comme Hérode[5].

796. Item, en celui an 1441, fut le cimetière des Innocents par l'espace de quatre mois qu'on n'y enterra oncques personne, petit ni grand, ni on n'y fit procession ni recommandation[6] pour quelque personne, et tout par l'évêque qui pour lors était, qui en voulait avoir trop grande somme d'argent, et l'église était trop pauvre[7]. Et fut nommé cet évêque maître Denis du Moulin, lequel était archevêque de Toulouse, patriarche d'Antioche, évêque de Paris, et du grand conseil du roi Charles VIe de ce nom; et si disait-on qu'il n'en était pas content[8], et si était homme ancien et très peu piteux à quelque personne, s'il ne recevait argent ou aucun don qui le valût, et pour vrai on disait qu'il avait plus de cinquante procès en Parlement[9], car de lui n'avait-on rien sans procès.

797. Item, [il ou] ses très déloyaux complices trouvèrent une pratique bien étrange, car ils allaient parmi Paris, et quand ils voyaient huis fermés, ils demandaient aux voisins d'entour: « Pourquoi sont ces huis fermés? — Ha! sire, répondaient-ils, les gens en sont trépassés. — Et n'ont-ils nuls hoirs qui y fussent demeurés? — Ha! sire, ils demeurent ailleurs. » Et tant faisaient que par leurs décevantes paroles savaient où ils demeuraient, et tantôt les faisaient citer pour rendre compte de leurs[10] testaments, et si par aucune aventure pour long temps

---

5. L'image qui sous-tend ce passage est celle du massacre des Innocents. Hérode voulait tuer le Christ qui un jour serait roi de Judée. La Sainte Famille se réfugia en Égypte. « Qui » renvoie à la mère de l'enfant.

6. Prière en faveur d'un défunt.

7. L'église paroissiale des Innocents. Toute église reverse à l'évêque une part de ses revenus (dîmes, oblations). Or, une paroisse peut être endettée ou avoir des paroissiens sans ressources. Il sous-entend ici que l'évêque a voulu accroître sa part sur une paroisse désargentée.

8. De sa part.

9. Denis du Moulin avait l'esprit très procédurier. Il est vrai qu'on lui connaît toute une série de procès au Parlement avec la plupart des institutions ecclésiastiques de son diocèse. Ses relations avec le chapitre de Notre-Dame furent particulièrement mauvaises.

10. Les testaments sont matière d'Église, mais seulement s'il y a

passé, qu'ils eussent bien accompli leur testament et qu'ils le prouvassent bien, si ne pussent-ils sévir, s'ils tantôt n'apportassent leur testament[11], et y eut 10 ou 12 ans, si leur coûtait-il argent par leur subtile cautèle.

798. Item, cette année fut moult bonne, car on avait le setier de bon froment pour 16 sols parisis; le setier de noix pour 24 sols parisis, et le criait-on parmi Paris, comme on fait le charbon à 3 blancs le boisseau, la pinte d'huile 5 blancs, bonnes pommes de mai pour 2 blancs le boisseau, la pinte de vin 2 deniers, fèves pour 10 deniers, pois pour 4 blancs, navets pour 4 deniers le boisseau. Mais les Anglais couraient souvent jusqu'aux portes de Paris, et si n'y avait qu'un seul capitaine d'Angleterre, nommé Talbot[12], qui faisait visage et tenait pied[13] encontre le roi et sa puissance, et pour vrai il semblait au semblant qu'ils[14] montraient que moult le doutassent*, car toujours s'éloignaient de lui 20 ou 30 lieues, et il chevauchait parmi France plus hardiment qu'ils ne faisaient. Et si taillait tous les ans le roi deux fois[15] son peuple du moins pour aller combattre[16] Talbot, et si n'en faisait-on rien; par quoi le peuple des villages fut tant grevé* comme au pain quérir*, espécialment laboureurs, car le blé, qui leur avait coûté en semence 4 francs [le setier, ne leur valait[17] que 16 sols parisis ou 20 sols au plus, et l'avoine, qui avait coûté 3 francs], ne leur rendait que[18] 13 sols parisis, et pareillement de tous grains; et, après[19], les

---

contestation. Tous les testaments ne passent donc pas en cour d'Église. C'est ici un abus. Leur: les testaments dont ils étaient bénéficiaires.

11. Fournir (le texte du testament). Ils avaient perdu l'acte et les études notariales désorganisées par la guerre n'en avaient pas toujours le double enregistré. Ce genre de procédure est, en fait, un signe du retour à la normale.

12. John Talbot était capitaine de la plus grosse garnison anglaise du Bassin parisien, celle de Creil.

13. Faire front et tenir tête.

14. Les armées royales.

15. Une fois, en fait, en deux termes. Après 1440, l'impôt devint annuel et sans consentement des États.

16. La guerre est encore la seule justification possible de l'impôt.

17. Ne leur rapportait en récolte que...

18. N'avait qu'un rendement de... La semence coûte presque autant que la récolte ne rapporte. Ils avaient semé en période de cherté et la récolte fut très abondante.

19. Après (en outre)...

pâtis, les tailles et les courses sans pitié ; et qui pis* est, les capitaines firent une ordonnance[20] aux châteaux d'entour Paris, où il y avait ponts à passer, comme Charenton, le pont de Saint-Cloud et autres ponts, que quelque personne qui y passerait paierait passage, fût à pied ou à cheval ; au pont de Saint-Cloud toute personne qui y entrait ou issait*, et y entrait cent fois le jour, tant de doubles lui convenait payer sans merci, une charrette[21] vide ou pleine 6 doubles, un chariot 12 doubles.

799. Item, le 19e jour de mai, jour Saint-Yves, fit mettre le roi le siège devant Creil[22] par le connétable, et y vint et son fils avec lui.

800. Item, le [mardi] 23e jour de mai, vigile de l'Ascension Notre Seigneur, on fit crier le pain de 2 doubles à 2 parisis, pesant le blanc 24 onces ; et le pain faitis[23] à toute sa fleur, de 2 deniers parisis, pesant 32 onces tout cuit.

801. Item, le jour de l'Ascension Notre Seigneur, furent pris parmi Paris plus de 300 pauvres hommes laboureurs par le commandement d'un droit cruel tyran, qui pour lors était président, nommé maître......[24], pour mener en l'ost* devant Creil[25], et les épiaient les sergents à l'issue des églises et mettaient[26] moult rudement la main à eux, et faisaient trop pis* qu'on ne leur commandait, mais qui pis*, qui en parlait tant soit peu, il était mis en prison vilainement, et lui coûtait moult. Mais, comme ils étaient entre les mains de ces ennemis sergents, et qu'ils devaient ou cuidaient* partir, Notre Seigneur les conforta grandement, car environ deux heures après dîner, vint un héraut de par le roi et de par le connétable, tout

---

20. (Relative) aux.
21. La mesure vise en fait le trafic de marchandises et non les allées et venues.
22. Creil avait une importante garnison anglaise, 30 lances à cheval, 10 à pied et 120 archers. Il faut compter de 3 à 5 hommes par lance. La ville fut prise dès le 24 mai. Le lieutenant de Talbot, Guillaume Peyto, capitula avant que Talbot ait pu le secourir. L'armée française possédait une redoutable artillerie.
23. De moyenne qualité. Pour le même prix, il est plus lourd.
24. Probablement un président du Parlement.
25. On fait du recrutement forcé, faute d'hommes.
26. Pour repérer les plus vigoureux. La base de l'armée est le volontariat soldé. Ici, on manque de volontaires.

batant*[27], qui apporta lettres au prévôt de Paris et[28] des marchands et à la ville, lesquelles faisaient mention que la ville de Creil et le chastel s'étaient rendus[29], par ainsi que les soudoyers qui dedans étaient s'en étaient allés atout leurs bagues[30] franchement, lesquels, si comme on disait, étaient bien 500 hommes de fait. Quand les pauvres laboureurs devant dits ouïrent* les nouvelles, si furent moult réconfortés[31], et ceux de Paris moult réjouis, et firent moult grande joie ; et sonna-t-on par toutes les églises de Paris moult hautement, et après souper on fit grands feux comme à la Saint-Jean ou plus, et dansait-on parmi Paris, et les enfants criaient « Noël ! » moult hautement.

802. Item, le jeudi ensuivant, vint le Dauphin à Paris et fut logé en l'hôtel des Tournelles, emprès* la porte Saint-Antoine, et n'y demeura qu'une nuit, ni ne se montra point à Paris, ni son père le roi n'y vint point[32], pour ce qu'on leva la plus grande taille à Paris, selon[33] la grande pauvreté d'argent et de gagnes[34] qui pour lors était, qu'on eût vue puis cinquante ans ; car on faisait premier très grands emprunts à tous ceux de Parlement, de Châtelet et de toutes les cours de pratique[35], sous peine de tous perdre leurs biens, et les convenait payer ou être mis en prison, et avoir sergents en son hôtel en garnison, qui tout gâtaient aussitôt qu'ils (y) étaient, car ils faisaient très outrageuse dépense et autres mauvaises besognes plus qu'on ne leur commandait.

803. Item, après celui prêt furent assises autres grosses tailles, et cuidait* le peuple qu'on ne lui demandât[36] rien, mais

---

27. Immédiatement.
28. Ambroise de Loré.
29. Les victoires sont ainsi toujours annoncées par des lettres circulaires aux bonnes villes du royaume, destinées à être lues publiquement.
30. Avec leurs bagages.
31. On les libéra puisqu'on n'avait plus besoin de soldats.
32. Il coucha à Saint-Denis. Son argumentation n'est pas très logique, puisque Charles VII vint à Paris le mois suivant.
33. Si on la compare à...
34. Salaires, possibilités de gagner sa vie.
35. Toutes les cours de justice souveraines ou non. Les officiers des cours souveraines dispensés d'impôt étaient par contre tenus de répondre aux emprunts forcés. Ils avançaient donc l'argent de l'impôt.
36. L'emprunt est une avance sur impôt. Pour le rembourser, il faut faire payer celui-ci.

après commença la grande douleur au peuple d'icelle taille, car nul ni nulle n'en échappa[37], et très gravement furent assis[38], car qui n'avait payé devant que 20 sols, il payait 4 livres[39], celui de 40 sols à 10 francs, celui de 10 francs à 40 francs ; et si n'y avait point de merci, car, qui était refusant, ses biens étaient vendus en mi la rue et son corps en prison.

804. Item, fut mis le siège devant Pontoise[40] le mardi des fêtes de Pentecôte qui fut le 4e jour de juin, l'an 1441, et le samedi ensuivant, vint le roi à Paris comme un homme étranger[41], et son fils, et se logea près du chastel de Saint-Antoine, lui et son fils, comme s'ils eussent paour* qu'on leur fît aucun grief, dont on n'avait talent, ni volonté. Et le jour de la Trinité manda[42] l'Université environ cinq heures après dîner, et leur demanda aide d'argent pour payer ses gens ; après parla aux bourgeois qu'il avait si très gravement taillés, n'avait encore pas un mois, et leur demanda, que comment que ce fût, à force ou autrement, ils lui fissent bientôt finance de vingt mille écus d'or.

805. Item, depuis que le roi fut devant Pontoise[43], ne fut jour qu'on ne fît à Paris procession, l'Université, les religieux ou les paroisses.

806. Item, la darraine* semaine de juillet, vint le roi à Saint-Denis, et fut là trois semaines entières, lui [et la plus grande

---

37. Sauf les exemptés (nobles, clercs, officiers royaux, pauvres). L'assiette de l'impôt médiéval est très incomplète.

38. Soumis à une assiette de l'impôt très lourde.

39. Cela fait environ une multiplication par 4.

40. Cette taille était destinée au financement du siège de Pontoise qui avait une grosse garnison d'environ 2000 hommes, selon G. Gruel. L'armée royale comprenait 10000 combattants et tous les grands chefs de guerre (le connétable, Charles d'Anjou, Bueil) et l'artillerie de Bureau. Le roi et son fils y participèrent. Le siège fut très long.

41. On ne fit aucune cérémonie d'entrée. En période de levée d'impôt, il valait mieux éviter les dépenses somptuaires.

42. Il eut donc bien le courage de réclamer l'impôt lui-même. Les Universitaires sont gens d'Église et dispensés en principe. On leur promet donc que ce ne sera pas un précédent. Le clergé dans son ensemble dut fournir 3000 francs pour le siège de Pontoise lors de cette seconde levée.

43. Du début juin au 19 septembre. Il s'agit de processions officielles aux différentes paroisses de Paris, environ deux par semaine pour le succès des armées royales. Y participent tous les corps constitués, les moines ou frères, le clergé paroissial.

partie de] sa gent[44], et là faisait conseils tous les jours et conspirations, l'une fois de laisser le siège[45], l'autre fois de prendre tout l'argent que les confréries de Paris avaient[46], et disaient les faux conseillers que trop y avait confréries[47] à Paris de la moitié, et tant firent par leur grande mauvaiseté que la plus grande partie des confréries furent apetissées de la moitié[48] ou plus; car pour la plus grande partie où on disait trois ou quatre messes, deux à note[49] et deux basses, on ne chanta qu'une basse, et où il y avait 20 ou 30 cierges, que 3 ou 4 pointes[50], sans torches, ni sans honneur à Dieu. Et de toute part où le roi et tous les grands en général qui étaient avec lui savaient les Anglais, ils s'enfuyaient d'autre part, puis à Poissy, puis à Maubuisson, [puis à L'Isle-Adam, puis à Conflans[51]], puis s'en refuyaient à Saint-Denis[52], et toujours avait en leur compagnie trois Français contre un Anglais[53], lesquels Français ne faisaient tous les jours que piller et rober*, gâter toutes les vignes, tous les fruits, couper les arbres tout chargés de fruit, qui ne les rançonnait, et abattre les maisons couvertes de

44. C'est la période entre les deux expéditions de secours que les Anglais firent à partir de la Normandie pour venir en aide à la garnison de Creil. La première fut dirigée par Talbot fin juin et la deuxième par le duc d'York avec 8 000 à 9 000 hommes au début d'août. Elles réussirent à approvisionner et changer la garnison, mais non à faire lever le siège. Les Français étaient très bien retranchés et le roi avait défendu d'affronter les Anglais en rase campagne. A terme, la tactique paya.

45. Cette tactique d'attente est mal comprise. Le contribuable veut des résultats tout de suite.

46. Le trésor des confréries a toujours été tentant pour les gouvernements en difficulté.

47. Il y en avait plusieurs par paroisse pour un nombre d'habitants qui avait, lui, beaucoup diminué. Certaines avaient de la peine à vivre et il n'est pas sûr que la diminution de la somptuosité de leurs messes soit due à autre chose.

48. (Des ressources...) Il sous-entend qu'on les soumit à des emprunts forcés.

49. Grand-messe.

50. Petits cierges.

51. Ces mouvements compliqués qu'il interprète mal ont lieu pour éviter la bataille, en attendant le résultat des opérations menées parallèlement en Normandie.

52. Les troupes royales avaient aussi un camp fortifié autour de l'abbaye Saint-Martin-de-Pontoise.

53. Ils avaient une supériorité numérique moins grande qu'il ne le croit: 12 000 hommes contre 9 000 hommes d'York.

tuiles[54] ; bref, tout était rançonné aux champs et à la ville. Et si le savaient bien les seigneurs, mais ils étaient trétous sans pitié, que quand on s'en plaignait, ils disaient : « Si ce fussent les Anglais, vous n'en parleriez [pas] tant, il convient qu'ils[55] vivent où que [ce] soit. » Ainsi était ce roi Charles VII gouverné, voire pis* que je ne dis, car ils[56] le tenaient comme on fait un enfant en tutelle[57].

807. Item, toujours étaient devant Pontoise, si advint[58] un jour de jeudi en septembre, le jour Sainte-Croix, qu'aucuns des Français allèrent devant la cité d'Évreux[59], et fut rendue sans sang épandre que peu, car d'un côté et d'autre n'y eut morts que 5 hommes.

808. Item, le 19e jour de septembre ensuivant, fut prise par force d'assaut Pontoise, et furent tués à l'assaut 400 Anglais ou environ, et des Français environ 10 ou 11[60].

809. Item, plusieurs Anglais furent mis à mort en celliers et en caves et autres lieux où ils furent trouvés mussés*, et si en eut l'Hôtel-Dieu[61] de trouvés qui eurent malles* étrennes.

810. Item, le 25e jour dudit mois de septembre, emmenèrent les gens d'armes les prisonniers qu'ils avaient amenés à Paris après la prise de Pontoise en leurs forteresses, moult piteusement, car ils les menaient au pain de douleur, deux et deux accouplés de très fort chevestres*[62], tout ainsi comme on mène chiens à la chasse, cux montés sur grands chevaux qui moult

---

54. La couverture en tuile est le signe de luxe.

55. Les soldats.

56. Les seigneurs de son conseil.

57. Son opinion est parfaitement fausse. Charles VII était un redoutable manipulateur de la classe politique et savait à merveille utiliser les autres. Son surnom fut d'ailleurs « le bien servi ». Mais cette réputation remonte aux premiers temps du royaume de Bourges et elle fut difficile à perdre.

58. Contrairement à ce qu'il croit, ce n'est pas un hasard. En inquiétant les Anglais en Normandie, on les ferait lâcher prise à Creil.

59. Le 15 septembre 1441, Robert de Floques, capitaine de Conches, emporta la ville par surprise. C'est la première grande ville normande récupérée par les troupes royales. Floques en fut nommé bailli.

60. D'après d'autres sources, il y aurait eu entre 500 et 800 morts anglais, de 10 à 40 morts français et 400 prisonniers.

61. C'est un lieu d'asile en principe, mais la ville a été prise d'assaut et non par composition.

62. Liens de chanvre.

tôt[63] allaient ; et les prisonniers étaient sans chaperon, tous nu-tête, chacun d'un pauvre haillon vêtu, tous sans chausses, ni souliers la plus grande partie ; bref on leur avait tout ôté jusqu'aux brayes*[64]. Et en emmenèrent 53 de l'hôtellerie [du Coq] et du Paon[65] de la grande rue Saint-Martin ; et tous (ceux) qui ne se pouvaient rançonner, ils les menaient en Grève vers le Port-au-Foin, et les liaient pieds et mains sans merci moins que de chiens, et là les noyaient[66], voyant tout le peuple ; et moult en y eut de noyés et d'emmenés en forteresses, comme devant est dit, car plus de gens d'armes avait delà les ponts sans comparaison qu'il n'avait deçà les ponts, et toutefois guère hôtellerie n'eut deçà ni delà où il n'eût [pas] foison de prisonniers[67], espécialment où étaient les gens d'armes.

811. Item, ce 25e jour, vint le roi à Paris[68] environ quatre heures après dîner, et ne vint point le Dauphin ce jour.

812. Item, le roi s'en alla derechef en son pays de Berry à cette fin qu'on ne lui demandât quelque relâche de maltôtes[69], dont tant y avait en France, et aussi pour une grosse taille que les gouverneurs voulaient cueillir, laquelle ils cueillirent, fût tort ou droit.

813. Item, quand le roi se fut parti de Paris, un peu après, le 15e jour d'octobre[70], l'an 1441, vint le duc d'Orléans à Paris prendre une beschée[71] sur la pauvre ville de Paris, et puis s'en retourna en son pays le 20e jour dudit mois, sans nul bien faire pour la paix, ni pour autre chose quelconque.

---

63. Vite.

64. Vêtement de dessous qu'on leur avait laissé.

65. Ces deux maisons appartenaient au prieuré Saint-Martin-des-Champs.

66. Il est le seul à en parler. Normalement, les soldats anglais étaient rachetables. Noya-t-on les Français reniés ?

67. Ce qui tendrait à prouver qu'il n'y eut pas beaucoup de noyés.

68. C'est bien laconique pour une entrée triomphale où le roi était accompagné du dauphin, du connétable et de tous les chefs de l'armée qui défilèrent dans les rues.

69. Charles VII resta plus d'un mois à Paris. Il n'a pas à l'égard de l'impôt les remords de conscience que lui suppose notre Bourgeois.

70. Le roi semble être encore à Paris début novembre.

71. Becquée. Se nourrir au détriment de... Il reçut des cadeaux pour son activité diplomatique.

814. Item, en ce saint temps de l'Avènement de Notre Seigneur, on troubla tellement l'Université[72] qu'oncques n'y eut prédication faite, ni à Noël, ni ès octaves, ni jusqu'au jour des Brandons.

[1442]

815. Item, après ce cessa le Parlement[1], et fut avant le 8e jour de Carême que ceux du Parlement plaidassent aucune cause, qui fut [cette] année le 21e jour de février.

816. Item, le pénultime* jour de janvier[2], trépassa la femme du comte de Richemont, connétable de France, qui fut premier épousée au duc Louis de Guyenne, fils du roi de France Charles le VIe de ce nom, et fut fille de Jean, duc de Bourgogne, comte de Flandre et de plusieurs autres comtés et duchés[3] ; et trépassa en la rue de Jouy, et fut enterrée le 5e jour de février en l'église de Notre-Dame-des-Carmes[4] à Paris, et fut

---

72. La grève des Universités commença au début de l'Avent, le 30 novembre 1441, et se termina le 18 février 1442. L'Université suspendit ses cours et ses prédications pour protester contre les atteintes à ses franchises. Le roi finit par la rétablir dans ses privilèges. Le jour des Brandons est le premier dimanche de Carême.

1. Les parlementaires n'étaient pas payés et se mirent en grève pour obtenir satisfaction du vendredi d'avant Noël 1441 au 19 février 1442 (d'après le journal de Maupoint).

2. Plus probablement le 2 février. Le 31 janvier est la date de son testament. Elle était malade depuis fort longtemps et mourut à l'hôtel du Porc-Épic, rue de Jouy, près de la rue Saint-Antoine.

3. Cette princesse bourguignonne, belle-sœur de Charles VII, avait joué un rôle important dans le rapprochement entre Philippe le Bon et le roi. Elle avait aussi aidé efficacement à la carrière de son mari. Résidant continuellement à Paris depuis 1436, elle y était seule à représenter la famille royale après la mort de Marie de France.

4. Tout cela est conforme à ses dernières volontés. Elle avait élu sépulture en la chapelle Notre-Dame-de-Recouvrance de l'église des Carmes. Elle était protectrice de la confrérie du même nom. Elle avait voué son cœur à Notre-Dame-de-Liesse dans sa jeunesse.

porté son cœur à Notre-Dame-de-Liesse ou de Liansse[5], lequel qu'on veut.

817. Item, en cette année fut si grande année d'oignons qu'environ Pâques fleuries, qui furent cette année[6] le jour de l'Annonciation Notre-Dame, ne valait le grand boissel* de Bourgogne[7] que 6 deniers parisis ; et en icelui temps vint tant de figues à Paris que la livre de la meilleure ne coûtait que 4 deniers parisis, et raisins[8] très bons 4 deniers parisis, fèves les plus belles à 12 deniers parisis, pois très bons à 4 blancs.

818. Item, au mois d'avril après Pâques 1442[9], furent les eaux si grandes qu'elles étaient le jour de Pâques, qui furent le premier jour d'avril cette année 1442, qu'elles venaient jusque devant l'hôtel de ville, en la place de Grève et plus, et puis fut-elle marchande[10], et tantôt après, à l'entrée de mai, vint derechef aussi grande comme devant, qui moult fit de mal aux gagnages[11] des bas pays sur rivière.

819. Item, entre le samedi et le dimanche devant l'Ascension, qui fut le 6e jour de mai, qu'on a accoutumé d'aller à Saint-Spire de Corbeil en pèlerinage[12], environ neuf heures de nuit commença la plus grande pluie qu'oncques mais d'âge d'homme, tant fût vieux, eût été vue, car depuis cette heure jusqu'au jour elle ne cessa et chut* si très abondamment que ès plus larges places des grandes rues de Paris elle allait ès moutiers, dedans les celliers, par-dessus le seuil des huis hauts[13], et levait les queues de vin jusqu'aux planchers[14] ; et

---

5. Notre-Dame-de-Liesse (Aisne, arrondissement de Laon, canton de Sissonne).

6. Qui furent cette année (le dimanche de) l'Annonciation... L'Annonciation est le 25 mars et Pâques fut le 1er avril, comme le Bourgeois le dit au paragraphe suivant.

7. Les mesures de capacité sont extrêmement variables, suivant les régions.

8. Il s'agit évidemment de fruits secs.

9. L'année commençant à Pâques (fête mobile), il peut y avoir certaines années un avril avant Pâques et un avril après Pâques 1441 (pour nous 1442), d'où la nécessité de cette formulation.

10. Praticable par les marchands : navigable.

11. Champs cultivés.

12. La procession est particulièrement solennelle, parce qu'elle célèbre implicitement la reprise de Corbeil par le roi.

13. Les seuils surélevés.

14. Les planchers du premier étage. Il veut dire que les tonneaux flottaient.

avec ce tonnait et espartissait*[15] si terriblement que tout Paris en fut épouvanté, et ceux qui étaient allés à Saint-Spire nous dirent qu'ils n'en ouïrent* rien ni de la pluie, ni du tonnerre.

820. Item, cette semaine, le 4e jour[16], le vendredi devant le samedi que cette terrible pluie chut*, furent vues entre Villejuif et Paris plus de 400 corbeaux qui s'entre-battirent de becs, d'ongles et d'ailes si très fort que firent oncques gens en bataille mortelle[17], et en ladite place ils épandirent foison de leur sang, et faisaient si horribles cris que très grande paour* et freour* en avaient ceux qui les [virent et] ouïrent*.

821. Item, le 3e jour de juin, l'an 1442, fut dédiée l'église de Saint-Antoine-le-Petit[18] par révérend père en Dieu maître Denis du Moulin, lors évêque de Paris, archevêque de Toulouse[19], patriarche d'Antioche[20] et conseiller du roi notre sire.

822. Item, cette année, fut le plus bel août et les plus belles vendanges qu'on eût vu puis cinquante ans devant, et tant de vin qu'on en avait pour 2 deniers parisis ou pour 2 deniers tournois la pinte, sain et net; pommes grosses de Capendu, de Roumeau pour un double le quarteron; grosses poires d'Angoisse pour 2 doubles.

823. Item, le 11e jour d'octobre, au jeudi, fut la recluse, nommée Jeanne la Voirière[21], mise par maître Denis du

---

15. Faisait des éclairs.

16. Soit le 4 mai. Le quatrième jour (du mois).

17. Ce type de présages annonce des guerres acharnées causant beaucoup de blessés et de morts.

18. Dépendance de Saint-Antoine-des-Champs sur la rive droite. C'est une église fort ancienne qui a subi des agrandissements ou des travaux nécessitant une nouvelle dédicace.

19. Il tient absolument à le faire cumuler les sièges, ce qui est faux.

20. Ces titres « *in partibus* » (au milieu des Infidèles) ne sont que des marques d'honneur qui ne correspondent à aucune fonction réelle et qui sont donc cumulables.

21. Il y a des recluses au cimetière des Innocents depuis le début du XVe siècle. Elles vivent d'aumônes royales (8 livres par an) et de la charité publique. Il faut distinguer les recluses volontaires dont la vocation est de nature religieuse, ce qui est le cas ici de Jeanne La Verrière, et les recluses par décision de justice. En 1486, par exemple, Renée de Vendômois qui avait tué son mari fut aussi recluse aux Innocents. En principe, il n'y avait aux Innocents qu'une recluse de vocation, immédiatement remplacée à son décès.

Moulin, lors évêque de Paris, en une maisonnette toute neuve dedans le cimetière des Innocents, et fit-on un bel sermon devant elle et devant moult grande foison de peuple, qui là était pour le jour[22].

[1443]

824. Item, en cet an fut le plus long hiver qu'oncques homme vivant eût vu, car il commença proprement la vigile Saint-Nicolas[1] en décembre à geler, et ne cessa jusqu'environ le quinzième jour d'avril qui fut le lundi de la semaine péneuse[2], et puis recommença à l'entrée de mai, l'an 1443, et gela les quinze premiers jours très fort, qui moult empira les vignes et les hannetons aussi.

825. Item, en cet an furent pois et fèves très mauvais à cuire et tous pleins de cossons[3] et très chers, car un boissel* de bons pois coûtait 6 sols parisis et fèves 4 sols parisis ou plus; et advint parce que l'été fut très chaud et sans pluie. Mais tous fruits furent à très grand marché, car en la fin du mois d'août on avait très belles pommes de Capendu le quarteron pour 2 doubles; le cent de noix pour 2 deniers parisis et autres fruits à la value; le mole de bonne bûche, 8 blancs; le cent de costerets pour 20 sols parisis; mais oignons furent très chers, car six oignons gros coûtaient 4 deniers parisis.

826. Item, cette année 1443, fut bien quatre mois et plus sans pleuvoir point [ni] en hiver ni en été, par quoi les vins furent de très mauvaise garde[4], et tôt tiraient à aigreur et devenaient roux et de malle* saveur, et pour ce furent-ils cette année à bon marché.

827. Item, le jour Sainte-Marguerite, 20e jour de juillet 1443,

---

22. Pour cette occasion. Il faut remarquer que notre auteur n'est guère prolixe sur cette année 1442.

1. Le 5 décembre.
2. La Semaine sainte.
3. Charançons, vers.
4. Très difficiles à conserver.

vint le Dauphin à Paris, et pour sa venue[5] fit-on une grosse taille.

828. Item, la 2e semaine d'août, ledit Dauphin fut devant Dieppe et par force il leva le siège que les Anglais avaient tenu devant ladite ville par l'espace de grand temps[6], et là furent morts grande foison d'Anglais[7] et de bons marchands.

829. Item, qu'on ne doit de rien jurer qui soit à advenir[8], car le premier jour de septembre ensuivant, un prisonnier de la prise de Pontoise, qui avait été par plusieurs fois condamné à noyer[9] ou d'autre pire mort, et toujours avait été enferré ès prisons de Saint-Martin-des-Champs, vendu et revendu de rançon à plus grande rançon[10], le premier jour de septembre fut marié à une [belle] jeune femme bien née[11], et y eut très belle fête ; et de bonne foi ils n'attendaient tous les jours que la mort, lui et son compagnon, qui fut délivré celui jour sur sa foi[12]. Ainsi œuvra Fortune en ces deux hommes, et pour ce nul ne se doit défier de Notre Seigneur, ni se désespérer pour nulle peine.

830. Item, en la fin d'août vint le Dauphin à Paris et y fut environ trois jours, et après alla à Meaux, et là fut aucuns jours qu'oncques n'alla à l'église que tous les jours aller chasser

---

5. Cet impôt devait servir à financer la campagne de Dieppe.

6. La ville, défendue par Charles des Morets, était assiégée par Talbot depuis novembre 1442. On avait réussi à la ravitailler par mer, mais on craignait l'arrivée d'une armée de secours dirigée par le duc de Somerset qui venait de débarquer à Cherbourg. La bastille fut enlevée d'assaut le 15 août 1453.

7. Il y aurait eu environ 300 morts. La présence de marchands à Dieppe est certaine, mais la ville étant bloquée par terre et par mer depuis neuf mois, ils ne devaient guère être nombreux.

8. Proverbe : « On ne doit jurer de rien. »

9. Cela nous permet de douter assez fortement des noyades qu'il nous a décrites précédemment.

10. Il y a un marché des prisonniers et de leurs rançons, où l'on spécule sur les moyens des familles et leurs accointances, ainsi que sur les perspectives de paix. Un prisonnier de rang élevé a toute chance de changer de mains plusieurs fois.

11. Il ne donne pas assez de détails pour que l'histoire soit compréhensible. Il semble que son dernier propriétaire ait préféré en faire son gendre plutôt que son prisonnier. Il ne s'agissait probablement pas d'un Anglais mais d'un Français renié qui obtenait ainsi son pardon et fournissait des garanties pour l'avenir. Cela évite au père de verser une dot.

12. Sur parole.

et faire telles vanités[13] ou pis*, et avec lui [il] avait quelque [mille] larrons qui toute détruisirent l'Île-de-France ; et leur donna cestui Dauphin sur chacune vache qu'ils prendraient demi-écu[14], et sur chacun cheval un écu, et qui voulait vendanger, il convenait qu'il rançonnât[15] sa vigne à grande rançon. Et toute cette douloureuse tempête qui ainsi se souffrait de par le Dauphin et des gouverneurs[16] faux et traîtres au roi, ne se faisait que pour ce que le pauvre peuple ne pouvait pas payer les grandes tailles[17] et autres subsides à quoi on le mettait de jour en jour, et faisaient entendre qu'on faisait ces aides pour aller devant le Mans, les autres disaient devant Rouen, les autres [disaient] devant Mantes[18]. Et faisaient ainsi entendre les faux gouverneurs au peuple, et tant tinrent ces fausses paroles que le peuple était tout apaisé de leurs dommages, pour espérance qu'on avait qu'ils fissent aucune chose de bien, mais leur espérance fut toute vaine, car ils tinrent tant le pauvre peuple en cette espérance que l'hiver commença ; lors fut dit par les faux gouverneurs qu'on ne pourrait tenir siège jusqu'au temps nouvel, et que le roi avait moult à faire où il était très grand besoin, et que son fils allât par-devers lui et sa compagnie hâtivement[19]. Ainsi se partit le Dauphin le 14e jour d'octobre l'an 1443, quand il eut sa part de la taille, sans faire aucun bien que..... tout le pays [et] détruire.

---

13. Le futur Louis XI adorait la chasse et n'était guère un mari fidèle.

14. C'est parfaitement invraisemblable. Cela supposerait qu'il rachète ainsi le butin pour le revendre. Il est plus crédible que les troupes fassent preuve de leur indiscipline habituelle.

15. Lever des pâtis est interdit depuis l'ordonnance de 1439. Mais elle est mal respectée.

16. Il vise principalement Richemont, René d'Anjou et son frère Charles, comte du Maine.

17. La taille était devenue annuelle depuis 1440, et son montant variait avec les opérations militaires. Si l'impôt ne rentrait pas, les soldats non payés se livraient au pillage. C'est la première fois qu'il acceptait cette réalité.

18. Ces tailles sont levées pour faire face au débarquement de Somerset. Elles durent donc être utilisées en Normandie ou en tout cas dans l'Ouest.

19. Ce retour avait deux causes. Somerset avait été repoussé. Suffolk, qui venait de remplacer le duc d'York à la tête du conseil en Angleterre, désirait la paix et des négociations enfin sérieuses pouvaient s'engager.

831. Item, en ce temps furent défendues toutes prédications dès devant la mi-août jusqu'à la Conception Notre-Dame en décembre[20].

[1444]

832. En icelui temps n'était nouvelle de roi, ni de reine[1], ni de quelque seigneur de France à Paris[2], ni que s'ils fussent à 200 lieues, mais que les gouverneurs[3] sous leurs ombres* faisaient tailles sans cesser, disant que le roi et ses sujets, mais qu'ils eussent l'argent, qu'ils iraient conquêter toute Normandie[4], mais quand la taille était cueillie et qu'ils l'avaient pardevers eux, plus ne leur en challait* que de jouer aux dés, ou chasser au bois, ou danser, ni ne faisaient mais, comme on soulait* faire, ni joutes, ni tournois, ni nuls faits d'armes par paour* des horions[5] ; bref, tous les seigneurs de France étaient tous devenus comme femmes[6], car ils n'étaient hardis que sur les pauvres laboureurs et sur les pauvres marchands, qui étaient sans nulles armes. Et quand ils virent que le pauvre peuple

---

20. Cette défense s'explique par la brouille temporaire du roi et de l'Université qui fit grève du 15 août au 8 décembre 1443 pour la défense de ses privilèges d'exemption de taille. Il y en eut une autre du même type l'année suivante durant six mois. La présentation du Bourgeois est donc partiale. Le roi souhaitait seulement faire rentrer les Universitaires dans le rang et lutter contre nombre de privilèges dont certains étaient abusifs.

1. Marie d'Anjou semble n'avoir guère quitté le Berry ou la vallée de la Loire.
2. Et pour cause. Les négociations avec l'ambassade anglaise avaient commencé en février à Tours où avaient été convoqués les membres du conseil et la plupart des princes.
3. Le prévôt de Paris, Ambroise de Loré, le prévôt des marchands et les échevins.
4. Il y avait aussi un parti de la guerre au conseil royal, qui faisait valoir l'effondrement anglais et de faciles victoires en Normandie. Mais Charles VII avait choisi la diplomatie.
5. Les opérations militaires sont quasi suspendues à cause des négociations.
6. Ils étaient devenus obéissants, ce qui, à vrai dire, est une nouveauté.

n'avait plus de quoi payer la taille[7], ils firent crier[8] que nul ne prît plus quelque monnaie que ce fût, ni de Bourgogne, ni d'Angleterre, ni de Flandre, ni de quelque autre pays[9], que celle qui aurait un chapelet autour de la croix ou de la pile[10]. Hélas ! le pauvre peuple n'avait pour celui temps que[11] cette monnaie qui fut défendue à prendre, dont il fut tant grevé* que c'est grande pitié à penser, car ce fut une des grandes tailles[12] qui eut été faite, passé avait grand temps, car il convenait la nouvelle monnaie à leur volonté acheter[13], ni nul n'en osait parler. Et fut fait ce cri et cette ordonnance le jour de la Chaire Saint-Pierre[14], qui fut au samedi, dont le peuple qui vint au Pardon à Saint-Denis fut mallement grevé* et fort dommagé, car peu y avait de gens qui vinrent devers Normandie, dont[15] il vint grand peuple à cette fois, qui eussent autre monnaie que anglaise, ou de Bourgogne, Flandre ou de Bretagne ; par quoi ils furent moult grevés* pour le changement de la monnaie qu'il fallait qu'ils fissent partout où ils furent.

833. Item, en celui temps [il y] avait toujours en Sainte Église deux papes, l'un nommé Eugène et l'autre Félix[16], cestui

7. Les deux mesures ne sont pas liées en fait.

8. L'ordonnance royale du 19 novembre 1443 fut publiée à Paris le 21 janvier 1444.

9. C'est un intéressant effort d'établir un monopole de la monnaie royale et de simplifier sérieusement la circulation monétaire.

10. La monnaie royale : l'écu d'or ; grands blancs valant 10 deniers tournois ; petits blancs valant 5 deniers tournois ; les doubles valant 2 deniers tournois. La croix, ou la pile, sont le revers de la pièce qui portent le plus souvent, pour les monnaies argent, une croix au milieu d'un quadrilobe (le chapelet). La face est variable suivant la pièce.

11. Le pauvre commun n'aurait eu en sa possession que de la monnaie étrangère. C'est assez peu vraisemblable. La monnaie anglaise avait déjà fait l'objet de décri, elle aurait dû brûler les doigts !

12. Au sens d'exaction.

13. Le roi avait fixé des tarifs de conversion qui étaient avantageux pour les caisses royales. Ceux-ci furent imposés aux changeurs qui durent rester ouverts du samedi 21 (Chaire Saint-Pierre) au mardi 24 février (Pardon Saint-Denis), ce qui provoqua des protestations de l'évêque pour non-respect des jours fériés.

14. Une foire très fréquentée accompagne cette fête. L'interdit gêne les transactions.

15. S'il y avait habituellement peu de gens qui y venaient, il en vint (au contraire) beaucoup cette fois qui n'avaient... Cet afflux s'explique par la prochaine proclamation des trêves, le 20 mai.

16. Charles VII avait choisi l'obédience d'Eugène IV, mais Félix V, l'ex-

Eugène tenait toute la partie de France, et l'autre tenait la partie de Savoie et d'aucunes contrées environ son pays.

834. Item, cette année, fut tant d'oignons qu'on avait le boissel* pour 2 doubles ou pour 2 deniers, aussi bons qu'on eût oncques vu ; et de poireaux la plus belle botte des Halles pour un denier [parisis ?] ou pour un tournois, ni oncques n'enchérirent en tout le Carême ; bons pois pour 3 blancs, fèves pour 3 blancs ; bon vin 2 deniers.

835. Item, à la mi-Carême, qu'on chante en Sainte Église *Letare Jérusalem*[17], à la messe, tonna tant fort qu'on eût oncques ouï puis cinquante ans, et fut entre 3 et 5 heures sans cesser, et chut*[18] sur l'église de Saint-Martin-des-Champs, et abattit[19] la croix et le cochet et une pomme de pierre qui pesait bien une queue de vin, et rompit le moutier en plusieurs lieux, tant qu'on disait qu'il ne serait pas bien réparé pour 300 écus d'or.

836. Item, en celui temps, le chancelier[20] alla à Tours où le roi était pour traiter de la paix de France et d'Angleterre, mais[21] il cuida* parler au roi, soudainement un mal le prit, dont il mourut hâtivement, qui fut grand dommage, car bon prudhomme était pour le royaume.

837. Item, fut faite une des plus piteuses et la plus dévote procession[22] qu'on eût oncques vue à Paris, car l'évêque de

---

comte de Savoie Aymé VIII, qui avait été élu par le concile de Bâle, réussit à se maintenir de 1439 à 1449. Il se retira ensuite comme évêque de Genève et y mourut en 1451. Fils de Bonne de Berry, il avait régné brillamment avant de se retirer comme ermite à Saint-Maurice de Ripaille. Il fut reconnu pape par la Savoie, la confédération, une partie du Lyonnais.

17. C'est le début de l'Introït du deuxième dimanche de Carême.

18. (Le tonnerre.)

19. (La foudre.) C'est un accident qui suppose que Paris (Jérusalem) n'aura pas à se réjouir *(laetare)* de la suite des événements ! Le cochet est le coq du clocher.

20. Renaud de Chartres, archevêque de Reims, chancelier de 1424 à 1444. Il mourut à Tours le 4 avril et y fut enterré aux Cordeliers. Cet adversaire de Jeanne d'Arc avait toujours été un partisan des solutions diplomatiques, ce qui le rendait populaire à Paris.

21. Comme il cuidait...

22. C'est une procession pour la paix. En fait, la paix ne fut pas signée, car Henri VI ne voulait pas reconnaître Charles VII comme roi de France, ni se contenter de la Normandie et de la Guyenne avec hommage. On se borna à signer des trêves.

Paris[23] et celui de Beauvais[24], et deux abbés portèrent le corps Notre Seigneur de Saint-Jean-en-Grève sur leurs épaules, et de là allèrent aux Billettes[25] quérir* à grande révérence le canivet[26] de quoi le faux Juif avait dépiqué la chair Notre Seigneur, et de là furent portés avec la sainte croix[27] et autres reliques sans nombre à Sainte-Catherine-du-Val-des-Écoliers ; et y avait devant plus de 500 torches allumées, et de peuple bien 9 ou 10 000[28] personnes, sans* ceux de l'église ; et avait après ces saintes reliques tout le mystère du Juif[29] qui était en une charrette lié, où il avait épines, comme si on le menait ardoir*, et après venait la justice[30], et sa femme et ses enfants ; et parmi [les rues (y) avaient deux échafauds de très piteux mystères[31], et furent] les rues parées comme à la Saint-Sauveur[32]. Et fut faite cette procession, pour ce qu'on avait bonne espérance d'avoir paix entre le roi de France et d'Angleterre, et fut le 15e jour de mai, au vendredi, l'an 1444.

838. Item, le 3e jour de juin ensuivant, fut la 3e fête[33] de la Pentecôte. Le mercredi des Quatre Temps, furent criées les trêves de paix entre le roi de France et d'Angleterre, commençant le premier jour de juin[34] 1444, et sur la mer le 26e jour

---

23. Denis du Moulin. L'évêque de Beauvais, Jean Jouvenel des Ursins, fut transféré à Laon en avril 1444 et remplacé par Guillaume de Hollande qui n'était pas encore intronisé.

24. Les abbés de Saint-Maur-des-Fossés, de Saint-Magloire et de Saint-Germain-des-Prés assistèrent à la cérémonie.

25. Les reliques du miracle des Billettes sont réparties dans deux églises parisiennes : l'hostie qui saigne est à Saint-Jean-en-Grève, le couteau aux Billettes. Il faut comprendre ici la châsse qui entoure l'hostie.

26. Canif.

27. Les reliques de la Passion sont à la Sainte-Chapelle.

28. Jean Maupoint parle de 40 000 personnes.

29. Sous forme d'un tableau vivant avec un acteur jouant le Juif mené au bûcher et couronné d'épines.

30. Les gens de Justice.

31. Peut-être les deux scènes indispensables à la compréhension de l'histoire : le vol de l'hostie, l'hostie qui saigne.

32. La Fête-Dieu. On y promène aussi l'hostie consacrée.

33. Le troisième jour férié après la Pentecôte, soit le mercredi des quatre temps.

34. Exactement le 1er juin sur terre et le 1er juillet sur mer. Elles furent signées le 20 mai et les fiançailles d'Henri VI et de Marguerite d'Anjou fêtées à Tours le 23. Les trêves étaient valables pour deux ans et renouvelables.

dudit mois, et furent publiées cedit mois parmi la France, et [en] Normandie, et en Bretagne et par tout le royaume[35] de France.

839. Item, en cet an fut le Lendit[36], qui n'avait été puis l'an 1426, et fut fait dedans la ville [de] Saint-Denis[37] ; et fut grand débat entre l'évêque de Paris pour la bénédiction et l'abbé de Saint-Denis, car l'abbé disait la ville être à soi de son droit et qu'à lui appartenait la bénédiction ; l'évêque disait que passé 300 ans l'avaient faite ses devanciers évêques de Paris, et la ferait. Quand l'abbé vit ceci[38], lui fit faire défense sur grosse peine de faire ladite bénédiction, et l'évêque de Paris alla à un autre côté du marché, et fit faire la bénédiction par un maître en théologie nommé maître Jean de l'Olive[39], né de la ville de Paris.

840. Item, le 12e jour de juillet, fut faite procession générale[40], et fut celui jour reporté le précieux corps de monseigneur Saint-Cloud en la ville du saint, dont il avait été apporté pour les guerres, bien [y] avait seize ans ou environ, et avait été à Saint-Symphorien derrière Saint-Denis-de-la-Châtre celui temps en garde en une châsse[41], et le vinrent quérir* les bonnes gens des villes d'entour Saint-Cloud à procession, en chantant à Dieu louanges.

---

35. C'était une négociation à trois : Henri VI, Charles VII et le nouveau duc de Bretagne François Ier, neveu de Richemont. Son accord était indispensable à la paix sur la frontière normande.

36. La foire du Lendit qui a lieu chaque année début juin avait été supprimée de fait à cause de l'insécurité.

37. A l'intérieur des murailles. Habituellement, elle se tient en dehors des murailles, dans la plaine Saint-Denis, dans des loges en bois semi-permanentes, organisées par rues spécialisées.

38. Cela donna lieu à un procès au Parlement qui donna raison à l'évêque de Paris.

39. La bénédiction du Lendit eut lieu le 10 juin. Le chapitre, à la demande du roi, délégua Jean de L'Olive pour prononcer le sermon et donner la bénédiction. Ce maître en théologie a été proposé par certains comme auteur de ce journal.

40. La procession devait aller chercher les reliques, les amener à Notre-Dame puis à l'église Saint-Honoré où fut prononcé un sermon pour la paix et l'union des Églises, et enfin rejoindre Saint-Cloud.

41. Elles avaient été gardées dans l'île de la Cité, Saint-Cloud étant trop exposée. Les reliques du Saint Prépuce et celles de Saint-Denis firent aussi de longs périples destinés à les mettre à l'abri. Le retour des reliques est le signe du retour à la normale.

841. Item, le 12e jour de juillet, l'an 1444, fut ouverte la porte de Saint-Martin, qui n'avait été mais ouverte, puis le mois d'août 1429 que la Pucelle vint[42] devant Paris, le jour de la Notre-Dame en septembre ensuivant, qu'on fit premier la fête de saint Laurent en la grande cour Saint-Martin[43].

842. Item, à l'entrée de juillet vint une grande compagnie de larrons et de murdriers* qui se logèrent ès villages qui sont autour de Paris, et tellement [que] jusqu'à six ou environ huit lieues de Paris, homme n'osait aller aux champs [ni venir à Paris, ni on n'osait cueillir aux champs] quelque chose que ce fût, car nulle voiture n'était d'eux prise que ne fût rançonnée à 8 ou à 10 francs ; ni nulle bête prise, fût âne, vache ou pourcel*, qui ne le fût, ni fût moine, prêtre, ni religieux de quelque ordre, fût nonnain, [fût] ménestrel, fût héraut[44], fût femme ou enfant de quelque âge, qui s'il issait* dehors Paris, ne fût en grand péril de sa vie ; mais si on ne lui ôtait la vie, il était dépouillé tout nu, tous sans un seul excepter, de quelque état qu'il fût ; et quand on s'en plaignait aux gouverneurs de Paris, ils répondaient : « Il faut qu'ils vivent, le roi y mettra bien bref remède. » Et de cette compagnie étaient principaux Pierre Regnault, Floquet, Lestrac[45] et plusieurs autres, tous membres[46] d'Antéchrist, car tous étaient larrons et murdriers*, boutefeux[47], efforceurs[48] de toutes femmes, et leur compagnie.

---

42. Depuis le 8 septembre 1429, date où Jeanne d'Arc tenta de prendre Paris.

43. La fête de Saint-Laurent a lieu normalement à Saint-Laurent hors les murs. Pour des raisons de sécurité, on l'a célébrée longtemps (1429-1444) dans la cour de Saint-Martin-des-Champs, à l'abri des remparts. La réouverture des portes en 1444 lui permet de réintégrer son lieu.

44. Ce sont toutes les catégories protégées par les lois de l'Église (religieux, femmes, enfants) et par les lois nobiliaires de la guerre qui attribuent aux ménestrels et aux hérauts une sorte d'immunité diplomatique.

45. Pierre Renault, chef des routiers. Robert de Floques, capitaine des lances de Charles VII et bailli d'Évreux qu'il avait reconquise contre les Anglais, avait un long passé de routier. Armand de La Lande, dit Lestrac. Certains se rangèrent, comme Floques, d'autres ne réussirent pas cette reconversion et finirent mal.

46. Serviteurs de l'Antéchrist. Le corps de celui-ci est mystiquement fait de tous ceux qui le suivent comme le corps du Christ l'est de tous les fidèles chrétiens.

47. Incendiaires.

48. Violeurs.

843. Item, en celui an alla le roi en Lorraine[49], et le Dauphin son fils en Allemagne, guerroyer [ceux qui rien ne leur demandaient, et mena avec [lui ces malles* gens devant dites, qui tant faisaient de maux que [le roi contraint[50] et tous ses gouverneurs tellement mangèrent le [peuple que nul bien ne lui pouvait venir, où qu'il fut; car il laissait son royaume qui était tout mêlé d'Anglais qui fournissaient et enforçaient[51] leurs châteaux, et ils allaient lui et son fils en étranges terres où ils n'avaient rien, dépenser, et gâter ses gens et la finance de son royaume], et en bonne foi ils ne faisaient en 10 ou en 12 ans, ni pour eux, ni pour autre, quelque chose que ce fût pour le bien du royaume qu'ils ne dussent avoir fait en trois ou en quatre mois[52].

844. Item, le 4e jour de septembre, cessèrent les sermons[53] jusques au 13e jour de mars, qui fut dimanche devant *Ramis Palmarum*, et fut fait[54] à Saint-Magloire; la cause fut pour ce qu'on fit une grosse taille où on voulait asservir tous les suppôts de l'Université de Paris. Si alla le recteur[55], pour défendre et garder les libertés et franchises de ladite Université, parler aux élus[56]; si y eut aucuns desdits élus qui mirent la main

---

49. Cette expédition au secours de René d'Anjou avait surtout pour but d'emmener hors du royaume les bandes de routiers.

50. Les passages entre crochets ne figurent pas dans le manuscrit de Paris. Dans le manuscrit de Rome, trois lignes ont été grattées, que le président Fauchet (?) a rétablies en marge. La restitution n'est pas parfaitement satisfaisante. Le membre de phrase « que le roi contrait » ne veut rien dire. Plus probablement « que le roi couvrait ». Le grattage s'explique: le passage est très hostile au roi.

51. Fournir: faire des provisions. Enfoncer: renforcer les défenses des châteaux.

52. Les résultats de la politique royale ne lui paraissaient pas assez rapides.

53. L'activité universitaire fut suspendue du 4 septembre 1444 au dimanche d'avant les Rameaux, 13 mars 1445.

54. Sujet: le dernier sermon.

55. Martin Chaboz, recteur depuis décembre 1444. Les incidents en question eurent lieu avant le 12 décembre, mais la grève durait déjà depuis deux mois. Les officiers de l'Université étaient encore plus protégés et intouchables que les simples suppôts.

56. Les quatre élus sur le fait des aides pour la ville de Paris: Jean Le Carrier, Enguerran de Thumery, Martin Poncher, Lubin Raguier. Ils étaient chargés de lever l'impôt. Les différends portaient sur deux points: le roi désirait que seuls les Universitaires menant vie cléricale soient exemptés

au recteur[57], par quoi sermons cessèrent.

845. En celui temps fut apporté le circoncis[58] de Notre Seigneur à Paris, et ceux qui l'apportèrent disaient que le roi et le Dauphin et Charles d'Anjou[59] avaient impétré lettres[60] à notre Saint Père le pape Eugène, que tous ceux qui prendraient une lettre qu'ils bailleraient*, seraient absouts de peine et de coulpe à l'heure de la mort, mais qu'ils fussent vrais confessés et repentants ; et très cher coûtait cette lettre, car les riches en payaient 40 sols parisis, et les moyens 32 ou 20 sols parisis et les pauvres à la value, et taxaient ces lettres à journées d'un ouvrier[61], 2 sols par jour, le riche à 20 ou 30 journées, le moins riche à moins ; et disaient que l'évêque de Paris leur avait octroyé à ce faire en son diocèse[62]. Par quoi le peuple prit par dévotion plus de 500 de ces lettres, et aussi pour la réparation de Notre-Dame de Coulombs, qui avait été détruite par les

---

et faisait valoir que les clercs n'étaient pas automatiquement non contribuables (en particulier pour les indirects). L'Université mettait dans le même sac directs et indirects et plaidait pour l'exemption la plus large. Les accrochages marquent la reprise en main de l'Université par le roi qui aboutit à la réforme du cardinal d'Estouteville en 1452.

57. Il vient d'avouer le contraire. La grève fut motivée par l'impôt, et non par le fait, postérieur, que le recteur ait été malmené.

58. Le prépuce coupé lors de la circoncision de Jésus au Temple. Cette relique, insérée dans un joyau d'argent, était vénérée des femmes enceintes. Elle avait été apportée en Grande-Bretagne pour les couches de Catherine de France en 1421 et restituée après 1427 à la Sainte-Chapelle. Elle dut ensuite être rendue à Notre-Dame-de-Coulombs, près de Chartres, son légitime propriétaire. On apporte cette relique pour faire une tournée de quête dont le produit servira à reconstruire le sanctuaire incendié par les Anglais.

59. Charles d'Anjou, comte du Maine, tout-puissant au conseil royal, était le protecteur et le seigneur de l'abbaye de Coulombs. C'est lui qui avait obtenu les indulgences.

60. Il s'agit de lettres d'indulgence plénière à l'heure de la mort. Ce genre d'assurance totale coûtait très cher. Les papautés rivales lors du Grand Schisme avaient développé la vente des indulgences pour se procurer des ressources. La réforme protestante fera de ces distributions l'un des principaux thèmes de sa critique du Saint-Siège.

61. Ces lettres coûtaient le salaire journalier d'un ouvrier (pour un pauvre).

62. Les indulgences sont, en principe, soumises au contrôle de l'évêque dont l'autorisation n'est pas toujours gratuite. Ce dernier prétend ici n'avoir pas été consulté. Dans ce cas, il n'est pas sûr que les lettres soient valables.

guerres[63]. Et quand ils eurent emporté la sainte relique, l'évêque de Paris fit[64] commandement par toutes les paroisses de Paris que tous ceux qui avaient pris ces dites lettres les lui portassent sous peine d'excommunication, et plusieurs de ceux qui les avaient prises, par paour* d'encourir cette sentence, les lui portèrent par paour* d'être en indignation du prélat[65] et aussi de malédiction pour bénédiction[66]; et quand ils les portaient, on les pendait à un crochet en son étude[67]; et n'en fit-on plus pour cette heure jusques à une autre fois qu'on les devait visiter plus à loisir[68], et ceux qui les avaient portées ne les purent avoir pour cette fois, dont moult furent troublés[69].

846. Item, après fut apportée la châsse de saint Sébastien[70], et fut par les paroisses comme celle de devant, et tous ceux qui se mirent en la confrérie dudit saint[71] payaient chacun huit deniers.

---

63. Elle ne possédait plus à cette date que douze moines.
64. L'évêque ne tient pas à un affrontement direct avec Charles d'Anjou, couvert par le roi.
65. Par peur des sentences spirituelles possibles dont l'excommunication.
66. Par peur que la bénédiction (qu'ils avaient achetée) ne soit changée en une malédiction.
67. Dans le bureau de l'évêque.
68. Contrôler leur catholicité et leur authenticité. En fait, l'évêque se garde bien de prendre parti nettement et fait traîner.
69. Une lettre d'indulgence plénière dont on ne dispose plus est-elle toujours efficace en cas de mort ? Nos fidèles, qui ont payé cher, se sentent floués.
70. Il s'agit toujours d'une tournée de quête pour reconstruire une église du Bassin parisien.
71. On évita de recourir à des indulgences peu pratiques finalement. Devenir membres d'honneur d'une confrérie fournit aussi un moyen de lever des fonds moins rentable mais moins voyant. Saint Sébastien protège de la peste.

[1445]

847. Item, le jour de l'Ascension, qui fut le jour Saint-Jean en mai[1], et le lendemain, gela à glace, par laquelle gelée les vignes furent gelées ; par quoi le vin enchérit si fort que le vin, qu'on donnait par devant à 2 deniers, fut tantôt mis à 6 deniers parisis.

848. Item, en cette semaine, fut apportée à Paris la châsse saint Quentin[2], et fut portée par les églises de Paris, et ceux qui la conduisaient faisaient pendre un grand fléau[3], comme il est au poids du roi, et là se faisaient peser hommes et femmes, et eux étant en la balance[4], on les tirait tant qu'ils perdaient terre[5], et en ce faisant, on nommait sur eux[6] plusieurs saints ou saintes, et après ils se rachetaient de blé ou d'argent ou de ce qu'ils voulaient[7], et moult firent grande cueillette d'argent à Paris iceux quêteurs de pardons[8] en celui temps.

849. Item, le mercredi de la fête de la Pentecôte[9], chut* le tonnerre en l'église de Notre-Dame-de-Liesse[10], environ six heures au matin, et tua dedans l'église de Notre-Dame quatre hommes, et affola[11] bien 28 ou 30 personnes de leurs membres et aucuns de leur sens, et leva du pavement les carreaux [et barreaux] de fer[12].

850. Item, le 2e jour d'août, fut faite une procession générale

---

1. Le 6 mai : Saint-Jean-Damascène.
2. Il s'agit toujours de tournées de quête pour la reconstruction d'un sanctuaire (peut-être Saint-Quentin-en-Yvelines).
3. C'est en partie un jeu qui permet de connaître son poids.
4. C'est une sorte de balance romaine. D'un côté, il y a un plateau où les gens s'installent, de l'autre on équilibre avec des poids.
5. Quand le poids est équilibré, le plateau est en l'air.
6. On prononçait des prières de protection.
7. On peut imaginer qu'on leur demandait en blé ou en toute autre marchandise l'équivalent de leur poids. L'idée est qu'ils se vendent au saint pour que celui-ci les protège et ils doivent donc se racheter.
8. Le terme pardon désigne soit précisément les indulgences, soit tout avantage spirituel en général : vendeurs de pardons.
9. Mercredi après la Pentecôte.
10. Notre-Dame-de-Liesse est un sanctuaire de l'Aisne très populaire. La comtesse de Richemont y fit enterrer son cœur.
11. Blessés et d'autres atteints dans leur bon sens.
12. Souleva les carreaux et les barreaux du pavement.

de toutes les paroisses de Paris à Notre-Dame, et de Notre-Dame allèrent à Notre-Dame-des-Champs par grande dévotion[13], car vrai est que grand temps avait qu'un moine de Saint-Denis[14] en France, pour le temps que les Anglais gouvernaient le royaume, prit le clou et la couronne à Saint-Denis, et afin que les Anglais ne l'ôtassent de ladite abbaye et l'emportassent en leur pays, ledit moine prit ces deux précieux joyaux, et les porta honorablement à Bourges en Berry, où était adonq le roi de France Charles VII de ce nom. Et le premier jour d'août furent apportés par le vouloir du roi et des seigneurs du sang royal, et par le pourchas*[15] de l'abbé de Saint-Denis en France, nommé Gamaches par surnom[16], à Notre-Dame-des-Champs, et le lundi 2e jour d'août 1 445, furent apportées à Saint-Magloire par très honorables processions, à grand luminaire, et là furent cette journée jusqu'au lendemain qui fut le jour de l'Invention Saint-Étienne, 3e jour dudit mois. Et ce jour vinrent à Paris l'abbé de Saint-Denis et tout le couvent[17], tous revêtus de chapes de drap d'or ou de soie, et avec eux toutes les paroisses[18] à bannières et à croix, et à très grande foison [de] peuple, et à très grande foison torches allumées vinrent à Saint-Magloire celui jour ; et là fut dit messe [très] solennelle, et après

---

13. Il s'agit du retour à Paris des reliques de Saint-Denis, le Clou et la couronne.

14. Cette légende est fausse et tardive. Elle veut expliquer que les Anglais ne mirent pas la main sur le Saint Clou ni sur la couronne de sacre des rois de France, ce qui est faux. Charles VII ne s'en empara qu'à son passage à Saint-Denis en septembre 1429. Il avait été sacré avec une autre couronne. Il les fit garder à la Sainte-Chapelle de Bourges. Mais c'était fort gênant pour Saint-Denis d'admettre que le roi de France s'était passé des *regalia* qu'elle détenait et qu'Henri VI les avait peut-être utilisées, d'où nécessité d'inventer un moine qui les emmène à Bourges ou qui les enterre dans d'autres versions.

15. La demande.

16. Philippe de Gamaches fut abbé de Saint-Denis de 1442 à sa mort en 1464. Il appartenait à une famille noble du Vexin qui fournit de nombreux serviteurs à Charles VII. Il avait été moine à Saint-Denis, puis abbé de Saint-Faron de Meaux en 1420. Il contribua activement à la résistance de la ville lors du siège par Henri VI, puis se réfugia auprès de Charles VII. Celui-ci voulait à la tête de Saint-Denis un abbé de confiance.

17. Ils viennent chercher les reliques.

18. Celles de Saint-Denis et des environs, puisqu'il s'agit du cortège aller.

congé à l'abbé[19] et à tout son couvent, lequel les convoya jusque hors de Paris[20], vêtu et tout orné comme évêque[21], et tout son couvent revêtu de chapes, et avec ces saintes reliques alla tant de peuple de Paris[22] qu'à peine serait cru qui ne l'aurait point vu.

851. Item, le lundi 16e jour d'août, trépassa en la ville de Châlons[23] la femme du Dauphin de France, nommée Marguerite, fille du roi d'Écosse; et en celui temps fut fait chancelier de France le frère à l'archidiacre de Paris et archevêque de Reims, tous deux enfants de [feu] maître Jacques Jouvenel[24].

852. Item, la 2e semaine d'octobre, la vigile des octaves Saint-Denis[25], fut ouverte la porte de Montmartre, à un vendredi.

853. Item, le roi, ni nul des seigneurs de France n'allait ne venait à Paris, et tout temps faisait-on grosses tailles[26], sans qu'on fît aucun bien pour le commun; et toujours s'enforçaient les Anglais et avitaillaient leurs forteresses, et ne faisaient ni trêves, ni paix[27], et ne challait* au roi comment tout en allât,

---

19. De Saint-Magloire.

20. L'abbé et le couvent de Saint-Magloire les raccompagnent hors les murs.

21. Il manque quelque chose: «ils s'en retournèrent, l'abbé vêtu...» L'abbé de Saint-Denis a droit au rang épiscopal et donc à la mitre, à la crosse et à l'anneau.

22. Jusqu'à Saint-Denis, probablement. Il faut réinstaller les reliques dans leur maison voulue par Dieu.

23. Marguerite d'Écosse, femme délaissée du dauphin, mourut lors d'un pèlerinage à Notre-Dame-de-l'Épine, près de Châlons-sur-Marne. Elle fut enterrée d'abord dans la cathédrale, puis en 1479 dans la chapelle du Sépulcre de Saint-Laon de Thouars qu'elle avait fondée. Un service solennel fut célébré à sa mémoire le 30 août 1445 à Notre-Dame.

24. Jacques Jouvenel des Ursins et sa femme Michèle de Vitry eurent une très nombreuse famille. Guillaume Jouvenel devint chancelier de France. Jacques Jouvenel des Ursins, archidiacre de Paris, avait remplacé Renaud de Chartres comme archevêque de Reims. La famille Jouvenel est un remarquable exemple d'ascension sociale d'une famille bourgeoise nombreuse, compétente à travers le service du roi.

25. Le 15 octobre, six jours après le 9, fête de Saint-Denis.

26. Les tailles de 1445 sont liées à la création d'une armée permanente: grande ordonnance offensive et petite ordonnance territoriale. Cette réforme assura la victoire sur les Anglais. Le paragraphe est donc assez injuste.

27. Les trêves de Tours avaient été signées l'année précédente. Il veut l'oublier.

que de chevaucher[28] de pays en autre, toujours bien accompagné de vingt mille ou plus de larrons[29] qui tout son pays mettaient à destruction.

854. Item, en cet an fut la plus terrible maladie de la vérole depuis la mi-août jusqu'après la Saint-André[30], qu'on eut oncques vue, spécialement sur petits enfants, car en la ville de Paris on eut vu durant celui temps plus de six milliers (d'atteints ?) ; et moult en mourut de cette maladie, et mouraient depuis qu'ils étaient guéris de cette vérole maudite[31], et moult en furent malades plusieurs hommes et femmes de toutes âges, spécialement à Paris.

855. Item, en celui temps, vint un jeune cordelier à Paris de la nation[32] de Troyes en Champagne, ou d'environ, petit homme, très doux regard, et était un nommé Jean Creté[33], âgé de 21 ans ou environ, lequel fut tenu à un des meilleurs prêcheurs qui oncques eut été à Paris depuis cent ans ; et vraiment on ne vit oncques homme lire[34] plutôt qu'il disait son sermon, et semblait proprement qu'il sut tout le Vieil Testament et le Nouvel, et toute la Légende Dorée[35] et tous les anciens livres de toutes nations du monde[36], et oncques on ne

---

28. Charles VII ne réside pas à Paris. Il voyage beaucoup, surtout en France du Sud, accompagné d'une partie de la cour et du conseil. La présence physique du roi est encore pour beaucoup indispensable à l'efficacité du pouvoir.

29. Les courtisans et la garde écossaise. Il exagère quelque peu leur nombre et les dégâts causés !

30. Le 30 novembre.

31. Ils mouraient après la période spectaculaire des marques de vérole. Ils n'étaient pas guéris pour autant, mais la maladie était moins visible.

32. Nation, au sens de pays de naissance.

33. Jean Creté fut un prédicateur très apprécié au milieu du XVe siècle. Docteur en théologie, il prêcha avec succès à Auxerre en 1452. C'était un franciscain toujours sur les routes et prêchant à la demande des autorités.

34. Il parlait plus vite que s'il avait lu.

35. Sa culture est un bon résumé de la culture mendiante : priorité de l'Écriture, recueils des vies de saints. La *Légende dorée* du dominicain Jacques de Voragine, composée dans la seconde moitié du XIIIe siècle, effaça tous les recueils antérieurs et connut un succès phénoménal jusqu'à la fin du Moyen Age.

36. Les « anciens livres » sont en fait des recueils d'exemples qui servent à fournir au prédicateur peu inspiré des historiettes à base historique pour illustrer les problèmes de morale ou de théologie. Les prédicateurs mendiants avaient composé beaucoup de ces recueils de morceaux choisis thématiques et s'en servaient systématiquement.

le vit faillir de revenir à son propos[37], et partout où il prêchait, le moutier était tout plein de monde.

856. Item, il se départit de Paris environ huit jours devant Noël et alla prêcher au royaume d'Angleterre.

[1446]

857. Item, le 24e jour de février, l'an 1446, fut dédiée l'église des Innocents[1] par révérend père en Dieu l'évêque de Paris, nommé messire Denis du Moulin.

858. Item, le premier lundi de mars ensuivant, furent renouvelées les trêves du premier jour d'avril[2] jusques au premier jour d'avril de l'année ensuivant, et fut crié par les carrefours de Paris.

859. Item, à un mardi, 12e jour d'avril, l'an 1446, en la semaine péneuse, entre la minuit et prime du jour[3], gela si très fort que toutes les vignes furent toutes perdues et tous les noyers cuits de la gelée ; et après vint tant de hannetons et de chenilles et d'autre orde[4] vermine que toute cette année n'y eut ni vin, ni verjus, ni fruit [par toute la France[5], et fut le 17e jour de la lune de mars[6], et furent Pâques] le 17e jour d'avril en cet an 1 446.

---

37. Il ne se perdait pas dans ses digressions et revenait à la structure de son discours. Creté est un universitaire qui sait construire un sermon.

1. Cette église existait déjà depuis longtemps. Il s'y intéresse tout particulièrement. Il y a signalé plus haut la dédicace de chapelles de confréries.
2. Les trêves signées à Tours en 1444 avaient été renouvelées en août et en décembre 1445 à Londres. Elles devaient durer jusqu'au 1er avril 1447.
3. Entre minuit et trois heures du matin. Les heures sont comptées comme dans l'Antiquité par période de trois heures : prime, matine, tierce, none, vêpres, complies. Les heures monastiques en avaient conservé le souvenir.
4. Dégoûtante.
5. Cette gelée ne toucha que la région parisienne ou Ile-de-France, mais pour lui c'est tout ce qui compte.
6. Dix-sept jours après la pleine lune de mars (le 27 mars). Pâques est le premier dimanche qui suit la pleine lune d'après l'équinoxe. Pâques se trouvait donc à la fin de la semaine où la gelée eut lieu le mardi.

860. Item, en celui an vint un jeune homme[7] qui n'avait que 20 ans ou environ, qui savait tous les sept arts libéraux[8], par le témoignage de tous les clercs de l'Université de Paris, et si savait jouer de tous instruments, chanter[9] et déchanter[10] mieux que nul autre, peindre et enluminer[11] mieux qu'oncques on sut à Paris ni ailleurs.

861. Item, en fait de guerre, nul plus expert, et jouait d'une épée à deux mains si merveilleusement[12] que nul ne s'y comparât, car quand il voyait son ennemi, il ne faillait point à saillir*[13] sur lui 20 ou 24 pas à un saut.

862. Item, il est maître en arts[14], maître en médecine, docteur en lois, docteur en décret, docteur en théologie, et vraiment il a disputé[15] à nous au collège de Navarre[16], qui

---

7. Fernand de Cordoue, jeune clerc espagnol, né vers 1420, arriva à Paris à la fin de 1445. Il y resta quelques mois, puis gagna la cour du duc de Bourgogne à Gand et l'Allemagne. Il mourut à la Curie en 1486. La chronique de Matthieu d'Escouchy raconte aussi sa visite à Paris.

8. Les études universitaires commencent entre dix-huit et vingt-cinq ans en moyenne, par un séjour à la faculté des arts qui enseigne les sept arts libéraux du Trivium et du Quadrivium. Notre clerc est donc particulièrement précoce pour être maître ès arts.

9. La musique fait partie des arts libéraux et le chant est nécessaire à la carrière des ecclésiastiques.

10. De chanter en continu.

11. Ceci ne fait pas partie de la formation universitaire, mais s'enseigne dans les *scriptoria* monastiques ou dans les ateliers des grandes villes universitaires qui fournissent des manuscrits aux étudiants, à la cour, aux prélats.

12. Notre clerc est probablement le cadet d'une famille noble où l'entraînement militaire fait partie de l'éducation.

13. En faisant des bonds de 20 à 23 pas. Le pas mesure entre 20 et 30 centimètres, suivant les régions.

14. Après la Faculté des arts, vers vingt-cinq ans, on choisit une des quatre spécialisations possibles (médecine, théologie, droit civil [lois], droit canon [décret]). Il est assez fréquent d'associer droit civil et canon ou théologie et droit canon. Faire les quatre spécialités à la fois est utopique. A la Faculté des arts comme dans les facultés spécialisées, la hiérarchie des examens est la même : baccalauréat, licence, maîtrise et doctorat. En principe, le doctorat d'une faculté spécialisée se passe vers trente-cinq ans.

15. Une *disputatio* est un exercice universitaire courant. Il s'agit ici d'une dispute du type Quodlibet. Les examinateurs proposent une question quelconque de leur choix. Le candidat répond en alignant les textes des autorités qui sont pour une réponse positive, ceux qui sont contre, et il conclut par sa synthèse personnelle. C'est un exercice délicat étant donné la

étions plus de cinquante des plus parfaits clercs de l'Université de Paris[17] et plus de trois mille autres clercs, et a si hautement bien répondu à toutes les questions qu'on lui a faites que c'est une droite merveille à croire qui ne l'aurait vu.

863. [Item, il parle latin trop subtil, grec, hébreu, caldique, arabique et tous autres langages[18].]

864. Item, il est chevalier en armes, et vraiment, si un homme pouvait vivre cent ans sans boire, sans manger et sans dormir, il ne aurait[19] pas les sciences qu'il sait tout par cœur apprises[20] ; et pour certain il nous fit très grande freour*, car il sait plus que ne peut savoir nature humaine[21], car il reprend[22]

---

variété des sujets possibles et la nécessité de mobiliser ses connaissances dans un délai très court. Dans une dispute normale, le sujet est fourni d'avance au candidat qui peut donc le préparer.

16. Ce collège a été fondé au début du XIVe siècle par Jeanne de Navarre, femme du roi Philippe IV pour les étudiants pauvres à qui il fournit hébergement et répétitions de soutien. Le collège devint peu à peu, comme les autres collèges, une institution parallèle à l'Université. On y enseignait surtout la rhétorique et il fut un foyer d'humanisme qui forma Clamanges, Montreuil et bien d'autres serviteurs de l'État.

17. Ce passage implique que notre clerc est probablement docteur. Le terme de parfait signifie « achevé » et sous-entend des études complètes. Il distingue ici les docteurs de ceux qui ne le sont pas.

18. Fernand de Cordoue parle le castillan, le latin (langues des écoles). L'hébreu et l'arabe ne sont pas invraisemblables pour quelqu'un qui a été formé à Cordoue où fonctionnent de très actifs ateliers de traduction des œuvres orientales. La connaissance du grec, sauf quelques mots, est possible et celle du caldique (chaldéen ?) peu probable. Le fait de parler tous les langages de la terre est un rêve fréquent au Moyen Age. La diversité des langues résulte de l'orgueil des constructeurs de la tour de Babel. Dieu donna à la Pentecôte aux apôtres le don de parler toutes les langues. Certains prédicateurs de la fin du Moyen Age, comme Vincent Ferrier, se virent attribuer ce don par la rumeur publique.

19. Il ne les aurait pas apprises. Il faut plus de cent ans à temps plein pour apprendre ce qu'il sait.

20. Le savoir repose au Moyen Age sur la mémorisation plus que sur le raisonnement. Savoir, c'est utiliser ce que les autorités ont dit avant vous, et non imaginer ou inventer.

21. L'homme ne peut tout savoir. Lui échappent les secrets de Dieu et ceux de la nature. Il y a des limites au savoir humain en soi et en pratique.

22. Reprendre au sens de prendre à son compte les théories de quelqu'un et les critiquer. Ces quatre docteurs pourraient être les quatre évangélistes. Dans ce cas, Ferrand est à coup sûr hérétique. Il est plus probable que l'auteur pense aux quatre plus grands docteurs de l'Église (Augustin,

tous les quatre docteurs de Sainte Église; bref, c'est de sa sapience la non pareille chose du monde[23]. Et nous avons en Écriture[24] que l'Antéchrist[25] sera engendré en advoutire[26] de père chrétien et de mère juive qui se feindra chrétienne, et chacun cuidera* qu'elle le soit, il sera né de par le diable en temps de toutes guerres, et que tous jeunes gens seront déguisés d'habit, tant femmes que hommes[27], tant par orgueil comme par luxure, et sera grande haine contre les grands seigneurs pour ce qu'ils seront très cruels au menu peuple[28].

865. Item, toute sa science sera de par le diable, et il cuidera* qu'elle soit de par nature, il sera chrétien jusques à 28 ans de son âge, et visitera en celui temps les grands seigneurs du monde pour montrer sa grande sapience et pour avoir grande renommée d'iceux, au 28e an viendra de Jérusalem[29]. Et quand les Juifs incrédules verront sa grande sapience, ils croiront en lui et diront que c'est Messias[30] qui promis leur était, et l'adoreront comme Dieu. Adonq enverra ses disciples par le monde, et Gog et Magog[31] le suivront, et régnera par trois ans et demi, à 32 ans les diables l'emporteront[32]. Et adonq les Juifs qui auront été déçus se convertiront à la foi chrétienne[33], et après viendront Enoch et Élie[34], et après sera tout chrétien[35], et

---

Thomas d'Aquin, saint Bernard et Pierre Lombard ?), dont les œuvres ont de l'autorité mais une autorité inférieure à celle de l'Écriture sainte. En fait, la suite du récit permet d'inférer que les quatre docteurs de notre Castillan sont probablement : Raymond Lulle, Francesc Eiximenis (le *Livre des saints anges*), Vincent Ferrier *(Vita Christi)* dont il résume les théories.

23. En fait, ce savoir lui paraît inquiétant et vaguement diabolique.
24. Les principaux textes de l'Écriture sur la fin des temps sont l'Apocalypse, la Vision de Daniel et Isaïe.
25. La venue de l'Antéchrist précède immédiatement la fin des temps. Elle sera annoncée par une période de guerre et de catastrophes.
26. Ms. de Paris : « adventure : adultère ».
27. Les hommes porteront habits de femmes, et inversement.
28. Les guerres sociales ne sont liées à la fin des temps par la prophétie que depuis le milieu du XIVe siècle.
29. Lire à Jérusalem.
30. L'Antéchrist des chrétiens est le Messie attendu par les Juifs.
31. Gog et Magog, ennemis d'Israël, seront libérés à la fin des temps.
32. Au même âge que Jésus, dont c'est un décalque inversé.
33. La conversion des Juifs précède toujours la fin des temps.
34. Ils annoncent le jugement.
35. Conversion ou soumission des Sarrasins.

sera l'Évangile de saint (Jean) qui dit : *Et fiet unum ovile et unus pastor*[36], adonq approuvé, et le sang de ceux qu'il aura fait tourmenter, pour ce qu'ils ne (le) voudront adorer[37], criera à Dieu vengance[38], et adonq viendra saint Michel[39], qui le trébuchera[40], lui et tous ses ministres, au profond puits d'enfer. Ainsi comme davant est dit, le racontèrent les devantdits docteurs[41] de celui homme devant dit, lequel est venu d'Espagne en France, et pour vrai selon Daniel et l'Apocalypse, Antéchrist doit naître en Babylone en Chaldée[42].

866. Item, en celui an 1 446, fut le mois de mai le plus froid et le plus pluvieux qu'on eut oncques vu d'âge d'homme vivant, car oncques jour fut qu'il gelât ou qu'il ne plût, et fut avant la fête de la Trinité, qui fut le 12e jour de juin, que le temps se chauffât.

867. Item, la semaine devant l'Ascension[43], fut crié parmi Paris que les ribaudes ne porteraient plus de ceintures d'argent, ni colets renversés, ni pennes de gris en leurs robes, ni de menu vair, et qu'elles allassent demeurer ès bordels ordonnés, comme elles étaient au temps passé[44].

---

36. Jean, X, 16. Phrase très utilisée que le Schisme avait remise en mémoire.

37. Cela figure dans la prophétie de Méthode. Il fera tuer ceux qui ne voudront l'adorer.

38. Citation implicite. Genèse IV, 10.

39. Saint Michel avait battu Lucifer aux origines des temps. Il réitère cet exploit à la fin des temps. La plupart des prophéties attribuent cette victoire non pas à saint Michel mais à l'empereur des saints des derniers jours. Les auteurs étaient très divisés sur l'identité de ce dernier. En France, ce serait un Capétien nommé Charles. Beaucoup pensèrent après 1436 à Charles VII (prophéties de Jean Dubois en 1445, par exemple), mais notre clerc se refuse évidemment à cette solution.

40. Fera tomber.

41. Il attribue ce récit de la fin des temps aux autorités alléguées par Fernand de Cordoue. En fait, ce récit est extrêmement proche du *Livre des saints anges* de Francesc Eiximenis, un auteur catalan du début du xve siècle, fort populaire en Espagne mais quasi inconnu à Paris.

42. Le raisonnement implicite de notre clerc est le suivant : l'Antéchrist doit naître à Babylone, donc Fernand n'est pas l'Antéchrist (bien que l'étendue de sa science ait pu le laisser supposer).

43. Quarante jours après Pâques, soit le 27 mai.

44. Les filles de joie doivent réintégrer les bordels municipaux officiels qui existent depuis le règne de Saint Louis où leur activité est contrôlée. On leur interdit les robes, fourrures et bijoux trop somptueux. La prostitution sauvage, qui s'était développée durant les troubles, se trouve donc interdite.

868. Item, la vigile de l'Ascension, fut enterré le prévôt de Paris, nommé Ambroise Loré[45], baron de Juillet d'Ivry, moins aimant le bien commun que nul prévôt qui devant lui eut été puis quarante ans. Car il avait une des femmes[46] qu'on put voir en tout Paris, la plus belle et honnête, et fille de nobles gentils gens de grande ancienneté ; et [si était] si luxurieux qu'on disait pour vrai qu'il avait 3 ou 4 concubines qui étaient droites communes[47], et supportait partout les femmes folieuses[48], dont trop [y] avait à Paris par sa lâcheté[49], et acquit une très mauvaise renommée de tout le peuple, car à peine pouvait-on avoir droit des folles femmes de Paris, tant les supportait, et leurs maquerelles[50].

869. Item, après son trépas, le 7e jour d'août, on ordonna pour être prévôt de Paris Jean d'Estouteville[51], chevalier, conseiller et chambellan du roi notre sire, 1 446, au jour devantdit, courant le dimanche par B[52].

870. Item, le 3e jour de septembre ensuivant, fut crié à trompes parmi Paris qu'on portât à Pontoise tous vivres pour la solennité de la fête de la Nativité de la Vierge Marie[53], qui fut le jeudi ensuivant, pour cause de certains pardons et indul-

---

45. Ambroise de Loré, baron d'Ivry, fut l'un des principaux capitaines de Charles VII. Il était prévôt de Paris depuis mars 1437. C'était un militaire et un administrateur compétent. Il mourut le 24 mai 1446, à l'âge de cinquante ans.

46. Catherine de Marcilly. Elle eut de son époux un fils et une fille, tous deux prénommés Ambroise. La fille avait épousé Robert d'Estouteville qui finit par succéder à son beau-père comme prévôt de Paris.

47. Qui étaient vraiment des filles publiques.

48. Femmes folles (de leurs corps), filles de joie. La prolifération des prostituées à Paris est due aux désordres, aux guerres et aux difficultés économiques plus qu'à la moralité du prévôt.

49. Il est peu logique de lui reprocher la non-application d'une ordonnance parue la semaine de sa mort.

50. Les tenancières de bordels privés étaient au Moyen Age surtout des femmes qui touchaient un pourcentage sur les gains des filles qu'elles hébergeaient et nourrissaient. Le phénomène du souteneur est quasi inconnu.

51. Jean d'Estouteville, grand maître des arbalétriers, ne fut prévôt que jusqu'en mars 1447, date à laquelle lui succéda son frère Robert, gendre de Loré.

52. La lettre dominicale de 1446 est bien B. L'année avait donc commencé un mardi (lundi A, mardi B, etc.).

53. Célébrée le 8 septembre.

gences[54] que notre sire le roi, et monseigneur le Dauphin, et monseigneur de Bourgogne[55] avaient impétrés par-devant notre Saint-Père le pape Eugène, c'est à savoir, pour l'église Notre-Dame de Pontoise, qui moult était empirée par les guerres et par les longs sièges qui devant avaient été par plusieurs fois, tant d'Anglais comme de Français.

871. Item, ledit pardon commença à douze heures de nuit, la vigile de la Nativité Notre-Dame, et dura jusqu'à minuit de la journée d'icelle fête, qui sont 24 heures[56], et fut ledit plein pardon comme il est à Rome, [mais celui de Rome] dure plus longuement, et [il] faut être vrai confessé et repentant[57].

872. Item, cette année 1446, fut le vin si cher qu'on n'avait point de vin qui valut rien, qui ne coûtât 10 ou 12 deniers parisis la pinte ; et fut si peu de vins qu'on avait point le setier qui ne coûtât du moins 16 blancs, et si peu de noix que le cent en coûtait 4 blancs, qu'on avait l'année précédente pour 2 deniers parisis ou pour 2 tournois.

873. Item, cette année, vint à Paris par eau ou à charroi, qu'on avait le quarteron pour 6 deniers parisis, les plus grosses poires d'Angoisse, ou pour 2 blancs au plus[58], et si étaient de si bonne garde[59] qu'elles n'empirèrent point jusques à la mi-mars. Et de vrai les tas en étaient ès Halles de Paris, comme je vis oncques de charbon[60] à la Croix de Grève, non pas un tant seulement, mais 6 ou 7 tas, sans garde[61], et des pommes autant ou plus qui furent apportées du pays de Languedoc, de Normandie et de plusieurs autres pays.

---

54. Elles concernent tous ceux qui visiteront le sanctuaire confessés et repentants dans la journée du 8 septembre et y feront des aumônes destinées à restaurer l'église de Pontoise.

55. Monseigneur de Bourbon (Ms. de Paris). Pontoise est ville du domaine, il est donc difficile de savoir si le prince le plus dévot à ce sanctuaire est Philippe le Bon ou le duc de Bourbon.

56. La durée des pardons est toujours spécifiée par la bulle pontificale qui l'accorde. Il s'agissait ici d'une indulgence plénière « plein pardon ».

57. A Rome comme à Pontoise, l'indulgence est plénière s'il y a confession et repentir. Mais le pardon de Rome s'étend peut-être aux 7, 8, 9 septembre. Les pèlerins romains faisaient le tour des églises de Rome, de Saint-Pierre à Sainte-Marie.

58. Soit 8 deniers.

59. Elles se conservaient si bien.

60. Des tas plus gros que les tas de charbon débarqués le long du quai de la place de Grève.

61. Sans personne pour les surveiller.

[1447]

874. Item, cette année, fut né un fils de la reine de France[1], le jour des Innocents, après Noël, qui furent cette année le mercredi; et fut né à un chastel nommé les Montils en Touraine, et fut nommé Charles, duc de Berry.

875. Item, celui an, fut le grand pardon au Mont-Saint-Michel par deux fois, c'est à savoir, en mai, l'an 1 446 (?), le... et ...septembre[2] ensuivant audit an.

876. Item, en mai, l'an 1447, le dimanche 8e jour, lendemain de la Saint-Jean-Porte-Latine[3].

877. Item, le dimanche ensuivant, qui fut le 15e jour de mai 1 447, fut faite procession de notre mère l'Université à Notre-Dame de Paris, qu'on priât pour feu pape Eugène, qui trépassa le 3e jour de février[4], le jour Saint-Blaise.

878. Item, fut institué après lui pape Nicolas, Ve de ce nom[5], et toujours était pape Félix, duc de Savoie[6], en sa volonté

---

1. Charles de France, frère de Louis XI, naquit le 28 décembre 1446 au château de Montils-les-Tours. Le Berry lui fut donné en apanage.

2. Les deux pèlerinages annuels au Mont coïncident avec les dates de deux fêtes de saint Michel, le 8 mai et le 29 septembre. L'archange était le protecteur de Charles VII et les victoires royales avaient contribué à la popularité à Paris de ce pèlerinage. Le Mont était toujours resté fidèle au roi de Bourges.

3. La phrase est incomplète et les deux dates données dans les paragraphes 876 et 877 sont incompatibles. Il faut lire le 7 et le 14 mai, ou le 18 et le 25. Il est difficile de savoir quel est l'événement indiqué au 7 ou au 18 mai. La Saint-Jean-Porte-Latine se fêtant le 6 ou le 7 mai, il est probable qu'il faut lire 8 et non 18. Il veut simplement dire qu'en 1447 le pardon à Saint-Michel tomba un dimanche.

4. Eugène IV (1431-1447) mourut à Rome le 23 février et non le 3, comme il l'écrit. La nouvelle dut parvenir à Paris fin février. Le service funéraire a donc tardé.

5. Nicolas V fut élu le 6 mars 1447. C'était l'ancien cardinal-évêque de Bologne, et il avait une excellente réputation.

6. Aymé VIII de Savoie avait été élu pape sous le nom de Félix V, en 1437. Il était reconnu par la Savoie et quelques principautés du sud de l'Allemagne.

première, c'est à savoir, de vouloir être pape, sans vouloir aucunement soi condescendre qu'à sa volonté, et disait que le saint concile de Bâle l'avait ordonné[7], sans nulle prière qu'il en fit aucunement[8], et pour pape se tenait.

879. Item, en celui temps, était le vin à Paris si cher, et ne buvait le pauvre peuple que cervoise, ou bochet[9], ou bière, ou cidre, ou poiré, ou telles manières de breuvrages ; en ce temps, environ la mi-mai, arriva tant de vins en la ville de Saint-Denis en France, pour le Lendit[10] qui devait être le mois ensuivant, qu'ils furent prisés[11] à 40 000 queues et environ 700 muids, que de Bourgogne que de France. Et après le Lendit, en fut tant ramené à Paris qu'on avait aussi bon vin pour 4 doubles ou pour 6 deniers qu'on avait devant pour 12 doubles, et bientôt après eut-on très bon vin pour 4 deniers [la] pinte.

880. Item, au mois de septembre, l'an 1447, trépassa de ce siècle révérend père en Dieu, monseigneur l'évêque de Paris, le 15e jour[12] de septembre, nommé messire Denis du Moulin, patriarche d'Antioche, archevêque de Toulouse, et fut enterré à Notre-Dame[13] de Paris.

881. Item, le jour Saint-Nicolas en décembre[14], fut fait par élection évêque de Paris messire Guillaume Chartier[15], homme de très bonne renommée, et était chanoine de Notre-Dame de Paris.

---

7. Félix V est pape de par la volonté du concile. Ses concurrents le sont par la volonté du Sacré Collège des cardinaux.

8. S'il avait sollicité ou acheté les suffrages, son élection aurait été irrégulière.

9. Bochet : cidre ou autre forme de boisson ?

10. La foire du Lendit, début juin.

11. Estimés. Il parle de quantité sur le marché et non de leur qualité.

12. Le 25 septembre. Les nombreuses erreurs de date de cette année 1445 s'expliquent peut-être par des fautes du copiste.

13. Il avait rétrocédé ce poste à son frère, Pierre du Moulin. Mais notre clerc ne l'aime guère et le présenter comme un cumulard l'arrange. Il fut enterré à Notre-Dame à droite du grand autel.

14. La Saint-Nicolas se fête le 6 décembre. Or, d'après les registres du chapitre Notre-Dame, Guillaume Chartier fut élu le 4 décembre. Ces erreurs sont curieuses. Jusqu'en 1447, les dates sont exactes, ensuite elles sont parfois fausses, même pour des événements situés à Paris et que notre clerc, s'il est bien chanoine de Notre-Dame, aurait dû connaître pourtant avec précision.

15. Guillaume Chartier, moine de Saint-Denis, était chanoine de Notre-Dame depuis janvier 1431. Il était bien vu à la fois de ses confrères et du roi. Son frère Jean fut l'historiographe officiel de Charles VII.

[1448]

882. Item, en celui temps, fut décollé* maître Pierre Mariette[1], pour le contens* qu'il avait mis entre le Dauphin et le duc de Bourgogne, par sa grande mauvaiseté et déloyale trahison.

883. Item, le 12e jour d'avril, l'an 1448, fut confirmé abbé de Saint-Magloire frère Jean Jamelin[2], lequel avait été tout nourri en ladite abbaye, né de la cité de Paris, et le sacra et bénit l'évêque de Meaux[3], lequel avait été moine de Saint-Magloire, et était avec cet abbé de Saint-Maur et prieur de Saint-Éloi de devant le Palais ; et fut à sa bénédiction l'abbé de Saint-Denis[4], l'abbé de Saint-Germain-des-Prés[5], l'abbé de Saint-Victor[6], l'abbé de Sainte-Geneviève[7].

884. Item, la darraine* semaine d'avril, vint à Paris une

---

1. Cette rubrique mal placée se réfère à avril 1448. Guillaume Mariette, secrétaire du roi, avait contrefait le sceau du roi et du dauphin et entretenait une correspondance chiffrée avec le duc de Bourgogne. Arrêté en octobre 1447, il fut reconnu coupable de haute trahison et écartelé à Tours en avril 1448.

2. Jean Jamelin, ou Hamelin, succéda à Pierre Louvel, décédé le 10 février 1447. Le chapitre Notre-Dame avait autorisé l'élection au mois de mars. Un fois élu, un abbé doit être consacré.

3. Jean le Maunier, moine de Saint-Magloire, avait fait une belle carrière. Prieur de Saint-Éloi de Paris (après 1424), puis abbé de Saint-Maur, il avait été élu, en janvier 1447, évêque de Meaux. Il le resta jusqu'à sa mort en 1458. Le cumul ne semble guère dans ce cas frapper notre auteur.

4. Philippe de Gamaches, abbé de 1442 à 1464.

5. Hervé Morillon, abbé de 1439 à 1460.

6. André Barré, abbé de 1423 à octobre 1448.

7. Pierre Caillou, abbé de Sainte-Geneviève, avait officié aux obsèques d'Isabeau. La bénédiction de Jean Jamelin fut la dernière cérémonie à laquelle il participa. Il renonça à sa charge pour des raisons de santé, mais ne mourut qu'en 1466.

damoiselle[8], laquelle on disait être amie publiquement[9] au roi de France, sans foi et sans loi[10] et sans vérité à la bonne reine[11] qu'il avait épousée, et bien y apparaît qu'elle menait aussi grand état comme une comtesse[12] ou duchesse, et allait et venait bien souvent avec la bonne reine de France[13], sans ce qu'elle eut point honte de son péché[14], dont la reine avait moult de douleur à son cœur[15], mais à souffrir lui convenait pour lors. Et le roi pour plus montrer et manifester son grand péché et sa grande honte, et d'elle aussi, lui donna le chastel de Beauté[16], le plus bel chastel[17] et joli et le mieux assis qui fut en toute l'Île-de-France. Et se nommait et se faisait nommer la belle Agnès, et pour ce que le peuple de Paris ne lui fit telle révérence comme son grand orgueil, qu'elle ne put celer, demandait elle

8. Ce vocable n'est appliqué qu'aux jeunes filles de la noblesse. Agnès Sorel appartenait à une famille chevaleresque.

9. La liaison entre Agnès et le roi dura une dizaine d'années et ne prit fin qu'à la mort de celle-ci. Elle avait donné trois filles au roi et exercé une influence très généralement reconnue comme bénéfique. Si notre clerc est choqué, c'est qu'il s'agit de la première favorite officielle de l'histoire de France (et la seule du xve siècle).

10. Cela se rapporte au roi (qui était) sans foi (il ne respectait pas les promesses de fidélité du mariage religieux), sans loi (le droit civil protège l'épouse), sans vérité (?). Charles VII ne mentait pas puisqu'il affichait sa favorite. Il faut comprendre « sentiments vrais pour la reine ».

11. Marie d'Anjou était une épouse falote, épuisée par de très nombreuses grossesses, et fort pieuse. Le roi semble l'avoir traitée avec ménagements et il adorait son fils Charles.

12. Agnès avait reçu des titres du roi.

13. Elle était dame d'honneur de Marie d'Anjou, après l'avoir été d'Isabelle de Lorraine.

14. Agnès était pieuse et son testament témoigne qu'elle vivait assez mal une situation inédite. Elle légua tous ses biens à des institutions religieuses.

15. Marie d'Anjou et Charles VII, fiancés dans l'enfance, avaient été élevés ensemble par Yolande d'Aragon. Ils avaient en commun beaucoup de souvenirs et d'intérêts.

16. Elle était dame de Beauté depuis 1444. C'était un joli titre. La beauté d'Agnès a aussi fasciné les peintres (Jean Fouquet) et les sculpteurs.

17. Beauté-sur-Marne était une maison de plaisance, construite par Charles V près du bois de Vincennes. Charles V y mourut. Elle appartint ensuite à Louis d'Orléans. Prise par les Anglais, elle fut reconquise par Richemont en 1439. La situation était jolie car le château dominait la vallée de la Marne.

dit au départir que ce n'étaient que vilains[18], et que si elle eût cuidé* qu'on ne lui eut fait plus grand honneur qu'on ne lui fit, elle n'y eut jà entré ni mis le pied, qui eût été dommage[19], mais il eût été petit[20]. Ainsi s'en alla la belle Agnès le dixième jour de mai ensuivant à son péché comme devant. Hélas ! quelle pitié, quand le chef du royaume donne si malle* exemple à son peuple, car s'ils font ainsi ou pis, il n'en oserait parler[21], car on dit en un proverbe[22] : « Selon seigneur, mesnie duite », comme nous savons d'une dame reine de Babylone, nommée Sémiramis[23], qui fut une des neuf preuses, qui fit de son propre fils son ami ou son ribaud[24], et quand elle vit que son peuple en murmurait, elle fit crier publiquement par tout son royaume, que qui voudraient prendre sa mère, sa fille ou sa sœur, par mariage ou par folle amour[25] ou autrement[26], elle donnait[27] à

---

18. Agnès était populaire dans la vallée de la Loire. Les Parisiens, volontiers frondeurs à l'égard d'un roi qui les délaissait, furent peu aimables avec elle.

19. (Car elle était jolie.)

20. Il (le dommage) eût été petit. La beauté des femmes a peu d'importance.

21. Il n'oserait pas les punir.

22. Les bâtards étaient nombreux depuis 1350 dans la noblesse française, et bien acceptés. La conduite de Charles VII n'y est pour rien. En période de guerre et de troubles, les familles nobles, très exposées, avaient besoin d'héritiers de substitution (qui n'avaient des droits qu'à défaut d'héritiers légitimes). L'Église voyait évidemment les choses différemment.

23. Sémiramis était l'une des trois preuses de l'Antiquité, retenue par la liste composée à la fin du XIVe siècle pour constituer un parallèle à la liste masculine de Jean de Vauguyon, qui date de 1323. La version de Sébastien Mamerot date de 1461 et fut écrite pour Louis de Laval.

24. Il y a quelque confusion dans son esprit. Seule Jocaste coucha avec son fils Œdipe, puisqu'elle l'épousa quand Laios eut été tué par Œdipe, qui ne l'avait pas reconnu. C'est le déroulement d'une fatalité et non un caprice charnel. Quant à la reine de Babylone, il ignore tout de son histoire, sauf peut-être que la succession par adoption d'un adulte y est très répandue. Sa comparaison est assez bizarre. Sémiramis est Charles VII, roi puissant et guerrier. L'accuse-t-il de coucher avec sa fille ou plutôt avec quelqu'un qui a l'âge d'être sa fille ? Charles est né en 1403 et Agnès en 1422.

25. Liaison sans mariage.

26. Viol ou rapt.

27. Il invente pour prouver que l'exemple du chef entraîne le peuple. Ni Jocaste ni Sémiramis n'ont fait une législation aussi absurde. Veut-il dire que le pouvoir au féminin (avoir une femme pour reine) conduit à l'anarchie et au chaos ?

tout son peuple, quel qu'il fut, licence et pouvoir de ce faire, et le commandait. Dont il vint moult de maux audit royaume de Chaldée, car les hommes efforçaient* les femmes, les filles, les nonnains[28], dont maint homicide[29] fut fait depuis cette loi que Sémiramis fit pour couvrir sa grande luxure; car quand un grand seigneur ou dame[30] fait publiquement grands péchés, ses chevaliers et son peuple[31] en sont plus hardis à pécher.

884. Item, en celui an, fut si bon marché de pain et de vin qu'un homme laboureur avait assez de pain pour deux tournois à vivre pour un jour; très bon vin pour tout homme pour deux deniers parisis la pinte, blanc et vermeil, à la Saint-Jean[32], le quarteron d'œufs pour huit deniers parisis; un très grand fromage pour six deniers; la livre de bon beurre pour huit deniers parisis.

885. Item, à un dimanche courant par F[33], celui an, le jour de la Madeleine[34], fut sacré et béni l'évêque de Paris en l'abbaye de Saint-Victor-les-Paris, et celui jour fut faite une procession à Saint-Germain-l'Auxerrois, et là fut ordonné qu'on irait racheter des chrétiens qui étaient ès mains du sultan[35], auxquels on faisait souffrir moult martyres; et le 2e ou

---

28. On doute sérieusement de l'existence de religieuses chez les Chaldéens ! Mais il parle en fait du royaume.

29. Le lien viol-homicide ne va pas de soi. Soit l'amant tue les protecteurs de la femme (père ou frères) qu'il convoite, soit il est tué lui-même dans l'entreprise. Cependant le développement des familles parallèles dans la noblesse fut en général plus pacifique. La haute noblesse s'intéressa aux filles de la moyenne noblesse, la moyenne à la petite. Beaucoup de femmes n'avaient plus de protecteurs officiels et l'existence d'enfants reconnus par le père leur assurait une certaine sécurité.

30. A vrai dire, si les infidélités d'un homme étaient assez bien admises, celles d'une femme passaient assez mal. En France, on ne connaît guère de princesses avouant leurs favoris. Jacqueline de Bavière, duchesse de Touraine, dut, pour suivre ses impulsions, multiplier mariages et séparations.

31. Le mauvais exemple est facilement imité. En fait, il a tort. Ni les serviteurs du roi, ni le pauvre commun qui avait peu à léguer ne multiplièrent les bâtards.

32. Le 24 juin. Le rétablissement de la paix et une circulation plus facile des denrées font baisser les prix.

33. Le premier jour de l'année était un samedi.

34. La fête de Marie-Madeleine est le 22 juillet, Guillaume Chartier fut sacré évêque le 28 juillet. Il y a donc ici encore une erreur de date.

35. Le sultan des Turcs. Il s'agit de la bataille de Varna qui avait été un véritable désastre pour la Chrétienté. Il y avait de très nombreux prisonniers que la papauté désirait racheter.

3e jour après ce partirent de Paris aucuns des frères de Saint-Mathurin[36] et autres pour aller audit voyage piteux.

886. Item, le dimanche ensuivant, 4e jour d'août, fut reçu ledit évêque à Notre-Dame de Paris[37], et partit de Saint-Victor sur un cheval blanc, et vint à Sainte-Geneviève et de là fut porté[38] à Notre-Dame de Paris à très grand honneur.

887. Item, cette année, fut la rivière de Seine si petite qu'à la Toussaint on venait de la place Maubert tout droit à Notre-Dame de Paris, à l'aide de quatre petites pierres, et hommes et femmes [et petits enfants] sans mouiller leurs pieds[39], et devant les Augustins, jusques au pont Saint-Michel, en quatre ou cinq lieux, en telle manière, pour venir au Palais du roi par la porte de derrière.

888. Item, celui an, furent commandées à fêter les fêtes de madame sainte Geneviève, comme le jour du dimanche, par l'évêque de Paris devant nommé, et la fête de madame sainte Catherine, lesquelles on fêtait devant aux us et coutumes.

[1449]

889. Item, monseigneur de Paris dessusdit fit une belle prédication aux Innocents le jeudi absolu[1], et donna absolution à tous les trépassés qui par faute d'amis ou de pécune ou par mauvais procureurs[2], avaient été [ou étaient] nommés ès églises, excommuniés par négligence ou autrement après leur

36. C'est un ordre mendiant spécialisé dans le rachat des captifs outre-mer. Des quêtes financent leur action. Les trinitaires ou l'ordre de la Merci ont les mêmes objectifs.

37. La date est juste, cette fois. Guillaume Chartier fut reçu à Notre-Dame par un public très nombreux d'évêques, d'abbés et de conseillers royaux.

38. Avec une *sedia gestatoria*? Celle-ci fut plus tard réservée à l'intronisation des papes.

39. Le quai des Augustins. On passait à gué.

1. Le Jeudi saint.

2. Si on est excommunié, on peut se réconcilier avec l'Église le Jeudi saint, moyennant pénitence et aumônes. Ceux qui sont décédés dans l'année

trépas jusqu'à trente jours. Et en celui temps le bon prud'homme[3] visita les registres et y mit très bonne ordonnance contre ceux de la cour de l'Église qui ainsi tôt faisaient excommunier une personne, fut tort ou droit[4], et le dimanche[5] qu'on dit *Misericordia Domini* fit faire vigiles et les commendations[6] lendemain, et messe très solennelle par toutes les paroisses de Paris, et aux Innocents deux fois la procession.

890. Item, en ce temps furent pris caïmans, larrons et meurtriers, lesquels par géhenne ou autrement confessèrent avoir emblé* enfants, à l'un avoir crevé[7] les yeux, à autres avoir coupé les jambes, aux autres les pieds et autres maux assez et trop. Et étaient femmes avec ces meurtriers pour mieux décevoir les pères et les mères et les enfants, et demeuraient comme logés ès hôtels trois ou quatre jours, et quand ils voyaient leur point[8], en plein marché, pays ou ailleurs, ils emblaient* ainsi les enfants et les martyrisaient[9], comme devant est dit.

891. En ce temps, en la fin de mars 1449, furent aucuns pris, qui accusèrent tous les autres. Et de ces caïmans furent pendus un homme et une femme le mercredi 23e jour d'avril, emprès le moulin à vent du chemin de Saint-Denis en France.

892. Item, aucuns desdits caïmans qui étaient de la compagnie d'iceux devantdits furent mis en prison, car on disait qu'ils avaient fait un roi[10] et une reine par leur dérision, et fut prouvé

---

ne le peuvent pas, leurs héritiers ou procureurs doivent demander à leur place la réconciliation dans les trente jours après le décès.

3. Il a très bonne opinion de Guillaume Chartier, son confrère au chapitre Notre-Dame.

4. L'excommunication, en principe solennelle et rare, était devenue d'usage courant et galvaudée au xve siècle. Un accusé en cour d'Église pouvait se retrouver excommunié pour avoir tardé à payer une amende ou à appliquer la sentence de la cour.

5. Dimanche après Pâques.

6. Prières pour les trépassés.

7. Pour faire des mendiants convaincants, il faut les estropier. La pauvreté seule est trop répandue pour être assez émouvante.

8. ... leur affaire, en plein marché, en plein pays (campagne) ou ailleurs. Les enfants sont enlevés en ville comme à la campagne.

9. Il fait un parallèle implicite avec les Saints Innocents martyrisés à la place du Christ.

10. Le développement de la marginalité fait progresser l'organisation de celle-ci. Il n'est pas exclu qu'il y ait eu à Paris un roi (chef) des mendiants,

contre eux qu'ils avaient à petits enfants — qu'ils avaient emblés* ès villages ou ailleurs — coupé les jambes, crevé les yeux, et assez et trop de tels meurtres faits où ils repairaient, et étaient très grandes compagnies de tels larrons à Paris et ailleurs.

893. Item, le 14e jour d'avril 1449, furent à un mercredi publiées lettres que le pape Nicolas était paisiblement demeuré en la papalité, du bon gré de Félix, duc de Savoie[11], — et ledit Félix était par l'ordonnance du concile — qui fut ordonné cardinal et légat.

894. Item, le jeudi ensuivant, 15e jour dudit mois, fut faite grande joie à Paris pour lesdites nouvelles, et fit-on les feux parmi les rues, comme on fait à la Saint-Jean[12].

895. Item, le vendredi ensuivant, fit-on procession générale à Saint-Victor-les-Paris, et furent bien dix mille personnes, et ne fit-on rien à Paris[13], ni que au dimanche.

896. Item, en celui temps, était si grand marché d'œufs qu'on avait à l'Ascension un quarteron pour 6 deniers parisis ; un fromage pour 4 ou 5 deniers ; et bon vin pour deux doubles ; et un pain pour vivre un homme pour un bon double, dont les 3 valaient 3 deniers parisis ; mais de poires ni de pommes ne furent nulles cette année ; et si furent les hannetons à grande puissance, qui moult firent de maux.

897. Item, en celui mois de mai, fut gagné sur les Anglais le Pont-de-l'Arche[14], et le mardi 27e jour de mai furent faites processions générales au Palais du roi en la Sainte-Chapelle, et là furent montrés la précieuse couronne de quoi Notre Seigneur Dieu fut couronné[15], et le fer de la lance, et un des clous dont

---

de même que se développent des langages codés propres aux marginaux et que Villon a utilisés dans certains poèmes.

11. Aymé VIII de Savoie, pape sous le nom de Félix V (1431-1449), se retira moyennant le titre de cardinal légat. Ceci marque la fin du Grand Schisme qui agitait la Chrétienté depuis 1378 et la divisait en obédiences rivales.

12. Le 24 juin.

13. Ce fut un jour chômé comme le dimanche.

14. Pont-de-l'Arche sur la Seine fut prise par surprise par Jean de Brézé, capitaine de Louviers, le 15 mai 1449. Ces opérations marquent la fin des trêves avec les Anglais et le début de la reconquête de la Normandie.

15. Cette ostension des reliques de la Sainte-Chapelle, dont la plupart (les instruments de la Passion) ont été acquises par Saint Louis, a pour but d'accroître la ferveur des prières en faveur de l'expédition.

il fut percé, et autres dignes reliques largement qui n'avaient été montrées au peuple depuis la prise de Pontoise, qui fut l'an 1 400[16].

898. Item, le 30e jour de mai, fit un terrible tonnerre, environ quatre heures après dîner, qui découvrit tout le clocher des Augustins d'un côté et d'autre, et rompit gros chevrons, et rompit le bras à un crucifix sur l'autel, et abattit de la couverture du moutier grande partie.

899. Item, en celui temps, on avait bon blé froment pour 8 sols et pour moins, et bon blé seigle pour 15 ou 16 blancs, mais on gagnait peu[17].

900. Item, en celui an, environ la Saint-Jean[18], fut pris le Pont-de-l'Arche, et environ la mi-août fut pris Mantes, Vernon[19] et plusieurs villes et châteaux que les Anglais tenaient en Normandie.

901. En cet an fut le grand pardon général en la cité d'Évreux[20], et y vint roi de France, sans venir ni lui, ni la reine en la bonne cité de Paris.

902. Item, en cet an, fut faite une procession bien piteuse, le 13e jour d'octobre, des enfants, des quatre ordres mendiants et de toutes les écoles de Paris, de valetons et de pucelles, et furent nombrés à 12 500 enfants et plus, et tous vinrent aux Innocents[21] en la grande rue Saint-Denis. Et là fut chanté une messe, et là fut moult bien honorablement pris l'un des saints Innocents et porté par deux dévotes personnes à Notre-Dame de Paris, et les enfants près, tous portant cierge ou chandelle de cire en leur main; et fut faite une moult belle prédication par un maître en théologie, et au revenir près de leurs églises

---

16. Pontoise fut prise en 1441.

17. Le retour à la sécurité a fait baisser les prix, mais le chômage reste élevé à Paris, délaissé par la cour et la noblesse qui étaient autrefois les principaux clients de l'artisanat de luxe parisien. Par ailleurs, la ville a perdu de nombreux habitants.

18. Pont-de-l'Arche fut prise le 15 mai et non le 24 juin. Il y a beaucoup de dates fausses dans cette dernière partie.

19. Mantes le 28 août et Vernon le 5 septembre. Ces villes se rendirent par composition à Pierre de Brézé pour la première et à Dunois pour la deuxième.

20. Parle-t-il de l'année jubilaire que le pape avait décrétée pour 1450?

21. Sa dévotion aux reliques des Innocents et aux pèlerinages d'enfants est particulièrement nette dans la dernière partie du journal.

commençaient *Inviolata* jusque dedans l'église, et disaient une antienne du saint ou sainte de l'église et une oraison.

903. Item, le dimanche 19e jour d'octobre 1449[22], entra le roi en la ville de Rouen par la volonté du commun et malgré les Anglais, et le lundi ensuivant on sonna par tous les moutiers de Paris. Et lendemain fit-on des feux pour la joie de l'entrée de ladite ville qui fut faite sans sang épandre ; et se boutèrent* les Anglais dedans le palais[23] qu'ils avaient fait faire, que métier leur fut, car le commun de la ville moult peu les avait chers, pour ce que [trop] de mal leur avaient fait au temps qu'ils seigneurisaient.

904. Item, le jour Saint-Simon et Saint-Jude[24], fut [faite] la plus belle procession à Saint-Martin-des-Champs, qu'on eût vue puis cent ans devant, car ceux de Notre-Dame accompagnés de toute l'Université et de toutes les paroisses de Paris allèrent quérir le précieux corps Notre Seigneur à Saint-Jean-en-Grève[25], accompagnés de bien 50 000 personnes, tant de Parlement que d'autres, et parmi les rues où ils passèrent, les firent encourtiner comme le jour du Saint Sacrement. Et fut fait en la grande rue Saint-Martin, devant la Fontaine Maubué ou près, un moult bel échafaud où on fit une très belle histoire de paix et de guerre qui longue chose serait à raconter, que pour ce on délaissa.

---

22. Le 19 octobre, Charles VII prit possession de Sainte-Catherine-de-Rouen et d'une grande partie de la ville.

23. Les Anglais se retirèrent, contraints et forcés, dans le château de Rouen. Celui-ci capitula le 29 octobre et le roi fit son entrée officielle à Rouen le 10 novembre.

24. Le 28 octobre. Il manque la fin de 1449, puisqu'il ne mentionne pas la capitulation de Rouen le 29.

25. Ce sont les reliques du miracle des Billettes. Cette procession doit intercéder pour les armées du roi en Normandie.

Annexes

Annexe I

LE CALENDRIER LITURGIQUE PARISIEN

Janvier	1er	— Octave de la Nativité.
	6	— Épiphanie.
Février	2	— Purification de la Vierge, Chandeleur.
	22	— Chaire saint Pierre.
Mars	5	— Jeûne des Quatre Temps.
	25	— Annonciation.
Avril	22	— Invention saint Denis.
	23	— Georges.
	25	— Marc.
Mai	3	— Invention de la Sainte-Croix
	6	— Jean Porte Latine.
	8	— Michel.
Juin	4	— Jeûne des Quatre Temps
	24	— Jean-Baptiste
	29	— Pierre et Paul.
Juillet	4	— Translation saint Martin
	25	— Jacques.
	29	— Anne.
Août	10	— Laurent
	15	— Assomption
	24	— Barthelemy
	29	— Décollation de saint Jean-Baptiste.
Septembre	8	— Nativité de la Vierge.
	14	— Sainte Croix
	17	— Jeûne des Quatre Temps.
	21	— Matthieu.
	27	— Cosme et Damien.
	29	— Michel.
Octobre	1	— Rémi.
	9	— Denis.
	18	— Luc.
	25	— Crépin et Crépinien.
	28	— Simon et Jude.

Novembre 1 — Toussaint.
11 — Martin.
23 — Clément.
30 — André.
Décembre 1 — Éloi.
6 — Nicolas.
8 — Conception de la Vierge.
17 — Jeûne des Quatre Temps.
21 — Thomas apôtre.
25 — Noël.
26 — Étienne.
28 — Innocents.

Il s'y ajoute une série de fêtes mobiles dont la date dépend de celle de Pâques. Pâques est fixée chaque année au premier dimanche après la pleine lune de l'équinoxe de printemps. L'Ascension est 40 jours après Pâques, la Pentecôte 60 jours.

Pâques est précédée de 40 jours de Carême. Le dimanche avant Pâques est celui des Rameaux (Pâques fleuries). Il ouvre la Semaine Peineuse (Semaine sainte). Le Jeudi saint se nomme Jeudi absolu. Le dimanche qui suit Pâques est le dimanche de l'Octave ou de Quasimodo.

Les processions pour les récoltes des Rogations ont lieu les trois jours avant le jeudi de l'Ascension. Le dimanche de la Trinité suit celui de l'Ascension (dimanche de l'Octave). La Fête-Dieu se trouve le jeudi après le dimanche de la Trinité.

Toute fête liturgique comprend au Moyen Age non seulement le jour même mais aussi la veille (vigiles) et les trois fériés qui le suivent. Elle se clôt le dimanche suivant par l'Octave de la fête.

Annexe II

LES MONNAIES

Monnaies de compte

On utilise conjointement une monnaie de compte et une monnaie réelle. Le système de compte, d'origine carolingienne, est partout le même :

1 livre = 20 sous = 240 deniers ;

1 sou = 12 deniers.

Monnaies réelles

Inversement, les monnaies réelles sont multiples. Jusqu'au milieu du XIIIe siècle, le système monétaire fut basé sur le monométallisme argent. Ne circulaient que les deniers d'argent avec leurs dérivés : le demi-denier (obole ou maille) et le double.

A partir de la réforme monétaire de Saint-Louis, en 1226, on frappa :

— des pièces lourdes en argent : le gros = 12 deniers = 1 sou ; en 1365, s'ajoutèrent deux nouvelles variétés ; le petit blanc qui valait 5 deniers et le grand blanc qui en valait 10 ;

— des pièces d'or réservées aux paiements internationaux : la plupart des pièces mentionnées dans le texte ont été crées au XIVe siècle : le lion, frappé en 1338, pèse à l'origine 4,7 g, l'écu, créé en 1336, pèse 4,4 g. Tous deux valent en principe 30 sous tournois. Le mouton, créé par Jean II, pèse 4,6 g. En 1360, on crée le franc qui pèse 3,88 g et vaut 20 sous tournois. Cette pièce connaît un succès fantastique, car elle permet un rapport simple à la monnaie argent et à la monnaie de compte : un franc or vaut 1 livre.

Mutations monétaires

En pratique, le cours d'une pièce n'est pas indiqué sur celle-ci et il connaît de nombreuses variations. Celles-ci s'expliquent par des raisons commerciales (prix de l'or et de l'argent, variations de leur rapport) et par des raisons politiques. Un État peut pour des raisons internes ou externes (guerres monétaires) faire varier sa monnaie. Une mutation monétaire est de toute façon bénéfique pour les caisses royales. Il suffit de faire varier le cours officiel de la pièce par ordonnance, ou de modifier la pièce elle-même en jouant sur son aloi (le pourcentage de métal précieux ; une pièce d'or pur fait 24 carats, une pièce d'argent pur 12 deniers) ou sur son poids (le nombre de pièces taillées dans l'unité monétaire, le marc d'argent ou d'or, qui pèse 244,7 g.) Le XVe siècle, qui rechigne à l'impôt, utilise beaucoup la dévaluation sur le continent, alors que la monnaie anglaise reste stable.

Circulation monétaire

Par ailleurs, il convient de savoir qu'il n'y a pas de monopole de la monnaie royale dans le royaume. Circulent en effet dans le Bassin parisien :

— *les deux monnaies royales :* le tournois et le parisis.
4 deniers tournois = 5 deniers parisis.

— *les monnaies bourguignonnes ou flamandes :*
1 lubre argent = 1 blanc ;
1 plaque argent = 8 doubles tournois ;
1/2 plaque ou 1 gros de Flandre = 4 deniers tournois.

Le dorderes frappé à Dordrecht est une monnaie or faible :

— *les monnaies anglaises.*

Les pièces d'argent (le denier sterling et le shilling ou sou) circulent peu.

1 denier sterling = 6 deniers tournois.

Le noble d'or est le dollar du XVe siècle. Il vaut 50 sous tournois ou 64 sous parisis.

3 nobles = 1 livre sterling.

— *les monnaies de la double monarchie* émises en France au nom d'Henri V ou d'Henri VI.

Le salut or pèse 3,8 g. Il vaut un demi-noble d'Angleterre et 25 sous tournois ou 32 sous parisis.

Annexe III

POIDS ET MESURES

Notre auteur utilise, à de rares exceptions près, les systèmes en vigueur à Paris.

Poids

La livre vaut de 380 à 522 grammes.

1 livre romaine = 12 onces
1 livre parisis = 16 onces
1 once = 20 esterlins

Longueur

1 pouce = 0,027 m
1 pied = 0,324 m = 12 pouces
1 aune = 1,18 m = 3 pieds 7 pouces
1 toise = 1,95 m = 6 pieds
1 lance = 3,60 à 4,50 m = 12 à 15 pieds
1 lieue = 4,400 km

Surface

1 arpent de Paris = 34,17 ares = 100 perches carrées

Capacité

Elles varient avec ce qu'on mesure.

— Blé : 1 setier = 1,56 hl = 12 boisseaux
1 boisseau = 13 l
1 muid = 12 setiers

— Avoine : 1 setier = 16 boisseaux = 2,73 hl

— Vin : 1 tonneau = 2 queues = 4 poinçons = 804 l
1 muid = 1 tiers de tonneau = 288 pintes = 268 l
1 setier = 1/16 de muid
1 chopine = 1/2 pinte
1 queue (ou caque) = 402 l
1 poinçon = 201 l
1 pinte = 0,94 l

— *Pain :* jusqu'en 1439, on distingue la denrée (qui vaut un denier), le doublel (pain de deux deniers) et la demie (qui vaut un demi-denier). Le prix du pain est fixe, mais son poids varie en fonction des fluctuations du prix des céréales. Le pain rétrécit si le prix du blé monte. Le poids normal du pain est de 12 onces la demie, 16 onces la denrée et 24 onces le doublel.

Le pain se distingue aussi suivant les qualités. Le pain mollet ou de froment est blanc, le pain bourgeois et le pain faitif sont des catégories encore bonnes mais déjà du pain bis. Le pain noir est appelé pain de retrait. Un pain noir de 24 onces vaut le prix d'un pain faitif de 16 onces et d'un pain blanc de 12 onces.

Après 1439, le système change. Le prix du pain varie suivant le prix des céréales lequel fait l'objet de la tenue d'une mercuriale officielle.

— *Objets en vrac:* ils sont vendus au sac ou au quarteron. Cette dernière mesure vaut le quart d'une autre mesure. Le quarteron de pommes signifie 25 pommes (le quart de 100), le quarteron de suif vaut probablement le quart d'une livre.

— *Bois:* les bûches de bonne qualité se vendent par molle. Une molle équivaut en principe à 50 bûches assez grosses. Pour le petit bois, l'unité est le cent de costerets.

Annexe IV

CHRONOLOGIE

Sont indiqués les événements notables et les événements proprement parisiens. Notre auteur étant un fervent du silence pour les événements qui le gênent, on a fait précéder d'un astérisque les événements qu'il omet volontairement ou non.

1405 Septembre: Berry et Bourbon capitaines de Paris où l'emporte Jean sans Peur. Les troupes de Louis d'Orléans assiègent la ville.
9 octobre: émeute suscitée par la peur du retour du duc d'Orléans.

1406 *Retour au pouvoir du duc d'Orléans; Jean sans Peur est exclu du gouvernement et des pensions.

1407 *23 novembre: assassinat de Louis d'Orléans par des séides de Jean sans Peur.

1408 23 septembre: bataille d'Othée.
Novembre: le parti Orléans se replie sur Tours avec le roi et le dauphin par peur des émeutes parisiennes.

1409 *9 mars: paix fourrée de Chartres.
17 mars: retour de Charles VI à Paris.
25 juin: élection du pape Alexandre V.
7 octobre: arrestation de Jean de Montaigu; la ville redevient bourguignonne.
17 octobre: exécution de Montaigu; les princes quittent Paris.
*Hiver: épuration bourguignonne dans tous les rouages de l'État.

1410 *15 avril: ligue de Gien, naissance du parti armagnac.
Été: les armées des deux partis pillent la région de Paris.
*2 septembre: manifeste des princes.
*2 novembre: paix de Bicêtre, retour à un gouvernement mixte pour l'hiver.

1411 *Juillet: manifeste de Jargeau; défi des Armagnacs à Jean sans Peur.
Fin août: rencontre de Montdidier.

Fin septembre : retour des milices flamandes en Flandre.
Octobre : opérations des Armagnacs autour de Paris.
Fin octobre : retour de Jean sans Peur à Paris avec des mercenaires anglais.
9 novembre : reprise par les Bourguignons de Saint-Cloud et Saint-Denis.
13 novembre : siège d'Étampes, excommunication des Armagnacs.

1412 Traité d'alliance entre les Armagnacs et l'Angleterre.
Fin mai : départ de l'armée royale vers le sud.
11 juin-12 juillet : siège de Bourges.
22 août : paix fourrée d'Auxerre.
23 octobre : retour du roi et des princes à Paris.

1413 Février : trahison des princes.
*30 janvier-13 février : états généraux, épuration pro-bourguignonne.
*28 avril : émeute contre Louis de Guyenne ; arrestation du duc de Bar.
Mai : les Cabochiens s'emparent de Paris ; Guyenne, Berry et la reine sont virtuellement prisonniers.
22 mai : émeute contre l'entourage d'Isabeau.
*26-27 mai : promulgation de l'ordonnance cabochienne.
Juin : exécutions sommaires à Paris.
1er juillet : exécution de Pierre des Essarts.
*28 juillet : paix de Pontoise.
4 août : retournement de l'Université ; libération des princes, exil des Cabochiens, épurations.
29 août : fuite de Jean sans Peur.
*31 août : rentrée des princes à Paris.
*5 septembre : abolition de l'ordonnance cabochienne.

1414 Janvier-février : Bourgogne devant Paris.
17 février : bannissement de Jean sans Peur.
*23 février : condamnation par l'Université des thèses de Jean Petit.
Février-mars : épidémie de coqueluche.
Mai : prise de Soissons par l'armée royale.
Juin : siège d'Arras.
4 septembre : paix d'Arras.

1415 Août : débarquement d'Henri V.
25 octobre : désastre d'Azincourt.

18 décembre : mort de Louis de Guyenne.

1416 Gouvernement du connétable d'Armagnac.
Mars : visite de Sigismond.
13 mai : suppression de la Grande Boucherie.
15 juin : mort du duc de Berry.

1417 4 avril : mort du dauphin Jean de Touraine.
Avril : mort du duc d'Anjou.
Novembre : Jean sans Peur récupère Isabeau réfugiée à Tours.
*Excommunication solennelle des Bourguignons.
*Conquête de la Normandie par les Anglais.

1418 29 mai : entrée des Bourguignons dans Paris : massacres et fuite du dauphin Charles.
14 juillet : arrivée de Jean sans Peur à Paris.
20-21 août : nouveaux massacres.
Août : épidémie de petite vérole.
*Septembre : création du parlement de Poitiers.
*Traité de Saint-Maur.

1419 Janvier : prise de Rouen par les Anglais.
Juillet : entrevue de Pouilly.
*10 septembre : assassinat de Jean sans Peur à Montereau.
*Décembre : alliance anglo-bourguignonne.

1420 21 mai : traité de Troyes.
Juin : mariage d'Henri V et de Catherine de France à Troyes.
Été : Melun et Montereau pris par les Anglais.
1er décembre : entrée de Charles VI et Henri V à Paris.

1421 Printemps : famine.
Automne : mortalité.
5 décembre : naissance d'Henri VI.

1422 Janvier-mai : siège de Meaux.
Juin : épidémie de vérole.
31 août : mort d'Henri V à Vincennes.
21 octobre : mort de Charles VI.
11 novembre : obsèques du roi ; prise du pouvoir par Jean de Bedford.

1423 Février : serment de fidélité à Bedford.
Avril : entrevue d'Amiens, Bedford épouse Anne de Bourgogne.
*3 juillet : naissance du futur Louis XI.

31 juillet : Cravant.
1424 15 août : désastre de Verneuil.
8 septembre : entrée de Bedford à Paris.
Novembre : campagne d'Humphrey de Gloucester en Hainaut.
1425 Danse macabre du cimetière des Innocents.
*7 mars : Richemont connétable de Charles VII.
Réouverture des portes de Paris.
1427 Avril : retour de Bedford.
*Siège du Mont-Saint-Michel.
Août : arrivée des Tsiganes à Paris.
*5 septembre : Anglais battus à Montargis.
Automne : épidémie de grippe (la dando).
15 décembre : exécution de Sauvage de Frémainville.
1428 Mai : opérations autour du Mans.
21 juin : dîner offert par Bedford aux universitaires.
Novembre : mort de Salisbury devant Orléans.
1429 12 février : journée des Harengs.
Avril : prêches de frère Richard à Paris.
8 mai : libération d'Orléans par Jeanne d'Arc.
Juin : dédicace du nouveau chœur de Saint-Laurent.
*16 juillet : sacre de Charles VII.
8 septembre : échec de Jeanne devant Paris.
Fin septembre : Bedford en Normandie, Philippe le Bon à Paris.
1430 24 mai : capture de Jeanne devant Compiègne.
1431 Mai : fête du Saint-Sacrement.
Consultation de l'Université sur Jeanne d'Arc.
31 mai : mort de Jeanne d'Arc.
2 décembre : entrée d'Henri VI à Paris.
*13 décembre : trêve de 6 ans entre Charles VII et Philippe le Bon.
16 décembre : sacre d'Henri VI à Notre-Dame.
1432 Avril : prise de Chartres par Charles VII.
Novembre : épidémie.
13 novembre : mort d'Anne de Bedford.
1433 20 avril : remariage de Bedford avec Jacquette de Luxembourg.
Juin : négociations à trois.
Mars-novembre : épidémie de bosse.
1434 Octobre : ouragan.

Décembre : retour de Bedford à Paris.

1435 Printemps : Philippe le Bon à Paris.
Mai : défaite anglaise à Gerberoy.
Été : négociations à Arras.
*21 septembre : traité d'Arras ; réconciliation entre Charles VII et le duc de Bourgogne.
24 septembre : mort d'Isabeau de Bavière.

1436 13 avril : entrée de Richemont dans Paris.
Décembre : rétablissement du parlement à Paris ; amnistie.

1437 *7 février : libération de René d'Anjou.
Octobre : prise de Montereau.
12 décembre : entrée de Charles VII à Paris.

1438 *7 juillet : pragmatique Sanction de Bourges.
21 août : épidémie ; mort de Marie de France.

1439 *Ordonnance sur l'armée et les écorcheurs.
12 août : prise de Meaux.
Novembre : capture du loup Courtaut.

1440 Été : praguerie.
Fausse Pucelle à Orléans.

1441 Janvier : libération de Charles d'Orléans.
Juin-septembre : prise de Pontoise.

1442 31 janvier : mort de Marguerite de Richemont.
Juin : dédicace de Saint-Antoine-le-Petit.

1443 14 août : prise de Dieppe.
Août-décembre : grève universitaire.

1444 *28 mai : trêve de Tours avec l'Angleterre.
Juin : reprise de la foire du Lendit.
Septembre : nouvelle grève universitaire.

1445 Août : retour des reliques de Saint-Denis.
Août : épidémie.
*Création de l'armée permanente.

1446 Printemps : visite de Fernand de Cordoue.
*26 mars : l'Université est soumise à la juridiction du Parlement.
31 décembre : naissance de Charles de France.

1447 Mai et septembre : pèlerinage au Mont-Saint-Michel.

1448 Visite d'Agnès Sorel à Paris.

1449 Printemps : reprise de la guerre avec l'Angleterre.
19 octobre : entrée de Charles VII à Rouen.

Annexe V

OFFICIERS ET FONCTIONNAIRES A PARIS

1. Les représentants du Roi

A - Capitaine de Paris

Il a la charge militaire de la capitale et commande la garnison. En période de guerre, son rôle est très important et on y nomme de grands seigneurs qui ont la confiance du parti au pouvoir.

Si le gouvernement change, le capitaine est remplacé.

1405 - ducs de Berry et de Bourbon.
1408-1410 - Pierre des Essarts.
1410-1411 - Waleran de Luxembourg.
1413 - Elyon de Jacqueville.
Août 1413 - Jean de Berry.
1415 - Waleran de Luxembourg.
1416 - Charles de France dauphin.
1418-1419 - Charles de Lens.
1419-1420 - Philippe comte de Saint-Pol.
1420-1421 - Thomas de Clarence.
1421 - Thomas d'Exeter.
1421 - Jean de La Beaume Montrevel.
1429-1433 - Jean Villiers de L'Isle-Adam.
1436 - Louis de Luxembourg.
1436 - Arthur de Richemont.

B - Prévôts du Roi

Le prévôt de Paris est un officier royal nommé qui joue le rôle d'un bailli ou d'un préfet actuel. Ses attributions sont multiformes : administrer, juger ou prélever l'impôt.

1401-1408 — Guillaume de Tignonville, chambellan.
30 avril 1408-8 novembre 1410 — Pierre des Essarts, maître d'hôtel.
8 novembre 1410-11 octobre 1411 — Bruneau de Saint-Clair, maître d'hôtel.

11 octobre 1411-12 mars 1412 — Pierre des Essarts.
12 mars 1412-22 septembre 1413 — Robert de La Heuse, chambellan.
4 août 1413-11 août 1413 — Tanguy du Châtel, maréchal de Guyenne.
22 septembre 1413-19 février 1415 — André Marchand, conseiller au Parlement.
23-24 octobre 1414 — Tanguy du Châtel.
19 février 1415-30 mai 1418 — Tanguy du Châtel.
Mai 1418 — Jean Villiers de L'Isle-Adam (intérim).
30 mai 1418-3 février 1419 — Guy de Bar, chambellan du duc de Bourgogne.
19 août-10 octobre 1418 — Jacques de Semeuse (intérim).
3 février 1419-décembre 1420 — Gilles de Clamecy, maître des Comptes.
16 décembre 1420-10 mars 1421 — Jean du Mesnil, maître d'hôtel.
10-14 mars 1421 — Gauchet Jayet (intérim).
14 mars 1421-5 mai 1421 — Jean de La Beaume Montrevel, chambellan du duc de Bourgogne.
Mai 1421 — Pierre de Marigny, maître d'hôtel.
1421 — Hugues Restoré.
3 Juillet 1421-janvier 1422 — Jean Le Verrat, écuyer du roi.
3 février 1422-1er décembre 1422 — Simon de Champluisant, bailli de Vermandois.
1er décembre 1422-13 avril 1436 — Simon Morhier, maître d'hôtel d'Isabeau.
13 avril 1436-23 février 1437 — Philippe de Ternant, chambellan du duc de Bourgogne.
23 février 1437-24 mai 1446 — Ambroise de Loré.
26-29 mai 1446 — Jean Dauvet (intérim).
29 mai 1446-28 mars 1447 — Jean d'Estouteville, chambellan de Charles VII.
28 mars 1447-août 1461 — Robert d'Estouteville, chambellan.

Le prévôt de Paris est assisté de deux lieutenants, l'un au civil et l'autre au criminel. L'ensemble de ses services est installé au Châtelet.

2. La municipalité

Paris n'a, à proprement parler, ni commune ni municipalité reconnues. C'est la Hanse des marchands de l'eau, qui a le monopole du commerce sur la Seine, qui en tient lieu. Le prévôt des marchands et les quatre échevins de l'eau sont des élus qui ont peu à peu acquis officieusement le rôle d'un conseil municipal. Mais, en cas d'émeutes, le roi s'empresse de les supprimer. Cela avait été le cas en 1383 à la suite de l'émeute des Maillotins. Le prévôt royal administra donc seul la ville de 1383 à 1389. En 1389, le roi fit une concession en nommant à côté du prévôt royal un « garde de la prévôté des marchands pour le roi ». Se succédèrent :

Jean Jouvenel des Ursins (1389-1400) ;
Jean Aillembourse ;
Charles Culdoe ;
Pierre Gentien.

En janvier 1412, sous l'influence bourguignonne, l'élection du prévôt des marchands ainsi que de l'échevinage fut rétablie.

Liste des élus à la prévôté et à l'échevinage

DATES	PRÉVÔTS DES MARCHANDS	ÉCHEVINS
1412 20 janvier-20 février	Pierre Gencien *Général des monnaies*	Me Jean de Troyes *Chirurgien*
1412 23 octobre[1]	—	—
1413 16 mars[2]	André d'Épernon *Changeur*	—
1413 17 août[3]	—	Pierre Auger *Changeur*
1413 9 septembre[4]	Pierre Gencien	—
1415 18 avril	—	André d'Épernon *Changeur*
1415 10 octobre	Philippe de Breban *Changeur*	Jean du Pré *Épicier*
1416 30 août[5]	—	—
1417 16 août[6]	—	—
1417 8 septembre	Étienne de Bonpuits *Pelletier*	—
1417 12 septembre	Guillaume Cirasse *Huchier*	—
1418 6 juin[7]	Noël Marchand	
1418 10 juin	—	Pierre Le Voyer

1. Denis de Saint-Yon était mort le 28 septembre. — 2. Pierre Gencien avait quitté Paris. — 3. Révocation des Cabochiens et de leurs partisans. — 4. Révocation d'Espernon. — 5. Démission de Guillaume d'Auxerre. — 6. Démission de Pizdoe. — 7. Les Bourguignons étaient rentrés dans Paris le 29 mai.

ÉCHEVINS		
Denis de Saint-Yon *Boucher*	Robert de Belloy *Drapier*	Jean de l'Olive *Changeur*
Garnier de Saint-Yon	—	—
—	—	—
Guillaume Cirasse *Huchier*	Jean Marcel *Drapier*	—
—	—	—
Pierre de Grandruc *Épicier*	Jean de Louviers *Drapier*	—
Étienne de Bonpuits *Pelletier*	Regnault Pizdoe *Changeur*	Guillaume d'Auxerre *Drapier*
—	—	Guillaume Cirasse *Huchier*
—	Simon Taranne *Changeur*	Me Henri Mauloué *Notaire*
—	—	—
—	—	—
—	—	—
Michel Thibert *Boucher*	Marcel Testard *Boucher*	Jean de Louviers *Drapier*

DATES	PRÉVÔTS DES MARCHANDS	ÉCHEVINS
1419 22 septembre	—	Antoine Ymbert des Champs *Mercier*
1420 26 décembre	Me Hugues Le Coq *Conseiller au Parlement*	Jean de Dammartin *Changeur*
1421	—	Jean de Belloy
1422 12 décembre	—	—
1429 12 juillet	Guillaume Sanguin *Changeur*	Jean de Dampierre *Mercier*
1430 30 juillet	—	—
1431 23 juillet	Me Hugues Rapiout *Pdt des requêtes*	—
1431 1er septembre	—	Robin Clément *Changeur*
1432 23 juillet	—	—
1433 22 juillet	—	Garnier de Saint-Yon *Boucher*
1434 18 juillet	Me Hugues Le Coq *Conseiller au Parlement*	—
1435 juillet	—	Jean de Dampierre *Mercier*
1436 14 avril[1]	Michel de Lallier *Maître des comptes*	
1436 23 juillet	—	Pierre des Landes *Changeur*
1437 23 juillet	—	—

1. Richemont était entré dans Paris le 13 avril.

ÉCHEVINS		
Jean de Saint-Yon *Boucher*	—	—
Jean de Cerisy *Changeur*	Jean de Compas *Changeur*	Jean de l'Olive *Changeur*
—	—	—
Garnier de Saint-Yon *Boucher*	Raoul Dourdin	Jean de la Poterne *Changeur*
Raymond Marc *Drapier*	Nicolas de Neuville *Poissonnier*	Antoine Ymbert des Champs *Mercier*
—	Guillaume de Troyes *Artilleur*	Marcelet Testard *Boucher*
—	—	—
Henry Auffroy *Marchand*	—	—
—	Jaquet de Roye *Épicier*	Louis Gobert *Marchand de bûches*
Jean de la Poterne *Changeur*	—	—
—	Me Louis Galet *Examinateur au Châtelet*	Luquin du Pleis *Changeur*
Thomas Orlant *Changeur*	—	—
Nicolas de Neuville *Poissonnier*	Jean de Belloy *Grenetier du grenier à sel*	Jean de Grandrue *Changeur*
Simon du Martroy *Orfèvre*	Jean Luillier *Changeur*	—

DATES	PRÉVÔTS DES MARCHANDS	ÉCHEVINS
1438 23 juillet	Pierre des Landes *Changeur*	Me Jean Thiessart *Notaire du roi*
1439 23 juillet	—	Me Nicaise de Bailly[1] *Notaire du roi*
1440 23 juillet	—	—
1441 23 juillet	—	Guillaume Nicolas *Procureur*
1442 30 juillet	— [2]	—
1443 20 juillet	—	Jean Luillier *Changeur*
1444 23 juillet	Me Jean Baillet *Conseiller au Parlement*	—
1445 30 juillet	—	— (réélu)[3]
1446 23 juillet	—	—
1447 27 juillet	—	— (réélu)
1447 19 août[4]	—	Germain Braque *Maître général des monnaies*
1448 23 juillet	—	—
1449 23 juillet	—	Jean de Marle *Changeur*
1450 17 août[5]	Me Jean Bureau *Trésorier de France*	—

1. Thiessart était mort en fonction. — 2. Le roi avait demandé, par lettres, le maintien de P. des Landes. — 3. Le roi avait demandé le maintien de Luillier et la Fontaine. — 4. Luillier avait été élu clerc et receveur de la ville. — 5. Il y eut un débat pour décider du retour à la date ancienne de l'élection, le 16 août, et du maintien d'une condition essentielle de l'éligibilité, la naissance à Paris.

ÉCHEVINS		
Jacques de la Fontaine *Changeur*	—	Jean Augier *Changeur*
	Me Jean de la Porte *Examinateur au Châtelet*	—
Jean de Calais *Notaire au Châtelet*	—	Michel Culdoe *Panetier du roi*
—	Jean de Livres *Poissonnier*	—
Jean de Marle *Changeur*	—	Nicolas de Neuville *Poissonnier*
	Jacques de la Fontaine *Changeur*	
Nicolas de Louviers *Drapier*	—	Jean Chanteprime
—	— (réélu)	—
Pierre de Vaudetar *Valet de chambre du roi*	—	Me Charles de Caulers *Clerc des comptes*
—	Michel Culdoe	—
—	—	—
Enguerran de Thumery *Changeur*	—	Guillaume Nicolas *Procureur*
—	Nicolas de Louviers *Drapier*	—
Me Nicaise de Bailly *Notaire du roi*	—	Jean Chenart *Épicier*

Annexe VI

ÉVÊQUE ET CHAPITRE

1. **Les évêques de Paris**

Paris est un diocèse qui dépend de la métropole de Sens. En pratique, l'évêque de la capitale est indépendant de son métropolitain. Il est élu par le chapitre cathédral, mais ce dernier doit tenir compte des desiderata du pouvoir politique sous peine de voir son élu n'être pas confirmé par le roi. Une fois confirmé, l'évêque doit aussi être consacré et reçu officiellement dans sa cathédrale. Cela implique la bienveillance du pape. Un évêque doit donc être bien vu à la fois du chapitre, du pape et du roi. Ce ne fut pas le cas de tous dans la première moitié du XVe siècle.

Pierre d'Orgemont : 19 janvier 1384 - 16 juillet 1409.
Gérard de Montaigu : 24 juillet 1409 - 25 septembre 1420.
Jean Courtecuisse : élu mais non confirmé. En juillet 1421, transféré par le pape à Genève.
Jean de La Rochetaillée : 16 juin 1421 - 12 juin 1422.
Jean de Nanton : 26 juin 1423 - 7 octobre 1426.
Nicolas Fraillon : élu.
Jacques du Chatelier : 7 octobre 1426 - 17 février 1438.
Denis du Moulin : 1439-1447.
Antoine du Bec Crespin : élu.
Guillaume Chartier : 1449-1472.

2. **Le chapitre Notre-Dame**

Le chapitre est constitué par le collège des clercs qui assistent l'évêque. A Paris, il comprend 51 chanoines, une centaine de chapelains et tout un personnel mineur. Les chanoines en sont l'aristocratie. Ils sont nommés par l'évêque sur proposition du roi ou du pape. Presque tous originaires de France du Nord ou du Bassin parisien, nobles ou non, ils ont presque tous des grades universitaires. Seuls, ils sont soumis aux obligations de vie en commun, à l'assistance régulière aux offices et aux chapitres (3 chapitres hebdomadaires, 4 chapitres généraux). Ils sont logés dans les maisons canoniales autour du cloître

Notre-Dame et vivent des prébendes de la mense (dotation) du chapitre. Ils cumulent éventuellement avec d'autres bénéfices dans le clergé parisien. La plupart d'entre eux sont promis à de belles carrières ecclésiastiques (25 % deviendront évêques) et laïques (beaucoup d'entre eux font conjointement une carrière au Parlement, aux Comptes ou à la chancellerie). Les chapelains sont de plus petits personnages. Entretenus par des fondations, ils ont la charge des messes quotidiennes dans les 32 chapelles de la cathédrale et des besoins spirituels des confréries qui y ont leur siège : confréries de dévotion ou de métier sans compter la célèbre Confrérie aux Bourgeois qui réunit l'élite aristocratique et financière de la cité. Parmi le petit personnel, on peut citer la maîtrise dont les chœurs sous la direction du chantre furent parmi les premiers à promouvoir les subtilités de l'« ars nova ».

Le chapitre joue un rôle important. C'est un grand propriétaire exempté de nombreuses taxes. Il a le contrôle des écoles, dans la mesure où le chancelier de Notre-Dame reste responsable de la collation des grades. Il est responsable pour une part de l'assistance. En effet, l'Hôtel-Dieu lui appartient, il le gère et en dirige le personnel. Le chapitre pouvait donc être tenté de sortir de son rôle. Face à l'évêque, il pouvait arguer de l'exemption qui le rattachait au pape, face au prévôt du roi, il défendait pied à pied son indépendance et ses pouvoirs juridictionnels. Aucun pouvoir ne pouvait se désintéresser du chapitre dont l'appui ou du moins la neutralité était indispensable.

Annexe cartographique

La France au XVe siècle

CARTE 1 : *La France du Bourgeois.*
CARTE 2 : *La région parisienne vue par le Bourgeois.*

La topographie parisienne

CARTE 3 : *Paroisses et monastères.*
CARTE 4 : *La ville forte.*
CARTE 5 : *Les résidences de l'aristocratie.*
CARTE 6 : *Le Paris universitaire.*

Ravitaillement et dévastations

CARTE 7 : *Approvisionnement de Paris.*
CARTE 8 : *Le vignoble de la région parisienne.*
CARTE 9 : *Les dévastations vers 1460.*

Crédits :

Cartes 1 et 2 : SHIRLEY, J., *A parisian journal*, Oxford, Clarendon Press, 1968.
Cartes 3, 4, 5 et 6 : FAVIER, J., *Paris au XVe siècle*, Nouvelle histoire de Paris, Hachette, 1974.
Cartes 7, 8 et 9 : FOURQUIN, G., *Les Campagnes de la région parisienne*, Paris, P.U.F., 1954.

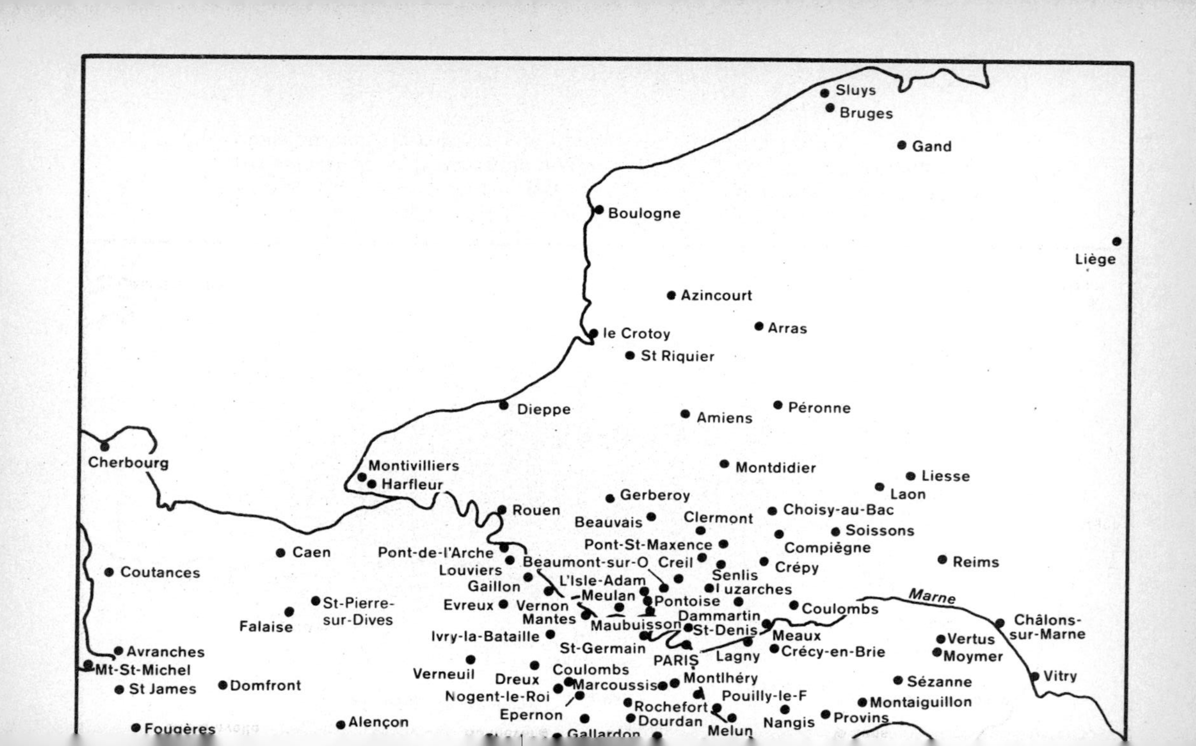

Sluys
Bruges
Gand
Boulogne
Liège
Azincourt
Arras
le Crotoy
St Riquier
Dieppe
Amiens
Péronne
Cherbourg
Montivilliers
Harfleur
Montdidier
Liesse
Laon
Gerberoy
Rouen
Beauvais
Clermont
Choisy-au-Bac
Soissons
Pont-St-Maxence
Compiègne
Caen
Pont-de-l'Arche
Beaumont-sur-O
Creil
Crépy
Reims
Coutances
Louviers
Senlis
Gaillon
L'Isle-Adam
Luzarches
Meulan
Pontoise
St-Pierre-sur-Dives
Evreux
Vernon
Coulombs
Marne
Falaise
Mantes
Dammartin
Châlons-sur-Marne
Maubuisson
St-Denis
Ivry-la-Bataille
Meaux
Vertus
Avranches
St-Germain
Lagny
Crécy-en-Brie
Moymer
PARIS
Mt-St-Michel
Verneuil
Coulombs
Vitry
Dreux
Montlhéry
St James
Domfront
Marcoussis
Sézanne
Nogent-le-Roi
Pouilly-le-F
Montaiguillon
Rochefort
Epernon
Provins
Dourdan
Nangis
Fougères
Alençon
Gallardon
Melun

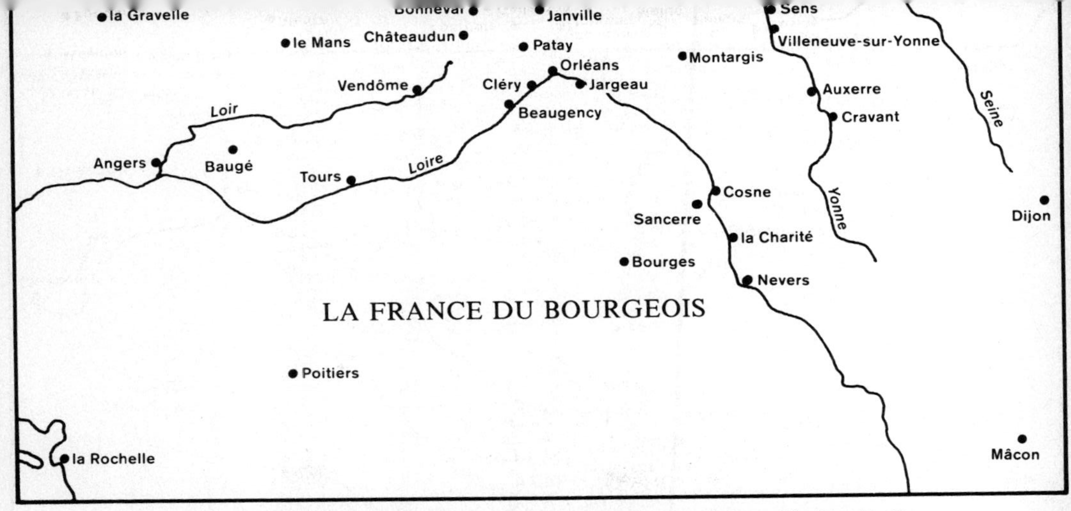

1. Sur cette carte ont été reportées toutes les localités qu'il signale. Sa France est très influencée par la politique : prédominance du Bassin parisien et de la Normandie anglaise, présence des États bourguignons, quasi-absence du royaume de Bourges au Sud de la Loire.

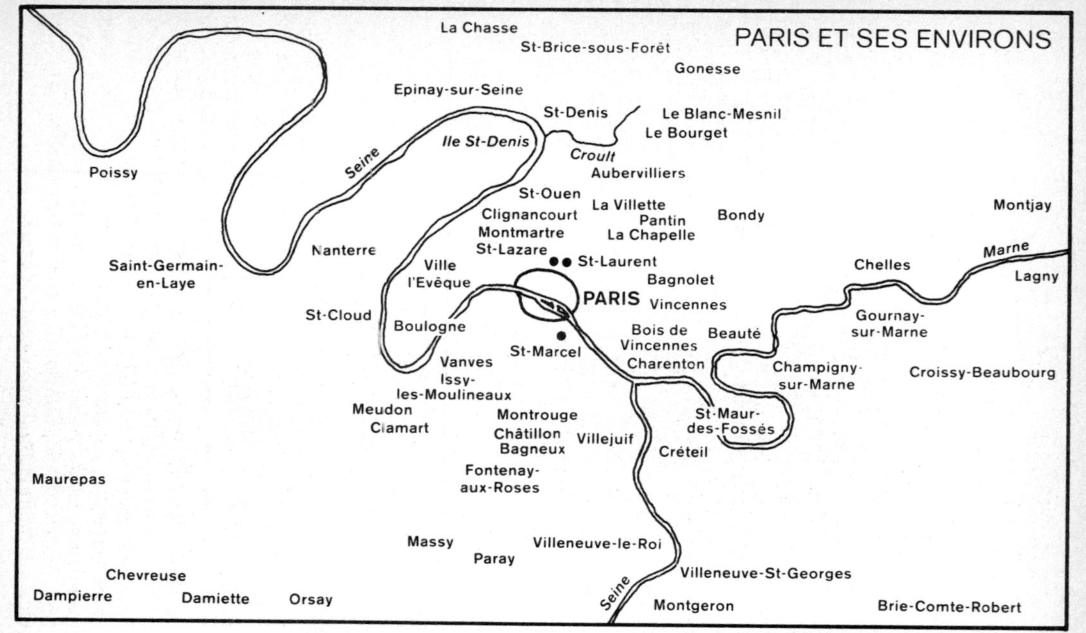

2. *La région parisienne vue par le Bourgeois.*

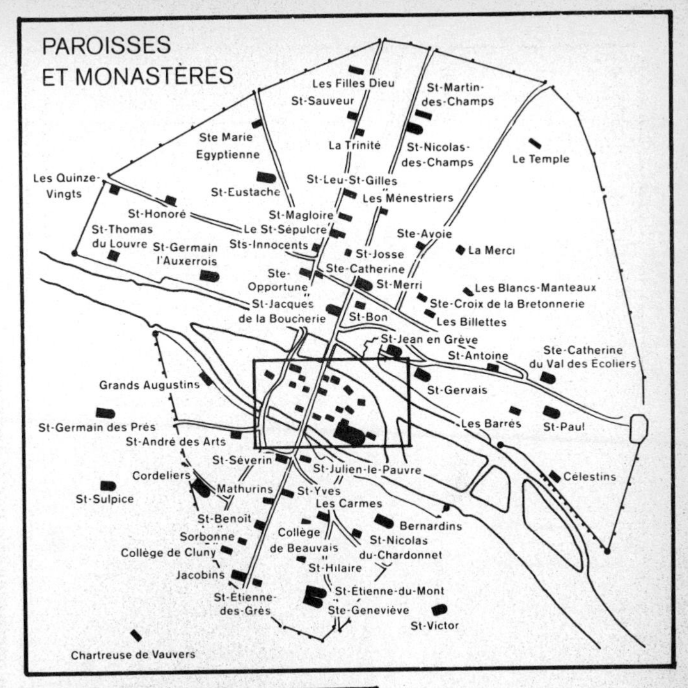

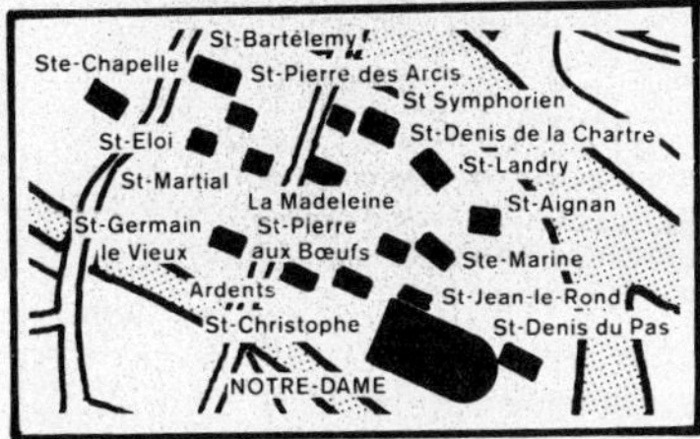

3. Paris compte 21 paroisses dont un assez grand nombre dans la Cité et sur la rive droite dépendent du chapitre. Quelques grandes abbayes bénédictines fort anciennes y ont aussi des édifices et des patrimoines importants : Saint-Germain-des-Prés, Sainte-Geneviève, Saint-Victor, Saint-Martin-des-Champs ou Saint-Magloire. Au XIIIe siècle s'y sont ajoutés des couvents mendiants : les Jacobins, les Cordeliers, les Carmes et les Augustins. Au XIVe siècle, Charles V a créé et favorisé les Célestins. La ville a la réputation d'avoir cent clochers.

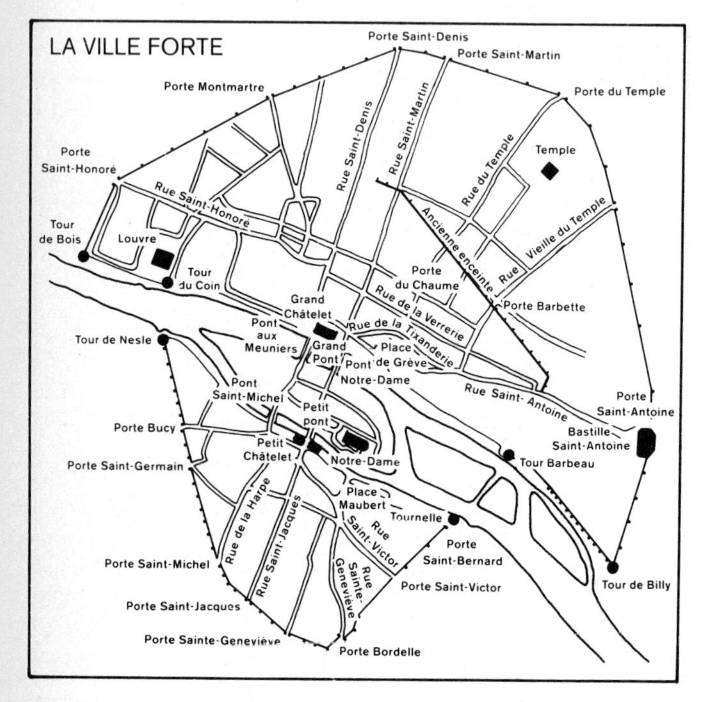

4. Les premières fortifications parisiennes ne couvraient que l'île de la Cité. Au XIIIe siècle, la ville s'étendit rapidement et Philippe Auguste décida de faire construire une enceinte. Cette première enceinte de Paris ne couvrait que la rive droite, marchande et riche. Elle subsiste en partie (porte Barbette, porte Baudoyer). Charles V, à cause des dangers de la guerre de Cent Ans et de l'agrandissement de la capitale, fit construire une nouvelle enceinte qui couvrait cette fois les deux rives (la rive marchande comme la rive universitaire) et était beaucoup plus étendue. Elle avait treize portes et comportait à l'intérieur de la ville des fortifications d'appui, principalement la Bastille, Saint-Antoine et le Louvre.

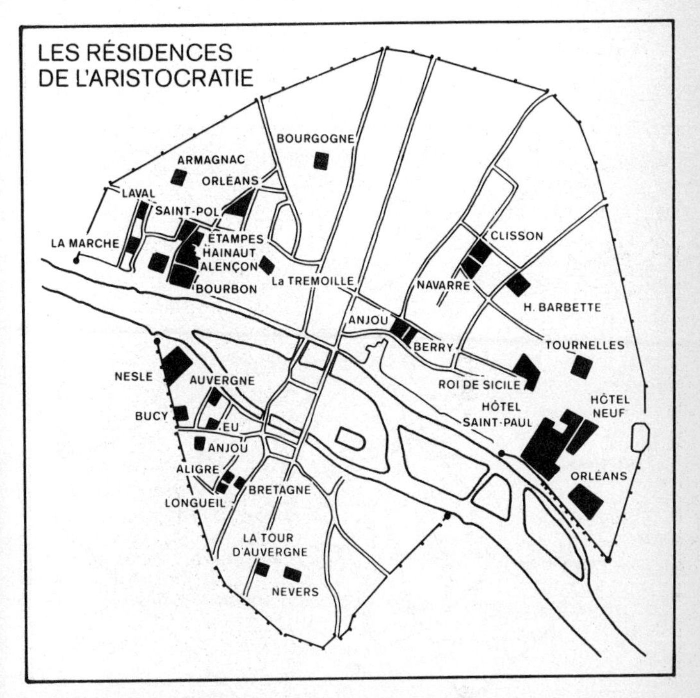

5. Ces résidences sont très influencées par la proximité des palais royaux. Jusque vers 1350, le roi réside dans l'ancien Palais dans la partie ouest de l'île de la Cité. Sous Charles V, il abandonne le bâtiment aux services administratifs (Parlement, Comptes, archives) et fait rénover le Louvre où il installe sa librairie. Une série de résidences nobiliaires se crée autour du Louvre. Puis, Charles VI s'installe à l'hôtel Saint-Pol, provoquant un déplacement vers l'est des résidences princières.

Charles VI : hôtel Saint-Pol ; Isabeau : hôtel des Tournelles ; Bourgogne : Ancien et nouvel hôtel de Bourgogne ; Armagnac : hôtel d'Armagnac ; Bedford : hôtel de Bourbon ; Richemont : hôtel de Clisson.

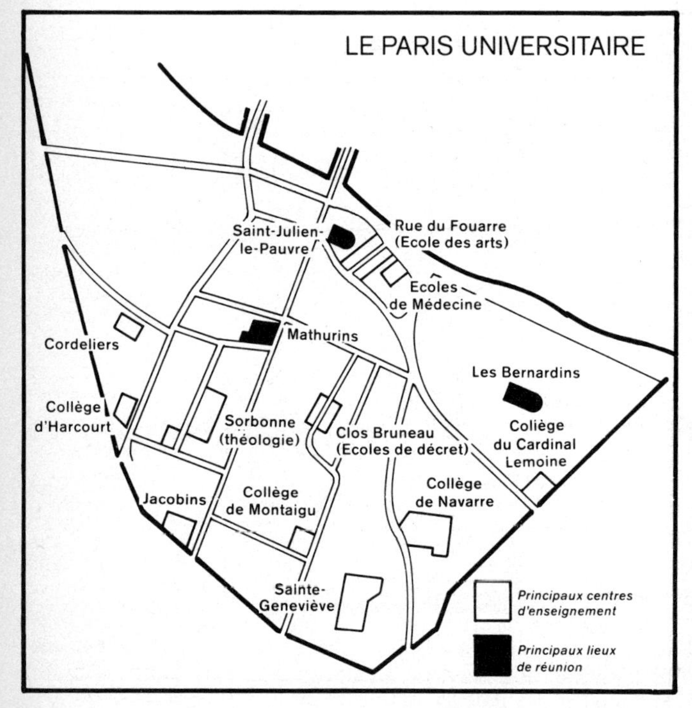

6. Les universités, qui succèdent aux écoles monastiques au début du XIIIe siècle, n'ont à l'origine aucun bâtiment propre. Elles utilisent ceux des anciennes écoles (Saint-Victor, Sainte-Geneviève) ou des couvents mendiants. Entre 1250 et 1350 furent créés des collèges pour les étudiants pauvres qui fournissaient à ceux-ci logement, vivres et répétitions. La Sorbonne et le Collège de Navarre sont les plus prestigieuses de ces nouvelles institutions.

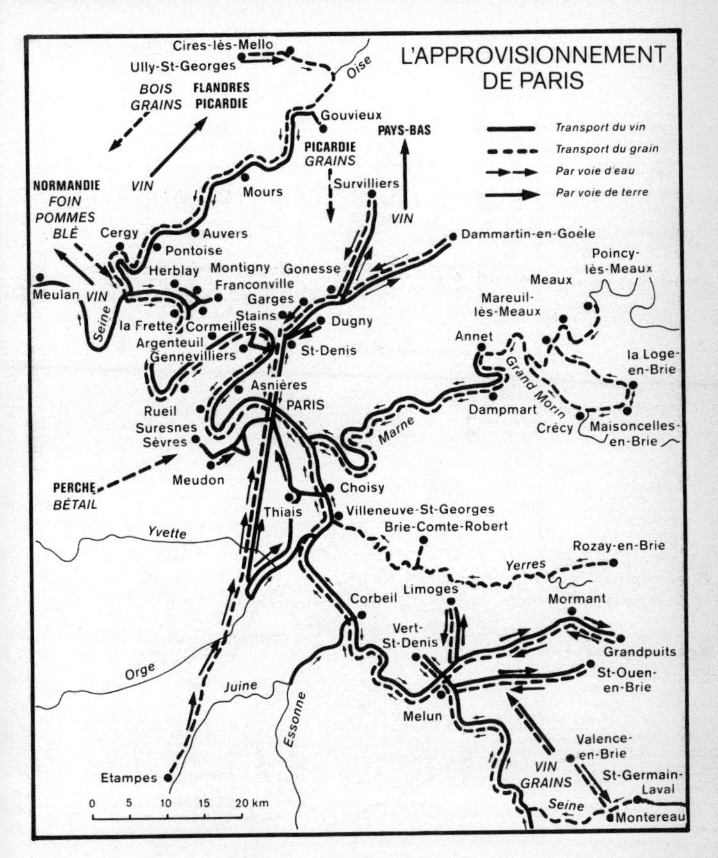

7. Une ville de 200 000 habitants nécessite des approvisionnements lointains. Le blé et le vin arrivent principalement par eau (Seine, Oise, Marne), le bétail à pied, par la route. La ville est donc très vulnérable si routes et fleuves sont aux mains de l'ennemi.

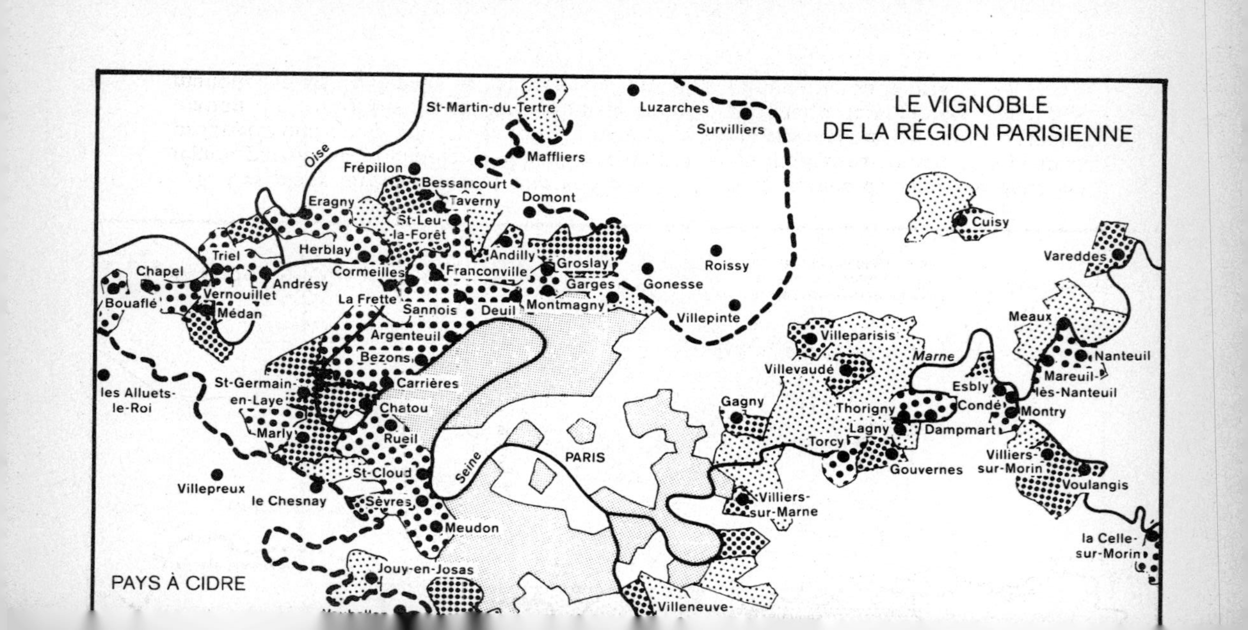
LE VIGNOBLE
DE LA RÉGION PARISIENNE
St-Martin-du-Tertre
Luzarches
Survilliers
Oise
Maffliers
Frépillon
Bessancourt
Domont
Eragny
Taverny
St-Leu-
la-Forêt
Cuisy
Herblay
Andilly
Triel
Groslay
Roissy
Vareddes
Chapel
Cormeilles
Franconville
Andrésy
Garges
Gonesse
Vernouillet
Bouaflé
La Frette
Montmagny
Médan
Sannois
Deuil
Villepinte
Meaux
Argenteuil
Villeparisis
Marne
Nanteuil
Bezons
Villevaudé
les Alluets-
le-Roi
St-Germain-
en-Laye
Carrières
Mareuil-
lès-Nanteuil
Esbly
Gagny
Chatou
Thorigny
Condé
Montry
Marly
Rueil
Lagny
Dampmart
Torcy
PARIS
Villiers-
sur-Morin
Seine
St-Cloud
Gouvernes
Villepreux
Voulangis
le Chesnay
Sèvres
Villiers-
sur-Marne
Meudon
la Celle-
sur-Morin
Jouy-en-Josas
PAYS À CIDRE
Villeneuve-

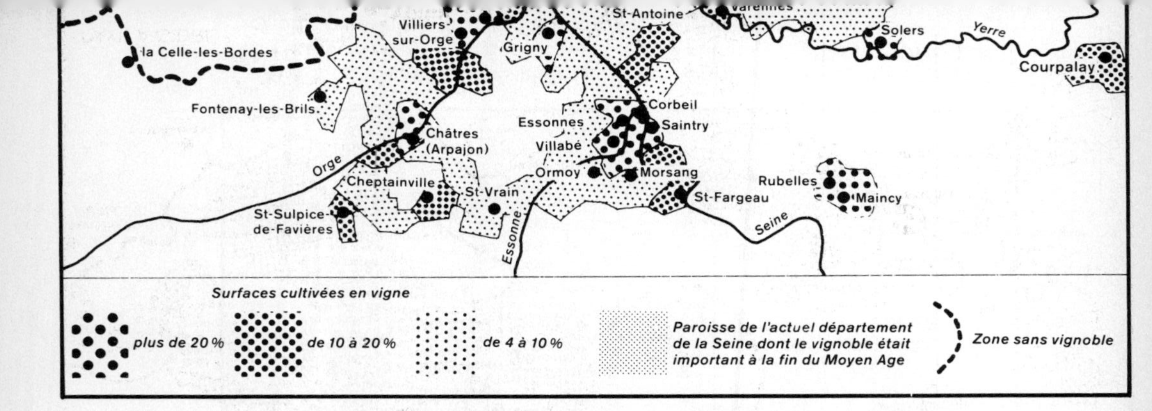

8. Ces plans tardifs donnent une bonne idée de l'importance du vignoble dans la région parisienne ; vignobles d'abbayes ou de grands propriétaires comme très petites propriétés fabriquant un vin très courant pour les nombreuses tavernes ou l'autoconsommation. Le Bourgeois devait être à tout le moins gestionnaire de vignobles, car il ne manque jamais de signaler la qualité de la vendange, la quantité ou le prix.

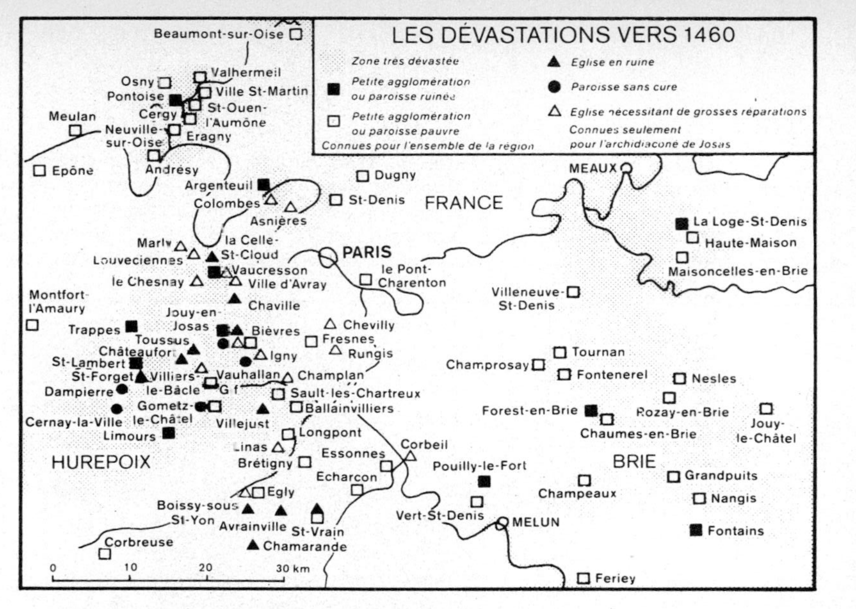

9. La carte confirme les allégations du Bourgeois ; beaucoup de dégâts en Hurepoix, dans la région de Saint-Denis et dans la vallée de l'Oise. Elle est plus pessimiste encore en ce qui concerne la Brie.

Généalogies

1. Les rois de France
2. Les rois d'Angleterre
3. Les ducs de Bourgogne

Les rois de France

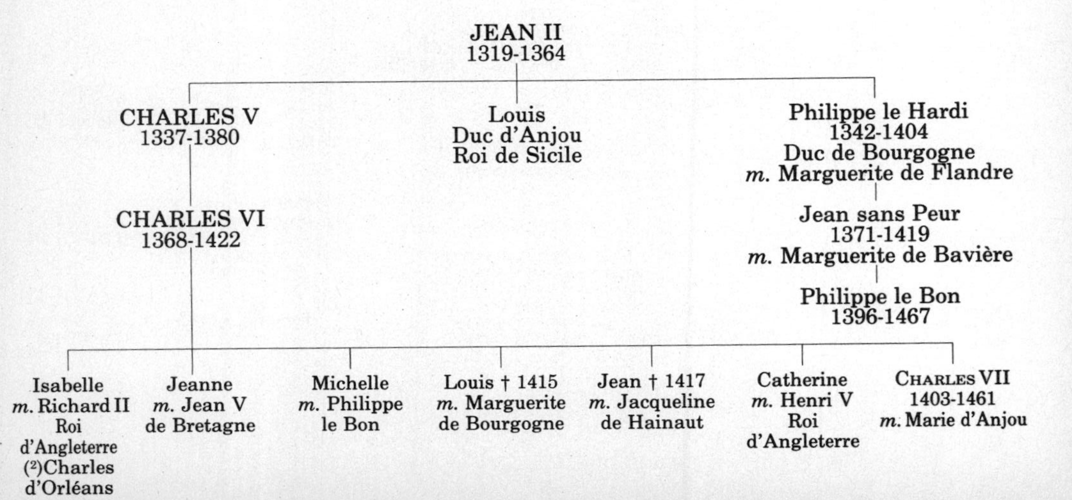

Les rois d'Angleterre

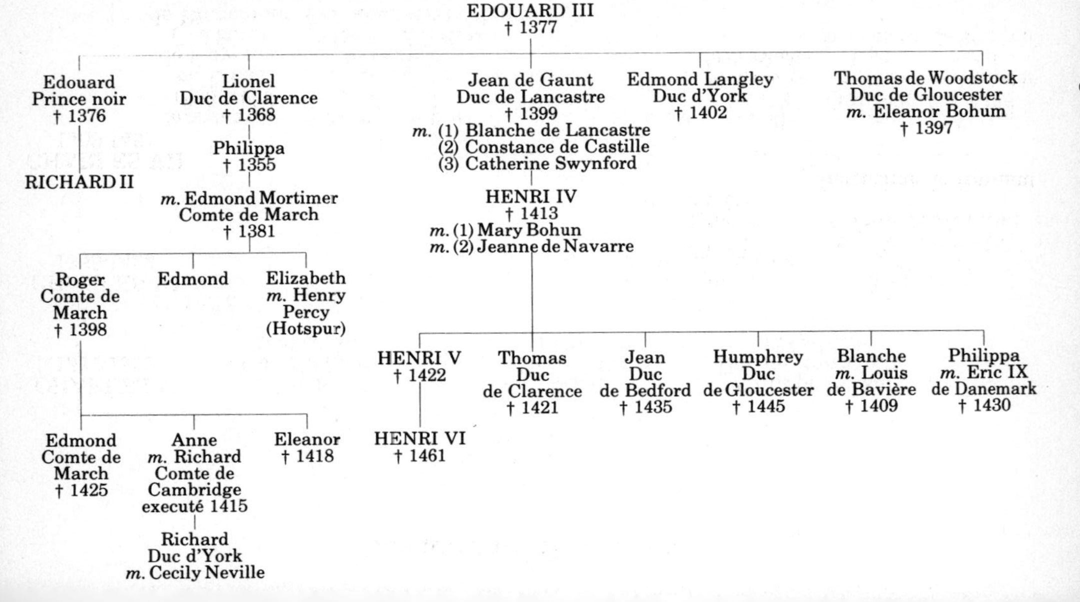

Les ducs de Bourgogne

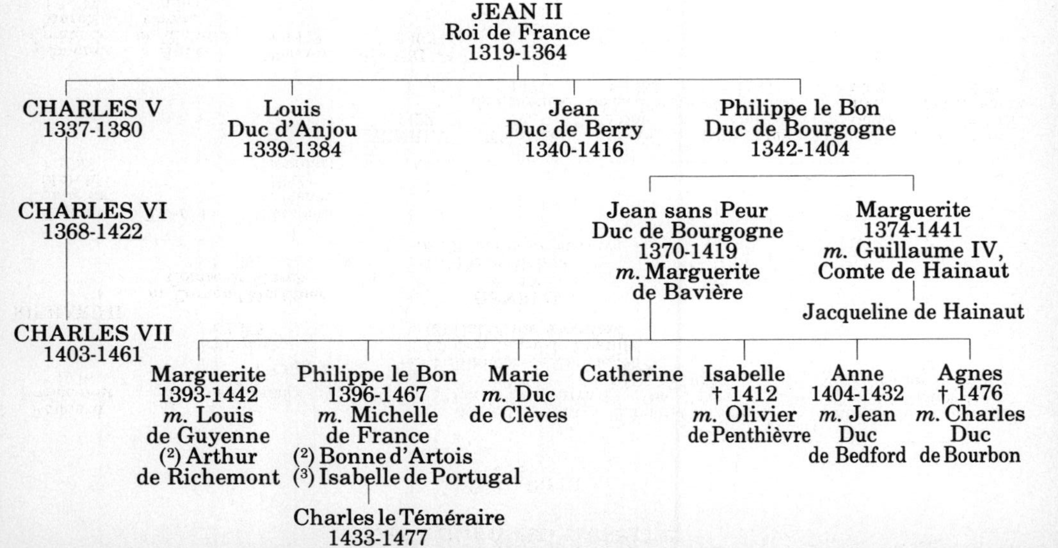

Dictionnaire des personnages

Nicolas ALBERGATI (1357-1443)

Ce chartreux fit une très belle carrière : évêque de Bologne en 1417, cardinal de Sainte-Croix en 1426 et légat en France. Il fut l'un des principaux négociateurs du traité d'Arras et défendit les positions pontificales au concile de Bâle. Il faillit être élu pape en 1431 et deux de ses secrétaires le furent (Nicolas V et Pie II).

Charles Ier d'ALBRET (? -1415)

Sire d'Albret, comte de Dreux et vicomte de Tartas, fils d'Arnaud Amanieu VIII et Marguerite de Bourbon, ce neveu de Charles V fut connétable de France de 1404 à 1411 puis de 1413 à 1415. Proche des Armagnacs et des Montaigu, il mourut à Azincourt.

Charles II d'ALBRET (1401-1471)

Fils de Charles I et Marie de Sully, il fut l'un des compagnons de Jeanne d'Arc, entra à Paris en 1437 aux côtés du roi puis participa aux campagnes de Guyenne. Il fut compromis dans la guerre du Bien public. Il avait épousé Anne d'Armagnac dont il eut 7 enfants.

Jean I comte puis duc d'ALENÇON (1385-1415)

Cette famille apanagiste remonte à un cadet de Charles de

Valois, frère de Philippe IV. Jean fut un fidèle partisan des Orléans qui négocia les paix de Bourges et de Bicêtre. Il y gagna la transformation de son apanage en duché. Il avait épousé Marie de Bretagne, fille de Jean V. Il commandait l'armée française à Azincourt où il fut tué.

Jean II duc d'ALENÇON (1409-1476)

Élevé par sa mère, il participa vite aux combats. Il se battit à Verneuil puis aux côtés de Jeanne d'Arc à Orléans ou Patay. Il se sentit ensuite mis à l'écart par Charles VII et complota avec l'Angleterre. Il fut l'objet de deux procès en haute trahison, l'un en 1458 et l'autre en 1472 et mourut en prison. Il était le beau-fils de Charles d'Orléans puis du comte d'Armagnac Jean IV.

ALEXANDRE V (pape 1409-1410)

Petros Filargis, évêque de Candie, fut élu pape par les membres du concile de Pise qui espéraient l'abdication des deux rivaux (Grégoire XII et Benoit XIII). En fait on se retrouva avec trois papes et trois obédiences.

Charles d'ANJOU, comte du MAINE (1414-1472)

Fils cadet de Louis II et Yolande d'Aragon, comte du Maine de Gien et de Mortain, il participa à la prise de Paris puis fut l'un des principaux conseillers de Charles VII. Il avait épousé une napolitaine puis Isabelle de Luxembourg, fille du comte de Saint-Pol.

Louis II d'ANJOU (1384-1417)

Fils de Louis I que Jeanne de Naples avait adopté, il fut couronné roi de Naples en 1389. Il réussit difficilement à la garder de 1389 à 1399, la perdit et tenta en vain de la reconquérir en 1411. Époux de Yolande d'Aragon, il fut le père de Louis III, René, Charles du Maine, Marie épouse de Charles VII et Yolande duchesse de Bretagne.

Louis III d'ANJOU (1417-1434)

Élevé par sa mère, mais adopté par la reine de Naples Jeanne II, il passa une grande partie de sa vie en Italie. Il y mourut sans enfant. Il avait été fiancé à Isabelle de Bretagne mais avait épousé Marguerite de Savoie, fille d'Aimé VIII.

Marguerite d'ANJOU (1429-1482)

Fille de René d'Anjou et Isabelle de Lorraine, elle épousa en

1444 le roi d'Angleterre Henri VI. Elle revint en France après le détrônement de celui-ci et le retour au pouvoir des York. Elle est la mère du prince Édouard tué à Tewkesbury.

Marie d'ANJOU (1404-1463)

Mariée très jeune à Charles VII qui fut élevé en Anjou, elle fut une épouse pieuse et fidèle qui lui donna de très nombreux enfants dont peu survécurent (Anne de Beaujeu, Louis XI et Charles de France).

René d'ANJOU (1434-1480)

Né en 1408, il fut adopté par son oncle le cardinal duc de Bar et épousa Isabelle de Lorraine. Ses efforts pour contrôler le Barrois se heurtèrent au duc de Bourgogne. Il fut fait prisonnier à Bulgnéville en 1432. La mort de son aîné en fit un roi de Naples et de Provence. Fondateur de l'ordre du Croissant, il fut très populaire parmi ses sujets. Il mourut à Aix en 1482 sans héritier direct.

Bernard VII d'ARMAGNAC (1391-1418)

Militaire compétent, il devint comte à la mort de son aîné Jean III en Italie. Il s'empara ensuite des vicomtés de Murat et Carlat sur un de ses cousins. Connétable de France de 1415 à sa mort, il dirigea en fait le parti armagnac et le gouvernement. Il était apparenté à tous les princes : époux de Bonne de Berry, il était le beau-père de Charles d'Orléans et du sire d'Albret. Fort impopulaire parmi les Parisiens, il fut massacré lors des émeutes de 1418.

Bernard d'ARMAGNAC, comte de PARDIAC

Fils cadet du connétable, il hérita de Pardiac, Carlat et Murat. Époux d'Eleanore de Bourbon, fille du comte de La Marche et roi de Hongrie Jacques I, il fut le père de Jacques duc de Nemours qui fut exécuté sous Louis XI.

Jean IV d'ARMAGNAC (1418-1450)

Fils aîné de Bonne de Berry et du connétable, il s'intéressa peu à la grande politique et beaucoup au Sud-Ouest où sa position lui permit de flirter avec les Anglais. Mais la montée de la puissance royale lui interdit tout accroissement de ses terres.

John Fitz Alan, comte d'ARUNDEL (1408-1435)

Fils de John Fitz Alan et Eleanor Berkeley, il hérita du

comté à la mort de son cousin Thomas en 1416. Reconnu comte en 1429, il participa aux guerres en France après 1430. Il devint, en 1433, lieutenant du roi Henri VI en Normandie. Peu populaire pour ses méthodes expéditives, il fut tué devant Gerberoy en 1435.

Guy de Presles, seigneur de BAR (1370-1436)

Dit le Beau ou le Veau de Bar (Bar-les-Époisses en Bourgogne). Chambellan de Jean sans Peur, bailli d'Auxois, ce capitaine bourguignon entra dans Paris en 1418. Il en fut nommé prévôt puis lieutenant en Normandie. En récompense, il fut fait comte de Mailly-le-Châtel. Très apprécié de Bedford malgré son avidité, il mourut sans enfant.

Louis cardinal de BAR (1397-1430)

Fils cadet du duc Robert II, il fit une carrière ecclésiastique ; évêque de Langres, de Châlons puis de Verdun. La mort du duc Édouard à Azincourt en fit un duc imprévu qui promit sa succession à son neveu René d'Anjou à la fureur de ses sœurs. Il fut inhumé dans la cathédrale de Verdun.

Édouard III duc de BAR (1411-1415)

Fils aîné de Robert II, il fut un membre actif du parti armagnac et emprisonné par les émeutiers en 1413. Proche du connétable, il fut tué à Azincourt.

Isabeau de BAVIÈRE (1370-1435)

Mariée à Charles VI en 1385 par l'influence du duc de Bourgogne, elle s'avéra belle dépensière et dépourvue de sens politique. La folie du roi en 1392 lui donna temporairement le pouvoir au nom de ses nombreux enfants mineurs. Très influençable, elle oscilla entre Orléans, dont on l'accusa d'être la maîtresse, et Bourgogne. Brouillée avec le connétable d'Armagnac, elle perdit ensuite toute importance. Après le traité de Troyes, elle se retira à Paris où elle mourut délaissée de tous.

Jacqueline de BAVIÈRE (1401-1436)

Fille de Guillaume IV et de Marguerite de Bourgogne, elle héritait du Hainaut, de la Hollande et de la Zélande. Cette héritière convoitée épousa Jean de Touraine (dauphin mort en 1417), Jean de Brabant, cousin de Jean sans Peur, dont elle voulut vite se séparer, Humphrey de Gloucester en 1423. Celui-ci chercha à s'imposer en Hainaut à la fureur du duc de

Bourgogne. Un traité de paix fut signé en 1428, Humphrey ayant regagné son pays. Jacqueline qui se refusait à passer sous influence épousa alors Franz van Borselen et se réfugia en Hollande. Battue par Philippe le Bon, elle finit sa vie en prison et Philippe hérita.

Jean de BAVIÈRE évêque de LIÈGE

Ce cadet fit une carrière ecclésiastique. Il se rendit odieux à ses sujets de Liège. Il rentra dans la ville avec l'aide de Bourgogne. La répression lui valut le nom de Jean sans Pitié. Après 1417, il disputa son héritage à sa nièce Jacqueline.

Guillaume IV de BAVIÈRE (? -1417)

Époux de Marguerite de Bourgogne et père de Jacqueline, il mourut jeune et brutalement, ce qui fit naître des rumeurs d'empoisonnement.

Louis III de BAVIÈRE (1378-1436) le « duc rouge »

Fils de l'empereur Rupert de Bavière, il devient en 1410 électeur palatin du Rhin et vicaire impérial de Sigismond. Puissance prépondérante en Allemagne centrale, il est le fondateur de l'université d'Heidelberg. Il joue un grand rôle au concile de Bâle et y soutient les intérêts anglais (il a épousé Blanche sœur d'Henri IV). Il fit en 1426 un pèlerinage à Jérusalem.

Louis VII de BAVIÈRE INGOLSTADT (1365-1447) « le barbu »

Fils du duc Étienne III et frère d'Isabeau, il vécut à partir de 1391 à la cour de France. Il s'y maria deux fois (Anne de Bourbon en 1403 et Catherine d'Alençon en 1413) et joua un rôle politique plutôt hostile aux Bourguignons. Après 1415, il dirigea la délégation française à Bâle puis rentra en Bavière. Son règne personnel fut désastreux. Ruinée par des guerres intestines, la Bavière Ingolstadt fut annexée par sa concurrente la Bavière Landshut et Louis mourut prisonnier de son rival.

Anne de BEDFORD (1389-1432)

Sœur de Philippe le Bon, elle épousa en mai 1423 le duc de Bedford. Capable, diplomate et charitable, elle fut très populaire à Paris et maintint l'accord entre son frère et son époux. Sa mort sonna le glas de l'alliance anglo-bourguignonne.

Jean duc de BEDFORD (1389-1435)

Troisième fils d'Henri IV, il fut très jeune chargé de responsabilités ; gardien des Marches puis régent durant l'expédition d'Azincourt. Il assista au traité de Troyes puis à l'entrée dans Paris d'Henri VI. La mort de celui-ci en fit un régent de France en 1422. Énergique et capable, il remporta d'abord de nombreux succès (Cravant, Verneuil). Mais les aventures d'Humphrey troublèrent l'alliance anglo-bourguignonne tandis qu'avec Jeanne d'Arc Charles VII reprenait l'avantage. Malgré le sacre à Paris en 1431 du jeune Henri VI, le pouvoir anglais recula. Après la mort de sa première femme, Bedford s'établit à Rouen où il mourut bientôt.

Jean duc de BERRY (1340-1416)

Comte de Poitiers puis duc de Berry, il fut otage en Angleterre après Brétigny. Durant le règne de Charles V, il fut l'un des principaux conseillers de la couronne et lieutenant général en Languedoc. La folie de Charles VI lui permit de jouer à nouveau un rôle. D'abord modéré, il fut après 1407 l'âme du futur parti armagnac. Assiégé dans Bourges, puis menacé par la révolte cabochienne, il réussit à surnager et légua le parti à son gendre d'Armagnac. Il n'eut que deux filles ; Marie épousa le duc de Bourbon et Bonne le comte d'Armagnac. L'apanage retourna donc en partie à Charles VII.

Sir Thomas BLOUNT (? -1460)

Fils d'un Lancastrien acharné et d'une castillane, ce cadet devint trésorier de Calais dont son aîné était gouverneur durant le règne d'Henri VI. Il fut le père de Walter baron Mountjoy trésorier d'Angleterre.

Jean Le Meingre dit BOUCICAUT (1366-1421)

Élevé dans l'entourage de Charles VI, il s'intéressa très tôt à l'Orient où il voyagea de 1386 à 1389 et participa à la croisade de Nicopolis. Rentré en France en 1399, il fut admis au conseil, devint maréchal de France et gouverneur de Gênes. Il rentra en France en 1410, fut fait prisonnier à Azincourt et mourut en Angleterre.

Charles I duc de BOURBON (1434-1456)

Élevé par Marie de Berry, régente pour le duc Jean prisonnier, il se montra, à sa majorité, peu capable. Il se brouilla avec son beau-frère Philippe le Bon, lutta contre les routiers puis participa à la Praguerie.

Jean I duc de BOURBON (1410-1434)

Partisan des Orléans, fastueux et tête folle, il avait fait un très beau mariage. Marie de Berry lui apporta les comtés d'Auvergne et de Montpensier. Il fut fait prisonnier à Azincourt et mourut en Angleterre. Sa femme assura efficacement la régence.

Louis II duc de BOURBON (1356-1410)

Fils du comte Jean tué à Poitiers, il fut un excellent administrateur qui accrut le duché par des achats et par son mariage avec Anne Dauphine qui lui apporta le Forez. Chevalier dans l'âme et soucieux de croisade, il conseilla fidèlement Charles VI et s'efforça d'éviter la guerre civile.

Jean sans Peur duc de BOURGOGNE (1371-1419)

Fils de Philippe le Hardi et Marguerite de Flandres, il participa en 1396 à la croisade de Nicopolis qui fut un désastre. Arrivé au pouvoir en 1404, il se montra vite sans scrupules et peu conciliant. Non content de continuer la construction de l'état bourguignon, il s'efforça de contrôler le pouvoir à Paris. Il se heurta alors à Louis d'Orléans qu'il fit assassiner en 1407. Populaire à Paris, il s'y imposa lors de la révolte cabochienne (1413) et après 1418. Ayant éliminé ses adversaires armagnacs par la violence, il périt assassiné sur le pont de Montereau lors d'une entrevue avec le dauphin Charles.

Philippe le Bon duc de BOURGOGNE (1420-1467)

Fils de Jean sans Peur et Marguerite de Bavière, il s'allia aux Anglais après l'assassinat de son père. Excellent administrateur et très habile politique, il sut faire payer cher la réconciliation avec Charles VII au traité d'Arras en 1435 qui lui assura une indépendance de fait. Il est le principal constructeur de l'état bourguignon. Époux de Michelle de France puis Isabelle de Portugal, il eut de nombreux enfants naturels outre Charles le Téméraire.

Philippe de BOURGOGNE comte de Nevers (1389-1415)

Troisième fils de Philippe le Hardi, il suivit fidèlement les entreprises de Jean sans Peur. Chambrier de France, il fut tué à Azincourt.

Antoine de BRABANT (1404-1415)

Deuxième fils de Philippe le Hardi, il hérita de sa mère le

Brabant et de sa femme Jeanne fille de l'empereur Wenceslas le Luxembourg. Plus modéré que son aîné, il se fit tuer à Azincourt.

Jean V duc de BRETAGNE (1389-1442)
Fils de Jean IV, il n'avait que dix ans à son avènement. La régence est alors assurée par Philippe le Hardi. Plus tard il s'efforça de rester neutre à l'égard de la France et de l'Angleterre (il épousa une fille de Charles VI mais sa mère se remaria au roi d'Angleterre) et face aux Armagnacs et aux Bourguignons. Son frère Richemont opta lui pour Charles VII ce qui conduisit à terme à une réconciliation avec le roi.

James Stuart comte de BUCHAN (1381-1424)
Petit-fils du roi Robert II d'Écosse et cadet du régent duc d'Albany, il hérita de son oncle le comté de Buchan. Son père l'envoya en France en 1420. Victorieux à Beaugé, il fut vaincu à Cravant. Devenu connétable de France en 1423, il fut tué à Verneuil. Il avait épousé Marie de Douglas.

Jean III de CHÂLONS (? -1418)
Sire d'Arlay, il épousa en 1389 Marie des Baux qui lui apporta en dot la principauté d'Orange. Il fut un fidèle Bourguignon. Il commanda en 1408 les troupes envoyées contre Liège. Chambrier de France, il mourut de la peste à Paris en 1418.

CHARLES V (1364-1380)
Il gouverna dès 1356 à la suite de la captivité de son père. Après des jours difficiles dus à la révolte d'Étienne Marcel, il réussit à s'imposer à Paris comme aux Navarrais. Très soucieux de propagande, il sut s'attacher l'opinion et prépara la reconquête (1372-1374) qui fut une réussite. Quand il mourut, les Anglais étaient pratiquement repoussés et le trésor plein.

CHARLES VI (1380-1422)
Il succéda à son père à treize ans. La régence fut assurée par les ducs. Un début de règne brillant se termina par des crises de folie (1392) où les princes revinrent au pouvoir. Les guerres civiles se compliquèrent, après 1415, d'une invasion anglaise. Au traité de Troyes en 1420, le roi de France dut reconnaître Henri V comme son héritier. La maladie s'aggrava et Charles passa ses dernières années dans l'inconscience.

Tanguy du CHÂTEL (1370-1449)

Ce seigneur breton entra dès 1404 au service de Louis d'Orléans. Après la mort de celui-ci il fut maréchal de Guyenne puis prévôt de Paris de 1413 à 1418. Il fit échapper le dauphin en 1418, fut présent à l'assassinat de Jean sans Peur. Il se retira ensuite en Provence et fut ambassadeur du roi à Rome en 1448.

Thomas duc de CLARENCE (1387-1421)

Frère d'Henri V, il participa aux campagnes de France à partir de 1420. Téméraire et irréfléchi, il fut tué à Beaugé.

Archibald comte de DOUGLAS (1369-1424)

Fils du troisième comte, il épousa en 1390 Marguerite d'Écosse. En 1400, il succéda à son père et devint gardien des Marches et gouverneur d'Édimbourg. Il soutint ensuite la régence d'Albany. Impliqué dans la révolte des Percy, il fut prisonnier en Angleterre de 1403 à 1408. Il gagna la France en 1412. Il s'y installa en 1420 à la mort d'Albany. Il fut fait connétable en 1423 et tué à Verneuil en 1424.

Jean de DUNOIS (1403-1468)

Fils bâtard de Louis d'Orléans et Mariette d'Enghien, il devint chef de famille après Azincourt, tous ses demi-frères étant prisonniers. Militaire compétent, il accompagna Jeanne d'Arc puis entra à Paris en 1436 avec Richemont. Charles VII le légitima et son frère Charles en fit un comte de Dunois. Il contribua aux campagnes de Normandie et de Guyenne.

EUGÈNE IV (pape 1431-1447)

Gabriel Condulmaro est un vénitien qui était devenu ermite de Saint-Augustin. Son oncle Grégoire XI en avait fait un évêque de Sienne et un cardinal. Il fut élu pape à la mort de Martin V. Il eut des relations difficiles avec le concile de Bâle mais réussit la réconciliation avec les églises d'Orient en 1439. Ce réformateur fervent fut aussi très jaloux de son autorité et peu diplomate.

Pierre des ESSARTS (? -1413)

Ce fils d'une riche famille de Rouen installée à Paris à la fin du 13e fit une belle carrière de financier d'obédience bourguignonne. Prévôt de Paris, bouteiller de France, il arrêta Jean de Montaigu en 1409. Disgracié parce qu'il avait trop bien réussi, il fut exécuté en 1413.

Sir John FALSTAFF

Membre de l'hôtel de Bedford, il participa à de nombreux combats de 1425 à 1429. Il fut fait prisonnier à Jargeau où le bruit courut qu'il avait trahi. Il rédigea en 1435 un mémorandum pour le congrès d'Arras.

Humphrey de GLOUCESTER

Frère d'Henri V, il passa sa vie à essayer de contrôler la régence en Angleterre ou à se constituer un royaume sur le continent. Il épousa pour cela Jacqueline de Bavière qu'il quitta dès 1428 pour une autre.

Louis duc de GUYENNE (1396-1415)

Fils cadet de Charles VI devenu dauphin, il avait épousé en 1404 Marguerite de Bourgogne. Intelligent, dépensier, il chercha à naviguer au mieux entre les factions sans réussir vraiment à s'imposer. Après 1409, il fut officiellement chef du conseil royal mais souvent débordé tant par les Bourguignons que par les Armagnacs.

HENRI V (1413-1422)

Fils aîné du premier roi Lancastre, il sut s'imposer tant en Angleterre que sur le continent. Victorieux à Azincourt, il épousa Catherine de France et devint au traité de Troyes l'héritier de Charles VI. Ce guerrier victorieux mourut fort jeune laissant un enfant de six mois.

HENRI VI (1422-1461)

Il fut roi de France et d'Angleterre à six mois. Élevé en Angleterre avec des régents qui s'entendaient mal, il ne fut sacré à Paris qu'en 1431. Son règne personnel fut désastreux. Bon, faible et très influençable, il ne sut ni faire face aux défaites sur le continent ni aux révoltes des nobles anglais. Détrôné en 1461, il mourut en prison en 1471.

Jean JOUVENEL DES URSINS (1388-1465)

Jean Jouvenel père avait été avocat du roi chancelier du duc de Guyenne puis président du Parlement de Poitiers jusqu'en 1431. Trois de ses fils firent de très belles carrières : Guillaume baron du Traynel devint chancelier de France ; Jacques évêque de Poitiers puis archevêque de Reims ; Jean évêque de Beauvais puis archevêque de Reims. Il écrivit une chronique de Charles VI et de nombreux discours politiques.

Jacquette de LUXEMBOURG

Nièce du chancelier Louis de Luxembourg, elle épousa à seize ans en 1433 le duc de Bedford alors veuf. Le duc de Bourgogne non consulté en fut furieux. Elle fut veuve dès 1435.

Louis de LUXEMBOURG (? -1443)

Ce cadet fit une carrière ecclésiastique. Il devint évêque de Thérouanne et chancelier de France grâce à la confiance de Bedford et du pape Martin V. Bon administrateur et politique ambitieux, il fut vite impopulaire à Paris. Il se retira après 1435 à Rouen puis en Angleterre où il mourut évêque d'Ély.

Waleran de LUXEMBOURG (1355-1413)

Comte de Ligny et Saint-Pol, ce fidèle bourguignon fut bouteiller de France puis capitaine de Paris et connétable de 1411 à 1413.

Henry de MARLE (? -1418)

Premier président du Parlement de Paris de 1403 à 1418 et chef d'une dynastie parlementaire, il fut assassiné avec son fils Jean évêque de Coutances en 1418.

MARTIN V (pape 1417-1431)

Dernier pape Colonna, il mit fin au Grand Schisme. Mais il refusa toute réforme, accumula et plaça les siens. Il fut contraint en 1431 à convoquer le concile prévu par les décisions de Constance tous les dix ans à Bâle.

Jean de MONTAIGU (? -1409)

Grand maître de France et responsable des Finances, il avait trop bien réussi et s'était allié à de nombreuses familles de haute noblesse. Son exécution sommaire donna des partisans au parti Orléans.

Jean de MONTAIGU (? -1415)

Frère du grand maître son homonyme exécuté en 1409, il fit une carrière administrative et ecclésiastique. Président de la chambre des Comptes et chancelier de 1405 à 1409, il fut évêque de Chartres puis archevêque de Sens. Il mourut à Azincourt.

Pierre de Navarre comte de MORTAIN (? -1412)

Frère du roi Charles III, il avait épousé Catherine d'Alençon et mourut au siège de Bourges.

Charles III roi de NAVARRE (1361-1425)
Fils de Charles le Mauvais, il s'intéressa surtout aux affaires espagnoles et liquida le contentieux avec la royauté en échangeant ses biens normands contre le duché de Nemours. Son règne fut prospère mais il ne laissa que des filles. L'aînée avait épousé Juan II de Catalogne Aragon.

NICOLAS V (pape 1447-1455)
Tommaso Parentucelli, évêque de Bologne, était un pieux humaniste étranger à tout parti. Il fit la paix avec Naples et avec le concile. Il organisa à Rome en 1450 une année jubilaire. En 1453, il couronna Frédéric III et s'efforça d'organiser une croisade après la prise de Constantinople. Ses collections sont à l'origine de la bibliothèque Vaticane.

Charles d'ORLÉANS (1407-1465)
Il avait seize ans lors de l'assassinat de son père. Chef nominal du parti armagnac, il fut fait prisonnier à Azincourt en 1415 et resta en Angleterre jusqu'en 1440. A son retour, il se consacra à son apanage et à son activité poétique. Il avait épousé Isabelle de France veuve de Richard II (dont il eut une fille qui épousa Alençon), Bonne d'Armagnac puis Marie de Clèves (mère du futur Louis XII).

Louis d'ORLÉANS (1371-1407)
Frère cadet de Charles VI, ambitieux et doué, il s'efforça de constituer une principauté puissante et de contrôler le pouvoir laissé vacant par la folie du roi. Les Bourguignons lui reprochaient d'être l'amant d'Isabeau et de gaspiller le trésor. En fait les deux politiques s'excluaient. Jean de Bourgogne éliminé des pensions et du pouvoir fit assassiner son rival dans les rues de Paris en pleine nuit.

Philippe d'ORLÉANS (1396-1420)
Comte de Vertus et fils cadet de Louis, il avait été fiancé en 1408 lors d'une paix fourrée à une princesse bourguignonne. Il fut fait prisonnier à Azincourt et mourut en Angleterre.

Jean dit POTON DE SAINTRAILLES (? -1461)
Ce routier gascon fut un fidèle de Charles VII. Plusieurs fois prisonnier et racheté, il fut fait maréchal de France en 1454 et participa à la reconquête de Guyenne.

Arthur de RICHEMONT (1393-1458)

Frère du duc de Bretagne, captif à Azincourt mais vite libéré, il se rallia à Charles VII après 1423. Il épousa alors Marguerite de Bourgogne veuve de Louis de Guyenne et belle sœur du roi et devint connétable de France. Il acquit une grande influence au conseil royal, fut l'un des artisans de la reprise de Paris dont il devint gouverneur. A la mort de son frère en 1457, il fut duc de Bretagne mais mourut sans héritier direct.

Thomas Manners baron de ROOS (1406-1430)

Originaire d'une famille de Hereford qui avait accédé au XIIIe s. au rang baronnial, il combattit en France après 1427. Il s'y fit tuer en 1430.

Thomas Montaigu comte de SALISBURY (1388-1429)

Né dans une famille favorable à Richard II, il se rallia aux Lancastre. Il fut l'un des meilleurs généraux d'Henri V. Il fut victorieux à Cravant puis à Verneuil. Il fut tué par hasard lors du siège d'Orléans.

Thomas lord SCALES (1399-1460)

Devenu lord en 1420 par la mort de son frère, il se battit en France à partir de 1422 dans l'entourage de Bedford. Sénéchal de Normandie, il commanda l'assaut contre le Mont-Saint-Michel. Il fut tué en 1460 à Londres dans les émeutes qui aboutirent à détrôner Henri VI.

Agnès SOREL (1415-1449)

Jeune fille de petite noblesse devenue dame d'honneur d'Isabelle de Lorraine, elle fut remarquée par le roi vers 1432. Son influence politique fut bonne malgré l'hostilité du dauphin et des Parisiens offusqués des faveurs répandues par celui-ci (dame de Beauté). Elle lui donna trois filles et mourut en couches au début de la reconquête de Normandie.

Humphrey comte de STAFFORD (1402-1460)

Fils d'Edmond Stafford et de l'héritière Gloucester, il se rallia aux Lancastriens et servit en France à partir de 1420. Lors de la régence, il tenta de concilier Gloucester et Beaufort. Il fut nommé connétable pour Henri VI et lieutenant en Normandie en 1430 puis capitaine de Calais en 1442. De retour en Angleterre, il soutint Suffolk contre Gloucester et la reine Marguerite contre les Yorkistes. Créé duc de Buckingham en

1444, il mourut dans les émeutes de 1460 qui amenèrent les Yorkistes au pouvoir.

William de la Pole comte de SUFFOLK (1396-1450)
D'une famille récemment parvenue au rang baronnial, il servit en France après 1423 et jusqu'en 1429. Il fut ensuite l'un des négociateurs d'Arras. Partisan de signer la paix, il se heurta à la politique de Gloucester. Rendu responsable par l'opinion des défaites en France, il fut assassiné en 1450.

John lord TALBOT (1388-1453)
Ce chef de guerre compétent s'illustra en France après 1420. Il fut fait prisonnier à Patay et mourut à la bataille de Castillon. Ses deux épouses lui apportèrent de grands biens et lui permirent de devenir comte de Shrewsbury. Il était le gendre du comte de Warwick.

Jean duc de TOURAINE (1398-1416)
Fils de Charles VI et époux de Jacqueline de Bavière, il fut dauphin durant un peu moins d'un an. Sa mort brutale à dix-huit ans sembla suspecte.

Catherine de VALOIS (1404-1438)
Fille de Charles VI, elle épousa en 1422 Henri V et lui donna un fils. Après son veuvage elle s'installa en Angleterre. N'exerçant guère d'influence politique, elle se retira à la campagne et épousa discrètement Owen Tudor. Le roi Henri VII descendait de ce mariage.

Jean VILLIERS DE L'ISLE-ADAM (1384-1437)
D'une très ancienne famille du Bassin parisien, ce militaire glorieux fut d'abord bourguignon. Il entra dans Paris en 1418 pour Jean sans Peur. Brouillé avec Henri V en 1421, il se réconcilia avec Bedford qui en fit un gouverneur de Paris en 1430. Mais en 1435, il se rallia au roi Charles pour lequel il reprit Paris en 1436. Il mourut à Bruges lors d'une émeute.

Richard Beauchamp comte de WARWICK (1382-1439)
Filleul de Richard II, il fut considéré comme le plus preux chevalier de son temps. Il fut chargé en Angleterre de nombreuses responsabilités et passa en France en 1415. Il négocia le traité de Troyes et fut chargé de l'éducation d'Henri VI. Lieutenant du roi d'Angleterre en Normandie en 1437, il mourut à Rouen en 1439.

Robert lord WILLOUGHBY

Fils cadet du 4e baron de Eresby, il servit en France en 1412-1413 puis fut gouverneur de Paris en 1435-1436.

Henri Beaufort cardinal de WINCHESTER (1373-1447)

Fils légitimé de Jean de Gand et Catherine Swynford, il choisit la carrière ecclésiastique. Il devint évêque de Winchester puis cardinal en 1426. Parallèlement, il fut chancelier d'Angleterre dès 1415 et principal régent dans l'île après 1422. Administrateur et financier capable, il s'entendait à peu près avec Bedford et mal avec Gloucester. Il couronna Henri VI à Paris en 1431 puis participa aux négociations d'Arras.

Glossaire

absconde cachée
adonq alors
ains mais
aiz planche
apoy responsable
appert clair (il appert, il est clair)
ardoir brûler
armure arme, armement
ars, arse brûlé(e)
atant à ce point
aucunes fois parfois
aucuns plusieurs

bailler donner
bassiner faire du bruit
bataille corps d'armée
batant immédiatement
batel bateau
boissel boisseau
bourrel bourreau
bouter chasser
bouter (se) (se) mettre dans
bouter feux incendier
brayes culottes, ceinture

celément en cachette
celer cacher
chaloir importer
charroi charrette
charté cherté
chartre prison
chenaille canaille
chevance avoir, richesses
chevestre corde
choir tomber dans
compagner accompagner
contens querelle, démêlés
courcé courroucé
cuider croire
cure soin, souci

darrain, derrain dernier
décoller décapiter
déconfire battre
dépecer mettre en pièces
dépense eau mélangée de vin ou de jus de fruit
déporter (se) se calmer
dérober voler
dervé fou
dessirer déchirer
destour lieu isolé
desvé dévoyé

dolent désolé
doute peur
douter redouter

efforcer violer
émouvoir (s') se mettre en marche
emprès auprès
encontrer rencontrer
ennortement exhortation
envitailler ravitailler
eschever mettre fin, éviter
espartir faire des éclairs
espie espion
estraindre étreindre, étouffer
étouper fermer

faillir cesser
férir frapper
fèvre marchand et fabricant d'objets en fer
finer trouver
flatir renverser, faire reculer
fors sauf
forsbourg faubourg
foul, fol fou
fouler piétiner
freour frayeur
fuir s'enfuir
fût bois

géhenner torturer
géline poule
gésir se coucher
gipon tunique d'homme
greigneur majeur
grever accabler
grief dommage

happer saisir, piller
hardement hardiesse
hart potence
hie maillet, masse

illec là, de là
ire colère
issir sortir
item de même

jacque vêtement rembourré

larmer pleurer
laton laiton
lay laïc

mains moins
maintes plusieurs
mal (le) mauvais(e)
martyrer martyriser
méchef infortune
mêmement surtout
ménager habitant
mie pas, jamais
montre revue
morsel morceau
moulnier meunier
moult beaucoup
mucer, musser cacher
murdrier meurtrier

navrer blesser
noise bagarre

obvier aller contre
occire tuer
ombre (sous l') sous prétexte
oncques jamais
ost armée
ostoier guerroyer
ouïr écouter, entendre
ouvrer œuvrer, travailler

paour peur
pénultime avant-dernier
pesme *pessima* (en latin) extrême
pié pied ou gens de pied
pis pire
pitance nourriture
plain pais plat pays
posté pouvoir
pourcel pourceau
pourchas demande, dénonciation
preu profit, avantage

quanque tout ce qui (que), tous ceux qui (que)
quar car
quassement fait de casser
quérir chercher

remenant (le) le restant
repouser repos
retraire retirer
revancher (se) se rebiffer, se défendre
rober dérober

saillir sortir, sauter
saintuaire châsse
sans sans compter
semondre convoquer
si en conséquence, ainsi
soudoyers soldats
souler avoir l'habitude de
sourpelis surplis
soursault sursaut
soyer couper

tançon querelle
Thiphaine Épiphanie
trétous tous
trétout entièrement, toute chose
tristour tristesse
tronchet billot
trousser charger
toutesvoies toutefois

vilener déshonorer
vitaille ravitaillement

Bibliographie

Éditions par ordre chronologique

TUETEY, A., *Le Journal du Bourgeois de Paris,* Paris, 1881.

THIELLAY, J., *Journal du Bourgeois de Paris à la fin de la guerre de Cent ans,* 10/18, Paris, 1963 (extraits).

SHIRLEY, J., *A Parisian Journal (1405-1449),* Clarendon Press, Oxford, 1968, (texte complet traduit en anglais).

La Langue du livre

GODEFROY, F., *Dictionnaire de l'ancienne langue française,* Paris, 1880-1902.

MARCELLO-NIZIA, Ch., *Histoire de la langue française aux XIVe et XVe siècles,* Paris, 1981.

Pour approfondir

ALLEMAND, Ch., *Lancastrian Normandy (1415-1450) ; the History of a medieval occupation,* Oxford, Clarendon Press, 1983.

AUTRAND, F., *Charles VI,* Fayard, Paris, 1986.

CARLETON WILLIAMS, E., *My Lord of Bedford,* Londres, 1966.

CONTAMINE, Ph., *La Guerre au Moyen Age,* Nouvelle Clio, Paris, 1974.

FAVIER, J., *Paris au XVe siècle. - Nouvelle histoire de Paris,* Paris, 1974.

FOURQUIN, G., *Les Campagnes parisiennes à la fin du Moyen Age,* Paris, 1964.

GANE, R., *Le Chapitre Notre-Dame au XIVe siècle,* thèse à paraître.
GEREMEK, B., *Les Marginaux parisiens aux XIVe et XVe siècles,* Paris, 1976.
GUENEE, B., *Histoire et historiens à la fin du Moyen Age,* Aubier, Paris, 1980.
KEEN, M., *England in the later Middle Age,* Londres, 1973.
LEBRUN, F., *Histoire de la France religieuse,* sous la direction de J. Le Goff, t. 2 : *Du christianisme flamboyant à l'aube des lumières (XIVe-XVIIIe siècles),* Paris, 1989.
LE GOFF, J., *Histoire de la France urbaine,* sous la direction de G. Duby, t. 2 : *La Ville médiévale,* Paris, 1980.
LEWIS, P.S., *La France à la fin du Moyen Age,* Hachette, 1977.
VAUGHAN, R., *John the Fearless; the Growth of Burgundian Power,* Londres, 1966.
VAUGHAN, R., *Philipp the Good; the Apogee of Burgundy,* Londres, 1970.

Autres journaux parisiens contemporains

BAYE, Nicolas de, *Journal (1400-1417),* éd. A. Tuetey, Société de l'Histoire de France, Paris, 1885-1888.
FAUQUEMBERGUE, Clément de, *Journal (1417-1436),* éd. A. Tuetey, Société de l'Histoire de France, Paris, 1903-1915.
MAUPOINT, Jean, prieur de La Couture, *Journal parisien (1437-1469),* éd. Fagniez (Mémoires de la société d'Histoire de Paris), Paris, 1878.

Recueil de documents

LONGNON, A, *Paris sous la domination anglaise,* Paris, 1888.

Chroniques armagnacques

CHARTIER, Jean, *Histoire de Charles VII,* éd. de Viriville, Paris, 1858.
GRUEL, Guillaume, *Chronique d'Arthur de Richemont,* éd. Le Vavasseur, Société de l'Histoire de France, Paris, 1890.
JOUVENEL des URSINS, Jean, *Histoire de Charles VI,* éd. Godefroy, Paris, 1653.

Chroniques bourguignonnes

CAGNY, Perceval de, *Chroniques,* éd. H. Moranvillé, Société de l'Histoire de France, Paris, 1902.

MONSTRELET, Enguerrand de, *Chronique,* éd. L. Douët d'Arcq, Société de l'Histoire de France, Paris, 1857-1862.

Articles récents où le Journal est utilisé

BRYANT, L., *La Cérémonie de l'entrée à Paris au Moyen Age,* Annales E.S.C., t. 41, 1986, pp. 513-542.

JOUKOVSKY MICHA, F., *La Notion de vaine glcire de Simon de Fresne à Martin Lefranc,* Romania, t. 89, 1968, p. 229.

LECOY, F., *Pain bourgeois, pain faitiz, pain de retrait,* Études romanes de Lund, t. 18, 1969, pp. 100-107.

MEUVRET, J., *Le prix des grains à Paris et les origines de la mercuriale,* Paris et Île-de-France, t. 11, 1960, pp. 283-311.

PICHERIT, J.L., *Christine de Pisan et le Livre des faits du bon Messire Jean Le Meingre,* Romania, t. 103, 1982, pp. 299-301.

Index des noms propres

Index des villes

Index général

Table

Le Livre de Poche

Extraits du catalogue

Lettres gothiques

Collection dirigée par Michel Zink

"Lettres gothiques" se propose d'ouvrir au public le plus large un accès direct, aisé et sûr à la littérature du Moyen Âge. Un accès direct en mettant chaque fois sous les yeux du lecteur le texte original. Un accès aisé grâce à une traduction inédite en français moderne, proposée en regard, et à l'introduction et aux notes qui l'accompagnent. Un accès sûr grâce aux soins dont font l'objet traductions et commentaires. La collection « Lettres gothiques » offre ainsi un panorama représentatif de cette littérature et une ouverture sur la civilisation médiévale.

La Chanson de la Croisade albigeoise, par Guillaume de Tudèle et un poète toulousain anonyme (Mise en œuvre d'Henri Gougaud, préface de Georges Duby).

Cette chronique de la croisade contre les Albigeois sous la forme d'une chanson de geste en langue d'oc a été composée à chaud dans le premier quart du XIIIe siècle. Commencée par un poète favorable aux croisés, elle a été poursuivie par un autre qui leur est hostile. Contrairement aux principes de la collection, la traduction qu'on lira en regard du texte original n'est pas due à un médiéviste de profession. C'est l'œuvre d'un poète, une œuvre en elle-même, qui restitue le rythme, la passion, la couleur de la Chanson.

Tristan et Iseut – Les poèmes français, la saga norroise (Textes originaux et intégraux présentés, traduits et commentés par Daniel Lacroix et Philippe Walter)

Peu de légendes ont marqué l'imaginaire amoureux de notre civilisation aussi fortement que celle de Tristan et Iseut. Ce volume réunit les romans et les récits en vers français qui en constituent, au XIIe siècle, les monuments les plus anciens : les romans de Béroul et de Thomas, la *Folie Tristan,* le lai du

Chèvrefeuille et celui du *Donnei des Amants* (ou « Tristan rossignol »). On y a joint, traduite pour la première fois en français, la saga norroise du XIIIe siècle, version intégrale d'une histoire dont les poèmes français ne livrent que des fragments.

Lais de Marie de France (Mise en œuvre de Harf-Lancner).

Composés vers 1170 par une poétesse anglo-normande connue sous le nom de Marie de France, ces célèbres contes en vers, fondés sur des légendes celtiques, mêlent la délicatesse de l'amour courtois et la séduction du merveilleux. Leur intérêt pour la connaissance des croyances et des récits folkloriques est considérable, et nul n'échappera à l'envoûtement de leur charme transparent et mystérieux.

Nouvelle Approche

Un nouvel art de lire ou de relire. Une approche nouvelle des textes.

Fabliaux et contes du Moyen Âge

Préface de Jean Joubert. Nouvelle traduction, commentaires et notes de Jean-Claude Aubailly.

Des contes qui sont des fables, mais des fabliaux qui n'en sont pas, bien au contraire : « Je veux vous raconter une histoire véridique et je ne mentirai pas d'un mot... »

Où l'on découvre avec stupeur un XIIIe siècle grouillant de vie, rusé et pittoresque, à la fois drôle, violent et cruel, avec des riches, des pauvres, des cupides, des envieux...

Et foin de l'amour courtois : l'adultère entre ici en littérature...

Romanciers du Moyen Âge

Préface d'Emmanuèle Baumgartner. Commentaires et notes de Marie-Thérèse de Medeiros.

Tristan et Iseut, Merlin l'enchanteur, la fée Mélusine, Lancelot du Lac, Arthur et ses chevaliers... Des inconnus célèbres, tous nés au Moyen Âge.

Tous méritent qu'on aille y voir de plus près, qu'on s'intéresse à leurs amours, à leurs malheurs et à leurs prouesses...

Poètes du Moyen Âge

Préface de Jacques Roubaud.
Notices, commentaires et notes de Jacqueline Cerquiglini.

Complaintes, ballades, fables, rondeaux, chansons de geste et de toile, devinettes et rébus ; à partir du XIe siècle, la littérature passe enfin de l'oral à l'écrit.

Grâce à quoi nous apprenons aujourd'hui que le seigneur de Castel-Roussillon, jaloux du troubadour Guilhem de Cabestanh, non content de le tuer, aurait offert le cœur de sa victime à sa femme, sur une assiette, pour son dîner.

Vindicatif peut-être, mais néanmoins courtois...

Le Roman de Renart

Préface de Jean Dufournet.
Nouvelle traduction, notices, commentaires et notes d'Élisabeth Charbonnier.

Ce « roman » est en réalité une suite de récits des XIIe et XIIIe siècles, d'origine inconnue.

Où nous suivrons Renart, le rusé goupil, dans la campagne, dans des fermes, dans des couvents... dans les coulisses du Moyen Âge, bien loin des preux chevaliers et de leurs armures...

Composition réalisée par COMPOFAC - PARIS

IMPRIMÉ EN FRANCE PAR BRODARD ET TAUPIN
Usine de La Flèche (Sarthe).
LIBRAIRIE GÉNÉRALE FRANÇAISE - 6, rue Pierre-Sarrazin - 75006 Paris.

ISBN : 2 - 253 - 05137 - 3 30/4522/6